AGES OF AMERICAN CAPITALISM

A HISTORY OF THE UNITED STATES

美式資本主義時代

商業帝國的誕生與經濟循環的死結

下

JONATHAN LEVY

喬納森・利維——著　鄭仲棠——審訂　張馨方——譯

目次

第三部　控制時代（一九三二至一九八〇年）

第四部　混沌時代（一九八〇年至今）

第三部

控制時代

一九三二至一九八〇年

前言　控制

羅斯福於一九三三年三月四日就任總統時，所有本就岌岌可危的已知經濟指標仍往惡劣的方向奔去。讓客觀的經濟問題雪上加霜的是，一種恐懼與蕭條的敘事正逐漸成形並迅速應驗。這位新任總統宣告：「我們唯一需要害怕的……是恐懼本身，無以名狀、不合常理與毫無來由的恐懼，會癱瘓我們從退縮轉為前進所需付出的努力。」

一種預期通貨緊縮到來的大眾心理四處流竄。資本主義將無法擺脫蕭條的景氣，而是被困在短期的當下。恐懼感如此強烈，以致資本所有者傾向尋求心理上的安全感，而不是金錢利潤，也就是停止投資，等待風波過去。許多其他手上有錢的人們也加入這個行列。除了資本家之外，一般的美國民眾也急忙去銀行領出存款，不是挖個地洞把錢藏起來，就是塞在床墊下。受人性的恐懼影響，許多經濟活動全面停擺。

要拯救這一切，必須仰賴體制外的某種事物。能勝此任的就只有聯邦政府了。此時此刻的美國依然握有可觀的經濟資源，畢竟推動能源密集型大量生產的福特主義革命才剛起步。過去，幾乎沒有一個工業經濟體這樣蓄勢待發，即將要大幅邁開創造財富的腳步。然而，它卻在飛躍的過程中失速了。羅斯福總統說得對：除了恐懼本身之外，沒什麼好怕的。

第十三章〈新政資本主義〉講述羅斯福的新政開始扭轉這波浪潮。羅斯福帶領美國脫離金本位時，物價開始攀升。人們的預期有了變化，經濟消費也隨之復甦。接著，新政嘗試了各種令人眼花撩亂的政策實驗。這一切背後的動力是**安全感**。首要目標是控制，使資本主義停止發酵，並幫助背負養家責任的人們找到工作。新政的管制力量改變了銀行與金融業，以及工業與農業的實施方式。如今，收入政治有了成果。多項計畫抬高了商品價格，為農戶帶來了收入。一九三五年通過的《社會安全法》為民眾提供了新的收入保障，同年拍板定案的《華格納法案》（Wagner Act）則為工會的薪資集體談判建立制度規範。

推行新政的美國也成立了資本發展部門。新立的聯邦機構向農業與房地產業發放信貸，並投資新興能源密集型汽車工業經濟所需的基礎設施，包含水壩、道路與電力。發展政策提供了誘因，但投資大都仍掌握在私人手中。民主黨的「自由主義」誕生了，擁有強大的管制機構與影響力相對弱的發展部門。

儘管一九三三年之後復甦力道強勁，但私人投資仍不足以終結大規模男性產業勞工失業的災難。一九三七到一九三八年，羅斯福政府試圖平衡聯邦預算、減少政府開支之後，新政在政治與經濟方面停滯不前，另一場經濟衰退隨之而來。同時，除了經濟心理考量所致的投機性與預防心理之外，還出現了一種新的流動性偏好。資本家為流動性偏好抹上了政治色彩。他們譴責自由主義的管制與徵稅，再一次撤回投資，要求政府制定對他們有利的經濟政策。政治上，新政受阻，失業率從未降至百分之十以下，反而攀升到了百分之二十。

最終，幫助美國脫離經濟大蕭條的，不是新政，而是第二次世界大戰，這也是第十四章〈新世界霸權〉的主題。全面開戰的「總能量」發揮了作用，即使戰爭經濟只擅長生產炸彈、坦克與飛機。各地的能源密集型戰爭經濟可說帶領地質史進入了人為氣候變遷的時代，即人類世（Anthropocene）。* 但是，二戰為私人承包商經營的戰爭工廠注入大規模公共投資，消除了美國的失業現象。公債與累進稅制驅動了戰爭經濟的發展，而不是私人的投機性投資。隨著充滿活力的自由主義、大政府† 與私人倡議交互作用，美國的戰爭經濟蓬勃發展。戰爭結束時，世界大部分地區的經濟飽受摧殘，美國卻登上了前所未見的世界經濟霸權地位。

然而，控制時代的政治經濟直到戰後才確定了最終的解決方案。第十五章〈戰後的轉折時期〉探討美國在努力重建戰後資本主義世界經濟的背景下，對自身命運的掙扎。一九四四年各國於布列敦森林（Bretton Woods）舉行的會議上簽署的協議，將與黃金掛鉤的美元確立為主要的世界貨幣。有鑑於跨境資本流動影響正是導致經濟大蕭條的原因之一，在新國際政治經濟恢復世界貿易的同時，這項協議授予各國控制跨境資本的權利，以確保國民經濟政策制定的自主性不受影響。在美國國民經濟中，哈利・杜魯門（Harry Truman）總統試圖重振新政當中一些最雄心勃勃的發展性努力，卻在與蘇聯共產主義爆發冷戰的背景下功虧一簣。到了一九四八年，日益高漲的反共產意識形態為冷戰時期的自由主義確立了強硬的左翼邊界。戰後政府解除控制經濟生活，資本所有者重新取得了投資的控制權。美國成為了資本主義世界經濟的霸主，戰後的美國工業社會也開始有了雛形。

一種可稱為新的政治「非流動性偏好」普遍流行。戰後，工業資本落地生根長達一個世代之久。面對工會的施壓，以及戰後對經濟蕭條與男性勞工失業現象可能再起的擔憂，許多戰後工業資本家認為有必要投資可雇用勞工的企業。他們的確這麼做了，因為政府重啟收入政治，以工會就薪資、累進與重分配的所得稅及各種形式管制所發起的談判為核心。但在新的出發點之上，聯邦政府負起責任，在經濟衰退時期執行抗循環支出。緊縮政策遭到了淘汰。財政方面，政府接受經濟衰退時期的預算赤字，以實現「總體經濟」的「經濟成長」。新的乘數於焉誕生，也就是凱因斯主義的「財政乘數」。

戰後的資本主義以高度成長與經濟「富足」為特點。第十六章〈消費主義〉深入探究在經濟生活消費如何超乎以往地重要。戰後房地產興旺昌盛，郊區可見單戶住宅、高速公路、購物中心與商場的建設。消費主義的郊區生活跨越空間的蔓延是這個世代的標誌，就像商業時代的農場種植園，或是資本時代從東北部一路延伸至中西部地區的製造業地帶。在一九五〇年代，對消費主義而言，同樣重要的是精神上的憧憬，因為戰後企業不斷推陳出新，並設法透過廣告讓美國人重複購買已經擁有的各種東西——汽車、電視機、洗衣機、衣服及娛樂品。消費主義對戰後時代而言並不新奇，然其文化意義與經濟影響日益深化，因為「消費者信心」與計畫性淘汰成了經濟預期中的嶄新動態

＊　譯註：又稱人新世，由發現臭氧層破洞的諾貝爾獎得主保羅・克魯岑（Paul Crutzen，他也是最早提出核冬理論的學者）提出，用於描述地球最晚近的地質年代，沒有明確的起始年分，約從十八世紀末人類活動對氣候及生態系統造成全球性影響開始。

†　譯註：奉行干預主義、強制介入經濟與社會的政府。

因素。

戰後，美國經濟走出經濟大蕭條的陰影並贏得戰爭，實現了消費的富足。這是資本主義的「黃金時代」，以歷史標準來看，經濟成長率、生產力、利潤與工資維持在高點，收入與財富的不平等則趨緩和。第十七章〈黃金時代的嚴峻考驗〉，探討了戰後工業社會的許多結構，包括文化、社會心理與審美。在政治經濟學中，由聯邦政府、工業企業與非營利組織組成的財政三角，負責工業收入的生產、分配與重分配。工業企業管理者投資固定非流動資本。收入政治規模擴大，例如在一九六五年的社會保障修正案中，設立了公共醫療保健計畫醫療保險與醫療補助（Medicare and Medicaid）。志願性的「非營利」機構為慈善事業歷史翻開了新的篇章，也讓公部門與私領域的區隔與分裂步入了新的階段。戰後，「自由企業」、公民社會的「非營利」機構與政府的財政狀態之間界線分明，而且關係緊張。

財政部門對總體經濟的「總量」表現負起責任，意即總合的、總投資、總消費、總產出與總就業。專業經濟學家成為舉足輕重的政策顧問，在一九四六年成立的總統經濟顧問委員會擔任要職，這是史上頭一遭。國家的經濟成長是最重要的「總量」，在這個時期穩健強勁，但總量並未解決日常經濟體制與關係的結構。總量涵蓋了許多細節，但關於投資與撤資的具體地理分布，或是投資與撤資決定所形塑的個人、群體與地方的經濟生活，總量隻字未提。一九六四年《減稅法案》最早由約翰·甘迺迪總統提出，試圖透過減稅來促進經濟繼續擴張。許多自由主義人士希望這能刺激私人投資，以滿足人們與日俱增的經濟預期，這些人包括居住在市中心貧民區的黑人、農村的貧窮白人與職業婦女，至今他們仍被排除在專為養家糊口的白人男性提供高薪的經濟之外。此時，隨著二戰結束，自由主義唯一的發展工具就是所得稅制。採納所得稅制讓林登・詹森（Lyndon B. Johnson）總統的「向貧窮宣戰」（War on Poverty）政策擁有足夠的資金。一九六四年的減稅政策連同越戰，留下了一個全國性的總體經濟體，其無疑興旺發達，但有些領域卻受到過度刺激，有些則資源不足。面對戰後社會的不滿與不平等，社會爆發了大規模的政治抗議，自由主義也開始出現裂痕。

隨著自由主義在一九六〇年代末與一九七〇年代遭遇政治難題，其經濟基礎也開始崩塌。工業社會變得頹弱無力。第十八章〈工業資本的危機〉描述了工業社會與自由主義如何遭受種種破壞性的衝擊。一九六五年之後，利潤首當其衝地開始衰退。過了一九七二年，男性的平均勞動報酬依然在低谷徘徊。物價漲幅過大，使工業與農業的關係變得緊張。一九七三年，尼克森政府宣布結束布列敦森林協議的美元與黃金掛鉤，不久後更取消了對跨境資本流動的控制。同年，石油輸出國家組織（OPEC）宣布對石油實施禁運措施。生產力增長率出現下降，尤其是能源密集型的生產線。隨之而來的一九七三到一九七五年經濟衰退，是經濟大蕭條以來最嚴重的一次。刺激性減稅、抗循環預算赤字等標準的矯正措施幫助美國的總體經濟走出了衰退陰霾，國民經濟也恢復發展。然而，如今有一些不良的因素影響了總量。到了現在，高通膨與失業率已成為普遍現象，即所謂的「停滯性通膨」（stagflation）。

在此同時，經濟生活起了變化、動盪不定，逐漸喪失工業結構。歷史悠久的東北部與中西部製造業地帶開始凋零。在德州休士頓這樣位處陽光地帶的城市，經濟生活與其說圍繞長期工業生產所耗費的資本，或是男性養家糊口的工資打轉，不如說以房地產增值與傳統上被視為女性專事的勞動密集型服務業經濟為重心。若將目光轉回華盛頓，可以發現自由主義失去了膽識。通貨緊縮的時代展開，因為高通膨擾亂了長遠的預期，導致人們在經濟上短視近利，同時也削弱了政治控制。國際統籌的凱因斯主義刺激措施失敗後，因應美元遭受的投機性跨境攻擊，吉米．卡特總統宣布實行一項財政緊縮與總體經濟的「解控」政策（decontrol）。

控制時代以通貨緊縮危機為起點，全世界的民族國家紛紛樹立藩籬以抵禦眾多國際經濟勢力，尤其是對抗變化多端的跨境資本流動。結束控制時代的關鍵，則是通貨膨脹率達到雙位數的重大危機，當時美國的政策制定者宣布，在一個「全球相互依賴」的新時代下，有必要「解控」，因為不同的國民經濟體之間的高牆正一一崩塌。控制若要能有效發揮作用，絕不能採取強硬手段，而是應該誘導資本在國家境內長期停駐與落地生根。若以結論來說，這項計畫發展失敗了。隨著資本變得比以往更加飄移不定與為時短暫，控制時代畫下了句點。

第十三章　新政資本主義

經濟大蕭條使經濟的命運直接落到了各國政府的肩上。資本主義引發的信任危機深刻而嚴峻，但自由民主面臨的懷疑處境更加急迫。[1]墨索里尼在一九三四年預言，「自由的國家注定要滅亡」，希特勒與史達林也聲稱，團結支持民主的大眾與他們的非自由政府站在同一陣線。[2]獨裁專政的勢力控制了拉丁美洲各地，日本的軍國主義分子也是如此。記者華特·利普曼向羅斯福提出建言：「富蘭克林先生，情勢嚴峻，你別無選擇，只能行使獨裁權力了。」[3]

之後，羅斯福動用緊急權力，而新政中的一些舉措與國外完全專制政體如出一轍，例如，美國標誌性的政府建築即與不久前的經濟波動形成了鮮明對比。[4]同樣地，新政也汲引了美國本土的非自由主義傳統。支配南方地區的白人至上主義並不崇尚自由，而羅斯福也願意與南方的種族主義者合作，因為他在國會中需要民主黨員的支持。然而，許多自由的民主制度如定期選舉、獨立運作的司法機構、或多或少的集會與言論自由依然存在於美國。[5]羅斯福相信民主制度，因為他在麻州格羅頓學校（Groton School）與哈佛大學求學時，深受學校灌輸的美國真理所浸染。這位總統也鍾愛民主政治的藝術，因此新政始終展現了選舉相關的政治邏輯。[6]如同一位歷史學家所說，羅斯福樂於將「大城市的企業老闆、南方的白人殖民者、農民與工人、猶太裔與愛爾蘭裔的天主教徒、少數民族與非裔美國人」拼湊成新政自由主義背後的死忠選民。[7]羅斯福採用了**自由主義**一詞，刻意區別了十九世紀古典或「自由放任」的自由主義。這下子，共和黨員成了「保守派」。在全球各地的政治以前所未見的方式控制經濟生活之時，羅斯福正確地帶領群眾邁向民主政治。他沒有獨攬專政，但這仍是控制時代。

政策方面，羅斯福向來即興發揮。羅斯福早期的主要經濟顧問雷蒙・莫利（Raymond Moley），是巴納德學院（Barnard College）教授，他為新政的連貫性背書時表示，這就好比「相信一個男孩的臥室裡堆滿的假蛇絨毛玩具、棒球照、各式校旗、破舊的網球鞋、木工用品、幾何學書籍與各種化學實驗器具，都是室內設計師擺放的」。[8]一些參與新政的歷史學家也同意這樣的看法。[9]羅斯福在一九三二年公開宣稱：「選一種方法試試，如果失敗了，就坦率承認，然後嘗試另一種方法。」[10]

本著這種精神，羅斯福在最重要且立即的經濟政策上做出了正確決定：讓美國脫離金本位制。在一九三三年四月十九日的記者會上，他宣布了一項「絕對受控的通貨膨脹」的政策。他私下打趣說：「我那些銀行家朋友應該都嚇壞了。」而事實上他們有不少人果真如此。[11]無論如何，他確實打破了大眾對未來通貨緊縮的預期心理。經濟史家稱脫離金本位制的決策為「體制變革」。物價隨貨幣貶值而逐漸上漲，消費者開始消費。物價的上升預示了利潤增加。投資及其加乘效應東山再起，更廣泛的經濟復甦隨之而來。[12]

新政開出的第一槍是恢復物價並獲得成功。四十年後，新政自由主義的通貨膨脹傾向將自掘墳墓，但在一九三三年，這是當代需要的藥方。

在那之後，羅斯福的假蛇絨毛玩具或許不和諧地擺在了校旗的旁邊，但至少還有不同的政策選項存在。這使得一九三三年與之後的二〇〇八年有所不同，畢竟在七十五年後，政府推動的新舉措寥寥無幾。相較之下，羅斯福在一九三三年就位時，整個世代的民粹主義與進步主義政策提案早已就緒，就等新任總統點頭推行。[13]畢竟，脫離金本位制，正是獲民粹派與民主黨支持的布萊恩在一八九六年所強烈要求的。羅斯福在頭兩屆任期中採納了民粹派對農業信貸與價格支持的舊主張，以及進步主義呼籲的收入政治與金融監管。在此過程中，一些嶄新與持久的模式逐漸形成。

意識形態上，新政致力於確立「安全保障」。[14]當時，積貯金錢與捨棄各種消費已成為緩解焦慮與恐懼的方法。一九三〇年代，利率始終維持低點，困在流動性陷阱中動彈不得。[15]利率趨近於零，再進一步降息也無法誘使人們立即消費。沒有多少人願意放棄原本停泊在價值囤積的流動性資產，這意味著購買力與商品需求枯竭。然而，如果政府找到能帶給人們安全感的新方法，包括投資與消費支出的經濟活動便可望恢復。同時，一九二〇年代信貸循環中的投機行為，從一開始就造成了許多麻煩。新政政策與短期的金融投機背道而馳，盈利活動從金融轉向了生產，使收入普遍與資本脫鉤，並以勞動薪資為主。[16]新政策偏向金融波動相對小的政治經濟，因此確保了更大程度的經濟安全與平等。

若想實現這個目標，方法是將經濟生活錨定於非流動性工業資本，如此可促成創造男性就業機會的巨大政治優勢。政治上，一般對新政資本主義的廣泛預期是，工廠能為負責養家糊口的男性提供工作機會，而這個前提一樣是女性負責操持家務。在這方面，雖然最終目的是實現經濟保障，但新政仍秉持保守(或至少以恢復經濟為主)的立場。

在此背景下,新政的政策倡議可分為兩類,管制性與發展性。最終,新政的管制部門經證明遠比發展部門來得穩健。

管制性政策可分為兩個類別,分別是對商業行為的管制,以及對收入政治管制。首先,證券交易委員會(Securities Exchange Commission,SEC)等新立機構頒布了許多管制銀行實務的新規定。到了一九三〇年代末,工業界的反壟斷浪潮再起。第二,隨著企業的復甦,新設的個人與公司所得稅成為管制收入的新方法,新制定的法規也加強管制公共事業的「合理報酬率」。同時,新的立法成為了自由主義堅信的男性薪酬政治的支柱。短期內,新政為許多失業者提供了救濟措施;長期而言,男性的薪酬成了二十世紀自由主義用以推動分配正義的基準,男性薪酬一方面是分配正義的目標,另一方面也彰顯了關於分配正義的龐大想像力充滿了囿限。下一步,一九三五年的《華格納法案》規範了工會就薪資與工作條件發起的集體談判。一旦資本投入工業,工會就可爭取資本產生的收入。同時,一九三五年的《社會保障法》也成為美國往新福利國家邁進的基石,透過養老金與失業保險創造了新的收入保障。農業方面,一系列新的政府計畫支撐了物價以確保農業收入。新政的規章持續影響了往後數十年的經濟生活,直至今日。

對比管制部門,新政的發展部門直接關注長期計畫與資本投資的事前政治(ex ante politics),而不是收入的事後政治(ex post politics)。[17] 儘管一九三三年後出現了戲劇性的通貨再膨脹與經濟復甦,但一九三〇年代的迫切問題並不在於企業管制與收入分配,而是長期的經濟發展依然受到破壞，因為有大量的資本仍處於觀望狀態。由於投資匱乏，可提供就業機會以創造勞動收入的企業少之又少。

發展性政策也分為兩個類別，分別是受國家資助、將資本與信貸交由私人組織的公營企業，以及在任何私人管道以外直接進行公共投資的聯邦計畫。新政的一些政策藉由公營企業這項組織性媒介，試圖重新推動長期經濟發展。在金融業中，公營的復興金融公司（RFC）投資許多金融機構，至少是為了保證它們的償付能力，並且資助政府的許多信貸計畫，尤其是農業。聯邦政府的計畫提供信貸補貼崩散的房地產建築業。國家補貼的信貸即使分配不平等，也成了美國公民的長久權利。[18]同時，新政也發起了公共投資計畫。田納西河谷管理局（TVA）是一個規模龐大的國家發展機構。在公共事業振興署（WPA）與公共工程管理局（PWA）的推動下，聯邦政府計畫對汽車工業經濟的基礎設施包括公路、電力及水壩等進行長期公共投資，尤其是密西西比河以西的地區。[19]這些計畫旨在誘導更多的私人投資，往福特主義資本與能源密集型發展目標前進。經濟復甦的力道愈大，化石燃料能源系統的根基就愈穩固。

新政資本主義集結了多種類型的資本主義，因為決定何時何地投資的自由裁量權，仍掌握在資本所有者手裡。在一九三〇年代，不論是私人（受激勵與否）或公共投資，綜合規模根本不足以刺激足夠的經濟活動以終止經濟大蕭條。市場依舊普遍缺乏主動性與消費。

一九三七年，經濟復甦邁入第四個年頭，羅斯福政府基於財政紀律試圖平衡預算，聯準會則採取措施防止可能到來的通貨膨脹。結果，經濟的復甦停滯不前。一九三七到一九三八年，出現了

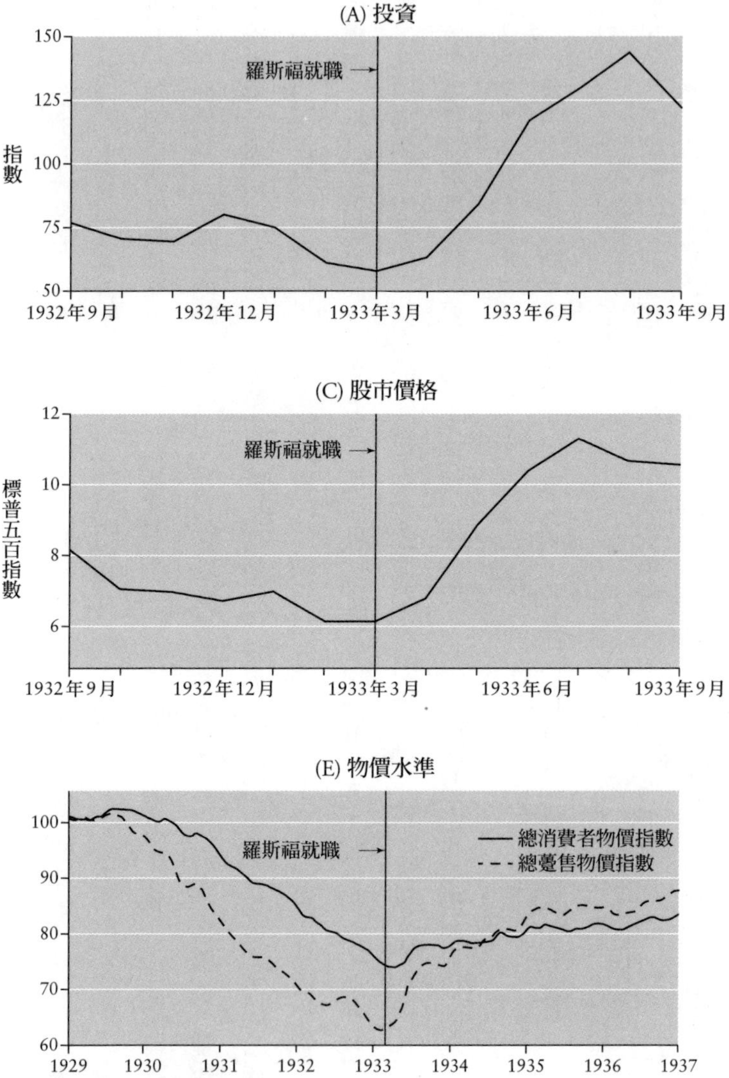

圖 59 經濟大蕭條後的景氣復甦

羅斯福當選後，許多前瞻性經濟指標改變了方向，隨著大眾改變了對未來的預期，經濟開始出現廣泛的復甦。這種現象甚至早在羅斯福做出脫離金本位制的決定性選擇之前，就已經開始。

(B) 商品價格

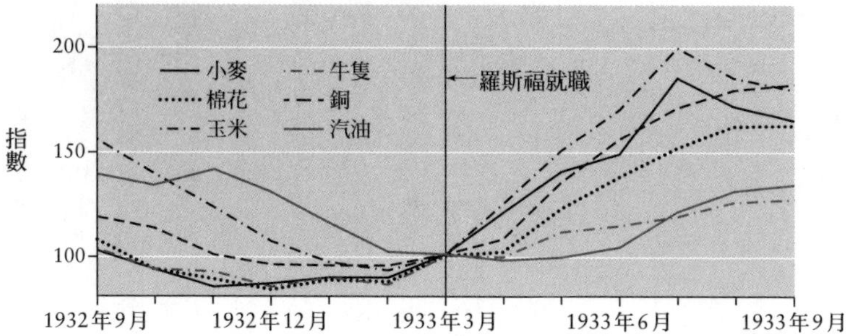

(D) 現金準備

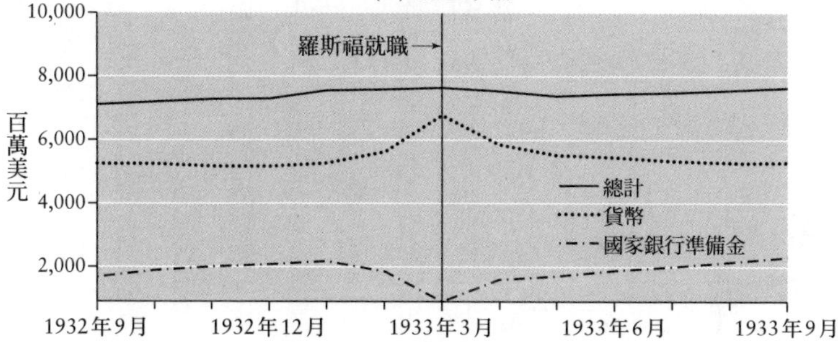

(F) 工業生產

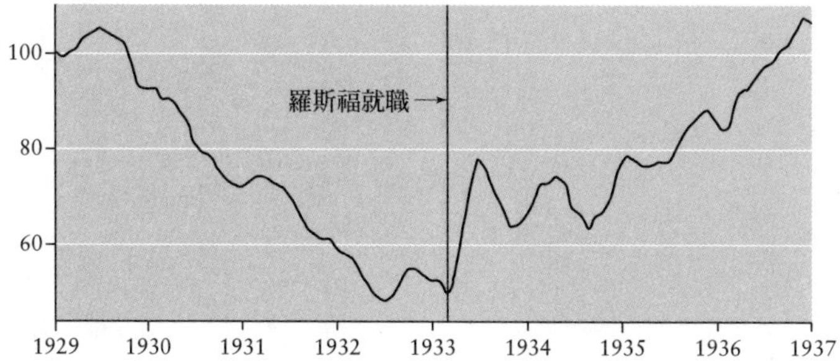

「經濟大蕭條的衰退」。此刻，羅斯福政府首度改變了方向，轉而關注國家利用赤字支出以資助公共投資，希望帶來「財政乘數」。資本所有者並不害怕金融恐慌，而是擔心政府干預資本投資、再次實施緊縮措施的真實可能性。一種新類型的流動性偏好出現了，那就是政治性的流動性偏好。[20]資本家譴責政府導致的「不確定性」，要求當局轉而制定有利於追逐利益的政策，決定撤回固定的工業投資，尋找資金避風港，因而加速了新一波消費衰退。

等到一九三九年希特勒入侵波蘭時，納粹德國的工業領域迎來大就業時期，這是因為法西斯分子動員了民眾力量，包括對戰爭工具的大規模公共投資活動，而失業人口的比例長年維持在百分之三點二。[21]在這十年的尾聲，新政陷入困境，雖然先前做出了許多成績，但促成的投資總量不足，經濟大蕭條每況愈下，而新政首先想要解決的大規模白人男性失業現象依然猖獗。

新政自由主義的政治經濟直到二戰過後才趨於穩定。然而，時間回到一九三三年三月，羅斯福首先必須幫助資本家安然脫險，洞悉充滿不確定性與「恐懼本身」的政治心理。[22]

化險為夷

一九三三年三月四日羅斯福就職時，新一波的恐慌已導致數百萬美元的存款被提領一空，超過五億美元的貨幣被囤貯在「地洞、廁所、大衣的暗袋、馬廄、煤堆和樹洞」等地方。[23]物價下跌影響了大眾的心理動態，當物價下跌的預期變成了現實，人們自然都不消費，繼續預料之後物價會下降，反覆循環。羅斯福上任後，別無選擇，只能跟美國民眾大玩信任騙局。莫利指出，「資本主義在八天內就被拯救了」。[24]

羅斯福很快便掌握了新大眾政治心理的精髓。墨索里尼、希特勒與史達林偏好大型公開集會，羅斯福選擇的政治工具則是廣播。一九三三年，六成的美國家庭都有一台收音機。[25]這位總統利用他出身上流階層但獨樹一格的語調向「全國同胞」發表演說。一九三四年，記者羅蕾娜．希考克在紐奧良向哈利．霍普金斯（Harry Hopkins）報導：「這裡的民眾似乎都覺得自己認識總統本人……他們感覺羅斯福是在對每個人說話。」[26]

在羅斯福就任的頭八天裡，許多事可說都取決於他說話的聲調。一九三三年三月十二日，這位總統發表了關於「金融危機」的第一次爐邊談話，向民眾解釋《緊急銀行法》回溯授權全國銀行休假六天。該法案的其他條款包括禁止私人出口黃金，並允許聯邦特許與財政部資助的復興金融公司投資銀行的優先股（preferred stock）*。羅斯福平靜地解釋銀行將在隔天開始營業：「你們要有信心……讓我們團結一心，共同消除恐懼。」[27]之後，將近兩億美元的貨幣果真重新流入銀行的金庫。[28]金融恐慌退潮，民眾囤積的貨幣逐漸回到了銀行體系中。

至於通貨緊縮，羅斯福於在四月十九日宣布「絕對控制的通貨膨脹」政策。政府放手讓美元兌黃金自由交易。美金開始貶值，整體物價水準逐漸上升。那年夏天，羅斯福在倫敦舉行的世界經濟

* 譯註：又稱特別股，是一種結合股票與債券性質的股票。

會議上發出了「重磅」訊息，他的政策輪廓變得愈來愈清晰。要維持金本位制，各國必須將維護本國貨幣兌黃金的固定匯率這項國際義務視為優先，比任何國內經濟事務都還重要。若想定期捍衛金本位制，需要提高利率以吸收海外黃金，而這種做法限制了國內信貸的供給導致通貨緊縮。羅斯福宣稱，從現在起，在白宮再也聽不到「所謂的國際銀行家一直以來奉若神物的金本位制了」。[29]

與此同時，復興金融公司開始向銀行注入公共資本。公營企業在一戰期間有重要的先例，成為一項極具影響力的發展機制。[30]羅斯福任命復興金融公司董事會成員傑西．瓊斯（Jesse H. Jones）為董事長。瓊斯來自休士頓，而他有充分理由認為，這座城市注定成為「南方的芝加哥」。瓊斯可說是繼羅斯福之後，在一九三〇年代美國第二個最有權勢的人。他是銀行家、民主黨特工，也是一位堅信華爾街壟斷了資本與信貸的老布萊恩派支持者。他曾表示：「全國大部分地區都位於哈德遜河以西，沒有一個在大西洋以東的地方。」他一貫的作風是，借錢給鐵路公司，但強迫其董事將總部遷離紐約，原因是「你們住的地方離鐵軌太遠了」。[31]後來，羅斯福經常感嘆瓊斯權力過大，稱他為「耶穌．瓊斯」。這位總統也不得不忍受瓊斯帶有種族歧視的「黑鬼故事」。然而，兩人都對「二十三號」（即華爾街二十三號，摩根公司的總部）懷有敵意。有一次，幾位銀行家在白宮與羅斯福起了衝突，要求瓊斯下台。羅斯福將手上的菸擱在菸架上，邊說道：「孩子們，我要回去找傑西幫忙了。」[32]

瓊斯主導的復興金融公司關閉了全美百分之五的銀行，並購買其優先股票來資助其他銀行。到了一九三五年，復興金融公司已擁有美國所有銀行資本的三分之一，[33]更成為了許多新政信貸機構的所在地。瓊斯認為，復興金融公司的公共投資應該要帶來商業利潤，也就是不該虧損。這並不是債務融資的「救濟」措施。復興金融公司的公共資本與信貸成功阻止金融恐慌的蔓延，為新政成立的各種局處提供了資本，並幫助物價回升。[34]

如果說西方資本家瓊斯是一種新產物，那麼新政擁護者湯米・科科蘭（Tommy Corcoran，人稱「科克湯米」〔Tommy the Cork〕）也是如此。羅斯福喜歡幫人取綽號與講笑話，雖然帶有排外與男性色彩，但有助於舒緩緊張情緒。（相較之下，胡佛總統在任內一直很緊繃，毫無幽默感可言。）「科克湯米」是來自新英格蘭的愛爾蘭天主教徒，也是維也納移民、哈佛大學法律教授菲力克斯・法蘭克福特（Felix Frankfurter）的愛徒。法蘭克福特初次涉足政治，是在公共事業管制的進步派政策，而且原則上敵視華爾街。他有許多學生都進入新政的行政機構工作。[35]在一九三二年成為復興金融公司的律師之前，科克湯米曾在紐約擔任公司法律師。他與班傑明・科恩（Benjamin Cohen）密切合作，對方也是法蘭克福特的學生，畢業後成為華爾街的企業律師。[36]科克湯米是遊說者，經常在國會爭取票數支持，而科恩則是主要的立法起草人。

一個運作良好的新聯盟出現了。出身哈佛大學與耶魯大學的反華爾街企業律師、非華爾街的銀行家（如瓊斯）及忿忿不平的西部農民與南部白人殖民主（長期以來一直是民主黨的選民）共組聯盟，推動對華爾街的限制性立法。這使得華爾街面臨更多的管制規定，業務大受影響。科恩是《一九三三年證券法》的幕後策畫者，該法案自通過後，便逐漸削弱紐約證券交易所的自我管制，禁止其發行欺詐性證券。然而，即使華爾街受到了新法規約束，這類的法律也出乎預期地促使美國資本市場進一步往華爾街集中。對十九世紀末小規模工業化至關重要的區域證券市場（尤其是中西部地區的證券市場），原本承載了財產政治的目標，但這些證券市場在經濟大蕭條期間已頹弱不振，如今更是不敵新法規加諸的高成本而遭到覆滅。

新政的管制部門因此開始採取行動。比《證券法》影響更大的是《一九三三年銀行法》，一般以其南方民主黨的提案人維吉尼亞州的卡特．格拉斯（Carter Glass）與阿拉巴馬州的亨利．斯蒂格爾（Henry B. Steagall）為名。《格拉斯－斯蒂格爾法案》（Glass-Steagall Act）將接受存款與發放貸款的商業銀行業務與承銷證券的投資銀行業務區隔。這迫使摩根集團轉移股份，衍生出一家獨立的投資銀行摩根士丹利（Morgan Stanley）。《格拉斯－斯蒂格爾法案》還設立了聯邦存款保險公司（Federal Deposit Insurance Corporation，FDIC），這是一家性質類似復興金融公司的公營企業，旨在支援「單一」銀行，或支持未設分支的小型鄉村銀行。聯邦存款保險公司的成立，是民粹主義者長久以來的主張。這家企業存在的目的，不是合併銀行以便在民眾擠兌時可汲取更充足而更多元的資源，而是要保障兩千五百美元以下的存款。聯邦存款保險公司奏效了，因為銀行擠兌的現象停止了。最終，《格拉斯－斯蒂格爾法案》的「Q條例」授予聯邦政府限制存款利率的權力。如果銀行可以藉由調高利率來爭取存款，必然也得尋求更高的投機收益率來支付利息。「Q條例」為商業銀行建立了一個類卡特爾（cartel-like）*的結構，雖然造成了限制，但也確保了利潤。[37]

經濟學家與歷史學家就《格拉斯－斯蒂格爾法案》的好處展開了辯論。未來幾年，它肯定會造成許多令人意想不到的結果。根據經濟效率的標準，資本必須得自由流動才是最佳用途，因此這項立法破壞了這種運作。[38]然而，破壞正是其重點。不受限的資本流動是經濟衰退的根源。政府的監管目標顯然是減緩資本的流動，建立障礙與防火牆，阻擋並控制資產自由兌換——換句話說，就是減少財政系統對交易流動性的依賴，並且使財政系統不像以往那樣容易受到槓桿與波動的影響。[39]《格拉斯-斯蒂格爾法案》是實現投資與商業金融隔離的高牆，也是實現這個目標的象徵。至於Q條例，一九二〇年代的高利率環境創造了投機動機並加速了信貸循環，理所當然成了金融改革的目標之一。

《格拉斯-斯蒂格爾法案》可謂新政「新就任百日」中，相對其他舉措來得重要的其中一項銀行與金融改革政策。

生產過剩與新就任百日

在羅斯福的「新就任百日」中，有個經濟理念貫穿了農業與工業政策：物價下跌的原因是「生產過剩」。因此，若是限制商品供給，會使它們變得更加稀缺，因而提高市場價格。在物價膨脹的基礎上，經濟活動將能復甦，就業也會蓬勃。的確，任何能打破通貨緊縮循環的措施都是好的，即使真正的問題是產能閒置與投資不足，而不是生產過剩。在「新就任百日」裡，國會立法本著嘗試

---

* 譯註：卡特爾，又稱企業聯合或同業聯盟。

的精神，對商業市場進行了大幅度的干預，以限制供給並進而重新刺激經濟。即使不是全部，至少仍有一些干預措施經證明達到了持久的成效。

一九三三年五月十二日，國會通過了《農業調整法》（Agricultural Adjustment Act），新成立了一個聯邦機構農業調整管理局（Agricultural Adjustment Administration，AAA），目標是促使物價回升，進而提高農業收入。農業調整管理局另一個目標則是減免債務，羅斯福提到，「不可能透過人為方式促成通貨緊縮」，但更大程度的通貨緊縮在政治上也是不可行的。[40]四月，負債累累的愛荷華州農民群情激憤，為了抗議農場遭到查封，差點對一名法官動用私刑。以米洛．里諾（Milo Reno）為首的農民假日協會（Farmers' Holiday Association）呼籲政府保證農場收入會高於「生產成本」。[41]此舉讓人聯想到工業界，因為在工業領域中，產品的價格是由幾乎壟斷產業的大型生產商制定，而不是接受產品在競爭激烈的市場中自然產生的價格。在高度競爭的農業，農民渴望成為定價者，獲取保證高於生產成本的收入，無論供需是否達成平衡。這樣的收入政治需要政府出手干預。

農業調整管理局推行的「國內分配」計畫致力於限制供給，方法是付錢給農民，要求他們停止生產作物。政治領域普遍不注重生產成本，而是公開宣明目標是商品價格的「對等」，也就是是讓價格回到一戰時期的物價基準，因為當時供給還不像一九二〇年代的投機性投資熱潮那樣，遠遠超越需求。在國內分配計畫下，商品的產量不得跨越會危害對等價格的門檻。為了資助這項計畫，國會通過了農產品加工稅，使東北部與中西部以工業發展為主的州屬面臨高額稅金。[42]農業調整管理局於一九三三年春天成立時，大多數的農民早已開始耕種作物。在南方地區，佃農耕種了面積約四億零四百萬公畝的棉花，這項政策讓地主（而不是佃農）坐收了一億美元的支票。時任農業部長的亨利·華勒斯（Henry Wallace）更惡名昭彰地下令宰殺數百萬頭乳豬與數十萬頭母豬。酪農礙於重稅，只能將大量牛奶傾倒在路邊。然而，物價確實上漲了。棉花從一九三二年的六點五美分攀升至一九三三年十美分以上。[43]一九三四年，聯邦政府向農場主支付費用，要求停止耕作與播種，限制了供給量。當時，美國的鄉村地區有數千個管理郡級生產的「控制委員會」負責監督生產。若要說這些方法有哪些粗劣之處，那就是預期限制農產供給會使價格回升，最終破壞通貨緊縮。農場收入的增加也促進消費者對製造業與服務業需求增加，對經濟的復甦起了推波助瀾之效。

在此同時，政府持續貶值貨幣的政策，也有助於拉抬農產品價格。一九三三年，美元未與黃金掛鉤，但黃金兌美元的匯率對貨幣的相對價值、以至於整體物價，依然十分重要。在一九三三年十月二十二日的爐邊談話中，羅斯福解釋，「自去年三月以來，政府的政策一直是恢復物價水準」。對此，「美國必須牢牢掌握美元黃金價值的控制權」。[44]羅斯福與新任財政部長亨利·摩根索（Henry Morgenthau）開始定期在白宮舉行早餐會，商討黃金兌美元匯率的制定。某天早上，羅斯福建議將匯率調高二十一美分。摩根索問他原因，而他表示：「這是一個幸運的數字，因為它是七的三倍。」[45]一九三四年的《黃金儲備法》（Gold Reserve Act）將美元與黃金以每盎司三十五美元的價格重新掛鉤。自羅斯福就任以來，美元兌黃金的貶幅為百分之六十。羅斯福宣布，這不是永久的，必要的話會做更多調整。他強調，「我保留根據美國的利益需要修正這項公告的權利」。[46]

農業調整管理局也制定了一些計畫，向農業領域注入信貸。農業信貸署（Farm Credit

Administration）合併了胡佛時期成立的聯邦農業委員會，撥款兩億美元供農場抵押貸款融資。一九三三年的《農業信貸法》（Farm Credit Act）建立並資助了一系列受政府資助的公營企業與農業信貸合作社。[47] 瓊斯的復興金融公司也無所不在，為農業調整管理局設立的信貸機構提供了數億美元的貸款。[48]

例如，農產品信貸公司（CCC）等機構延伸了進步時代受民粹主義所啟發的計畫，提供了「無追索權」的貸款，金額最高可達商品平價的六到七成，然後存貯這些商品。這麼一來，商品庫存由政府持有，而不是投機的經銷商（一九二九年經濟蕭條期間，他們向市場傾銷大量農作物，打亂了價格）。如果價格高於平價，農民便賣掉農作物，支付貸款，其中的差價可收入口袋；如果價格低於平價，農產品信貸公司就會全盤接手貸款，收下這些農作物。只有配合產量控制措施的農民才能獲得這些支援。一九三六年落成後，農業部位於華盛頓的龐大行政總部，擁有世界上最雄偉的辦公大樓。

長久以來，農場勢力一直是民主黨的票倉，許多新政擁護者也相當認同政府的農業政策。帶有民族主義（即便不具法西斯情緒）的「回歸土地」運動，在蕭條的工業化經濟體中十分常見。[49] 羅斯福在一九三四年批准傑佛遜紀念堂建設，絕非巧合。在工業政策方面，新政顯得相對猶豫不決，但起初也如同農業政策，希望能限制產出，進而使價格回升。與競爭激烈的農業領域相比，有些大型工業公司對價格的制定已不陌生。政府出手干預以支撐價格的必要性相對不大。然而，在經濟復甦的初期，任何能阻止價格通縮的措施都是有益的。

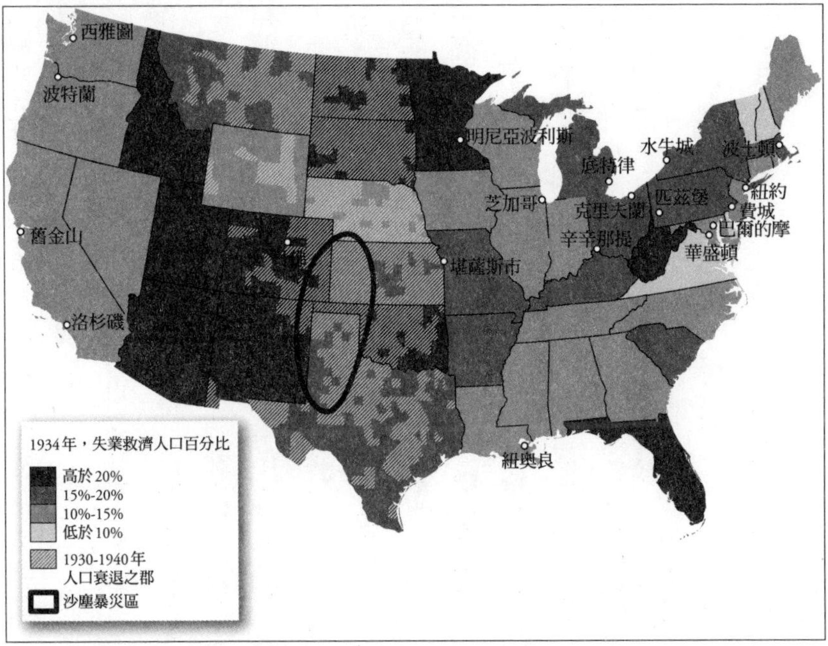

圖 60 大蕭條時期的失業救濟

這張失業救濟地圖說明了經濟苦難的地理分布，並顯示新政能夠提供救濟援助的地區。

工業領域，羅斯福政府在「新就任百日」中首先聚焦於失業的救濟。

一九三三年三月，國會成立了聯邦緊急救濟署（FERA），由羅斯福的前紐約救濟負責人哈利．霍普金斯為首。聯邦緊急救濟署開創了透過州政府輸送聯邦福利資金的先例，並由州政府負責大部分的管理工作，不再交由市政府處理。[50]值得注意的是，聯邦緊急救濟署不發放現金（羅斯福所謂的「救濟金」），而是向州政府提供資金，以利其支付男性勞工的薪資，從根本上促使男性賺錢養家糊口。聯邦緊急救濟署婦女部主任愛倫．伍德沃德（Ellen Woodward）向愛蓮娜．羅斯福（Eleanor Roosevelt）抱怨，霍普金斯的目的只是「讓男性去工作」而已。[51]美國兒童局的葛蕾絲．阿博特（Grace Abbott）在《兒童與國家》（*The Child and the State*，一九三八年）一書中指出，這也意味著，「有小孩要養的婦女們若是受雇工作……會受到譴責。」[52]

新就任百日制定的最後一項法案是一九三三年的《全國工業復興法》（National Industrial Recovery Act），並設立了全國復興總署（NRA）。[53]該法案旨在必要時藉由政府批准的壟斷活動來限制生產，進而提高物價、薪資與利潤。這表示政府將歡迎、甚至接受企業的壟斷傾向。對長期反壟斷的民主黨而言，這一步十分大膽，凸顯了早期新政對市場競爭不受限的思想批判。「真相大白了。」新政政策顧問、哥倫比亞大學經濟學家瑞斯福德．塔格威爾在一九三三年六月的一次演講中宣稱，「我們的秘密被發現了。現在沒有看不見的手了。」[54]羅斯福任命前戰爭工業委員會官員休．強森（Hugh Johnson）為全國復興總署署長。該署中止實行反托拉斯法，打算讓每個工業領域的所有企業共同商定「業界法則」，也就是限制產量、價格與工資的約束性協議。該署效仿一戰期間曇花一現的戰爭工業委員會，但政府在戰爭以外的時期進行這種干預，在美國歷史上前所未見。強森在辦公室裡掛了一幅墨索里尼的畫像，還複印了法西斯主義的國家論者拉斐爾·維格利奧內（Raffaello Viglione）的《國家企業》（*Lo stato corporativo*，一九二七年），分發給下屬。

全國復興總署發起的業界法則適用於勞動標準。《全國工業復興法》第七（a）條明定，工業勞工有權「選派代表以形成組織與進行集體談判」，而在當時美國只有百分之五的工業勞工。該法還呼籲企業制定最高工時與最低工資標準。

最後，除了瓊斯的復興金融公司之外，「新就任百日」在新政發展部門中又設立了兩個機構，任務是公共投資。一九三三年五月，國會特許成立了一家公營企業田納西河谷管理局，接管了亨利·福特在阿拉巴馬州馬斯爾蕭爾斯附近一處廢棄的一戰軍火基地開發田納西河谷未果的計畫。[55]該局也擴大私人電力公司認為無利可圖的貧困農村地區的發電量。之後，田納西河谷管理局由大衛·李林塔爾（David Lilienthal）負責掌管，他是法蘭克福特的另一位學生，任職於威斯康辛州的公用事業管制機關。

另一個發展機構為公共工程管理局，在《全國工業復興法》第二條下成立。羅斯福將該局交由芝加哥政治改革家出身的內政部長哈洛德·艾克斯（Harold Ickes）管理。在發行十億美元債券的基礎上，公共工程管理局獲得授權募集金額高達三十六億美元的公共投資，而投資標的主要是基礎設施，這點完全呼應了商業時代的「國內改良」計畫。[56]身為進步派的共和黨員，艾克斯謹慎行事，他認為公共投資應該要產生商業效益才行，至少不要為納稅人製造成本。

在「新就任百日」中，遠比公共投資更重要的目標，是針對銀行與金融的對抗性法規，透過救濟措施解決男性失業問題，以及終止農業與工業的「生產過剩」以恢復物價。

全階級聯盟的命運

至於政治方面，本著上任後推動緊急措施的精神，羅斯福希望促使民主黨與革新派共和黨黨員組成一個盛大的「全階級聯盟」。但在一九三四年，隨著政府在金融與銀行領域通過了進一步的改革性立法，政治開始走向兩極化。社會運動爆發，左派或右派立場皆有。工業家拒絕承認勞工的談判權，隨之而起的大規模罷工威脅了全國復興總署，羅斯福也面臨政治局勢失控的可能性。

華盛頓當局依舊持續對華爾街展開攻擊，班傑明．科恩起草了《一九三四年證券交易法》（Securities Exchange Act of 1934）。如今，公開交易的公司每年與每季都必須發布財務報告。該法案還禁止「內線交易」，並訂立多項反欺詐條款。政府成立了一個新的管制機構執行法案，即證券交易委員會。羅斯福的顧問阿道夫．伯利（Adolf Berle）與加德納．米恩斯（Gardiner Means）合著的《現代企業與私人財產》（*The Modern Corporation and Private Property*，一九三二年）調查了自大併購運動以來，大型工業企業中所有權與管理權日益分化的現象。這兩位代表企業股東就其權利與利益所提出的許多建議，都被納入了《證券交易法》。華爾街強烈反對這項法案，但科克湯米獲得了南部與西部地區反華爾街民主黨員的支持，在精心策畫下成功促使國會通過法案。

一九三四年，國會還通過了《國家住宅法》（National Housing Act），導致住宅投資市場巨大變化。如果說證券交易委員會的重點是證券交易的管制，那麼《國家住宅法》則以推動發展為目的，也就是透過公權力來降低不確定性，以及誘發房地產建設的長期盈利投資。結果，法案成功了，畢竟大蕭條的主因之一，便是固定住宅投資從一九二九年的四十多億美元驟跌至一九三三年的七點二四億美元。《國家住宅法》更成立了聯邦住宅管理局（FHA），將私人住宅投資時間拉長。在此之前，多數私人抵押貸款以三到五年期為限，不是採分期平均攤還的方式，而是在最後一年償還「大筆尾付」。現在，聯邦住宅管理局為房屋裝修貸款（第一條）與房屋抵押貸款（第二條）制定了標準化條款，並延長分期付款的年限（一般為二十至三十年不等）。不久後，一九三八年的立法設立了聯邦國家抵押貸款協會（Federal National Mortgage Association，通常以其簡寫稱為房利美〔Fannie Mae〕），以資助聯邦住宅管理局批准之抵押貸款的次級國家市場。房利美也為批准的貸款提供保險。長期的房地產投資變得幾乎沒有風險，利潤也獲得保障，只是無聊了點。政府保證了證券交易的流動性。在此情況下，公權力與私人倡議的融合成效顯著。有了這些誘因，私人住宅投資的金額在一九三五年重新攀升到十四億美元。之後，這項政策成了長期有效的發展機制，即便這種方法在新政時期並未廣泛運用於住宅以外的投資。這並不是直接的公共投資，而是政府透過各種支持性措施成功誘使私人資本出籠所達到的成果。[57]

管制性的證券交易委員會與發展性的聯邦住宅管理局都在一九三四年春天成立，事後證明皆影響深遠。然而到了該年夏天，全國復興總署遇到了麻煩。[58] 該機構於一九三三年九月大張旗鼓展開工作，當時有一百五十萬名紐約市民聚集在第五大道上觀賞二十五萬人的遊行，慶祝全國復興總署訂立業界法則的舉措，許多人還揮舞該局準法西斯主義的「藍鷹」標誌。休．強森編擬一項又一項業界法則的任務頗為艱巨。一九三三年七月，第一部法則「一號公平競爭法則」與同業工會棉花紡織協會達成了協議，旨在限制紡織品生產以提高價格。其他法規的訂立進度則令人沮喪地緩慢，因此羅斯福最終宣布了「通用法則」，其中一項條款規定每週三十五小時的工時與四十美分的最低工資。該法則經過微幅修訂後，立即適用於四百五十個產業與百分之九十的產業勞工，並涵蓋了《全國工業復興法》第七（a）條的規定，承認勞工「選派代表以形成組織與進行集體談判」的權利。

然而，全國復興總署沒有足夠的行政能力來執行這項法則。無論如何，雇主反對第七（a）條規定的聲浪之大，以致條款毫無用武之地。一九三三年七月，紡織業總計有四十四萬名勞工，人數不斷增加，絕大多數位於新英格蘭與工資微薄的南部山麓地區。成事不足、隸屬於美國勞工聯盟的美國紡織工人工會（United Textile Workers of America，ＵＴＷ）在一九三二年只有兩萬七千五百名成員，而他們全都位於新英格蘭。到了一九三四年，在第七（a）條規定的激勵下，美國紡織工人工會的成員人數激增至二十七萬，但紡織製造商拒絕承認。一九三四年九月，全國復興總署剛批准工時縮減以限制生產過剩的問題之際，一場要求產業承認工會地位的大規模罷工爆發了，範圍從緬因州一路蔓延至喬治亞州，他們要求企業依照法律賦予勞工組織工會的權利。

在美國勞動史上，沒有幾段時期比一九三四年更戲劇性了。[59]一九三三年，勞工界怨聲載道，俄亥俄州阿克倫市（Akron）的橡膠廠工人組成工會，醞釀發起大規模罷工，而來自墨西哥、日本與菲律賓的水果採摘工也在加州發動罷工。然而，種種不滿情緒終於在一九三四年大爆發：在一千八百五十六次的停工中，一百五十萬名勞工要求實施第七（a）條規定。在俄亥俄州托雷多市（Toledo），汽車零組件工人爭取到了應有的權益，但過程中衝突不斷，讓政府不得不出動國民兵維持秩序。在舊金山，受共產黨策動的碼頭工人也贏了。十月，休・強森因壓力過大而罹患了精神疾病，向困惑徬徨又士氣低落的下屬們發表了一場告別演說，還將自己比作蝴蝶夫人（Madame Butterfly）*，之後便辭去了全國復興總署署長一職。[60]

隨著左派持續鼓動，羅斯福的立場模稜兩可。一九三四年一月，加州醫生法蘭西斯・湯森（Francis Townsend）呼籲為六十歲以上的長者提供每月兩百美元的養老金，並激勵了多家湯森「俱樂部」的成立，結果有兩百萬人加入。有兩千五百萬人簽署了湯森提出的請願書。路易斯安那州參議員休伊・隆（Huey P. Long）宣布發起「分享財富」運動，提議向所有家庭發放五千美元的基本收入。[61] 公共工程管理局局長哈洛德・艾克斯在日記中提到，總統「必須更偏向左派立場，才能穩定整個國家」。[62]

在此同時，右派反對新政的組織性行動首度躍上了檯面。羅斯福其中一位「銀行家朋友」詹姆斯・沃伯格（James P. Warburg）辭去官職以表抗議，並寫了批判性的《金錢的泥淖》（*The Money*

---

* 譯註：出自由義大利作曲家普契尼（Giacomo Puccini）創作的歌劇。這裡應指的是自己追求不成熟的理想，最終以失敗懊悔收場。

Muddle，一九三四年）一書。總統致信沃伯格，建議他買輛車環遊美國一圈，親眼見證民眾的貧窮與普遍困境，然後把這本書從頭寫過。[63]一九三四年八月，持保守立場的美國自由聯盟（American Liberty League）成立，宗旨為「教導大眾必須尊重人權與財產權」。[64]該聯盟早期的主要資助者，包括爆裂物製造商兼通用汽車的控股股東杜邦家族。就連兩位前民主黨總統候選人阿爾・史密斯（Al Smith）與約翰・戴維斯（John W. Davis）也加入美國自由聯盟之列。法蘭克福特與羅斯福會面，引用威廉・西沃德在南北戰爭準備階段中發表的煽動性演說，警告他的政府與許多資本所有者之間存在「無法抑制的衝突」——很難說不是跟「所有資本所有者」都有衝突。[65]

共和黨員期望從一九三四年的國會期中選舉有所斬獲，然而卻是原本在眾議院與參議院已占壓倒性優勢的民主黨，又各多了九個席位。此時，羅斯福已是家喻戶曉的名人，個人魅力依然強烈。[66]總統對政治溝通的掌握非常重要，尤其是在許多勞動人口第一次接觸大眾文化的年代，像是羅斯福爐邊談話的大眾文化在分布廣泛的勞動人口中蔓延，從卡羅來納州皮埃蒙特地區（Piedmont）的紡織工人、芝加哥的「白人種族」到洛杉磯的墨西哥裔人口都是。[67]與此同時，物價普遍持續上漲，經濟也開始出現復甦跡象。

儘管如此，該年美國的失業率仍有百分之十六點二，工業領域的失業人口比例高達百分之三十二點六。[68]必須採取更多措施，而且要有政治的支持。「孩子們，」霍普金斯對員工（其中有些為女性）說：「這是屬於我們的時刻。我們必須爭取我們想要的一切，包括工作計畫、社會保障、工資與工時。要是現在錯過，就永遠沒機會了。」[69]羅斯福本人也正試圖掌握政治風向，不確定下一步該往哪兒走。

「歡迎他們的仇視」

一九三五年冬天，羅斯福在政治上游移不定。

立法活動並未停下腳步。總統在一九三五年一月四日的國情咨文中強調兩個主題：經濟安全的必要，以及「必須讓身體健壯但貧困窮苦的勞工找到工作」。[70]一九三五年五月，公共事業振興署成立，羅斯福將其交由霍普金斯管理（他原本掌管的局處是現已遭到取代的聯邦緊急救濟署）。公共事業振興署成為規模最大的新政機構，獲得國會近五十億美元的預算支持。想找工作的民眾可向所在地區的公共事業振興署機關申請，接受經濟狀況調查，通過後可直接在單位工作。限定每戶只有一個名額，絕大多數都偏好身強體壯的男性。女性與非裔美國人在公共事業振興署的員工人口中分別約占百分之十五。該機構不得根據種族挑選員工。其中約有百分之七十五的工作為「公路、街道、公共建築、機場、公共設施與娛樂設施」等公共基礎設施項目。[71]有四分之一的雇員屬於「服務」部門，從事白領與文職工作，甚至是大學研究。公共事業振興署的目的不是「救濟」。政府的目標不只是盡可能地減輕人類的苦難或刺激消費，還包含了持續推動資本主義的工資談判。[72]

那年春天，總統搭遊艇到阿斯托度假，傳聞指出，他此行是為了修補與商業精英的關係。他否決了公共工程管理局的公共住宅投資建案，因而讓不斷遊說的房地產商如願以償。他以健全的公共財政為由，否決了國會向一戰退伍軍人發放十七億美元債券的「酬恤金法案」。儘管如此，涵蓋許多小型企業的美國商會（U.S. Chamber of Commerce，與偏向重工業的全國製造商協會〔National Association of Manufacturers，NAM〕不同）公開表示反對新政。總統府經濟顧問雷蒙·莫利回憶道：「總統很驚訝，那些資本家居然不明白，他是他們的救星。」[73]

總統在政治上猶豫不決之際，美國最高法院採取了行動。一九三五年五月，法院在謝克特家禽公司訴美國案（*Schechter Poultry Corp. v. United States*）中做出裁決，推翻了全國復興總署發起的業界法則，裁定全國復興總署被授予的立法權違憲。[74]羅斯福不敢相信法庭以九比零的票數通過了這項判決。他問：「那老以賽亞呢？」言下之意指的是猶太裔法官路易斯·布蘭戴斯（Louis Brandeis）。老以賽亞長期以來擁護競爭管制與批評壟斷，他把科克湯米叫來辦公室訓誨了一番。「中央集權該終結了，你回去告訴總統，我們不會讓這個政府獨攬權力。一切都結束了。」[75]至此，全國復興總署已名存實亡。

正是此刻，羅斯福在政治上下定了決心。他決定傾向左派，尤其是在使用的修辭上。鼓吹「民眾」反對精英的民粹主義言論，對民主黨來說並不新奇。羅斯福打趣說：「我愈瞭解安德魯·傑克森這個人，就愈愛他。」[76]一九三五年六月四日，重拾幹勁的他呼籲國會議員留在華盛頓，繼續在炎熱的夏季裡進行特別會議。他要求通過四項法案：《社會保障法》、《全國勞資關係法》（National Labor Relations Act）、《銀行法》（Banking Act），以及《公用事業控股公司法》（Public Utility Holding Company Act）。幾天後，他又在清單上增加了《歲入法案》（Revenue Act），包含一項新的累進所得稅法案。這個時期被稱為「第二個百日」。過往，傑克森式民主支持財產政治，如今，「安全保障」成了新的戰鬥口號，因為收入政治現在成了眾所矚目的焦點，不論在新政與民主黨內都是如此。

一九三五年六月十九日，羅斯福就所得稅議題發表演說（由法蘭克福特、科科蘭及科恩擬稿），走上了一條不歸路。他抨擊了「巨額財富」與「資本的大量集中」。《歲入法案》在參議院宣讀時，一年後將遭刺客槍殺的休伊．隆表示：「我只想說『阿門』。」新的賦稅收入的課徵對象為收入居全國前百分之一的民眾，最高稅率從百分六十三攀升至百分之七十九。（一九三八年之前，只有老約翰．洛克斐勒適用此稅率。）只有前百分之五的人稅額變高。遺產稅提升，營利事業累進所得稅也增加了。[77]在大型工業經濟體之中，美國的營利事業所得稅的累進稅率比數之高，在這一刻超乎其他大型工業經濟體，尤其具有進步精神。[78]新政的自由主義者相信「公司人格」。如果公司是一個法人，那麼在稅收上，它的收入與任何其他法人（包括有血有肉的個人）並無區別。[79]

新政的許多經濟政策仍然有利於大型企業發展，從信貸補貼到支持勞工薪資收入。[80]但是，白宮發言措辭的轉變造成了一些影響。企業界強烈反對羅斯福與新政來回應羅斯福尖酸的語氣。[81]商會與全國製造商協會積極遊說，反對這項「榨乾富人」的法案。《商業週刊》（*Business Week*）報導，羅斯福與商業圈之間的嫌隙，「似乎毫無餘地，而且將永久存在」。[82]聯邦政府採取行動促進資本主義企業的發展，不顧許多商人反對稅收與管制政策，逐漸形成了一種新模式。政治上，羅斯福不再試著向資本家解釋，他很有可能是「他們的救星」。

一九三五年的《公用事業控股公司法》或許是新政立法中對資本家最直接的攻擊。這同樣也出自法蘭克福特、科恩與科科蘭之手，在與南方民主黨員合作及德州眾議員塞繆爾・雷伯恩（Sam Rayburn）領導下完成。擔任紐約州長時，羅斯福便一直提倡建設公共電力設施。一九三二年，全國電力大部分由私營公用事業生產，有四成的私人電力來自三家勢力龐大的國家控股公司（其中規模最大的是山繆・英薩爾〔Samuel Insull〕在芝加哥的電力公司），這些企業透過債券與股票的發行收購了一些小型公司。公用事業股票的慘跌，在很大程度上引發了一九二九年的股市大崩盤。之後，英薩爾被控犯下欺詐罪而逃離美國，最後在土耳其遭到引渡（獲判無罪）。[83]

如果說向富人徵收高額所得稅是民粹主義的理想，那麼對公用事業的管制則是進步主義的核心。[84]對法蘭克福特而言，十九世紀的鐵路企業與二十世紀初的電力公用事業兩者完美地吻合。《公用事業控股公司法》的序言如此宣告：「公用事業控股企業及其附屬公司受國家公共利益所影響。」[85]公用事業的目的僅僅是提供公共服務，以換取高於成本的「合理」報酬率——但這便意味著資本收入的政治化。該法案惡名昭彰的賦予美國證券交易委員會判決「死刑」的權力，倘若在同一財務保護傘下非相連系統的所有權無法證明有助於「公共利益」，該委員會便可解散控股公司。同時，透過公共投資，田納西河谷管理局開始生產公共電力，收取費用並公布電力的計價「標準」，藉此衡量私人利率與利潤的合理性。

再來，一九三五年的《社會保障法》涉及收入政治，也關係到薪資或勞動收入。社會保險可說是新政承諾提供安全保障的終極象徵，也為進步主義改革帶來了另一波高潮。加州大學柏克萊分校教授、同時也是羅斯福成立的經濟安全委員會一員的芭芭拉・阿姆斯壯（Barbara Armstrong）表示，這項法律之所以出閘，是因為羅斯福認為美國社會保險不能是「救濟」措施。[86]最終的法案在私人保險公司的強烈遊說下益趨複雜，甚至新增了養老金與失業保險的公民權利。[87]這些津貼由政府與私人企業共同分擔。如果說救濟措施效仿了資本主義的薪資談判，社會保障則仿照了私人保險合約的形式。這項法案對具有一定規模的企業之員工薪資課徵薪資稅連同準備金積存於「信託基金」中，並作為津貼福利分發，由於與總體歲入區隔，這項政策帶有一定的可持續性。依照經濟狀況調查而對婦女與兒童發放的津貼名為「未成年兒童援助」，則是福利措施的第二個管道。儘管女性薪資勞動者占美國勞動人口的四分之一，但社會保障的基本原則是男性負責養家糊口、女性操持家務的理想。[88]打造社會保障架構的顧問團，包括葛蕾絲．阿博特在內（儘管勞工部長法蘭西斯．帕金斯〔Frances Perkins〕不同意），顯然都試圖挽救這樣的願景。經濟安全委員會的亞伯拉罕．艾普斯坦（Abraham Epstein）表示：

> 以美國的標準來看，一個正常的家庭有丈夫、妻子和二到三個孩子，身為父親的丈夫完全有能力靠自己的收入養家。這個標準的前提是，妻子或年幼的孩子沒有任何收入可補貼家用……妻子是家庭主婦，沒有薪資收入。[89]

推行新政的美國也將異性戀視為艾普斯坦所謂「正常」的明確標準。[90]社會保障針對的是工業男性薪資勞工，他們在大企業工作，薪資稅很容易徵收。這項計畫排除了農村與家戶的工人，其中有許多人來自少數族裔與民族群體。一開始，在所有賺取工資的黑人女性中，只有百分之十五享有社會保障福利。

一九三五年的《銀行法》改革了聯邦準備體系，[91]擴大了聯準會設於華盛頓的理事委員會之權力。這個委員會本身、主席及副主席如今由總統提名並經參議院表決通過，獨立於區域銀行之外運作。為了進一步降低紐約聯邦準備銀行的權力層級，十二家區域銀行中有五位行長加入了新成立的聯邦公開市場委員會（Federal Open Market Committee），有權制定貨幣市場的短期利率與決定成員銀行的儲備條件，並輪值開會。之所以採取這種方式，是為了稀釋私人銀行家在貨幣政策中的影響力。

最終，在第二個百日裡，國會通過了《全國勞資關係法》，又稱《華格納法案》，以其主要立法提案人、紐約參議員羅伯特・華格納（Robert F. Wagner）為名。[92]華格納針對立法保障勞工集體談判權所提出的法案，在參議院延宕了十五個月，同時，羅斯福的立場模糊不定。最高法院否決全國復興總署與第七（a）條規定時，羅斯福公開表示，《華格納法案》為「絕對必要」的立法。這項法案挽救了第七（a）條規定，並成立了新的行政法庭：全國勞動關係委員會（National Labor Relations Board，NLRB）。這個組織將負責執行勞工在職場上擁有的新權利，包括：組織工會、透過全國勞動關係委員會所認證的多數決結果來推選工會，並讓這些工會成為他們在薪資、工時與工作條件方面的唯一談判代表，以及發動罷工。《華格納法案》還禁止「不公平的勞動」，禁止雇主干涉員工行使談判權。最後，全國勞動關係委員會有權決定適當的「談判單位」，促使產業勞動組織發展，美國勞工聯盟根據勞工技能而成立的組織則因此趨於下風。美國自由聯盟宣稱，這項法案「根本無濟於事，比遭到最高法院的否決還要沒用」。[93]

一場產業工會主義的社會運動隨即爆發，卻不是由機械化大量生產行業以外、技術性職業工會主導的美國自由聯盟發起。這場運動背後的力量是一個全國性的產業工會聯盟，以美國礦工協會的約翰・路易斯（John L. Lewis）為首。在美國勞工聯盟於一九三五年在大西洋城（Atlantic City）舉行的年會上，路易斯與一些大量生產行業的工會共組了美國勞工總會（Congress of Industrial Organization，CIO），開始推展大量生產行業的工會組織運動。[94]

此時，羅斯福在費城接受了民主黨一九三六年總統候選人的提名，對「經濟保皇黨」大加撻伐。他的競選活動高潮是在該年十月三十一日於麥迪遜廣場花園（Madison Square Garden）舉行的集會。這位總統要演講稿擬稿人科克湯米與班・科恩「摘下手套」，[95]而他們也確實這麼做了。羅斯福在演說中怒吼：「組織性的金錢炮口一致地憎恨我，我敞開雙手歡迎他們的憎恨。」在羅斯福的第一屆任期中，「自私與權力的欲望遇到了對手」；到了第二屆任期，他誓言一定要讓它們知道「誰才是老大」。[96]

一九三六年的總統選舉是一次值得刊載進歷史的壓倒性勝利，確保了新政施行。羅斯福擊敗了共和黨候選人阿爾夫・蘭登（Alf Landon），僅僅輸了緬因州與佛蒙特州。一九三二年大選時，羅斯福曾橫掃南部與西部各州。這次，他在東北部與中西部的製造業地帶更加突破，觸及威廉・詹寧斯・布萊恩在一八九六年未能籠絡的產業勞工。美國勞工聯盟因為遵循龔帕斯「純粹而簡單」的工

圖 61　西摩．福格爾（Seymour Fogel），《工業生活》（*Industrial Life*，壁畫研究，舊時位於華盛頓特區的一棟社會保障大樓）（一九四一年）

人類勞動的尊嚴是一九三〇年代藝術的一個重要主題，尤其是公共事業振興署贊助的大部分公共藝術。值得注意的是，這幅壁畫專為一棟社會保障大樓所作。社會保障的前提是薪資收入，一如羅斯福所說，社會保障並不等於「救濟」。

會主義而未能進入大眾政治，但路易斯與他的美國勞工總會卻沒有這樣的疑慮（雖然他長期以來一直是共和黨員）。在民主黨一九三六年的支出中，美國勞工總會的政治獻金便高達百分之十到十五。[97]在新政自由主義中，工會勞工能占有一席之地，全是靠金錢與選票換來的。

羅斯福在一九三六年的勝利聯盟幾乎囊括了所有類型的勞工。自一九三四年以來，在蘇聯呼籲建立一個對抗法西斯主義的「人民陣線」之後，許多共產黨人士便開始支持羅斯福。現在，「文化陣線」也與新政並肩。[98]公共事業振興署最令人印象深刻的舉措，或許就屬聯邦一號項目了，其耗資兩千七百萬美元聘雇失業的美國藝術家。該機構資助的一九三〇年代藝術類型涉及了戲劇、民間文學、壁畫，但這些被資助的藝術必須描繪同一個主題，那就是人類勞動的尊嚴，尤其是體力勞動，不論是採果、收成、鋪設鐵道、建築工程或機械焊接。[99]

在藝術領域，一種新起的「社會紀實」美學風潮四散。不論是畫家、作家、詩人、電影製片或攝影師，都試圖「朝著現實的方向發展」，以捕捉經濟大蕭條時期的「非凡現實」——如二十世紀最偉大的詩人華勒斯．史蒂文斯（Wallace Stevens）所述。[100]一九三〇年代最偉大的美國藝術作品可謂正是本著這種精神而誕生，那就是詹姆斯．艾吉（James Agee）與沃克．伊凡斯（Walker Evans）的《讓我們來讚頌名人》（*Let Us Now Praise Famous Men*，一九三九年），這部融合了創意與同理心的紀實文學作品，以南部地區貧困佃農的照片為主題。

羅斯福在一九三六年歷史性的選舉勝利，與美國勞工總會在美國鋼鐵及通用汽車公司發起的歷史性工會組織活動同時發生，這並非巧合。[101]羅斯福連任一週後，美國勞工聯盟驅逐了隸屬於美國勞工總會的十個工會，而這些組織如今成為獨立的全國聯盟。路易斯挾持了過去隸屬於美國勞工聯盟的鋼鐵工人工會，該工會聚焦於美國鋼鐵公司在芝加哥南

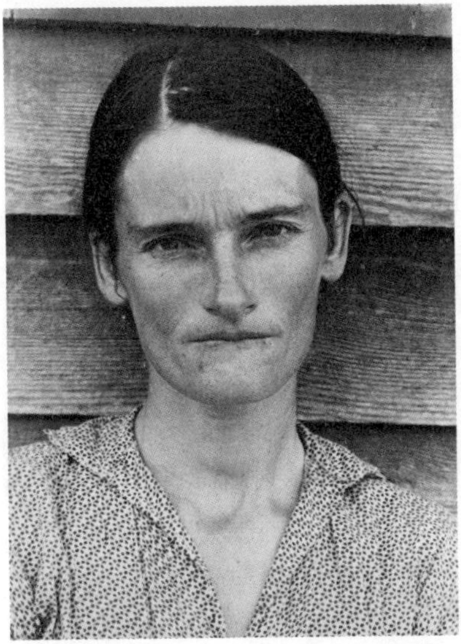

圖 62 沃克．伊凡斯，《阿拉巴馬州佃農之妻》（*Alabama Tenant Farmer Wife*，艾莉．美．布洛斯〔Allie Mae Burroughs〕）（一九三六年）

伊凡斯的標誌性作品，出自他與詹姆斯．艾吉合著的《讓我們來讚頌名人》。布洛斯是阿拉巴馬州黑爾郡（Hale County）的一位佃農。在經濟大蕭條時期，像艾吉與伊凡斯這樣的「現實主義」藝術家付出極大心力去悲憫窮人與刻畫困境。

部設立的大型工廠，光是這些工廠的鋼鐵產量，就幾乎等同於世界第二大鋼鐵生產國德國的產量。到了一九三七年一月，美國勞工總會幫助長期被職業工會排擠的非技術性白人勞工組成工會，聲稱已招募了十二萬五千名成員。美國鋼鐵公司很快就屈服了。由於訂單量大，加上在一九三五年重拾獲利能力，因此美國鋼鐵公司儘管只有百分之三十九的產能，仍然不願中止生產，因而開始勞資協商。路易斯同意將工人的薪資調高兩成。《華格納法案》將薪酬政治推向了勞動收入。在這場勞資協議中，每週工時從四十八減為四十，加班時間為一點五個小時。一九三七年三月十七日，工會與公司官員開會簽署協議時，一位工會談判代表發現，前一天還在會議室裡的一幅畫像已被移走。他問：「昨天牆上掛的畫像是誰？」有人回答：「是老亨利．佛里克。他們把畫移走了。他要是知道一定氣炸

圖 63　詹姆斯．基爾派翠克（James Kilpatrick），《天橋之戰》（*Battle of the Overpass*），福特汽車公司，聯合汽車工人工會（一九三七年）

在羅斯福挾勞工支持在一九三六年贏得總統大選之後，隔年新政推動的工會化浪潮在福特汽車公司受阻。由聯合汽車工人工會舉行的一次媒體拍攝會引發了「天橋之戰」，在這場活動中，福特公司的保全動手打了迪克．法蘭肯斯泰恩（Dick Frankensteen）（如圖）與工會成員的華特．魯瑟（Walter Reuther）。這起事件引起軒然大波，重傷了福特的形象。最終，福特公司在二戰期間成立了工會。

了。」[102]

通用汽車與福特汽車公司中隸屬於美國勞工總會的聯合汽車工人工會（United Auto Workers，UAW）的組織活動也同樣引人注目。[103]在一九三六年四月到一九三七年八月之間，其成員從三萬激增至三十七萬五千人。由於大量生產仰賴連續不斷的機械化流程，因此中間若發生延誤，便很容易受到影響，也就是說，只要有一個工人出錯，整條生產線就會停擺。聯合汽車工人工會採取一種有違法之虞的新戰術——靜坐罷工。[104]工人們占領了通用汽車的「費雪一號」（Fisher One）工廠長達六個星期。密西根州州長與羅斯福都不願意代表資方進行干涉。最後，通用汽車妥協，發布一頁聲明，承認該工會是公司唯一的談判單位。亨利．福特則在底特律其他地區宣布，「我們永遠不會承認聯合汽車工人協會。」[105]聯合汽車工人工會的組織者在魯治河工廠外的天橋上發傳單時，福特的「隨身保全」進行了人身攻擊，過程全被記者拍了下來，[106]聯合汽車工人工會在魯治河工廠的發展停滯不前。

但是，如果真要說美國在經濟大蕭條期間為何會出現左派自由主義，而不是像其他政治體那樣出現右翼民粹主義（即使不是法西斯主義，也具有民族主義的特質），那是因為在新政的勝利政治聯盟中出現了左傾的工會勞工，而他們不僅僅是出門投票，更積極地採取行動。（值得注意的是，底特律的聯合汽車工人工會運動發生在右翼反猶太主義的查爾斯．考夫林〔Charles Coughlin〕神父的住家附近。）[107]

新政導致的經濟後果

羅斯福的第二屆任期之初，是退一步評估大局的好時機。新政促使物價回升，通過了針對銀行與金融的對抗性法規，整合了農業的公私領域以提高農民的市場力量，將經濟保障與男性養家的家庭模式視為政治經濟的首要重點，並嘗試推行發展性政策。管制部門比發展部門來得強大，並以收入政治為法則。自一九三三年起，美國的經濟生活廣泛復甦。到了一九三六年，景氣回溫後的長期經濟趨勢已然顯現，而幕後推手便是新政政策（無論有意或無意）。新政為經濟帶來的好處是，有利大規模企業的發展，以及支持高度生產力、男性的高工資與汽車工業社會的高耗能。[108]此外，新政政策重組了農業與工業產業的關係，在兩者間創造了一段漫長的平衡期。

到了一九三六年，經濟活動的許多指標諸如價格、生產與收入已恢復到一九二九年的水準。是什麼促成了這樣的結果呢？答案不是政府赤字開支的財政政策，因為原則上這並未實際採用；也不是聯準會或貨幣政策，因為在流動性陷阱中，短期利率徘徊在零以上，其隨意的信貸供給不論多或少均保持穩定。[109]經濟復甦的早期主要原因在於，貨幣在一九三三年國家脫離金本位制後便開始貶值，打破了通貨緊縮的預期，並喚醒各種消費活動，包括最活躍的投資。[110]同時，一九三三年希特勒上台後，許多人擔心納粹政權會引起通貨膨脹，大量黃金因而從歐洲外逃至美國金融體系，擴大了信貸額度並推升物價。[111]基本上，美國對民主制度自由面向的維護頗為值得。到了一九四〇年，美國擁有的黃金儲備驚人地高占全世界的八成之多。[112]與此同時，美國農業調整管理局為供給端制定的計畫也有助於價格回升，此外也增加了農村對製造業的需求，進而刺激了復甦。即使為時短暫，全國復興總署為穩定價格所推動的「產業法則」，也對恢復物價貢獻了一份心力。[113]

倘若細究這種復甦動態，可以發現一些特質尤其顯著。在製造業中，許多大規模資本密集型企業到了一九三五年已由虧轉盈。既有工業資本的福特主義機械化已經展開。製造商繼續採用與擴展可促成高生產力的大量生產方式。工業規模穩定成長，因為新政幾乎沒有做些什麼來幫助所謂的「小型企業」安然度過經濟大蕭條。然而，如果說資本設備的固定投資恢復到接近一九二九年的高峰，那麼建設新工廠的投資仍只恢復到蕭條前的一半水準。基本上，企業普遍重新調整了現有的工廠，以利用大量生產方法的優勢。例如，工廠的發電量急速增加，程度更甚於一九二〇年代。[114]事實上對工業而言，一九三〇年代是特別創新的十年。有鑑於技術成為生產的關鍵，經濟大蕭條前白領職位的需求數量依舊持續擴大。值得注意的是，工業「研發」方面的就業率成長了近兩倍。專利的申請件數也有所增加。在化學與塑膠領域，聚乙烯（一九三五年）與鐵氟龍（Teflon，一九三八年）等新產品問世。製造業的生產力持續激增，跟一九二〇年代如出一轍。[115]

這有助於解釋一九三〇年代的另一個趨勢：男性失業現象持續存在。白領工作機會的增加，意味著許多女性進入了白領就業市場。（菲斯．鮑德溫〔Faith Baldwin〕在一九三三年出版的《白領女孩》（*White Collar Girl*）是那十年裡最暢銷的小說）。這使得女性的勞動收入增長，儘管同工不同酬的狀況毫無改變。[116]隨著生產力上升，許多公司雇用較少的人力，但仍能維持相同程度的產出，而受雇的往往是技術勞工。儘管失業現象並未消失，但在經濟大蕭條期間，製造業的薪資水準依然有所增加。[117]這或許是因為雇主留下了最具生產力的員工，而這些人的薪資往往比其他人來得高。除此之外，美國勞工聯盟的職業工會也保護了這些高薪技術性勞工。對受雇者而言，《華格納法案》保障了工業工會在薪資與工時方面的集體談判權。[118]整體而言，一九三〇年代的特點即今日所謂的「失業型景氣復甦」。

製造業核心地帶以外的南部與密西西比河以西的棉花產區，也可見類似的發展。機械化讓生產力大幅提升，企業的規模也擴大了。隨著企業農場集團的興起，小型農場的數量逐漸減少。[119]此外，農業調整管理局的規範維持了商品生產、穩定商品價格，更使農場收入增長與工業需求平穩（不論是生產的投入或成品的需求）。畢竟，在一九二〇年代的投機熱潮中，工業與農業的失衡導致一九二九年後經濟全面崩潰。新政的發展部門更決定性地影響了南部與西部地區。

在羅斯福的第一屆任期內，農場收入增加了五成。[120]新政政策也開始促使人們離開土地。在此之前，美國農業低度就業一直是經濟的阻力，尤其是飽受佃農耕作制度與白人至上主義荼毒的南方地區。在資本時代中，機械化沒能掌控全局。起初，新政立法仍被鎖在「南方的籠子」裡，得看種族歧視的民主黨選票的臉色。[121]但一九三五年之後，新政的農業計畫愈來愈支持佃農的權利。[122]一九三五到一九四〇年間，佃農的絕對人數減少了四分之一。[123]種植園主利用聯邦信貸補貼引進機具以取代收成前的勞動需求，等到收成季節再雇用工人採收作物。最終，新政的舉措連同全國最低工資的法令，打破了南方低薪勞動市場與北方高薪勞動市場的區域分離，重創種族歧視主義的經濟。由於偏向機械化而非農業勞動，新政也成為南方於二戰期間的大規模非裔人口外移的根本原因。[124]

至於發展方面，新政影響了各地的住宅投資。截至一九三九年，銀行一共發放了四十億美元由聯邦住宅管理局擔保的貸款，使住宅建築業幾乎恢復到以往的榮景。[125]然而，在密西西比河以西地區，新政促成的發展最為明顯，[126]尤其是公共投資。

到了一九三九年三月，公共工程管理局透過私人承包商與政府機構部署了數十億美元資金。[127]一九三〇年代，「街道與公路」的固定資本增加了三分之二。這段期間，整體經濟生產力的提升有很大一部分歸功於道路、隧道與橋梁的建設。政府也興建了學校、郵局、火車站與機場。「公共工程管理局現代式」建築風格的特點是穩固堅實，有著電流般的流線外型。[128]在商業時代所謂的「國內改良」擴大了市場範圍，進而促成了控制時代亞當．斯密式經濟成長。[129]在人口相對稀少的西部地區，人們普遍支持基礎設施支出，這正好成了新政的政治基礎。公共事業振興署署長哈利．霍普金斯表示：「我們將不斷徵稅，不斷花錢，不斷選舉。」[130]

新政中最大規模且資本密集的計畫是發電廠。在南方地區，大衛．李林塔爾負責的田納西河谷管理局以每千瓦時的公共「標準」費率發電，為新建的市政府與合作性公用事業網絡供電。同時，傑西．瓊斯利用復興金融公司打造的國家資本主義帝國向農民發放低廉的消費貸款，尤其是南方地區，供他們購買電器（如奇異公司製造的冰箱），進而成為電力公司的穩定客戶。復興金融公司向農村電氣化管理局（Rural Electrification Administration）提供了二點四六億美元的資金。[131]公共工程管理局最大的個別計畫是在西部地區建造大型水電大壩，即世界上最大的混凝土大壩群：博納維爾

（Bonneville）、沙斯塔（Shasta）與大古力（Grand Coulee）。國會在一九三二年撥款建造胡佛大壩（Hoover Dam）。受雇於博納維爾電力管理局的期間，民謠歌手伍迪・蓋瑟瑞（Woody Guthrie）為哥倫比亞河寫了不下二十首歌曲。[132]在西部，新政的公共投資為未來的高耗能、高生產力、大量生產與大規模消費的汽車工業社會奠定了基礎。

哈洛德・艾克斯解釋，公共工程管理局的公共投資有其必要，「因為私人資本過於膽怯，遲遲不敢從床底下出來」。[133]相對於一九二九年之前的「趨勢」，經濟活動的復甦還有很長一段路要走。最重要的是，失業率仍高居不下，在一九三六年時依然有百分之十。

資本罷工

一九三七到一九三八年之間，經濟急遽下滑，進入所謂的「經濟大蕭條中的衰退期」，尤其是工業領域。許多新政推動者終於開始做出正確的判斷：經濟的問題不在於生產過剩，而是投資與消費的不足。他們開始考慮利用政府的赤字支出，透過財政乘數來喚起私人經濟活動。

然而，如今許多自由主義人士與工業資本家之間的敵意已趨白熱化。工業資本家表示，除非他們的政治要求得到滿足（尤其是所得稅的調降），否則他們拒絕投資。預防性的流動性偏好在經濟大蕭條初期源自於恐慌與恐懼，到了後期則轉變為反對新政資本家的政治武器。經濟的可能性受制於政治心理的發展。自由主義在收入政治上花費許多力氣來聲稱，為人們提供就業機會的長期固定資本投資的偏好非流動性。但是，最大的問題在於，在資本所有者不願意投資的情況下，自由主義缺乏有效的資本投資政策來達到就業目標。新政在這一點上碰了壁，經濟復甦也是如此。

問題始於一九三六年羅斯福勝選之後，這位總統過度使用了政治手腕。在美國最高法院於「謝克特案」中推翻全國復興總署，以及在「美國訴巴特勒案」（*United States v. Butler*，一九三六年）中推翻了農業調整管理局之後，羅斯福擔心，新政的立法在法律上會面臨更多危害。因此，他威脅表示，將任命新成員來「整頓」最高法院。國會對此表示反對，而總統也因為這項過分的提議在政治上吃了悶虧。儘管如此，法院還是改變了做法。在全國勞動關係委員會訴瓊斯與勞克林鋼鐵公司案（*NLRB v. Jones and Laughlin Steel Corp.*，一九三七年）中，國會依據貿易條款接受了《華格納法案》的合憲性，國會則迅速根據《土壤保護與國內分配法》（Soil Conservation and Domestic Allotment Act）重新通過了農業調整管理局的政策。隨著聯邦政府與農業利益集團合作無間，當「統合主義」（corporatist）的政治經濟隨著全國復興總署的垮台而脫離了工業時，反而得以在農業政策中存續。[134]這樣的統合主義從未在美國的工業中生根。

在此同時，歧視黑人的民主黨員發覺，新政可能會威脅到白人至上的經濟基礎。事態在關於政府擬議制定《公平勞動標準法》（Fair Labor Standards Act）並訂立最高工時與最低工資法規的辯論中，來到了緊要時刻。[135]一九三八年，國會通過了一項法案，規定了每週最長四十小時的工作時間與每小時四十美分的最低工資，但農業與家戶勞工（即許多南方黑人工人）卻不受此限。在政府發布關鍵的《南方經濟狀況報告》（*Report on Economic Conditions in the South*）之後，羅斯福試圖在一九三八年的初選中力克保守派民主黨員的反對，但未能成功。[136]不久後，美國勞工總會企圖幫助南方的非裔勞工組成工會，種族主義者成功地予以反擊。南方的民主黨員加入了反勞工的共和黨員行列，共同提倡主張撤銷《華格納法案》。[137]

在一九三八年的國會選舉中，共和黨取得了自經濟大蕭條以來的首次勝利。一個原因是一九三七年經濟大蕭條再起。這兩年的景氣低迷是一起獨立的產業事件，失業率從一九三七年的百分之九點二攀升至一九三八年的百分之十二點五。在工業領域，失業人口的比例從百分之二十一點三增加到百分之二十七點九。[138]造成景氣衰退的原因有很多。羅斯福政府發出了通貨緊縮的信號，公開表示擔憂通貨膨脹的到來，並在一九三六年承諾會平衡預算。同年，國會通過了預算達十八億美元的單次「獎金法案」，以獎勵參與一次世界大戰的退伍軍人，但是到了隔年，聯邦政府開始徵收社會保障薪資稅，削減了潛在的消費。[139]在通用汽車公司的員工發起靜坐罷工的期間，許多消費者預期車商之後若調高員工薪資，會以更高的售價轉嫁人事成本，因而立刻下單。罷工過後，一九三八年的汽車訂購量驟減了六十萬輛。[140]努力擺脫流動性陷阱的聯準會錯誤地將商業銀行的準備金要求提高了一倍，限制了信貸流動。最終，為了預防通貨膨脹，財政部自一九三六年十二月開始對黃金進行「沖銷」，有效地杜絕黃金流通，以免導致信貸擴張。[141]整體上，私人投資也變得委靡不振。由於市場持續低迷，聯邦政府與資本家之間顯然展開了一場信任騙局。

經由全國製造商協會與美國商會組織而成的一個美國資本家領導集團，將投資者的「信心」不足歸咎於政府政策的「不確定性」。顯而易見地，新政只保障農民與工薪階層。拉莫特·杜邦二世

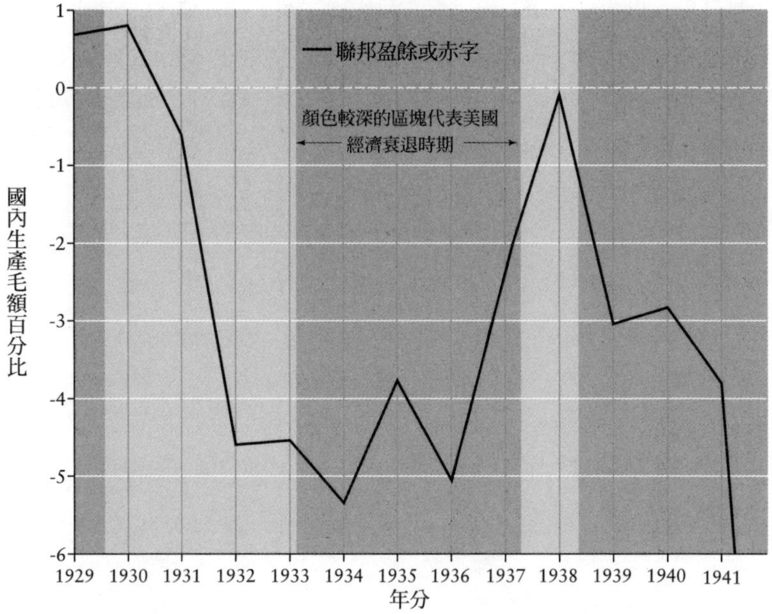

圖 64 聯邦盈餘或赤字

聯邦政府從未嘗試刻意達到赤字支出來幫助經濟復甦，結果便是羅斯福的第二屆政府試圖平衡預算的做法，導致了一九三七年經濟大蕭條中的景氣衰退。一九三九年後，政府的財政之所以入不敷出，是因為軍事戰備方面的支出。

（Lammot du Pont II）為資本打抱不平：

> 不確定性支配著稅收狀況、勞工處境、金融局勢及企業必須遵守的幾乎所有法律要件。稅額會提高、調降還是保持原狀？我們一無所知。勞工要加入工會還是不加入工會？……市場會迎來通貨膨脹還是通貨緊縮，政府會增加還是減少開支？……是否會對資本實施新的限制，對盈餘定下新的上限？……這些答案我們怎麼也猜不到。[142]

時至今日，資本所有者再次對政府提出了相同的指控。過去，資本家對一九三六年的「未分配盈餘稅」頗有怨言，這項稅制對未立即投資，或透過薪資或紅利分配的盈餘課稅，以政策直接攻擊了企業預防性現金囤積。

一九三八年冬天，財政部長摩根索懇請總統廢除未分配盈餘稅，以緩解「不確定性」與刺激投資者的「信心」。新政智囊團成員阿道夫·伯利與摩根企業的湯瑪斯·拉蒙特合作，居中調解了羅斯福與商業界之間的紛爭。拉蒙特指點總統，「責罵商業無助於蓬勃發展」。[143] 信心、預期與不確定性，全被政治化了。羅斯福認為「資本罷工」堪比美國勞工總會的靜坐罷工。科科蘭、

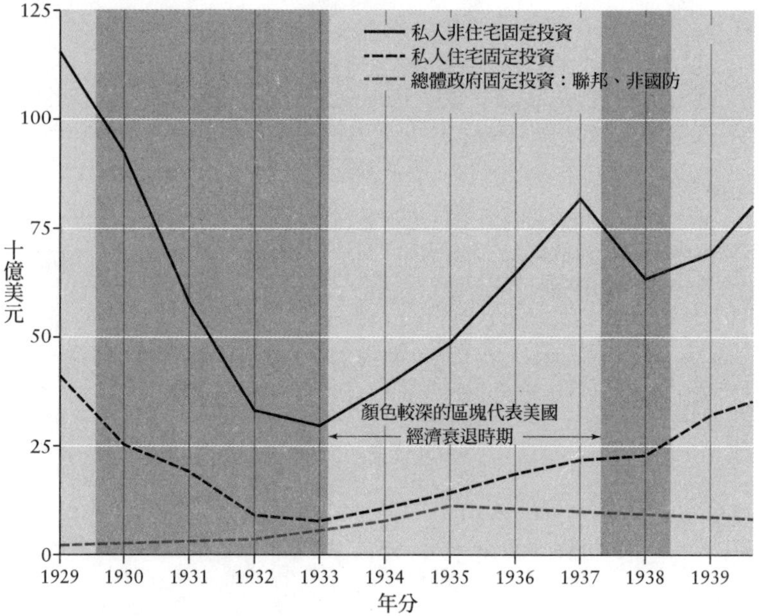

圖 65 固定投資

公共投資並非經濟大蕭條後經濟復甦的主要動力。私人非住宅固定投資（工業投資）的崩跌，是一九二九年與一九三七年經濟衰退的主因，在新政計畫的補貼下，私人住宅固定投資（住房投資）在一九三〇年代強勁復甦，促成了景氣的回升。

科恩與法蘭克福特（不到一年被總統提名為最高法院法官）說服羅斯福相信，與業界休戰是不可能的事。集中的經濟力量是造成經濟衰退的原因，而新政國家必須做好迎戰的準備。

聯邦政府的對抗姿態沒能誘導投資。但是，這股新政後期動力很快便轉化為一種長期自由主義商業管制政治。司法部首席律師瑟曼・阿諾德（Thurman Arnold）撰寫的《資本主義的民間傳說》（*The Folklore of Capitalism*，一九三七年）呼籲政府，應透過這種新的「政府宗教」來監督不良的商業行為，譬如各種反競爭行為。[144]事實上，如今羅斯福全面恢復已廢除的全國復興總署，同意重啟民主黨過往代表商業機會平等所疾呼的「反壟斷」行動。[145]一九三八年成立的國家臨時經濟委員會（Temporary National Economic Committee，TNEC）對「壟斷」行為進行公開調查，司法部的反托拉斯部門也開始大興訴訟。這使得一九三三年以來主要從事銀行與金融法規事務的新政管制部門在工業領域活躍了起來。

同時，隨著商界汙名化的「羅斯福經濟衰退」持續，另一個新政派系逐漸凝聚，目的是一項有別於對抗性商業管制的新發展議程。這個鬆散的團體以公共事業振興署署長哈利・霍普金斯為核心，此刻的他認為，私人商業活動將永遠無法恢復到足以終止失業現象的水準。其中的成員包含新政智囊團，如總統顧問里昂・亨德森（Leon Henderson）、傑洛姆・法蘭克（Jerome Frank）（遭農業調整管理局除名，現任職於美國證券交易委員會）、聯準會主席馬瑞納・埃克斯（Marriner Eccles）及其經濟學家勞克林・居里（Lauchlin Currie）等人。[146]他們都曾在某個時間點主張，「消費不足」才是阻礙發展的經濟問題，而不是「生產過剩」。如今他們認為，隨著一九三七年私人工業投資出現缺口，政府的補償性支出（包括赤字融資的公共投資）必須立即填補。

不久前，英國經濟學家約翰．凱因斯出版了《就業、利息與貨幣的一般理論》（一九三六年）一書，提出了一個非常簡單的經濟論點。薩伊定律（Say's Law，命名自十九世紀初法國經濟學家尚－巴蒂斯特．薩伊〔Jean-Baptiste Say〕）指出，供給會創造需求，也就是有賣家就一定有買家。這是因為，在生產過程中的特定時期，個人收費生產的商品，為他們帶來了足以購買自己所生產商品的收入，意思就是，作為收入的生產成本會轉化成必要的購買力。但凱因斯表示，唯有當貨幣僅僅被視為一種支付方式才會如此。然而，貨幣也是一種禁得起時間考驗的財富貯藏手段。在充滿不確定性的情況下，個人會基於各種動機（凱因斯首先稱之為「流動性偏好」），將財富儲存於貨幣及類貨幣的資產中，而不是花掉所有收入。資本主義經濟快速成長之際，消費增加的速度未必會與貨幣收入相同。對資本所有者而言，只有在預期未來有金錢利潤時，才會花錢進行投資。如果他們不這麼做，且偏好將財富囤積於流動資產中以尋求保障而不願承擔投資的風險，他們就不會將所有收入都拿來投資。總之，並不是所有貨幣收入都會被拿來購買必須生產的商品，從而使所有願意從事勞動的勞工都找得到工作。因此，資本主義經濟可能會面臨需求受限的問題，由於未能發揮當前與未來的供給端潛力而陷入半衰退狀態。

矛盾的是，貨幣收入增加愈多（超越消費者支出，同時促成會削弱投資的流動性偏好），低於潛力的經濟狀態就愈有可能出現。這時便需要經濟系統以外的新需求來源以刺激供給，進而如薩伊定律所假設地創造更多需求。凱因斯將需求導致供給、供給再導致需求的這種過程稱為「乘數」理論。[147]

凱因斯在《就業、利息與貨幣的一般理論》中主張，在半衰退狀態下，經濟若又處於流動性陷阱中，政府任意制定匯率的貨幣政策有可能起不了作用。因此，只有政府的支出才能帶動投資，誘發可產生最大效益的消費。這是因為投資會創造資本財支出，而這通常會誘發消費品的生產，進而有助於將支出流極大化。因此，投資是新需求的最佳外部動力，也是最好的乘數。政府的支出發揮作用時，財政乘數便會出現。

在一九三〇年代後期，財政乘數不可或缺。資本家依然憂慮投資失利，轉而謹慎地囤積財富。凱因斯在《一般理論》中提出，投資量要多到足以終結大規模失業，「是不可能實現的，除非投資市場的心態有了深刻而長久的轉變，例如對未來抱持期待」。凱因斯在書中寫道：「我的結論是，主導當前投資量的責任，不能落在私人企業手上。」《一般理論》建議「應將一定程度的投資社會化……但不需要排除公權力與私人倡議合作的各種妥協與手段」。[148]

然而，羅斯福政府與工業資本家的私人倡議之間的合作已經破裂。《一般理論》這本書還未發揮影響力，凱因斯的思想已廣泛流傳。[149]此外，他也明確意識到理論本身所造成的政治束縛。他將一九三七至一九三八年間的經濟衰退歸咎於「一種新出現的特殊信心危機」，致使「長期投資未能持續發展」。[150]一九三八年二月，他寫信向羅斯福指出：「您必須給企業更多鼓勵，或者自行接管更多職能。」如果「大眾輿論」還「不夠成熟」，無法讓公共投資積極投入電力設施等方面，那麼「每兩個禮拜就緊盯電力建設的目的是什麼？」考量政治上的流動性偏好，羅斯福政府只有兩個選擇：將投資社會化，或者任由資本家為所欲為。至於龐大財富的所有者，「如果您讓他們變得乖戾、頑固與暴躁，好比家畜馴養不當那樣，他們便不會去承擔國家的經濟負擔」。[151]

同年三月，在喬治亞州的暖泉鎮（Warm Springs）度假時，霍普金斯讓總統無處可躲。比爾茲利．魯姆爾（Beardsley Ruml）是同行者之一，他是公共工程管理局國家資源規畫委員會的成員，非常熟悉凱因斯的觀點。一九三二年受國會委任制定「國民所得」的統計量測時，他也借鑑了商務部的成果。在此不久前，美國經濟學家西蒙．庫茲涅茨（Simon Kuznets）完成了開創性著作《一九二九至一九三二年國民所得》（*National Income, 1929–1932*，一九三四年），書中統計了每年的國民所得，也就是從生產中創造的所有貨幣收入之總和，是為國內生產毛額統計的雛形。[152]魯姆爾與亨德森估計，美國的國民所得為五百六十億美元。他們推估，這個數字將在之後降到三百二十億美元，與達到充分就業所需的經濟產出相差甚遠。魯姆爾引用了乘數的概念指出，以三百二十億美元為目標的同時，政府應撥出七十到一百億美元的預算「進行額外的公共或私人投資或支出，以促成合理的充分就業」。魯姆爾預計未來的私人投資金額將達到四十億美元，因此建議羅斯福展開一項三十億美元的直接公共投資計畫，為經濟發展注入新的刺激。[153]

羅斯福接受了公共投資的需求比政府減少預算赤字更為重要的論點。一九三八年四月，總統向國會提議讓聯邦政府撥出十五億美元的「新」預算以推動公共工程。這將使「國民所得」從五百六十億美元增加至八百億美元（數字不斷變動），羅斯福認為，這是終結大規模失業的必要條件。[154]國會也同意了。但是，羅斯福首先削減了資本利得稅，並取消未分配盈餘稅，使得政府的開支變多，稅收減少，儼然是一種休戰措施。聯邦預算在一九三七年創造了八千九百萬美元的赤字，到了一九三八年則暴增至二十八點五億美元。在此同時，財政部結束了對外來黃金的「沖銷」，有助於擴大貨幣供給。整體而言，景氣蕭條在一九三八年開始有了起色。

一些歷史學家認為，新政在一九三八年改採預算赤字的做法，代表了「改革結束」，因為新政自由主義開始致力調整總體經濟總量，而不是透過政治與法律的干涉來改造資本主義的核心制度。[155]政府減低資本所有者的稅額以吸引更多私人投資的企圖便證實了這樣的分析，這樣的手段成為之後數十年來新政自由主義的核心政策，更一直持續至今。然而，資本所有者最重視的便是珍貴的投資控制權。之後，對這種特權的爭奪將會主導控制時代。

一九三九年，魯姆爾與其他支持穩健公共投資計畫的盟友持續發動攻勢。他們草草制定了《工程融資法》（Works Financing Act），以建立十二項區域性的公共「投資信託」。對此，商業遊說團體發起大規模抗議。這起事件再加上復興金融公司的傑西．瓊斯不願支持（他認為這個舉動讓公權力擴權得過火了），使得這項法案未能在國會通過。

一九三九年九月，希特勒入侵波蘭，羅斯福爐邊談話的主題變成了歐洲的戰事。美國的失業率依然維持在兩位數，因為新政未能實現讓負責養家的白人男性重新找到工作的遠大目標。除此之外，它還留下了一個問題，那就是要雇用這些男性來做什麼工作？凱因斯認為，適度增加政府支出可以終止經濟衰退（為所有的蕭條畫下句點）。但是，他也得出了一個令人憂心的結論：「政治上，一個資本主義的民主政體似乎不可能規畫足夠大的必要支出，來進行可印證此觀點的龐大實驗——除非戰爭爆發。」[156]

第十四章 新世界霸權

經濟大蕭條期間，資本主義熄滅了。經濟活動停滯了下來，就像發電站故障，電流停止流動那樣。這不只是一個比喻，事實便是如此，因為儘管工業剛進行電氣化不久，但在整個一九三〇年代，許多新的機械化大量生產組裝線停止運作，就這樣閒置荒廢。

資本主義欠缺來自人類的能量，無法將人與資源拉回工業經濟中，使生產線重新運作。光有盈利動機是不夠的，遠遠不夠。營利動機無法促使資本所有者放棄金錢與類金錢資產。企業家缺乏能量。光有電力也是不夠的，即便新政國家的發展性公共投資使電力的供應更加充足。資本主義因普遍缺乏社會與心理能量而備受影響。除此之外，在經濟大蕭條期間、於一九三七到一九三八年發生的景氣衰退中，新政與形成組織的商業界之間產生的政治敵意，更進一步削弱了經濟。

最終為這潭死水注入生機的，是一場消耗大量時間與精力的「全面戰爭」。第二次世界大戰是影響層面最廣的一場戰爭，不僅在於各國軍隊之間，也「與人民一起作戰，為人民而戰，以及對抗人民」。[1]由威廉·惠勒（William Wyler）執導、廣受歡迎的戰爭片《忠勇之家》（*Mrs. Miniver*，一九四二年）中的主角說道：

這不僅僅是一場屬於軍人的戰爭，還是一場屬於人民的戰爭，關係到所有人民，它不但必須在戰場上進行，也得在城市與鄉村、工廠與農場、在每個熱愛自由的男人、女人與孩子的家庭和心中進行。[2]

二戰不僅「動員」了政治與經濟，還真正衝擊了大眾心理。在經濟大蕭條時期，資本主義需要體制外的刺激。戰爭期間，幾乎所有一切都不遺餘力地刺激資本主義。（詹姆斯・瓊斯〔James Jones〕在一九六二年出版的《紅色警戒》〔*The Thin Red Line*〕，與約瑟夫・海勒〔Joseph Heller〕在一九六一年出版的《第二十二條軍規》〔*Catch-22*〕同屬描述二戰的兩部偉大美國小說，而前者之所以得到此殊榮，是因為其刻畫的太平洋戰區人物成功跳脫了純粹的衝突吸引力，即便為時短暫。）總體戰爭將人民與資源捲入失控的漩渦之中，創造了「暴力能量的動態場域」，正如歷史學家麥可・蓋耶（Michael Geyer）與亞當・圖澤所述，這是刺激國民經濟生機的必要條件。[3]如此一來，這將大量生產模式帶到了過去所無法想像地多產、卻又具有毀滅性的境界。

對戰爭工具的公共投資成了一切起因。在歐洲，希特勒在一九三〇年代推動的德國經濟軍事化，激起工業急遽復甦，解決了大規模失業問題。但在美國，軍事開支貧乏，大規模的白人男性產業失業現象遲遲未得到解決。當然，納粹的國防軍和空軍只擅長一件事，就是入侵與轟炸其他國家。[4]為了在戰場上擊退法西斯主義，美國境內各地的工廠必須全速運轉，生產線製造出源源不絕的艦艇、坦克、槍炮與彈藥。「產能過剩」不再是個問題。美國的戰爭政府直接提供資本給生產軍需品的單位。工廠的燈終於重新點亮，許多新廠房也動工興建。不論是投機性、預防性或政治性，任何類型的流動性偏好都被拋到了腦後。出於政治原因，生產中的固定投資主導了一切。

能源成為資本主義在二十世紀發展中一個重要的主題，當然，這跟有機經濟一樣歷史悠久，但如今多了更多層次。在一九二〇年代的大牛市中，投機性投資將精神能量與貨幣資本投入流動性的證券市場，就在此時，電能開始提供動力給非流動性的生產性固定資本。經濟大蕭條使一切變得衰微凋敝。之後在戰爭期間，「暴力能量的動態場域」透過公共投資使高能量的工業資本主義恢復運作。戰爭在世界各地激發了大眾對長期發展與經濟富足的期待。此後，全球各地迎來了一個對創造財富的工業生產進行長期、私人的非流動性投資的世代，使工業社會穩定了下來。同時，在二戰期間，化石燃料工業主義的根基扎得更穩了。畢竟在這段時期，石油是重要的戰利品。人類世（人為氣候變遷的地質時代）即使尚未開始，在這時也已經注定會來臨了。[5]

新政以西部為重點的發展部門加大了力道，而在一九四一年日本轟炸珍珠港後，美國的經濟擴張快到令人驚訝。即使不景氣，一九三〇年代美國經濟的規模仍然居世界之冠，大量生產依舊與「美國主義」畫上等號。美國加入戰爭後，到了一九四二年底（即所謂工廠戰爭關鍵的一年），美國的失業現象不再。[6]有薪勞動人口增加了一千一百二十五萬名。[7]在戰爭經濟中，政府並未將既有產業納為國有。回顧美國南北戰爭，當時愛國主義與盈利交融成了一種動態的混合體，形成一股推力。如今，對新成立的「公有民營」企業的龐大公共投資，推動了戰爭的生產。[8]資本的公共分配使私人企業恢復了生機。到了一九四三年初，在對抗軸心國的偉大同盟中，蘇聯仍持續進行大部分的軍事行動，當時還是死傷人數最慘重的國家，但是，美國大量生產的巨大潛力開始爆發，很快便輾壓了敵人。最終一九四五年這場戰爭宣告結束，也就是有史以來最可怕的武器原子彈被投向日本廣島與長崎的平民之際。

當時，美國的戰略成就令人嘆為觀止。多數的戰爭國家無情地將資源從消費轉往軍事生產。蘇聯的飢荒成了愛國的榮譽徽章。儘管國民過著有一餐沒一餐的日子，日本軍隊依然挪用了所有的馬鈴薯供給以進行汽油加工。經濟史學家激烈爭論二戰是否限制了美國平民的消費之際，美國打造了世界史上第一支能夠在戰略上統御兩大洋的戰鬥部隊。[9]美國士兵帶著午餐肉三明治、香菸和口香糖到了異地。一九四五年，蘇聯紅軍的勢力傲視各國，占領的歐洲疆域一度來到柏林。然而，世界上大部分的工業產能盡毀於戰火的一片廢墟。除了有一次德國U型潛艇試圖登陸長島以失敗收場，以及一些帶有易燃物的日本氣球如雨點般無害地降落在美國的海岸以外，美國的經濟安然無恙。

必須誇張地說美國擁有規模前所未見的全球經濟優勢。與此同時，另一場關於如何生活的總體戰也正在展開。史達林表示，勝利不僅帶來了領土的占領，還帶來了宣告「社會系統」的權利。[10]美國資本主義提出了這麼一個美好生活的願景，背後卻藏有美國政權毀滅性的末日核武殺傷力。在這一點上，美國的資本主義史無可避免地成為了全球的歷史。

在國內，戰時美國主義引起了社會大眾對政治經濟空前的興趣。這種現象會一直持續嗎？是否有助於戰後新政自由主義的控制計畫？戰爭期間，新政國家的管制部門與發展部門齊頭並進，對經濟生活實行無數管制措施，包括控制物價與薪資及徵收所得稅。經濟逼近其產能極限之際，這些政策也抑制了通貨膨脹的發生，也就是新政自由主義未來的頭號剋星。[11]一九四四年，隨著戰爭的結果逐漸塵埃落定，承平時期的計畫也正式展開。戰線已然出現，為戰後新政國家的規模與目的的大規模政治鬥爭做準備。控制時代的最終政治經濟解決方案（即管制與發展政策的結合）等待戰爭的結束，「大政府」顯然已站穩了腳跟。

民主制度的軍火庫

一九三九年九月一日德國入侵波蘭時，美國擁有一支十七萬五千名士兵的軍隊，這樣的兵力勉強擠下了保加利亞，位居世界第十六強。[12]羅斯福重申了美國的「中立」政策，儘管美國在許多重要方面對世界局勢的參與程度都有所轉變與擴大。不久後，這位總統將宣布建立經濟上的「民主軍火庫」以援助盟國。一九三九年秋天，美國的戰爭經濟已開始蓬勃發展，經濟大蕭條也逐漸緩解。[13]畢竟，公共投資在政府的主導下集中於軍事目標，這樣要結束經濟蕭條並不難。

希特勒對波蘭的入侵，毫無疑問地揭示了他有意讓納粹統治歐洲大陸的企圖。這位納粹德國元首寫下了關於美國經濟史一些令人不寒而慄的反思。[14]他指出，德國在歐洲的競爭對手擁有分布廣泛的海外帝國，因而在經濟上能獲得非技術勞工、原料及出口市場。希特勒寫作的《第二本書》（*Second Book*，一九二八年）提到，美國的發展截然不同，他們征服了北美大陸，透過暴力手段清除了他們眼中屬於低等種族的原住民。希特勒將東歐的斯拉夫人比作美國的「紅番」。他對於美國南北戰爭摧毀了「一個建立在奴隸制與不平等原則上的偉大新社會秩序的開端」感到遺憾。[15]以南北戰爭為背景的《亂世佳人》（*Gone with the Wind*，一九三九年），是這位德國元首與納粹宣傳部長約瑟夫．戈培爾（Joseph Goebbels）最喜愛的電影。第三帝國對二十世紀的展望是在歐洲各地推行定居殖民主義，目的是為德國人創造「生存空間」（德文作Lebensraum），並吸引至關重要的原料輸入德國經濟，尤其是石油。如此一來，德國或許能在經濟實力上與美國匹敵。

早在希特勒頌揚美國十九世紀帝國史的數十年前，美國便已企圖建立歐洲式的海外帝國。美西戰爭（一八九八年）是自美墨戰爭（一八四六至一八四八年）以來美國最大的一次土地掠奪。美國在波多黎各、關島及菲律賓獲得了海外殖民地，並於一八九八年吞併夏威夷。美軍在菲律賓發動了一場殘酷的種族占領戰爭，戰火一直持續到一九〇二年，奪走了至少二十萬名菲律賓人的生命。[16]至於美洲，美軍在尼加拉瓜與古巴登陸，攻占了海地及多明尼加共和國。美國金融家和貨幣改革者將菲律賓與加勒比海及拉丁美洲許多國家的銀行體系與美元標準掛鉤，一部分原因是確保美國海外債權人的利益（他們希望債務人用美金還款）。[17]希特勒說得沒錯，美國的疆土仍然為美國的經濟生產提供了絕大部分的原料輸入。但是，就如歷史學家丹尼爾．因莫瓦爾（Daniel Immerwahr）所說的，「大美帝國」正在擴張。[18]美國所缺乏的某些原料對新興的大量生產工業至關重要，例如鋁礬土（鋁的礦物來源，也是機器時代中一種新穎的建材，盛產於南美洲）。

新政改變了美國的帝國軌跡。[19]經濟大蕭條破壞了外國銀行產業，並有效阻絕了許多國際金融關係（無論是否與帝國有關）。一九三三年在烏拉圭舉行的泛美會議上，羅斯福的國務卿科德爾．

赫爾（Cordell Hull）投票贊成一項決議，那就是「任何國家都無權干涉另一國的內部或外部事務」。到了一九三四年，美國結束了對拉丁美洲與加勒比海各國的占領，除了古巴關塔那摩（Guantánamo）一處海軍基地與巴拿馬運河區的一座軍事基地。經歷十年的過渡期後，一九三四年訂立的《菲律賓獨立法》（Philippines Independence Act）奠定了菲律賓獨立的基礎。在國內，新政立法恢復了聯邦承認印第安民族主權的可能性。因此，希特勒試圖殖民歐洲大陸時，美國正在重新思考其殖民統治的基礎。畢竟，意圖開拓領土與殖民地的帝國主義，只是一種或許可行的霸權模式。

一九三〇年代，美國與世界經濟交往的另一種形式逐漸浮現，關注的焦點不在於確保金融資本的流動性，而在於恢復全球貿易。一八九〇年代末對中國的「門戶開放」政策為一重要先例。美國承認中國領土主權，但要求中國開放市場准入。[20]在此謀略下，美國運用國家權力來確保外國市場進入，進而確保市場對美國商品的需求，而不僅僅是派兵駐守當地以監督「非白人」人口。一九三四年的「互惠關稅」帶有同樣的意圖，宣告美國對世界貿易自由化的承諾，並賦予總統開啟雙邊貿易協定協商的權力，以逐步剷除不斷緊縮的歐洲帝國貿易集團。此外，許多新政顧問人士支持國民經濟「發展」計畫，這意味著推動世界各地的工業化。[21]例如在一九四〇年，美國向巴西提供資本、信貸與技術支援，協助在沃爾特雷東達（Volta Redonda）興建煉鋼廠。

與此同時，美國退出了歐洲事務。一戰過後，儘管美國擁有十足的經濟權勢，但無意爭奪霸權地位。即使經濟大蕭條破壞了和平，希特勒使歐洲陷入準戰爭的灰色地帶，美國仍出現了支持「中立」的大規模社會運動。[22]一九三六年，受訪的美國民眾當中，有百分之九十五的人認為政府不該介入外國戰爭。國會通過了三項中立法案，禁止美國向交戰國出售「武器、彈藥或軍火」。[23]但是，這些法案並未限制美國對非交戰國的武器販售。藉由此一管道，美國的戰爭經濟逐漸成形。

一九三八年夏天，一群英國官員參訪洛克希德飛航公司（Lockheed Aircraft）在加州的廠房後，國際出現了搶購潮。到了一九四〇年四月，英國與法國訂購了近六千架飛機，為道格拉斯（Douglas）、洛克希德、北美公司（North American）、格倫馬丁公司（Glenn L. Martin Company）及寇蒂斯－萊特公司（Curtiss-Wright Corporation）等嶄露頭角的飛機製造商挹注了五億七千三百萬美元的營收。英國與法國向一九三九年入侵波蘭的德國宣戰後，美國國會修訂了《中立法案》，企圖允許政府向同盟國出口武器。儘管有許多支持孤立主義的中西部代表反對，南方地區的民主黨員仍投下了支持票。這背後自然有許多在地因素，例如，捷克斯洛伐克曾是美國重要的棉花進口國，但在一九三八年落入德國手中後便不再如此。南方普遍反對聯邦公共投資計畫，因為他們擔心聯邦政府會破壞南方的種族秩序；但是，它們支持羅斯福在一九三八年五月向海軍撥款十一億美元以將美軍艦隊擴編兩成的提議。一九三八年的《航空部隊擴編法案》（Air Corps Expansion Act）要求將美軍艦隊的規模擴大近兩倍。美國在一九三九年的軍事支出總計為六點五億美元，超越了所有非軍事的聯邦開支。[24]

一九四〇年春天，德國在阿登（Ardennes）森林發動閃電戰、而法國投降之際，美國國會批准了六十五億美元的軍事開支。羅斯福宣稱，美國將成立世界上第一支「兩洋海軍」，並努力達到「每年五萬架戰機」的產量——這個數字在當時頗為驚人。[25]一九四〇年七月，德國空軍飛越英吉利海峽、不列顛戰役開打，美國已開始全面重整軍備。其規模之大，[26]光是一九四〇年下半年，聯邦政府就投資了十四億美元建設新式製造業（該年的私人投資總額為十億美元），[27]便是採取所謂的「公有民營」機制。傑西・瓊斯在掌管復興金融公司期間打造了國家資本主義帝國，他所負責分配的固定投資，成為許多新立公營企業的強大保護傘，其中規模最大的企業為國防工廠公司（Defense Plant Corporation，DPC）。如今，私營企業打著軍需的名號，對公共投資敞開大門。舉例來說，一九四〇年六月，戰爭部與杜邦公司簽訂合約，在印第安那州南部經營一座占地約二十萬公畝的無煙火藥工廠，而杜邦公司一度是新政的頭號政敵。同時，美國陸軍也投資由鼎鼎大名的克萊斯勒公司（Chrysler Corporation）所經營、占地六十九萬平方英尺的底特律坦克兵工廠。公有民營協議保證所有生產成本的給付，並補貼預定的盈餘——即「成本加成」。這種做法成了公有民營企業的準則。之後，克萊斯勒的底特律坦克工廠繼續生產兩萬輛坦克，包括M3「格蘭特」（Grant）與M4「薛曼」（Sherman）等型號。

經濟生產與就業情況開始好轉。毫無疑問地，這股刺激幫助了羅斯福在一九四〇年擊敗共和黨候選人溫德爾・威爾基（Wendell Willkie），並取得歷史性連任。威爾基是聯邦與南方電力公司（Commonwealth & Southern Corporation）的前負責人，也是田納西河谷管理局的勁敵。羅斯福私下表示：「這些外國訂單意味著美國的繁榮，除非我們的經濟蓬勃發展，否則民主黨就無法勝選。這些外國訂單至關重要。」[28]

隨著美國生產線開始全力運作，英國開始購買國庫負擔不起的軍需品。一九四〇年十二月，羅斯福宣布美國「必須成為民主體制的偉大軍火庫」。國會以壓倒性票數通過了一項租借法案。美國將向同盟國出借戰爭物資、糧食與關鍵原料（尤其是石油），而原則上同盟國將在戰爭結束後歸還這些物資（但他們大都沒有這麼做）。在一九四一年三月到一九四六年九月的這段期間，美國出借物資的支出高達五百億美元。[29]光是這一項，就超越了新政各機構在一九三三到一九四三年間共四百億美元的開支。大部分的物資都租借給英國，第二大受援者是蘇聯。羅斯福在一九三三年承認了蘇聯的國家地位，因為當希特勒違背他與史達林在一九三九年達成的協議，於一九四一年六月入侵蘇聯時，蘇聯已經加入了對抗軸心國的偉大同盟。那次的入侵，是希特勒一生中犯下的最大錯誤。

一九四一年，羅斯福請求國會通過七十億美元的租借預算，另外也要求撥款一百三十七億美元供國家重整軍備。該年財政年度的軍事開支總額達到了一百二十億美元，是一九三八年以來的十倍。國防工廠公司資助建設了世界上最大規模的工廠，也就是福特在密西根州伊普西蘭提打造的楊柳溪工廠。與福特合作已久的工業建築師亞伯特．卡恩不但設計了克萊斯勒的底特律坦克兵工廠，也操刀楊柳溪工廠。在三十二萬五千一百多平方公尺的空間裡，卡恩的設計用上了超過一百二十五萬多平方公尺的混凝土。

一九四一年夏天，楊柳溪工廠開始生產B-24轟炸機。轟炸機的製作原料是鋁，而主導鋁礦產業的一直都是美國鋁業公司（Alcoa）。提煉鋁所需的能源是煉鋼的十二倍。國防工廠公司的資本幫助雷諾茲金屬公司（Reynolds Metal Company）在阿拉巴馬州與華盛頓州設廠，之所以選這兩地，是因為鄰近成本低廉的公用水力發電。二戰的開打也帶動了飛機業與鋁業的發展。[30]

德國軍隊湧入蘇聯之際，一九四〇年九月成為德國正式盟友的日本，在一九三七年入侵中國時也面臨重重阻礙。美國不承認日本對資源豐富的滿洲的統治權，但也不考慮向中國提供像對英國那樣的龐大支持。日本將目標瞄準東南亞資源豐富的歐洲殖民地，包含英屬緬甸與馬來半島、法屬印度支那，以及盛產石油的荷屬東印度群島。[31] 一九四一年夏天，日軍往南進攻中南半島，美國以實施石油禁運措施回應，並凍結了日本的所有資產。日本大部分的燃料都從美國進口，現在卻只能眼睜睜看著租來的美國油輪航向蘇聯，而自家的石油存量愈來愈少。一九四一年十二月七日，日本轟炸了美國在太平洋的幾處軍事基地，包括位於殖民地夏威夷珍珠港的大型海軍基地。美國正式向日本宣戰，德國與義大利也對美國開戰。

圖 66 「福特楊柳溪轟炸機工廠的 B-24 解放者生產線」（約一九四四年）

作為美國在二次世界大戰「工廠之戰」中獲勝的偉大象徵，福特汽車公司的楊柳溪 B-24 轟炸機工廠據說是世界上最大的單頂工廠。其生產線有足夠的空間可供一百一十英尺高的有翼飛機做完整的九十度轉彎。

工廠之戰

總體戰的動員各有不同。起初，日本與德國擁有優勢，因為它們在一九三〇年代已完成軍事化。德國閃電戰的邏輯是，在更龐大、更具潛在生產力的敵對戰爭經濟體壯大到足以與自己抗衡之前先發制人。

其他國家的動員則偏向勞力密集型，比美國更無情地壓榨國內勞動力。事實上，希望在殖民地創造生存空間的德國，直到一九四三年中期才展開全面動員，但為時已晚，當時美國的軍事產能已攀上巔峰，形勢已經逆轉。[32]蘇聯的經驗無人能比。[33]歐洲戰場上，蘇聯在史達林格勒戰役（Battle of Stalingrad，一九四二年八月至一九四三年二月）中史詩般的勝利，成了一場決定性戰役，當時軍隊與平民的死傷人數約兩百萬名。美國在二戰期間的死亡人數為四十一萬九千人，蘇聯據估則多達兩千七百萬人。能與蘇聯遭遇的巨大傷亡匹敵的，只有日本與德國政權在一九四四到一九四五年荒唐的垂死掙扎。相較之下，在一九四五年二月蓋洛普（Gallup）進行的民意調查中，近三分之二的美國民眾坦承自己沒有為「戰爭做出任何真正的犧牲」。[34]

美國的經濟動員屬於資本密集型，因此比軸心國的勞動密集型戰略來得節省人力。[35]舉例來說，新政的供給管理政策為「平價」農產品制定價格底限，進一步促進農業朝節省土地的機械化生產邁進。[36]軍事動員使許多既有的工廠恢復運作並雇用勞工，生產力也有所提升。工業方面，戰爭使企業重新調整了對戰後局勢的預期。此外，戰時生產讓勞動力流入工廠，結束了經濟大蕭條時期的大患——大規模失業。很快地，社會對政府有了新的期待，盼望失業潮永遠不會再起。

珍珠港事件之後，美國為戰爭展開全面工業動員。一九四二年著手建設、一九四三年專注生產、一九四四年站上戰場。工業生產在一九四三年十月達到高峰，當時製造業的附加價值占比在美國經濟史上創下了新高。[37]一九四二年一月，羅斯福成立了戰時生產局（War Production Board，WPB），任命態度友善的希爾斯公司（Sears）高階主管唐納德．尼爾森（Donald Nelson）為局長。羅斯福還宣告了驚人的生產目標，光是一九四二年就計畫生產六萬架飛機與四萬五千輛坦克。這導致華府出現了「可行性辯論」，戰時生產局與軍事部門激烈地爭論國家的經濟能力與優先要務。[38]

審議過程中，他們參考了新型的統計數據。在商業部，由西蒙．庫茲涅茨之前的學生米爾頓．吉伯特（Milton Gilbert）帶領的一個小組，提出了「國民生產毛額」（gross national product，GNP）的概念，這樣的想法根基便來自於庫茲涅茨在一九三〇年代首創的「國民所得」架構。國民生產毛額可用於衡量包括軍需品在內的總產出之年度收入流。商務部在一九四二年首次公布了國民生產毛額的數據，結果比庫茲涅茨評估的國民所得高出百分之二十五。庫茲涅茨在《戰時國民生產額》（*National Product in Wartime*，一九四五年）一書中對國民生產毛額的財政核算提出異議，懇請政府採用在更大程度上涵蓋福利的方式來衡量國民所得的增長，而不是以製造了多少炸彈為評估標準。[39]儘管如此，商務部仍宣布，有鑑於可用的經濟資源之大，美國的經濟產能尚未完全釋放。之後，羅斯福略微調低了在一九四二年立下的驚人目標，並主張完全不約束工業產能，任憑大量生產的方式大行其道。[40]當初羅斯福訂下的目標是六萬架飛機，而在整個戰爭期間，美國製造了三十萬架。

就凱因斯的《就業、利息與貨幣的一般理論》而言，二戰成了一場理論實證。在一九四二到一九四五年間，私人投資淨額為負數，但公共投資多達九百九十四億美元。[41]財政乘數開始發揮作用，因為公共投資動用了現有資源與產能，同時透過工廠的興建在經濟體系外開發了新的需求來源。消費有了起色，經濟活動帶來報酬遞增，形成累積效應。經濟產出以大於公共投資的係數倍增，失業現象幾乎消失殆盡。戰爭期間，凱因斯就國民總產出與就業情況提出的經濟學概念被稱為「總體經濟學」，廣為政府官僚體制與統計機構採用。[42]

戰時，國民生產毛額成長了百分之五十八。美國人建造了軍事基地、彈藥庫、戰機、坦克、軍艦、槍枝與炸彈。假如凱因斯是對的，也就是經濟大蕭條並沒有持續的充分理由，那麼就表示庫茲涅茨的看法也是對的——國民生產毛額的「成長」引發了一個更大的問題：總產出與就業率無疑增加了，但背後的代價卻是大規模的破壞與數百萬條人命。

在協調戰爭的過程中，戰時生產局擁有最終的權力。實務上，復興金融公司與美國國際開發金融公司（U.S. International Development Finance Corporate，ＤＦＣ）負責公共投資，陸軍與海軍負責採購。各單位職責分明，以致在一九四三年，羅斯福成立了另一個超級權力機構——戰爭動員辦公室（Office of War Mobilization），由來自南卡羅來納州、身為保守派的美國最高法院法官詹姆斯·伯恩（James Byrne）領導。儘管權限雜亂無章，公、私領域仍富有成效地協力合作，戰爭機器也開始運轉。

在戰爭生產中，大型工業企業仍首要採公有民營「成本加成」。東北地區依然是重要的造船基地，但相對不易受到潛在外來攻擊的中西部地區表現得更好。這場戰爭中規模最大的新建工廠是位於芝加哥南區、價值一點七五億美元的克萊斯勒－道奇工廠（Chrysler-Dodge），專門生產波音B-29轟炸機的引擎。該工廠的主要裝配間是卡恩在工業工廠設計領域的告別作，總占地高達三十二萬五千一百多平方公尺，而在裡頭工作的三萬名員工上班前會將汽車停在世界上最大的停車場（如今工廠已改建成購物中心）。然而，戰爭中最大的經濟轉型依舊發生在歷史悠久的東北部到中西部製造業地帶以外的地區。

有人認為，二戰雖然增加了農業需求，足以解決大規模失業問題，但由於過於狹隘地將經濟活動轉移至戰爭生產，扭曲了經濟面貌，因而阻礙了供給端的經濟發展。[43]這種說法乍聽之下滿合理的，卻未能充分解釋美國經濟生活的地理轉變。因為在二戰期間，出現了第三次影響深遠的西方工業化。[44]在商業時代，東北部的工業化以鐵、木材與紡織品為基礎；在資本時代，東北部與中西部的工業化建立在鋼鐵、煤炭及大量生產之上；如今在控制時代，工業化的基礎是鋁、水力與電子。工業化的進展也見於南部，但仍以太平洋西部為主。[45]這一次，工業化的驅動力不是投機性投資熱潮（雖然這到目前為止仍是美國資本主義最活躍的推動力），而是聯邦政府，它促使一家又一家的工廠在地生產。短短三年內，美國的經濟地理面貌有了根本性變化。

新政成了這一切的關鍵基礎。大古力與博納維爾水壩為太平洋西北區的戰爭生產供應了必要的電力。但是，如果說新政為西部帶來了七十五億美元的支出，二戰的支出則至少七百億美元，占戰時西部所有投資資本的九成。[46]在加州方塔納（Fontana）、內陸七十二公里處，為抵禦日軍進攻，復興金融公司借給工業家亨利．凱澤（Henry Kaiser）一億美元，用於建造密西西比河以西的第一座整合型煉鋼廠。[47] 一九四一年，全國鋼鐵生產的產能利用率達到百分之九十七。鋼鐵跟石油同屬當代的兩大產業，在稅收優惠政策下，私人投資依然強勁。[48]

亨利．凱澤是一位西部的新政企業家，他與沃倫．貝泰（Warren Bechtel）合夥。後者創辦了位於舊金山、私人經營的貝泰建築公司（至今仍為私營），成為新政時期在西部建造大壩的六家企業之一。[49] 珍珠港事件後，凱澤在奧勒岡州的波特蘭及華盛頓州的溫哥華建造「自由輪」（有如海上的T型車），不過他手上最大規模的船廠則是受國防工廠公司資本資助、位於加州里奇蒙（Richmond）的工廠，在他的家鄉奧克蘭（Oakland）的北邊。凱澤加入了偉大的工業父權主義者的行列。他開出高薪，歡迎黑人勞工、女工與工會來到里奇蒙，並從員工的薪資中扣除一部分款項用來資助「常設健康計畫」（Permanente Health Plan）。里奇蒙船廠建造的自由艦數量占全國的兩成，凱澤船廠則建造三成的美國戰時船隻，雇用了二十萬名工人。復興金融公司與國防工廠公司一共投資了三億六千四百萬美元給灣區（Bay Area）的工業設施，而該區域獲得的合約金額高達四十億美元。[50] 羅斯福口中的兩洋海軍已然成形。

然而，戰時太平洋沿岸轉變最大之地，是洛杉磯。戰爭之初，洛杉磯只有百分之五的勞動力從事工業，經濟以電影、石油與水果罐頭為主。不久後，太平洋西部生產的飛機占了美國所有戰機近一半，道格拉斯、洛克希德、伏爾提（Vultee，一九四三年後稱為聯合公司〔Consolidated〕）、北美公司、維加（Vega）與諾斯羅普（Northrop）等六大飛機製造商，沿著洛杉磯機場附近由公共事業振興署開拓的一條廊道設立工廠。到了一九四四年，至少有四千家戰爭工廠設於洛杉磯，產業分布廣泛。一九四五年，洛杉磯郡所占的全國生產毛額，超越了戰前的底特律（該年，其產值僅次於底特律）。[51]在一九四〇至一九五〇年間，加州多了三百五十萬人口，[52]成了「未來的大世界」。[53]

太平洋西部工業化創造了勞動力需求，在此同時，美國也迎來史上大規模國內移民。在全國各地，有百分之五十七的美國人移居他地，百分之二十一的人口跨州遷移，另外還有一千六百萬人受到軍隊的調集。[54]聯邦政府成立了戰時勞動力委員會來監督這波移民潮，[55]其中最大一批的移民是遷往密西西比河以西地區的八百萬人口。洛杉磯曾是一座種族歧視盛行的小鎮，但一百多萬名黑人從南方遷來後，終於開始破壞南方勞動力市場與全國其他地區的隔閡，大大地打擊了南方種族歧視。[56]一名遷往凱澤建造自由輪的船廠的南方佃農回想當時表示：「每個人不是都去從軍，就是從事戰爭工作，我賣掉了耕田的器具和騾子，來到里奇蒙。」[57]當時，加州人口暴增了三百萬。戰時工業化使南方勞動力離開了農田，而在一九四二年，政府實行的「勞動者計畫」（Bracero Program），*監管數十萬名從墨西哥來到加州耕田的「客工」。[58]全國各地的鄉村成了戰時工業的重大勞動力來源。太平洋地區的工業化最終協助消除了美國農場就業不足的窘境，更促進了農村機械化，可謂美國戰爭動員另一個資本財密集型的特點。

很快地，西岸擺脫了對東岸的依賴，無論是「匹茲堡+」定價系統內的鋼錠，或是華爾街的融資。西岸的主要產業不但受到軍隊資助，還達到了技術創新，尤其是航太業。戰爭期間，電子、計算機、盤尼西林的大量生產及產業也有了新的突破。[59]加州理工學院著名的噴射推進實驗室（Jet

Propulsion Laboratory）有幾位教授在航太公司兼職，史丹佛大學更是格外樂意協助推動政府資助的產業。被列為最高機密、製造原子彈的曼哈頓計畫，由加州大學柏克萊分校的物理學家羅伯特・奧本海默（J. Robert Oppenheimer）主導。就國民生產毛額而言，炸彈只有投擲之用；然而，戰時的公共投資，穩固了未來戰後「軍事工業」綜合設施的西部基地及二十世紀末矽谷新經濟的基礎。

退一步看，所有的戰爭國家都將工業產能分散至數個新區域，不論是德國占領的西里西亞（Silesia）東部，還是日本的太平洋工業帶。德國征服了蘇聯百分之七十五的工業產能之際，紅軍在「大撤退行動」中將兩千六百家工廠及一千兩百萬名工人遷到了烏拉山脈（Urals）以東地區，並在冰天凍地新建了戰爭工廠。[60]德國、日本和蘇聯工業透過大量勞動力來提高生產力。軸心國有許多重大進展都建立在強制性勞役之上，這就是亞伯特・施佩爾（Albert Speer）在一九四五年創造生產「奇蹟」的基礎。日本在東南亞殖民地對勞動力的脅迫最為殘酷無情。（大英帝國也是如此。）[61]德國與日本雖然沒有凱澤這樣的人士，但是有奴隸勞動營。事實上，第三帝國在東歐推行的殖民化，看起來更像傑佛遜「自由帝國」願景中路易斯安那州的奴隸經濟。戰時美國太平洋西部走向高科技工業化，當地工廠裡的勞工全是南方奴隸的後代。微軟公司的比爾・蓋茲（Bill Gates）會發源於西雅圖而不是西里西亞，是有原因的。

相對於資本財密集的美國，軸心國打的是一場勞動密集的戰爭。美國以國家資本資助了西雅

---

* 譯註：美國國會准許墨西哥勞工入境的臨時移工計畫。

圖到聖地牙哥一個個技術革新的大量生產工業時，希特勒直接殖民控制了東歐原料與強制性非技術勞工，並發動一次次的血腥行動，但這種做法顯得愈來愈不合時宜。同時，美國經濟的擴張，使閒置的資源與人力重新回鍋，福特主義的生產力增益也繼續蔓延。[62]戰爭的必要性激發了生產中更講究效率的勞力節省方式。在楊柳溪工廠，B－24解放者轟炸機的產量從每月七十五架躍升至四百三十二架；凱澤的自由輪船廠則是出了名地採用預先組裝與以熔接取代鉚接的做法，將大量生產的工期從八個月縮至僅僅幾個星期，有一次更是只花了四天時間。[63]

所有這些技術在戰後都不會被遺忘，而是持續引發商業與民眾的期待。[64]除此之外，美軍廣大的採購、外包與輸送網絡，實際上已成為全球化的基石。[65]美國國內擁有龐大的必要原料儲備，包含關鍵的化石燃料。戰爭期間，其生產的煤炭占全世界的一半，石油更高占三分之二。國家資本打造了從德州到紐澤西的大口徑及小口徑輸油管。美國唯一有可能缺乏的必要原料是來自英國殖民地的鋁土礦與來自智利的銅礦。同時，德國未能在後勤上將急需的烏克蘭煤炭與鐵礦及巴庫（Baku）的石油供給納入戰爭經濟。由於遭到美軍潛艇攻擊，日本無法控制必要的航道，因而未能從其新獲的帝國領地取得迫切需要的石油、煤與鐵。對比之下，美國在二戰期間跨海運輸了一點三二億噸的貨物，[66]主要透過通往澳洲的補給線來為太平洋艦隊提供必要物資。美國在戰爭時努力的成果，造就了全球後勤組織的奇蹟。

美國讓東北部到中西部的製造業地帶重新躍上檯面，在太平洋西部開闢一條工業廊道，並形成全球供應鏈，藉此贏得了「工廠之戰」。一九四二年尤其關鍵，當時美國生產的軍火價值高達兩百億美元，而德國是八十五億美元，日本為三十億美元。[67]各國在經濟方面的差異達到了「過分誇張」的地步。

儘管如此，這場戰爭必須拿下才行。在太平洋戰區，決定戰爭走向的關鍵，是從一九四二年八月持續到一九四三年二月的瓜達康納爾島海戰（Battle of Guadalcanal）。考量俄國人民承受著不成比例的苦難，史達林大發雷霆，而羅斯福與邱吉爾則讓自家軍隊按兵不動，因為他們正在思考如何將美國優越的經濟力量帶到歐洲大陸。邱吉爾傾向在地中海開展行動，一顯大英帝國的神威，同時對歐洲大陸的平民進行「戰略轟炸」。美國則是因為擁有裝備精良的戰機，可以飛得更高、能在白天出動並執行日間突襲，因此傾向於轟炸軍事目標。但是，最終美國退而採行

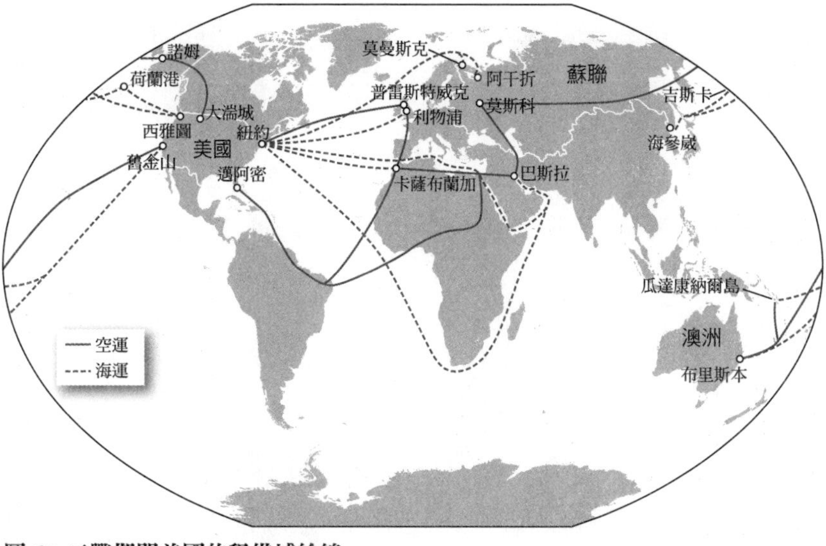

圖 67　二戰期間美國的租借補給線

美軍在戰時的全球後勤網絡，為戰後美國在世界政治與經濟上的霸權地位奠定了基礎。

英國的戰略。一九四三年七月，英國對德國第二大城市與主要工業生產地漢堡展開轟炸行動。這對工業並未造成太大損害，但炮火吞沒了整座城市，奪走了四萬多名平民的性命。同年十一月，同盟國軍隊開始轟炸柏林。

一九四四年，同盟國的戰機向歐洲投下了一百多萬枚炸彈。雖然估算數據不一，但在一九四五年二月，英國的戰略轟炸行動在德國城市德勒斯登（Dresden）殺死了大約十三萬五千名平民。一九四四年六月，羅馬解放，同盟軍最終登陸法國諾曼地。蘇聯軍隊在德國領土上捷報頻傳，還發現了納粹屠殺猶太人的滅絕營。四月，蘇聯部隊抵達柏林。義大利游擊部隊射殺了墨索里尼，並將他倒吊在空中示眾。希特勒在柏林的地下碉堡裡自盡。一九四五年五月八日，德國向同盟國投降。[68]

在太平洋戰區，美國軍隊陷入了困境。一九四五年三月，一場戰略轟炸行動在東京殺害了近九萬平民，並燒毀了這座古城大部分的木造建築。當中使用的燃料是以鎂粉製成的「古潑（goop）炸彈」，是凱澤的舊金山鎂錠工廠所生產的副產物。[69]同年四月，羅斯福死於中風。新任總統杜魯門決定向日本投擲原子彈以結束這場戰爭。

原子計畫運用了戰爭的三大公共投資來生產過去只以極少量存在的金屬。這三項投資包括對位於田納西州橡樹嶺（Oak Ridge）的兩座濃縮鈾工廠金額龐大的國家資本投資，由聯合碳化物公司（Union Carbide）與伊士曼柯達公司（Eastman Kodak）經營，能源供給則來自田納西河谷管理局變電所。華盛頓州漢福德（Hanford）被列為最高機密的「核能區」，專門生產鈽，位於哥倫比亞河沿岸占地五百八十六平方英里，耗資三億三千九百七十萬美元。[70]大古力水壩為漢福德供應大量的必要電力，杜邦公司則無償管理該廠。漢福德區利用八座水冷式反應爐來燒製鋁管中的鈽。義大利物理學家恩里科・費米（Enrico Fermi）在一九四四年底抵達漢福德，監督反應爐運作。之後，救護車車隊將第一顆原子彈的鈽心送至奧本海默負責的洛斯阿拉莫斯實驗室（Los Alamos Laboratory）。一九四五年七月十六日，第一顆實驗性原子彈在阿拉莫戈多（Alamogordo）進行試爆。[71]

核彈威力有多驚人，美國的全球霸權崛起與威力便有多劇烈。美國於一九四五年八月六日與九日轟炸了日本的廣島與長崎，造成至少十三萬九千人喪命，實際的死亡統計數字可能還得增加數萬。之後，杜魯門表示，對於投擲炸彈的決定從未有過疑慮，美國一直都打算先製造原子彈，然後再予以使用。[72]同年八月十五日，日本宣布無條件投降。

大政府

促使美國「大政府」誕生的，是二戰而不是新政。[73]在統一的國家公共利益旗幟下，聯邦政府的規模與範圍都巨幅擴張。在資本方面，新政的發展部門透過公共投資而恢復了生機；國家面臨緊急情況時，管制部門也積極運作。在所得稅、物價、工資與利潤控制及貨幣政策上，中央政府重大地干預了美國人的經濟生活。經濟將回歸承平時期的基礎，但無法將大政府的精靈塞回瓶中了。

這麼一來，有鑑於新的能力及政治需求，問題變成了大政府究竟應該或不應該做什麼。關於這個答案的探究在戰爭期間開始出現，尤其是在一九四三年之前。隨著公共投資的擴張，許多商界精英對新政的敵意並未消退。他們開始在政治上煽動政府在戰後將資金歸還給私人資本所有者。同時，新政的收入政治獲得了更大的動能，變得更加具體。工會勞工開始主張權利。由於二戰打破了經濟大蕭條時期大眾的悲觀看法，戰時的美國主義促成了人民對資本主義產生新的期待。「自由」這個戰爭中凝結意識形態的重要口號，不僅意味著經濟更加安全，也代表所有群體皆富足，被排除在新政主要收入福利之外的婦女及黑人也應富裕。但是，戰爭終究只是鞏固新政對支持白人男性養家糊口的承諾罷了。

這場戰爭賦予政府史上前所未見的權威正當性，使政府毫不避諱地採取強制手段。約翰·埃德加·胡佛（J. Edgar Hoover）帶領的聯邦調查局（ＦＢＩ）更是處決了數名異議分子。[74]聯邦政府拘留了十二萬名具日本血統的居民，其中包括至少六萬名美國公民。[75]起初在一九四一到一九四二年，美國人對大政府與「戰爭心態」的認同相當平和。美國主義滲透了人們的生活，職場、超市、國稅局與住家臥室，無所不在。戰時宣傳的主要手段是電影，由戰時情報局的電影辦公室負責。軍方規定剛入伍的新兵必須先觀賞法蘭克·卡普拉（Frank Capra）的《我們為何而戰》（*Why We Fight*，一九四二至一九四五年）的系列作品（其中某些片段拍得相當不錯）。電影製片人協會（Motion Pictures Producers' Association）主席解釋，「不會再有《憤怒的葡萄》這樣的作品出現……也不會再有把銀行家當作反派的電影。」[76]一九三〇年代左派「文化陣線」有許多成員加入了反法西斯大聯盟。以愛國主義取代階級仇恨及種族與民族衝突的「轉換敘事」電影類型，吸引不少新面孔的加入。其中最出色的一部是艾爾弗雷德・希區考克（Alfred Hitchcock）導演的《救生艇》（*Lifeboat*，一九四四年），該片採用了《憤怒的葡萄》作者約翰・史坦貝克據其小說改編的劇本，描述各個人物儘管彼此間存在歧異，仍努力團結對抗納粹威脅，同時也盡力抗拒自己向獨裁主義屈服的本能。希區考克無疑是最偉大的電影工作者之一。相較之下，戰爭期間更常見的是，受政府雇用的企業廣告導演磨刀霍霍，準備迎接戰後消費主義的到來。

聯邦政府實現了承諾，提供窗口來滿足民眾的愛國行動。國會在一九四一與一九四二年通過的第一項與第二項《戰爭權力法》（War Powers Act），賦予行政部門干涉美國私人經濟活動的廣泛權限，這是建國以來首見。一九四一年設立的物價管理局（Office of Price Administration，OPA）最早由新政顧問里昂・亨德森主掌，握有控制物價、進而防止通貨膨脹的廣大權力。一九四二年二月，政府停止所有民用汽車的製造以支持戰爭生產，並且限制生產許多消費品，譬如家具與冰箱。對此，物價管理局開始對汽油與咖啡等消費品實施定額配給制。為了確實執行價格上限，該機構招募了多達三十萬名男性與女性志工來協助監督商品售價。[77]

除了消費管制之外，公共投資與軍事支出也需要資金。要籌集資金，有兩種或許可行的機制，也就是徵稅與舉債。戰爭徹底改變了美國的財政狀態，將規模龐大但仍具有重分配性質的所得稅導入財政政策核心。「財政公平」政治打擊了稅前的經濟不平等，深刻影響了收入政治，而催生這一切的不是經濟大蕭條而是戰爭。在四千一百三十七億美元的戰爭支出中，有百分之四十九來自稅收（其中絕大多數為所得稅）。[78]其中包括一系列的公司「超額盈餘稅」，最高多達百分之九十。戰時的有效公司所得稅則介於百分之五十至七十之間。[79]

一九四〇年，美國國債總計為五百零七億美元；戰爭結束時，數字變成了二千五百一十億美元。美國國債達到了國內生產毛額的百分之一百一十二。透過課稅與發行國債，聯邦政府毫無困難地為國債融資。受凱因斯《一般理論》所啟發的美國經濟學家形成了一個不斷壯大、以哈佛大學與麻省理工學院為主要學術基地的群體，又一次看到理論得到實證。例如，阿巴・勒納（Abba Lerner）在〈功能性財政與聯邦債務〉（Functional Finance and the Federal Debt，一九四三年）一文中表示，在一個產能不足的經濟體中，舉債行為或許可以觸發財政乘數。產出與貨幣收入的擴大可致使稅收增加，為舉債帶來資金。[80]由於美國發行的公債以美元計價（而不是其他無法控制的外國貨幣），因此必要的話，政府隨時可以透過通貨膨脹來消除累積的公債。但更好的做法是，擴大商品生產。如此一來，通貨膨脹就不會發生，也沒有必要發生。

公共財政方面，除了課徵公共稅收、管理支出與舉債等財政政策之外，聯準會手中還有貨幣政策這張牌可打。聯準會有能力行使自由裁量權來擴大貨幣數量，以貸款人身分制定信貸利率，並參與信貸市場及購買資產（包括公債在內，稱為「公開市場操作」）。戰爭期間，聯準會在主席馬瑞納・埃克斯的領導下，將協助財政部處理公債問題列為優先事項。在公開市場操作下，聯準會據估為戰爭支出提供了百分之二十三的資金。[81]它之所以干預公債市場，是要為所有債券持有人保持穩定的百分之二投報率（即今日所謂的「收益控制」政策）。出身麻省理工學院、年少得志的凱因斯主義經濟學家保羅・薩繆森（Paul Samuelson）表示，這是一場「百分之二的戰爭」。[82]聯準會讓利率維持在低點，並未提高利率以抑制戰時可能出現的通貨膨脹（管制物價的任務就留給物價管理局去完成）。有別於私人主導的投機性投資熱潮，利率在戰爭期間的資本分配中微不足道。聯準會就像是公僕，在全面生產中資助更大規模的固定投資政治計畫。這些是戰時政策，但沒有理由不在承平時期繼續沿用。

大量生產的做法迅速發展，不同於一戰期間比率高達百分之二十的通貨膨脹，二戰時期的通貨膨脹始終控制得當。凱因斯比許多美國追隨者更害怕通貨膨脹，他在《如何為戰爭買單》（*How to Pay for the War*，一九四〇年）一書中提議，應該強制勞工開立儲蓄帳戶，一部分原因是，強制儲蓄的做法可減少流通貨幣，防止需求超越供給，而這正是通貨膨脹的成因之一。財政部並未採取這個方式，而是展開了一場成功的宣傳活動，透過民眾對美國戰爭債券的投資來鼓勵儲蓄。卡通人物兔八哥、艾默小獵人、波基豬與達菲鴨都出現在電視上，幫忙推銷美國政府發行的公債，灌輸大眾國軍在外為自由奮鬥之際，國民也應該在財務上做點犧牲。[83]此外，所得稅率的提高也削減了市場上的貨幣數量，成功抑制了通膨。

同時，羅斯福在一九四二年四月宣布，里昂·亨德森領導的物價管理局將實施「總體上限」政策，為企業制定一個抑制物價的總體目標。在接下來的一年裡，年通膨率落在百分之五點一到七點八之間。到了一九四三年四月，物價管理局開始設定具體目標，直到一九四六年二月之前，通膨率都穩定維持在僅僅百分之一點四的水準。[84]

從物價、工資、盈利管制到高所得稅率，聯邦政府為了抑制物價與阻止通膨而採取的特別干預措施值得我們留意，因為它們影響了控制時代裡新政自由主義的命運。國家壓低短期與長期貸款利率以誘發私人固定投資，並舉債為預算赤字及公共投資籌措資金時，也同時吸引了未開發的資源，包括勞動力、機器與技術知識。這促成了整體產出與就業增長，雖然程度有限。假使沒有更多資源可用，假使「總體經濟」已達生產極限，貨幣與財政的擴張可能會導致通貨膨脹——也就是有更多的貨幣去追逐有限的商品。通膨本身並沒有錯。某些通膨現象削弱了債權人的收入（這些人往往是銀行家與金融家），實現了新政自由主義憧憬的財富分配。但是，高通膨可能會讓未來物價充滿不確定性，破壞了人們的預期。由於民眾會擔心未來物價上漲，這也有可能鼓勵大家及時消費，而不利於長期投資。在此同時，大眾在飽受戰爭之苦後，對戰後經濟持續富足的補償心理預期，可能會導致需求超越供給，成為通貨膨脹的另一個潛在肇因。戰爭期間，新政國家會管制通膨現象，主要是因為物價管理局的價格控制措施。在承平時期，這種對市場價格機制（也就是私人活動）的劇烈干預，在政治上是否可以被接受？隨著戰爭的開展，物價管理局的價格管制政策成了美國在戰時狀態下最不受歡迎的舉措之一。新政為了對抗物價通縮而生，所促成的自由主義卻帶來了潛在的通膨危機。

一九四三年，通貨膨脹獲得了控制，但人們對戰爭的共識卻出現了裂痕。政治上，保守派對新政的敵意再度浮現。在一九四二年的期中選舉，共和黨在眾議院拿下四十七席，在參議院取得九席。一九四三年新會期開始之際，共和黨員與南方的民主黨員聯合起來（後者在戰前就已反對新政最雄心勃勃的經濟計畫），關閉了新政發展部門的多家機構。其中包含國家資源規畫委員會

（National Resources Planning Board，ＮＲＰＢ），該組織不久前才出版《安全、工作與救濟政策》（*Security, Work, and Relief Policies*，一九四二年），詳述了包括戰後公共投資計畫的一系列藍圖。之後，國會不顧羅斯福的否決，通過了一九四三年《收入法案》，在維持所得稅大幅累進級距的同時，首度將所得稅轉變為真正的大眾稅收。一九三九年，美國只有百分之七的家庭繳納個人所得稅。到了一九四五年，納稅的家戶增為將近三分之二。最終，政府從個人所得稅獲得的歲入，超越了企業所得稅。[85]

在國會之外，資本所有者計算著他們在戰爭中獲取的利潤，其中有許多利潤由官方公有民營「成本加成」的協議擔保，但他們也開始評估大政府能為自身長期利益帶來哪些好處。一個新的商業團體經濟發展委員會（Committee for Economic Development）以羅斯福政府前內閣成員、曾在一九三九年首次說服羅斯福轉向債務融資的公共投資的比爾茲利・魯姆爾為首，積極促成政府與公有及私人企業之間更加密切的合作。全國製造商協會（ＮＡＭ）與美國商會這兩個支持商業的遊說組織，開始抱怨政府的官僚作風與攻擊「私人企業」，批評力道更甚以往。[86]他們認為，政府的干預不得凌駕私人經濟活動領域之上，並特別要求政府保證，戰後將讓投資的責任回歸私人手中。一九四三年，通用汽車董事長艾爾弗雷德・史隆代表該陣營質問全國製造商協會：「在經濟層面上取得和平，跟在軍事層面上贏得戰爭一樣重要嗎？」史隆對進行中的「企業社會化」提出警告，指出這種情況一旦發生，「私人企業就完蛋了」。[87]

同樣在國會之外，戰時共識也在勞工階級中分裂。勞工領袖提出了各種要求，有些人想像戰爭經濟帶來的可能性，並闡述了一個新平台——「產業民主」。煉鋼工人領袖柯林頓・戈登（Clinton Golden）與哈洛德・盧騰柏格（Harold J. Ruttenberg）在《產業民主體制的動態》（*The Dynamics of Industrial Democracy*，一九四二年）中主張，職場上的民主必須意味著工會將直接參與生產與投資決策，這有可能促使生產力更大幅度提升。工會與管理階層將針對更多細節進行集體談判，而不僅僅是工人薪資。但更引人注目的是，在戰爭期間，人口大幅增加的工會工人都將訴求集中在工資議題上。除此之外，那些被邊緣化及被排除在新政與集體談判經濟利益之外的群體，開始大力爭取更多的權益。

戰爭開打之初，勞工族群風平浪靜。美國勞工聯盟與美國勞工總會的領導層都支持「勞動階級的美國主義」，濃厚的愛國情操掩蓋了階級衝突。在此情況下，許多工會簽署了不罷工的誓詞。代表成衣業工人工會（Amalgamated Clothing Workers）的美國勞工總會領袖西德尼・希爾曼（Sidney Hillman），同意擔任羅斯福政府旗下其中一個戰爭委員會的勞工部主席。國家戰時勞工委員會（National War Labor Board）頒布了「鐵甲公式」，限制工資調升以抑制通貨膨脹，並將一週工時定為四十八小時。委員會還宣布了有利於勞工的「會員資格維持」規則，根據規定，在工會合約下受雇的工廠勞工可自動成為付費會員，除非他們在受雇的頭十五天內選擇退出。引人注目的是，福特汽車公司終於在一九四一年四月承認聯合汽車工人工會的地位。這一年，美國勞工總會還協助西屋電氣（Westinghouse）、國際收割機公司（International Harvester）、固特異輪胎（Goodyear），還有西岸一些飛機製造商及南方幾間紡織公司組成工會。戰爭期間，美國勞工總會的成員從一百八十萬攀升至三百九十萬。一九四三年，該組織成立了第一個政治行動委員會，為民主黨競選活動注入捐款。到了一九四五年，美國有百分之三十五的非農業勞工都加入了工會，主要原因是美國勞工總會的擴張。[88]

然而，美國勞工總會的領導階層無法履行不罷工的承諾。一九四三年，基層勞工未經工會同意便發起了罷工。[89]一九四二至一九四五年間，超過七百萬名勞工參加了至少一萬四千次的罷工。[90]最戲劇性的是，在一九四二年率領美國礦工協會脫離美國勞工總會的約翰・路易斯，帶頭發動了數次頗具爭議的「反鐵甲公式」罷工。參加罷工的人們抱怨通膨無感，要求資方提高工資。作為回應，國會不顧羅斯福的否決，於一九四三年通過了《戰時勞資爭議法》（War Labor Disputes Act），使行政部門有權掌控與經營受罷工威脅的重要戰爭生產行業。

同時，儘管做法有些瑕疵，但美國勞工總會是當時種族融合度最高的重要全國性機構。戰爭經濟為黑人勞工帶來了寶貴的契機。成員全為黑人、附屬於美國勞工聯盟的臥車搬運人員兄弟會（Brotherhood of Sleeping Car Porters）會長菲利浦・藍道夫（A. Philip Randolph），在一九四一年前往總統辦公室拜會羅斯福，威脅表示將在華盛頓舉行大規模遊行。總統於是讓步，並發布了行政命令，指示「在國防工業或政府機構中，不得有因種族、信仰、膚色或民族血統而歧視勞工之情事」。聯邦政府成立了公平就業實施委員會（Fair Employment Practices Committee，ＦＥＰＣ）以調查申訴案件，這也是新政自由主義處理職場歧視的法律途徑起源。到了一九四五年，非裔美籍勞工在戰爭產業中占了百分之八的就業人口，與總人口的比例差不多。[91]然而，沒有任何行政命令能夠阻止一九四三年夏天數起針對黑人勞工的自發性「仇恨罷工」。在底特律，有兩萬五千名帕卡德汽車公司的工人發動罷工，抗議公司讓兩名黑人員工升職。[92]戰爭期間，黑人知識分子在愛國主義的訴求下對種族主義發表了尖酸批評，還出版了《黑人要的是什麼》（*What the Negro Wants*，一九四四年）這本手冊。簡單來說，非裔美國人希望終結白人至上主義，其中有許多人基於戰時的犧牲而要求發起「雙V」運動（Double V）*來反抗國內外的壓迫。[93]

在新政收入政治及其對白人男性掙錢養家的壓倒性承諾下受害的群體，不僅有黑人。一九四三年四月，戰爭部向資方發布了一本小冊子，其標題直白地訂為《你必須雇用女性》（*You're Going to Employ Women*）。隨著男性人口被載往戰場，有愈來愈多女性進入了一個依據性別與生理性別差異而明確區隔的工作環境。一九三九年，女性年收入的中位數為五百六十八美元，男性則為九百六十二美元，而長期以來是勞動市場中最弱勢的群體黑人婦女年收入中位數為兩百四十六美元。[94]戰前，女性的勞動參與率已有上升跡象，之後從一九四〇年的百分之二十六增加到一九四四年的百分之三十六。[95]戰時勞動力委員會釋出的鉚釘工蘿西（Rosie the Riveter）形象宣傳，象徵了全國總動員的龐大規模。然而相較之下，英國與蘇聯的女性勞動力參與率是美國的兩倍。戰爭的確培植了一批新的美國勞工女性主義者。例如，非裔勞工女性主義者艾迪・懷亞特（Addie Wyatt）於一九四一年在芝加哥阿莫爾（Armour）一家肉類包裝工廠找到了工作，並持續領導一支地區工會。[96]但在二戰之後，許多非裔女性離開了工廠，不論自願與否。[97]到了一九四七年，女性勞動參與率下滑至百分之二十八。如同經濟大蕭條時期的情況，男性出外工作、女性操持家務的家庭理想在戰爭期間始終不墜。[98]

在此背景下，國會在戰時通過最具影響力的社會與經濟立法，當屬一九四四年六月的退伍軍人法案（GI Bill）。[99]該法保障了二戰老兵應從聯邦政府獲得的一系列權益，從為期一年的失業保險保障，到住宅抵押貸款援助、教育補貼及商業貸款。經濟權利隨男性公民身分而來，而退伍軍人法案更進一步地表明了異性戀男性公民權。[100]男性薪資是分配正義的基準，此一原則如今已深植於控制時代的政治經濟。在這方面，戰爭經濟做到了新政未實現的事情：創造一千一百二十五萬個就業機會，解決了大規模的男性失業問題。在一九四四年一月最後一次國情咨文中，羅斯福呼籲國會制定長期、關乎經濟權利的「第二項權利法案」，保障人民的工作、居住、醫療、教育與生活工資。他指出，所有這些權利都關係到「安全」，而這正是新政的核心關鍵字。但是，日趨保守的國會對羅斯福的要求置之不理。第二項權利法案就像顆啞彈般無聲無息地不了了之。取而代之的是涵蓋範圍狹窄的退伍軍人法案。一九四四年，《財星》雜誌進行了非正式民意調查，詢問民眾是否認為聯邦政府「應該為每一個有能力且願意幹活、卻無法在私營企業找到差事的人提供工作機會？」結果有三分之二的受訪者給予肯定。[101]在一九四四年的選舉活動中，民主黨與共和黨都承諾政府應保障「充分就業」，於是這成了一個新的政治經濟口號。[102]

* 編註：也就是「Victory Abroad and Victory at Home」，簡要翻譯為「對外與家園雙重勝利」，意旨非裔美國人認為在國外美國對抗法西斯主義，在國內美國也要打擊種族歧視。

同盟國在一九四五年取得最終勝利時，美國聯邦政府已有許多經濟規範立法實施，包括管制與發展。但未來是否應控制投資仍懸而未決。投資在數量上不再如經濟大蕭條時期般貧乏，但在戰時投資集中的標的（炸彈、坦克與槍炮）在承平時期必須有所轉化。但究竟要投資什麼標的？凱因斯在一九三三年寫道：「墮落的國際性、卻又講求個人主義的資本主義……並不成功……但當我們思考該拿什麼來取代它時，又會非常困惑。」[103]在美國，大政府至少訂出了一條明確的戰後經驗法則。《輿論季刊》（*Public Opinion Quarterly*）於一九四五年宣稱：「政府得到人民的授權，而民眾希望能找到工作。」[104]

肩負養家責任的男性迫切渴望工作，如何達成大規模雇用主導了戰後戲劇性的轉折時期，當時新政自由主義的政治經濟才終於塵埃落定。考量美國經濟與軍事力量的收斂，以及在海外發展美國主義文化霸權的野心，這個問題與聯邦政府之後將以何種條件及原則試圖重建飽受戰爭摧殘的世界經濟密不可分。

第十五章　戰後的轉折時期

企業家兼記者的亨利・盧斯（Henry Luce）於一九四一年在《生活》（*Life*）雜誌上宣布「美國世紀」即將到來時，表示「美國爵士樂、好萊塢電影、美式俚語、美國製造的機器與專利品」將遍布世界各地。[1]如今戰爭已經結束，一九四五年對全球各國而言就像是「零年」（Year Zero），這個時刻雖然混雜了人們的心力交瘁與悲痛，依舊充滿了重生與可能。[2]但是，這並不是完全空白的新頁。無論多麼遙遠，世界各地的人們都面臨美國擁有龐大權勢的赤裸事實。

這種主導全球秩序的地位在過去並不存在。一九四五年，美國擁有約占世界七成的黃金儲備與五成的製造產能。在一九四五到一九四六年的冬季期間，其握有最大的糧食儲備，當時世界各地有許多人口即使沒有餓死，也都三餐不繼。戰爭結束時，美國人擁有世界上所有投資資本的四分之三，美國經濟占各國人均國內生產毛額的將近百分之三十五，是第二名蘇聯的三倍。[3]軍事方面，蘇聯紅軍這股堅定不移的力量占領了歐洲大部分地區，但當時美國是唯一擁有原子彈的國家，其軍隊坐擁世界上唯一橫跨全球的高科技後勤供應鏈。相較之下，局限於歐亞大陸的紅軍有至少一半的物資仰賴馬車運輸。最終，與全世界在戰後的反帝國主義去殖民化運動有所牽連的，是一種渴望普遍文化霸權的美國主義，無論是透過大眾消費的吸引力，或是對「人權」的新自由想像，都帶動美國文化深入世界各地。[4]

美國政治家掌握了全球霸權的衣缽。早在一九四一年，羅斯福就提倡成立新的國際合作論壇，也就是聯合國。在美國決策圈中，對於戰後的規畫在一九四三年之前便已全面開展。戰爭部與國務院官員擬定了一項海外基地與飛航特權的全球網絡計畫，範圍橫跨各大洋及各大洲，以格陵蘭、阿留申群島（the Aleutians）、巴基斯坦的卡拉奇（Karachi）、馬尼拉及古拉索島（Curaçao）為著陸點。[5]至少，美國將有取得關鍵經濟原料的管

圖 68　「二戰，廣島，原子彈轟炸後的景象」（一九四五年）
美國投擲原子彈後的廣島。這是一幅迄今仍讓人無法想像的毀滅景象，同時也傳達了一九四五年的「零年」特性，在當時，一個備受戰爭蹂躪的世界在美國無與倫比的全球勢力的背景下展開了重建。

道，尤其是在拉丁美洲與中東地區，即便沒有實質占領，也能藉由暴力威脅來鞏固資源。一九四四年，美國、英國、蘇聯與中國開始慎重考慮聯合國的成立。同年，來自四十四個盟國的七百三十位代表在新罕布夏州的布列敦森林舉行聯合國貨幣與金融會議，談判戰後世界經濟重建的工作原則。

一九四五年，各國都爭相爭取全球資源，而美國將有權力決定接下來的局勢。與此同時，國內也有許多事處於危急關頭。這場戰爭為新政的管制與發展部門注入了活水。唯有等到戰爭工業的公共投資出現，經濟大蕭條才告終。之後，美國經濟將經歷承平時期的「再轉型」，軍費開支從一九四四年占國內生產毛額的百分之三十六，減少至一九四八年的百分之三點五。[6]美國人對經濟抱持「遠大的期待」，同時也擔心經濟大蕭條會捲土重來。[7]政府若無法確保負責養家的白人男性可以找到工作，就不能指望獲得廣泛的政治支持。戰爭一結束，隨著有關新政自由主義架構的最終政治鬥爭落幕，各種「充分就業」的計畫也開始運作。[8]

隨著一九四五年後出現的戲劇性轉捩點，在此關鍵局勢下國際與國內政治的關聯密不可分。在美國資本主義史上，或許沒有任何一段時期比這個時刻更值得詳加敘述了。

到了一九四八年，局勢變革已然告一段落。美、蘇進入冷戰狀態，世界正分裂為資本主義與共產主義兩個集團。戰後資本主義世界經濟的架構已然確立。布列敦森林會議將才剛與黃金掛鉤的美元定為世界儲備貨幣，並與其他國家的貨幣掛鉤。經由資本、商品與消費文化的輸出，美國成了資本主義世界經濟的霸權中心。同時，隨著可口可樂在國外的銷量增加，冷戰時期對共產主義的「遏制」導致之後世界各地出現數起殘酷的干預行動。

此外，在戰後的數十年裡，為了促進男性就業及經濟成長，各國政府試圖透過各種方式對工廠誘引或強制導入固定的非流動性投資。為此，布列敦森林體系在試圖恢復世界貿易的同時，明確授權各國阻止任何可能破壞國民經濟目標的跨境短期投機性資本流動。但是，這些目標在各國並非以相同方式實現。[9]

一九四五至一九四八年間，美國面臨巨大的產業罷工浪潮、關於充分就業法規的爭議、通貨膨脹、又一次的資本罷工威脅，以及反共產主義的紅色恐慌。但是，一切平息後，美國的資本所有者又奪回了對資本投資的控制。政治上，大型產業企業重拾了自由掌控投資地點與時機的特權。儘管如此，礙於大眾要求，他們將投資提供就業機會的生產活動。基於這個政治原因，任何類型的流動性偏好都維持在低點。戰後的經濟榮景在更大程度上由資本家基於政治上的需要所驅動，而不是信貸循環及私人的投機性投資。政治上的非流動性偏好主導了投資。

然而，戰後轉折時期發生的重大事件，嚴重阻礙了新政發展部門的運作，特別破壞了該部門的公共投資能力，而這項能力一旦受損，便永遠無法復原。控制時代（或之後）的自由主義，將永遠無法推動成功的資本投資政治。

在一九四八年的總統大選中，繼羅斯福於一九四五年逝世後入主白宮的杜魯門總統令人意外地取得了勝利。杜魯門就職後的第一項任務是重拾新政的遠大目標，但在政治上這早就不可行。在管制方面，對私營企業行為的對抗性監督依然受立法保障。美國的福利國家政策藉由收入政治而擴張，因為所得稅率仍維持在高點，而且採累進制。同時，與先前政策的最大差異在於，聯邦政府設定了一個新的總體經濟目標：國民所得「增長」。為了促進並控制國家的總體經濟，反循環的財政政策誕生了。緊縮政策不再是解決經濟衰退的良方。在經濟衰退期間（第一次發生在一九四八到一九四九年之間），聯邦政府的預算赤字支撐了收入，並穩定了國內生產毛額。但是，隨著私人投資再度率先採取行動，貨幣資本的利率主導了資本分配，貨幣政策也再次發揮功用。一九五一年，自經濟大蕭條前夕以來，行政部門首度授權聯準會得以決定貨幣政策的發展走向，使聯準會可獨立行使利率自由裁量權。這意味著，聯準會得以在必要時提高利率來抑制通貨膨脹這項戰後經濟的巨大弊病——即使這會使私人投資陷入停滯。以上是冷戰時期自由主義的核心經濟政策。

聯邦政府可以課徵所得稅與進行所得重分配，也能管制特定產業，但依舊無法透過自主性與具有創意的方式來促進「國家安全」以外的公共利益。冷戰時期的軍事開支是維持經濟成長最合法的政府支出形式。與新設立的國家安全機構先後出現的，是一個「仲介國家」，在國會中和各種互相對立的「利益集團」你爭我奪，包括工會勞工、農場集團、美國商會、社會保障養老金的受惠族群。政府只有在為白人男性戶主提供福利或是訴諸國家安全時，才擁有自主行動的空間，這種現象扭曲了國內外的國家行動。養家糊口仍然是自由主義的分配正義基準，而總體經濟政策著重於抽象的國民經濟所得成長總數，缺乏針對特定地區或矯正具體關聯性經濟錯誤的制度工具，例如根植於種族主宰立場或性別差異的錯誤便難以矯正。毫無疑問地，政府為了公共利益而進行的長期經濟發展規畫，完全不在社會的考慮範圍內。

經濟大蕭條並未重現，戰後展開了一段漫長的經濟成長期。有鑑於資本主義前不久在一九二九年後經歷的內部崩潰，能有如此的發展，堪稱顯著成功。問題是，隨著工業資本主義進入戰後的「黃金時代」，新政在解決未來美國與世界經濟之間命運性交織的斷層線這方面力不從心。

布列敦森林體系

在經濟大蕭條期間，法西斯主義與共產主義消除大規模失業的成果，無可否認地遠超自由民主國家，同時也都刻意避開了資本主義的世界經濟。一九四五年，美國的政治家與資本家一想到大規模的失業問題可能再起，就不寒而慄——更不用說是那些飽受戰爭蹂躪、肩負重建民主制度任務的國家了。正如改變看法的凱因斯主義經濟學家阿爾文・漢森（Alvin Hansen）在一九四二年撰寫的一份戰後規畫文件中所述：「如果勝利的民主國家渾渾噩噩地度過另一個經濟受挫與大規模失業的十年，社會可能會解體，而且遲早會爆發又一場國際災難。」[10]一九四四年，有鑑於此，布列敦森林會議設計了一套國際貨幣體系，與資本時代導致經濟大蕭條的金本位制不同，賦予了國民經濟政策制定者一些空間，使他們得以將國內的問題擺在國際經濟義務之前。

關於戰後國際貨幣體系的布列敦森林協商始於一九四四年七月。[11]其中的兩位主要人物是美國財政部官員哈利・德克斯特・懷特（Harry Dexter White）與大英帝國代表約翰・凱因斯。懷特是新政顧問之一，曾撰文探討金本位制之下國際資本外逃的問題。在美國強權的基礎下，他主導了這場協商。他與凱因斯一致主張，戰後的金融秩序應該以促成國際商品貿易復甦為目標。美國贊成自由貿易（這早在一九三〇年代便是新政外交政策重點），英國則傾向在其舊帝國內建立貿易優先權制度。儘管如此，他們大體上認為，全球商品貿易的復甦將有利於各國經濟。

懷特與凱因斯也認為，國際金融是另一回事。為了確保制定國民經濟政策，各國必須有能力限制短期資本流動。懷特解釋，跨境資本管制「將使各國政府得以在實施貨幣與稅收政策時，進行更大程度的控制」，方法是抑制「投機性匯兌收益、通膨影響或避稅動機的預期」而誘發的資本外逃，這些現象可能會破壞經由民主方式制定的國民經濟政策。[12]凱因斯指出：

> 在戰後的幾年裡，我們預期幾乎每個國家都會出現激烈的政治討論，而這會影響富裕階級的地位與私人財產的處置。如果真是這樣，會有不少人時常提心吊膽，因為他們認為目前看來，一個國家的左翼主義可能會比其他地方來得強烈。

對懷特與凱因斯而言，短期投機性資本流動（即今日所謂的短期「投資組合」或「熱錢」投資）令人存疑，必須受到管制。國際金融只具有兩個適當的功能，第一是為世界商品貿易提供資金，為生產而服務。這將觸發傳統的商業乘數，因為貿易活動會引致更多的貿易活動。經濟活動將迎來報酬遞增，而累加效應將引發經濟發展。第二是長期承諾的投資（即現在所謂的「外商直接投資」）可為生產性經濟活動提供資金，正如凱因斯所說，這可以「滿足實際的需求」，並使工業投資乘數發揮作用。[13] 為了資助長期固定投資，布列敦森林協議成立了國際復興開發銀行（International Bank for Reconstruction and Development，IBRD），即世界銀行的前身。

很少國際銀行家同意這些準則。如同在經濟大蕭條之前，他們希望能夠隨心所欲地處置自己的資產，自由決定投資標的。但是，美國代表團認同懷特與凱因斯的看法。許多新政擁護者原本就對華爾街充滿敵意。此外，在布列敦森林會議中，來自拉丁美洲、亞洲與非洲國家的代表們希望能推動國民經濟工業化，他們偏好支持對生產進行長期投資的戰後世界經濟，即使犧牲全球範圍的私人資本流動也在所不惜。[14]

布列敦森林會議談判破裂的原因在於，美元作為世界儲備貨幣的問題。為了向世界貿易注入資金，任何國際金融體系都需要擴大信貸與貨幣供應，而在雙邊國家貿易關係中，一方很有可能是淨債權國，另一方則是債務國。凱因斯預期，如果債權國發放大量信貸，由此而生的現金儲備可能會成為短期熱錢的來源。為了避免這種結果，他提出建立一種新的全球貨幣的偉大想法，並稱之為「班克」（Bancor）。這將是一種國際「會計單位」，也就是由某些新成立的國際機構發行的法定貨幣。班克的存在，只是為了讓各國能夠結算與他國之雙邊貿易的交易、信貸及債務，因此它僅僅是一種交易貨幣，而不是一種價值儲存，不會受限於任何類型的流動性偏好。換句話說，各國希望成立一個「清算聯盟」以協助貿易進行，而不是一個流動的全球資本市場以實現賭場般的投機活動。最後，為免國與國之間出現嚴重的貿易不平衡，凱因斯呼籲各國訂立規則，要求債權國與債務國共同承擔調整貨幣價值的責任。同樣地，這種機制有別於金本位制，畢竟我們已經看到金本位制讓債務國承擔了所有壓力，迫使其實施緊縮政策，也就是調高利率與削減勞工薪資，來修補收支平衡，最終導致經濟大蕭條爆發期間的各國經濟災難。[15]

儘管凱因斯的班克貨幣提議頗具巧思，美國政府仍然猶豫不決，因為他們希望讓美元成為世界的儲備貨幣。華爾街當然希望美元像英鎊在金本位制時代那樣，展現與強化美國的世界經濟霸權地位。考量美國的地緣政治力量，就連對華爾街持批評態度的新政人士，也認為建立班克貨幣的做法太過極端。

最終的布列敦森林協議將美元與黃金掛鉤，匯率為三十五美元兌一盎司黃金，並期望此匯率永遠都不該變動。反過來，其他國家的貨幣也與美元掛鉤，可依不同匯率與美元及其他貨幣自由兌換。此外，該協議禁止貨幣競爭性貶值，也就是不得為了取得貿易優勢而進行策略性貶值。然而，根據布列敦森林協議，國家可以因應國際貿易嚴重失衡或合理的國民經濟需求而重新評估其貨幣價值。國家對資本的控制，可防止透過利差與潛在貨幣估值而獲益的跨境投機行為。整體而言，這制定了國家的貨幣與財政政策範疇。國家的利率可以根據國內的優先要務來制定，而不是像金本位制那樣，為了維持固定的貨幣掛鉤而調高利率、壓低價格、遏阻信貸，甚至停止擴張。畢竟擴張性財政政策引發災難性資本外逃的可能性比金本位制來得低。

布列敦森林協議呼籲建立國際貨幣基金（International Monetary Fund，IMF），以管理可能發生的貿易不平衡。成員國將根據相對的經濟實力，以黃金或美元「認購」資本，來負擔該國在總額八十八億美元的基金中的「份額」。到目前為止，美國認購的份額最大，也擁有最大的話語權。

如果成員國在國際支付方面有困難，國際貨幣基金可酌情給予貸款，幫助該國維持貨幣匯率的「穩定」。[16]該組織也擁有執行布列敦森林協議的自由裁量權，而這項協議預定於一九四五年十二月正式生效。

布列敦森林協議有兩個致命的缺點。首先，隨著時間推移，正如凱因斯所預測及擔憂的那樣，由於貿易不平衡，國際貨幣體系將積累大量美金，使國際貨幣基金不堪負荷。基於投機性的流動性偏好，這些現金會成為短期熱錢的基礎，而非用於支持國民經濟發展與世界貿易的長期固定投資，但這才是布列敦森林會議的重點。第二，美元是布列敦森林體系的錨點，但假使三十五美元兌一盎司黃金的匯率受到威脅（後來果真如此），整個國際貨幣體系將岌岌可危。世界經濟在單一國家貨幣的基礎上運作，是有風險的。

雖然凱因斯未能在布列敦森林會議上如願以償，[17]但他帶著愉悅的心情離開了會場。回國後，他向上議院的同僚誇耀，布列敦森林體系「賦予各成員國政府控制所有資本流動的明確權利」。過去的非主流做法，如今獲認可為正統觀點」。在大西洋的另一端，一位華爾街銀行家引述了納粹資本控制的遺風，指控這是新的「希特勒式貨幣體系」。[18]

充分就業

一九四五年，美國擁有全世界百分之七十的黃金儲量。當時，大家都無法想像，有一天美國會無法捍衛每三十五美元兌一盎司黃金的匯率。在國際情勢下，沒有一個國家能像美國那樣，在本國經濟政策上擁有如此大的操作空間（其他國家望塵莫及）。在戰後立即轉換成承平時期經濟的過程中，美國的政治可歸結為一句口號：「充分就業。」

一九四五年一月，蒙大拿州左翼自由派參議員詹姆斯・莫瑞（James E. Murray）向國會提出了《充分就業法案》（Full Employment Bill）。[19]「充分就業」是戰爭遺留下來的概念，當時的戰爭經濟完全消除了非自願失業的情況。在凱因斯的啟發下，政府內外新出現的「總體經濟學家」提出了「有效需求」等嶄新的經濟概念，以及國內生產毛額等新的統計工具，藉以判斷國民經濟在所有可用資源（包括勞動力）都派上用場的情況下，是否實現了最大的產能，或者還有增進生產與進一步提高就業率的空間。在一九四四年總統大選期間，民主黨將充分就業的「保證」寫進了黨綱中。日益強大的美國預算局（Bureau of the Budget）發布了一些報告，標題諸如《促進充分就業的國家預算》（*National Budgets for Full Employment*，一九四五年）及《促進充分就業的財政政策》（*Fiscal Policy for Full Employment*，一九四五年）。

這個政策理念很簡單。公共投資在戰爭期間已經實現了充分就業，那為什麼不能保證戰後也將如此呢？

並不是每個人都認同這種觀念。去世前，羅斯福對於在承平時期繼續施行「公有民營」工廠興趣缺缺。為了準備迎接戰爭經濟的「轉換」，他讓金融家與支持商業發展的新政顧問伯納德・巴魯克（Bernard Baruch）負責規畫相關事宜。一九四四年十月，國會根據巴魯克的建議通過了《剩餘財產法案》（Surplus Property Act），規定重新轉換的過程應該「在和平時期經濟的重建中，盡可能幫助自由獨立的私營企業」。[20] 如果說「充分就業」是一個有力的意識形態口號，那麼「自由企業」與「私營企業」便意味著，政府應該把所有的投資決定權交給私人資本所有者——這些都是全國製造商協會、商會與保守派國會議員常掛在嘴邊的詞彙。

一九四五年一月由左派自由主義者提議的《充分就業法案》，便是在回應羅斯福生前所確立的傾向。這個法案喚起了戰前一九三九年《工程融資法案》的精神，呼籲建立區域性公共「投資信託」。一九四五年，儘管有盟友的支持，大多數的左派凱因斯主義者仍退居農業局處或農場勞工工會。內政部長哈洛德・艾克斯提議將戰爭工廠轉型為公營企業，並讓退伍軍人持有股份。[21] 對此，聯合汽車工人工會表示贊成。

《充分就業法案》的第一份草案，宣告聯邦政府有責任為那些「有能力幹活且尋求工作機會的人」提供「充分的就業機會」，並呼籲總統向國會提交年度預算，預告「投資及其他支出的總額」。如果預期的私人投資與支出未達標準，則「總統應在預算中提出……一項總體方案，說明多少金額的聯邦投資與其他支出才足以使投資總額達到與充分就業相應的水準」。[22] 這項政策，展望了戰後資本主義與民主制度，期許形塑公共投資的民主政治。依凱因斯主義的觀點看來，將投資視為統計上的總量或總額卻可能使投資的內容與構成受到政治化。對新政的發展部門而言，《充分就業法案》象徵了新政的巔峰。

這項法案於一九四五年一月提出，但美國國會兩院過了一年多仍未端出最終版本供杜魯門簽署，直到一九四六年二月才通過，且改名為《就業法》（Employment Act），與莫瑞參議員最初提出的《充分就業法案》差異甚大。在五百萬美元年度預算的基礎上，全國製造商協會與代表兩千家商業協會及一萬五千家公司的商會聯合起來，動員勞工反對最初的草案。[23] 這種「高峰」商業遊說團體（政治科學家如此稱之）很少對立法可能性提出要求，但這次他們選擇這麼做。[24] 對他們而言，問題在於投資的自主權，以及美國政治經濟長期以來區隔領域的傳統。在他們看來，私人資本的投資領域不應受到國家侵犯，倘若國家控制了投資，便跟蘇聯的共產主義沒有兩樣。

如同在一九三七到一九三八年，新政宣布考慮試行穩健的公共投資計畫時，商業遊說團體威脅將發動資本罷工。面對不利的法規，資本家可能會失去「信心」，行使政治流動性偏好，並將潛在的私人投資暫擱一旁。全國製造商協會的一名代表在針對《充分就業法案》的國會聽證會上指出，「思考與融資」的工作不該由政府來做，因為這會削弱資本所有者的「信心」，減少可提供就業機會的私人投資。[25] 該協會出版的一本代表性書籍《競爭性企業vs.計畫經濟》（*Competitive Enterprise versus Planned Economy*，一九四五年），即明確將《充分就業法案》等同於共產主義。一九四五年十一月，《充分就業法案》在國會委員會等待審議之際，法蘭克・唐納森・布朗（Frank Donaldson Brown）負責為該組織擬定應對華盛頓當局的策略，他是全國製造商協會董事會成員兼通用汽車的副總裁，而通用汽車則是當時美國規模最大、勢力最強且最具政治分量的企業。

通用汽車位處於戰後轉捩點的風暴之中。一九四五年十一月，與《充分就業法案》對抗的同時，這家企業遭遇了其他問題。那個月，聯合汽車工人工會十八萬名成員發起了罷工。這起行動是該年秋季爆發、一路持續至一九四六年的大規模全國性罷工浪潮中的關鍵一役。[26]在一九四五年的最後四個月，罷工導致的損失超過兩千八百萬個工作日，打破了之前的最高紀錄。在近一千五百萬名美國工會勞工當中，美國勞工總會代表了五百萬人，占罷工人數的三分之二，而他們主要來自資本密集型、男性就業密集型的大量生產行業。[27]支持女性主義的勞工也挺身而出，爭取戰後的權益。[28]例如，全國接線員罷工即為史上最大規模的女性罷工行動。[29]在整體的罷工浪潮中，勞工領導階層失去了對事態的控制，包括美國勞工總會主席菲利浦・莫瑞（Philip Murray）在內。一九四六年九月，光是底特律就爆發了九十次未經批准的罷工。這些罷工行動井然有序。一般情況下，勞工罷工時，會要求資方承認他們的集體談判權與同意調高薪資。

戰爭期間，政府設定了勞工的薪資上限，但企業的營利卻因一九四五年戰後退稅而大增。就連全國製造商協會也不否認產業勞工應該加薪。但是，通用汽車的高層仍舊選擇在罷工這件事上大作文章，不願單純承認工資問題。考慮到國會擬議中的《充分就業法案》，通用汽車選擇將問題轉化為爭奪「管理權」。

對通用汽車的管理階層而言，這是一場三方角力。國會威脅將干預他們的投資決策；勞工們發起罷工；握有公司控股權的杜邦家族是新政的頭號敵人，更對戰後的轉換階段感到不安，傾向維持資金的流動性。[30]在信心受到影響的情況下，杜邦家族認為最好預防性囤貯公司的現金，觀察經濟大蕭條是否會再度發生。他們還要求通用汽車立即用戰時獲取的利潤來發放股息。以艾爾弗雷德・史隆為首的通用汽車高層則有不同的看法。身為管理者，他們想要的是管理的權力。他們計畫向生產注入龐大的固定投資。為了管理生產，他們偏好維持資金的非流動性。此外在政治上，他們很清楚公司必須提供就業機會，否則就會受限於《充分就業法案》的公共投資條款。通用汽車的管理階層預計進行投資，他們對外主張堅定捍衛不受工會與國會議員干涉的「管理權」，私下則認為這個主張也意味著不希望受到股東的干涉。

罷工浪潮爆發時，通用汽車的管理階層宣布將針對「薪資、工時與工作條件」展開談判，未來將在收入分配政治，或是利潤與工資的調配下，向員工支付更高的薪資——但僅此而已。這場罷工的前幾天，杜魯門總統召開了一次勞資協議。在會中，美國勞工總會主席莫瑞提出了廣泛的「產業民主」議題，主張工會代表應有權參與生產與投資決策並可做出有意義的表態。之後，這場會議陷入了僵局，因為通用汽車認為不能讓工會掌握投資與生產決策的發言權，否則將危害企業的「管理權」，而管理權就等於「公共利益」。[31]在罷工期間，代表聯合汽車工人工會跟通用汽車進行談判的華特．魯瑟要求調薪百分之三十。不料，管理階層指責這個要求太過分，認為這樣的調幅會吃掉通用汽車的所有利潤。魯瑟要求公司「公開帳目」以證明這一點。[32]結果，對方拒絕並表示，除非「某一天我們在罷工的威脅下，順從工會主席的指示來決定製造什麼產品、在何時何地進行生產，以及該為產品制定多少售價」，否則他們絕對不會答應。[33]

隨著罷工持續開展，一九四六年一月，重新命名的《一九四六年就業與生產法》進入了眾議院議程。不久前，杜魯門總統宣布公開支持「每個有能力且願意幹活的美國公民的工作權」。然而針對修訂後的法案，他與固執的保守派、支持白人至上主義的南方民主黨員達成了協議。[34]政府對

「就業權」所發表的任何聲明消失無蹤，但保障就業才是參議員莫瑞提議法案的最初目的。同樣地，政府為了實現充分就業願景而許下的資源承諾（包括必要的公共投資），也不復存在。

最後出爐的法案承諾，政府將盡可能促進「最大的就業、生產與購買力」。購買力是對私人消費的認可，這是凱因斯繼投資之後提出的第二個總體經濟變數，在經濟序列中排在第二位，重要性也排在投資之後。如果之後投資仍掌握在私人手中，政府便可確保充分的消費者收入，進而確保充分的消費者需求，以購買企業投資後所生產的商品（假設他們有這麼做的話）。在一次私人對談中，一位商業遊說人士吹噓道：「就刺激商業投資以達目標而言，這實際上將是一項『商業法案』。」此外，《一九四六年就業與生產法》要求建立一個新的行政機構，即經濟顧問委員會（Council of Economic Advisers，CEA），針對如何「促進就業、生產與購買力」向總統提出建議，但條件是必須在「自由競爭企業」的系統中進行。[35]同年二月，杜魯門簽署了《一九四六年就業與生產法》。

與此同時，罷工浪潮不斷蔓延。一九四六年一月，五十萬名鋼鐵工人展開罷工，另外還有二十萬名電工與十五萬名包裝工加入，其中約有三分之一為女性。[36]杜魯門指示成立了一個委員會來調解這次罷工，並根據魯瑟的提議，要求查核通用汽車的帳目——但史隆拒絕了。儘管如此，代表聯邦政府的調解員聲明，在不調高汽車售價的前提下，通用汽車可承擔百分之十七點五的調薪幅度。魯瑟與聯合汽車工人工會不願妥協接受。

然而，代表鋼鐵工人的美國勞工總會主席莫瑞馬上便接受了百分之十七點五的調薪幅度。他明白鋼鐵業在生產力與效率上都不如通用汽車，很可能無法承受更高的調薪幅度。如果魯瑟帶領的聯合汽車工人工會成功說服通用汽車同意更高的薪資漲幅，莫瑞及美國勞工總會的處境就尷尬了。結果正好相反，鋼鐵業的協議使魯瑟陷入了困境。一九四六年三月，聯合汽車工人工會妥協，通用汽車持續一百一十三天的罷工畫下了句點，而公司同意的加薪幅度也低於魯瑟要求的百分之三十。[37]這次的談判離「產業民主」議題遠得很，他與工會沒有任何討價還價的餘地。[38]大家關注的焦點只剩下薪酬政治，也就是收入政治的一種版本。在這個政治領域中，資本主義與民主制度之間的關係仍有待界定。

這時，世界上最賺錢的工廠生產線開始運轉。通用汽車成功說服了物價管理局，提高汽車售價來轉嫁工資增幅。最終，通用汽車最大的股東放棄爭取盈利分紅，而管理階層預計，一九四七年對實體工廠的投資將達到「驚人的」一六億美元，這也許是有史以來金額最高的單次私人資本投資。[39]

不論在國會、汽車展售間或與股東的私人衝突中，通用汽車的高層都贏得了「管理權」，而這場勝利惠及所有企業。到了一九四八年，絕大多數在戰後具有價值的公營工廠及設備都回歸私人所有。

然而，這場勝利在政治與經濟上的先決條件眾所周知。通用汽車的管理階層同意將對生產進行長期固定投資，也就是投資工廠。資本將用來雇用養家的白人男性，並以投資生產所產生的收入來支付更高的薪資，這在資本時代前所未見。從各方面來看，在戰後的罷工浪潮中維護自身權益的勞動族群，最希望得到的是更高的薪資。

冷戰

二戰結束後，美國的失業率最高來到了百分之四。過於謹慎而不敢投資的資本家並未取得勝利，成功趁勢而起的是史隆與通用汽車管理階層抱持的心態，他們所投入的資本，都能以更高的利潤率賺回來。一九五〇年，通用汽車的淨資本報酬率達到創紀錄的百分之六十九點五，並與聯合汽車工人工會簽訂了一份條件寬厚的五年合約——即所謂的《底特律條約》（Treaty of Detroit）。[40]勞工們待遇優渥，將賺來的錢拿去購買用來取代戰時物資的消費品。經濟大蕭條並未再起。

只有一種不祥的總體經濟壓力依然存在：通貨膨脹。從一九四六年一月到一九四八年八月，美國的物價以每年百分之十六點四的速度上漲。[41]通貨膨脹是一種複雜的現象，而這次戰後通膨有許多成因。由於戰後經濟的再轉化過程與罷工浪潮造成供給緊張，再加上民眾的消費需求增加，物價自然上漲。廣受歡迎的戰爭債券銷量下降，現金因而釋出並進一步推升需求。聯準會仍然承諾以低利率支持債券銷售，避免透過升息來抑制通膨。但最終驅使通膨現象的是一個國際性因素——布列敦森林體系連嘗試的機會都沒有便宣告失敗。

一九四五到一九四七年，美國以外的世界經濟形勢危在旦夕。[42]美國政治家原本希望，倘若讓各國貨幣與美元掛鉤，私人投資將足以帶動歐洲經濟，並創造從美國進口商品的需求，尤其是農產品，但這並未成真。美國經濟事務副部長威爾・克雷頓（Will Clayton）在一九四七年一份題為〈歐洲危機〉（The European Crisis）的備忘錄中坦承：「如今顯而易見的是，我們嚴重低估了戰爭對歐洲經濟的破壞。」[43]一九四六年的嚴冬，歐洲的民眾一貧如洗。偉大的義大利電影製作人羅伯托・羅西里尼（Roberto Rossellini）描述新寫實主義的《德國零年》（*Germany Year Zero*，一九四八年）呈現了戰後經濟衰落的蕭條景況，繁榮彷彿隔世。美國官員擔心飢荒、人道主義危機甚至革命發生，因為曾經抵抗法西斯主義的西歐共產黨獲得了廣泛的民眾支持。一九四六年，由於擔憂法國共產黨發動政變，美國許多官員將波河（Po River）以北的義大利土地幾乎全劃給了共產分子。就連日本的共產勢力也在崛起。由於許多經濟體都在努力復甦，有更多的黃金被運往美國邊境。歐洲貨幣與美元之間的自由兌換，以及布列敦森林體系規定的匯率，短期內還不會實現。當時歐洲出現了「美元缺口」，也就是當地各經濟體無法賺取足夠的美元以購買美國進口商品，或是捍衛該國貨幣兌美元的匯率。隨著黃金流入，美國的貨幣基礎變得更加穩固，成了戰後美國通貨膨脹的原因之一。

之後，美國與蘇聯之間爆發冷戰，使國際間建立布列敦森林體系的最初嘗試挫敗了。此刻在美國，通膨導致的政治後果與冷戰造成的意識形態混雜交織。全球反共產主義戰爭取代了世界各地的反法西斯戰爭，在外交事務對國內政治影響不斷擴大的情況下，進一步將新政自由主義推往右派立場靠攏。[44]

美國握有籌碼掌控大局，擁有制空權與制海權，而且掌握著對戰敗的軸心國進行軍事占領的勢力。歐洲不但經濟蕭索，還被美國資本主義與蘇聯共產主義這兩種截然不同的政治與經濟體系撕裂。但是，這兩大國在反法西斯戰爭中曾並肩作戰，兩大強權的另一場全球性殊死戰不一定會發生。然而，史達林絕不會讓紅軍從目前的東歐領地撤退。倘若史達林輕視西歐共產黨、中國共產黨或北韓勞動黨，就不會禁止他們發起煽動性革命了——假設他有這般能耐的話。史達林甚至拒絕從伊朗撤軍，並做出在達達尼爾海峽（Dardanelles Strait）建立蘇聯基地等挑釁舉動。[45]杜魯門認為史達林違背了戰時對羅斯福所許下的承諾，並未讓東歐地區進行自由選舉。自此，兩國的外交關係開始變了調。

在此同時，通貨膨脹的出現並未使民主黨在選舉中受益。在一九四六年的國會選舉中，共和黨自一九三二年羅斯福當選總統以來，第一次在兩議院中重新掌權。比起民主黨，共和黨更有可能將蘇聯視為意識形態死敵，並將美國左派自由主義者貼上親共產黨的標籤。在新國會開議一個多月後，一九四七年二月二十一日，倫敦當局發送電報，承認大英帝國破產並要求華府提供支援，以助皇家部隊在當時打得如火如荼的希臘內戰（一九四六到一九四九年）中對抗共產黨。美國副國務卿迪恩·艾奇遜（Dean Acheson，可說是冷戰的主要始作俑者）在午餐時對一位朋友說：「現在世界上只有兩個大國。」[46]春夏之交，杜魯門將向美國民眾解釋有必要「遏制」日益嚴重的極權主義威脅。一九四七年五月，杜魯門向國會申請四億美元預算以支持希臘與土耳其的反共政府（未必採行民主制度），並獲得許可。任何畏懼「要塞國家」的自由主義者及孤立主義的共和黨員，都無法抗拒杜魯門主義（Truman Doctrine）——也就是遏制戰略。[47]美國的官員說服自己支持發動冷戰，對抗一個雖然原則上在意識形態方面致力於摧毀資本主義、但實力卻遠不如美國的敵人。[48]

冷戰的地緣政治塑造了歐洲的經濟復甦，在美國國內更創造了美國史無前例的情況，那就是承平時期的「國家安全」狀態。

一九四七年通過的《國家安全法》（National Security Act of 1947）成立了國防部（取代了戰爭部）、國家安全委員會及中央情報局（Central Intelligence Agency，ＣＩＡ）。捷克斯洛伐克爆發共產主義政變後，一九四八年的馬歇爾計畫向西歐提供了一百三十億美元的經濟援助以重建西歐經濟。蘇聯及東歐衛星國拒絕接受援助，因為他們之前也拒絕加入國際貨幣基金與世界銀行。馬歇爾計畫為歐洲提供了急需的美國援助，同時也提供了需求迫切的美元，[49]種種因素加上歐洲貨幣貶值，使「美元缺口」逐漸縮小。美國製造商開始出口商品。特別是，農業集團希望向國外出口商品，以提高商品價格。早前在一九四五年，支持占領的美國官員公開表示考慮徹底消滅德國與日本的工業能力，但如今美國官員決定贊助西德與日本的工業重建，相信工業經濟的復甦將能成為遏制共產主義的堡壘。最後，西歐的經濟情況開始擺脫深淵，而在當地於一九四八年舉行的選舉中，掌權的是社會民主派人士而不是共產主義。一九四九年，冷戰的第一道軍事邊界確立於柏林的布蘭登堡（Brandenburg），而德意志聯邦共和國（Federal Republic of Germany，西德）正是在那一年成立。

冷戰的爆發促成了國內的意識形態環境，甚至使杜魯門偏好的政策難以推行。一九四七年五月，除了批准軍事預算以遏制共產主義之外，共和黨主導的國會還解散了物價管理局，因為它是「自由企業」的敵人。一九四七年六月，國會不顧杜魯門總統的否決，通過了《塔虎脫－哈特萊法案》（Taft-Hartley Act）。這項勞資關係法並未徹底顛覆一九三五年的《華格納法案》，但確實削弱了工會的談判權力。《塔虎脫－哈特萊法案》要求工會官員簽署反共產主義的切結書。於是，包含魯瑟在內的勞工領袖開始肅清組織內的左派人士。《塔虎脫－哈特萊法案》允許各州通過工作權法

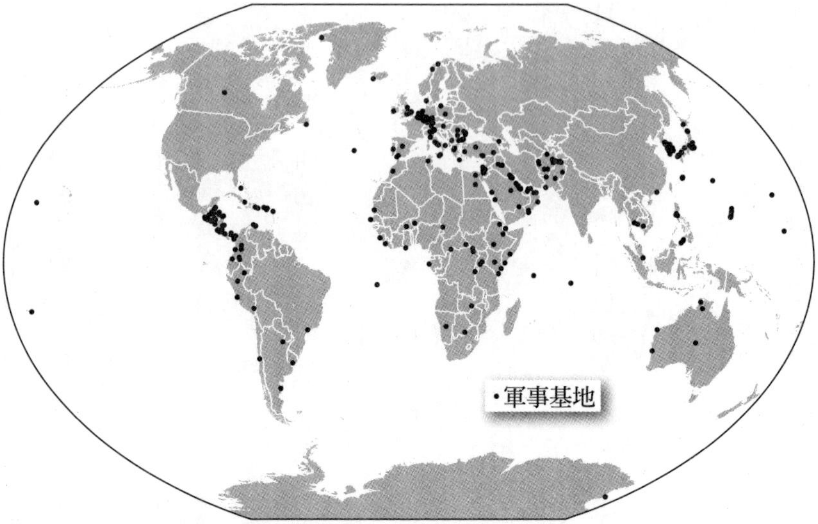

圖 69 已知的美國海外軍事基地（約二〇一九年）
二次世界大戰期間，美國的軍事規畫人員開始設計一個全球軍事基地網絡以擴大立足點，確保美國的世界霸權地位。冷戰催生了美國的國家安全狀態，為美國遍布全球的軍事基地提供了正當理由，而這個現象一直持續到了二十一世紀。

律，禁止封閉工會商店。這項法案還禁止「次級」勞工行動，譬如抵制行為與同理罷工，此外也禁止美國勞工總會所推動的整體產業與經濟範圍的談判，並規定集體談判須以企業為單位進行，切分了勞工運動的勢力，並使其變得官僚化。除此之外，還禁止領班與白領勞工的「監督性工會主義」。通用汽車公司的查理．威爾遜（Charlie Wilson）想知道，「工會化將在何處畫下句點？會跟著副總裁們一起消失嗎？」[50]南方白人至上主義的民主黨保守派之所以支持《塔虎脫-哈特萊法案》，原因是美國勞工總會在一九四六年發起了「迪克西行動」，試圖說服南方從事紡織品、菸草與家具業的白人與黑人勞工加入工會，儘管行動失敗了，還是引起民主黨保守派的不滿。[51]一九四七年通過的《塔虎脫-哈特萊法案》有效遏制了東北部及中西部製造業地帶既有大量生產行業的藍領勞工族群加入工會組織，打斷了已經進行了一世紀之久的工會化趨勢。不久後，共和黨發起的一九四八年《歲入法案》將各收入階層的個人所得稅降低百分之五至百分之十三不等。

如今，「自由世界」的資本主義世界經濟展現了許多歷久不衰的特徵。在布列敦森林體系下，對熱錢進行資本控制的做法是王道。美國試圖讓世界經濟更加開放。如同過往的世界經濟霸權，美國控制了世界儲備貨幣，大量出口資本與商品。有別於過往霸權的是，美國的野心放眼全球各地。

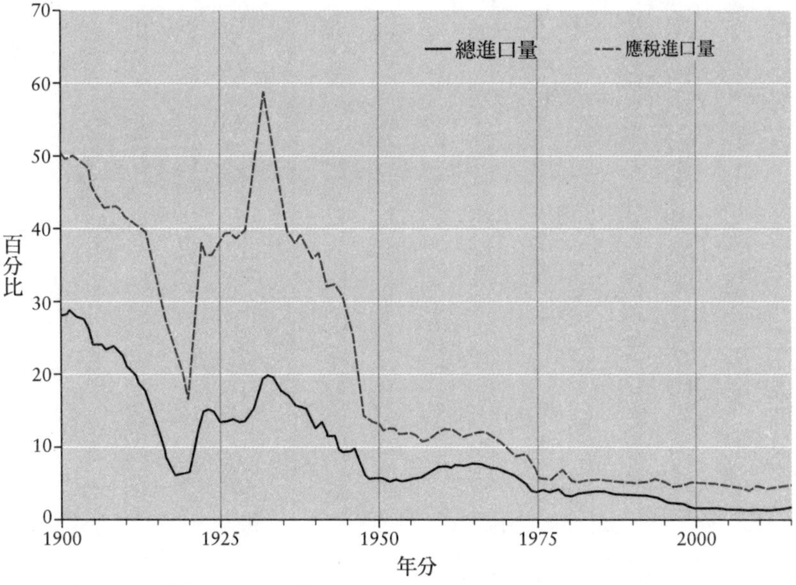

圖 70 美國貿易關稅

二戰過後，美國大致上贊成降低國內外的貿易壁壘。但是，許多以製造業為主的國家，包括在美國安全保護傘下的歐洲與亞洲國家，將不會回報美國的好意。

美國不喜舊時的歐洲帝國式貿易集團，而是渴望讓全世界在不知不覺中擁抱美國的長期投資、商品、消費文化與自由民主制度，彷彿這個世界就如美國詩人伊莉莎白・畢夏普（Elizabeth Bishop）在戰後以旅行為主題的詩作所述：「萬物之間只能靠『與』牽起連結。」[52]

美國將支持自由貿易的想法投射在一九四八年的關稅暨貿易總協定（General Agreement on Tariffs and Trade，GATT），該協定削弱了戰前的貿易優惠制度——雖然美國的農民因為擔心國際貿易組織會禁止新政「供應管理」計畫所提供的農業補貼，而試圖阻礙國際貿易組織於一九四七年成立。[53]在去殖民化的數十年裡，歐洲帝國始終抱持強烈的貿易偏好。[54]歐洲與亞洲的經濟體也透過各種保護主義措施，以補助本國產業。但是，在遏制共產主義的鬥爭中，這些違反協定的國家反而成了美國的盟友。基於地緣政治考量，美國決定先視而不見。

同樣的邏輯在美國及其盟友的國內政治經濟關係中也可見一斑。帝國主權在本質上一向牽涉複雜而多元的因素。帝國意味著「透過不同方式治理人民」，而如今在這種精神之下，出現了不同的「資本主義類型」——即便後來全球各地的消費者都無法抗拒來自美國的非酒精飲料、藍色牛仔褲與搖滾樂。[55]新政自由主義劃下了堅定左翼疆界，明確地表達收入政治立場。在西歐與日本的「混合經濟」中，國家干預程度要高得多，通常會以民主政治為由實施長期規畫公共投資。[56]例如在西德，民主制度的回歸意味著勞工在公司的投資與生產決策上具有更大的話語權。若換作在美國，幾乎所有的共和黨員與眾多民主黨員都會認為，這種制度即使本身並非共產主義，也過於貼近共產主義——儘管這些政策實際上有利於穩定資本主義發展。[57]美國官員不僅默許歐洲國家採行這些政策，馬歇爾計畫與軍事援助更協助加以推動。美國支持戰敗敵國展開長期經濟發展的做法值得讚賞。世界貿易的復甦帶動了所有國家的經濟，但很快地，這些國家都將成為美國經濟的主要產業競爭對手。之後的問題會是國外「美元過剩」，起因於德國汽車與日本電子產品等商品在開放且未受保護的美國消費市場中所賺取的出口收入，而未來有一天，這個市場將威脅到布列敦森林體系的運作。

與此同時，美國的政治家開始透過冷戰的二元視角錯誤解讀世界各國的政策。某些官員極力主張「推回」政策勝過遏制手段。如果有一個被視為共產主義的威脅危及美國企業的經濟利益，美國便有可能暗中進行軍事干預。一九五四年，中央情報局支持了瓜地馬拉的一場政變，推翻了一個干涉聯合果品公司（United Fruit Company）營運的民選政府。石油遠比香蕉來得重要。假如化石燃料的供給與價格無法滿足工業生產需求，戰後的經濟成長與後法西斯時代的自由民主就不可能實現。[58]一九五三年，在英國石油公司的利益遭受威脅之後，中央情報局再次策畫政變來恢復伊朗的君主政體。[59]

當然，美國的經濟實力有限，世界各地的人們即使受美國主義所誘惑，也會基於自身目的來利用美國主義，使美國文化遍及全球。頭腦簡單的美國人往往不明白這一點。葛拉罕・格林（Graham Greene）創作的小說《安靜的美國人》（*The Quiet American*，一九五五年）講述美國協助法國重新殖民中南半島的過程，至今仍是這個主題的經典之作。一種新型的全球霸權，一個「令人無法抗拒的帝國」，一個「應邀而來」卻依然具有毀滅性的破壞力的帝國已然出現。[60]若想理清美國資本主義歷史，就必須關注其命運。

冷戰時期的自由主義

當時的民意調查顯示，杜魯門總統將在一九四八年的選舉中吞敗。結果不然，儘管南方有一些選舉人團把票投給白人至上主義者與「迪克西民主黨」（Dixiecrat）的斯特羅姆·瑟蒙德（Strom Thurmond），杜魯門仍舊擊敗了共和黨候選人湯瑪斯·杜威（Thomas Dewey），民主黨也重新控制了國會。杜魯門在競選中大力抨擊共和黨的「蓄意阻撓」，並在當選後宣布了一項雄心勃勃的復興新政計畫，他稱之為公平政策（Fair Deal）。

但是，戰後的轉折時期走到了盡頭，公平政策遇到了戰後美國政治堅定的左派抵制。可以肯定的是，新政法規仍持續施行，收入政治也不斷擴大。與過去大相徑庭的是，用以管理國民所得「成長」的反循環財政政策，成了總體經濟的一種新工具。但是，冷戰時期的自由主義與羅斯福當初推動的新政自由主義有所不同。新政試圖喚起大眾關注國家迫切的經濟危機。一九四八年之後，其「經濟安全」的口號，以及羅斯福所提的「除了恐懼本身之外，沒什麼好怕的」承諾，被核時代普遍的反共恐懼氛圍以及對「國家安全」的需求所取代了。[61]大政府發現，除了收入政治之外，最強大的民眾支持便來自對戰爭的立場。

除了其他管制與發展措施之外，杜魯門提出的公平政策還包括：一項全民公共衛生保健計畫；

透過形式如同田納西河谷管理局的公共企業發展公共電力設施與公共基礎建設；公共住宅方案；公共教育補貼；大規模延長社會保障；提高最低工資；以及一項取消對農商企業的收入補貼並提倡「家戶農業」的農業法案。「公平政策」也向司法部提議恢復產業界的反托拉斯政策。一九四九年，司法部對杜邦家族在通用汽車的控股權提起訴訟。過去曾在密蘇里州經商失敗的杜魯門總統，以反壟斷立場支持「弱者」與平等的商業機會。除此之外，他底下的經濟顧問委員會也討論了實施「保障年薪」及其他各種「薪資政策」的可能性，以因應當民眾收入超越經濟產能時潛在的通貨膨脹問題。該委員會的第一份年度報告指出，「經濟動盪源自經濟關係失調，而不是經濟總量的不平衡」。[62]

國會遊說團體開始將公平政策抨擊得面目全非。杜魯門非常驚訝於如今私人利益的遊說深深影響了國會決策。一九四九年的《農業法》並未推翻農業補貼，而是將價格維持在最高百分之九十的「平價」——這是一種過時的物價指數，可以保證商品的價格水準，進而保障農民收入。那年，南方一名支持者宣稱：「身為農民，我們靠天吃飯，也靠國會立法保障農作物的公平價格。」[63]杜魯門原本希望，戰爭所促成更強烈的國家團結與目標感，可以在自己的總統任期內不斷展延。他在回憶錄中解釋了公平政策失敗的原因：

> 代表特殊利益農民的美國農業局處聯合會（American Farm Bureau Federation）……攻擊價格支持計畫，理由就跟私人公用事業公司每次都反對政府為民眾供應公共電力，以及美國醫學會反對可以造福全體國民的健康計畫一樣。

杜魯門得出的結論是，若不是這麼多利益團體「如此貪婪地追求利潤」，公平政策可能會成功。[64] 一九五一年，哥倫比亞大學教授大衛．杜魯門（David Truman，他跟杜魯門總統沒有關係）發表了關於戰後政策制定的經典政治學研究，指出這是私人利益團體發生衝突的結果。在《政府進程：政治利益與公眾輿論》（*The Governmental Process: Political Interests and Public Opinion*，一九五一年）一書中，杜魯門教授為總統所感嘆的「貪婪」貼上了「多元主義」的標籤，向全世界宣告這是自由民主制度的本質。[65]

公平政策中的成功要素可歸類為收入政治、對抗性管制或公開補貼私人投資的發展政策。一九五〇年通過的《社會安全修訂條例》（Social Security Amendment）將保險範圍擴大包含數百萬名勞工，鞏固勞動收入。接著，帶有管制性質的一九五〇年《塞勒－凱弗維爾法案》（Celler-Kefauver Act），使產業的垂直整合變得更加困難。

至於發展方面，最引人注目的是一九四五年《塔虎脫－艾倫德－華格納住宅法案》（Taft-Ellender-Wagner housing bill）。這項戰後的公共住宅立法與《充分就業法案》落得同樣的下場。[66] 戰爭期間，儘管新政機構聯邦住宅管理局資助了幾項公共住宅計畫，私人住宅的興建卻少之又少。[67] 戰後，人們對住宅需求迫切，尤其考量到當時國內出現了非比尋常的移居潮。當時，總計有六百萬個家庭與親戚或朋友同住一個屋簷下。[68] 於一九四五年提出的《塔虎脫－艾倫德－華格納住宅法案》，包含了健全有利的公共住宅條款。然而，威斯康辛州參議員約瑟夫．麥卡錫（Joseph McCarthy）在一九四七到一九四八年籌辦了多場住宅聽證會，指「公共住宅」是共產主義的陰謀。全國房地產經紀人協會（National Association of Realtors，NAR，約一九〇八年成立）與全國住宅營造商協會（National Association of Home Builders，NAHB，約一九四二年成立）這兩個逐漸崛起、勢力龐大的華府利益團體也開始伺機行動：全國住宅營造商協會斥資五百萬美元來反對《塔虎脫－艾倫德－華格納住宅法案》的施行；全國房地產經紀人協會則全力抗議公共住宅條款。他們批評，多戶式公共住宅「具有共產性質」，而擁有單戶住宅是美國個人主義與自由的精髓，且婦女族群在離開戰爭工廠後必須重新回歸家庭，操持家務與照顧孩子。核心家庭也被視為遏制共產主義的一員。[69]

《塔虎脫－艾倫德－華格納住宅法案》陷入了僵局。一九四八年勝選後，杜魯門重推住宅法案，但最後通過的是聚焦於支持私人投資建設的《一九四九年住宅法》（Housing Act of 1949）。該法第一條要求「拆除貧民窟」與進行「都市更新」，而由於資金不足，後來變成了黑人作家詹姆斯．鮑德溫（James Baldwin）所說的「移除黑人」計畫。[70] 第二條擴大了聯邦住宅管理局的政府信貸補貼計畫，並將原有的計畫納入一九四四年《退伍軍人法案》的退伍軍人抵押貸款補貼計畫。[71] 第三條要求在十年內興建八十一萬戶「低租金公共住宅」。美國商會稱之為「正在滋生的社會主義」。[72]

值得注意的是，住宅固定投資幫助美國的總體經濟走出了一九四八到一九四九年的輕度經濟衰退期。造成經濟衰退的主因之一是戰時受到抑制的需求逐漸飽和，百貨公司的營業額下降了百分之二十二。財政部與聯準會讓公債縮減，收緊了貨幣供給。聯準會還依國會要求管控消費者信貸，同時維持銀行準備金以減緩貸款成長速度，此外也對股票市場實施保證金規定。同時，一九四八年後歐洲經濟的復甦削弱了對美國出口商品的需求。然而更重要的是，在杜魯門當選並推行公平政策之後，投資流動性偏好隨之回升，非住宅固定投資則有所下滑。[73]

至少在私人住宅建設的市場中，政府與企業有志一同。在一九四五至一九五〇年間，住宅固定投資總額占國內生產毛額的比例從百分之零點八攀升至六點九，達到歷史新高。到了一九五二年，聯邦住宅管理局間接為經濟注入了五百億美元，約占國內生產毛額的百分之十四，但成本卻不到聯邦預算的百分之一。此外，新住宅的興建意味著車庫、起居室與廚房的耐久性消費品需求顯現。作為國內生產毛額的一部分，個人消費在一九四四年為百分之四十八點四，在一九四九年達到了百分之六十六點七的高峰——這樣的比例在二十世紀從未出現過。戰後消費主義於焉而生。

與此同時，在一九四八至一九四九年的經濟衰退期間，反循環的財政政策也誕生了。[74]到了一九四九年，經濟學家里昂．凱澤林（Leon Keyserling）擔任經濟顧問委員會的代理主席。在他的帶領下，委員會將重心從具體「經濟關係」轉向總體經濟「總量」，主張將「經濟成長」作為美國政治經濟的組織原則。若想實現此目標，就表示必須維持兩項總體總量（macroaggregate），而就如凱因斯在《一般理論》中所述，這兩項總量會流入總產出，即投資與消費。如果私人投資與消費下滑，經濟出現衰退，那麼反循環的政府開支將進場補足缺口（必要時舉債），進而自動穩定國內生產毛額。[75]凱澤林回顧當初表示，到了一九五〇年，杜魯門政府已放棄了反壟斷的呼籲、「保證收入」的研究及反通膨的「工資政策」，全力追求一個目標：國家總體經濟的成長。[76]在經濟衰退時緊縮開支的做法已被淘汰，政府改而調整抽象的國家總量，以確保國民所得穩定增長。但這也意味著，任何政策都不能過度偏離經濟關係與制度的細枝末節或具體的地方情況。

冷戰時期的軍事開支促成了反循環的財政政策，而一九五〇年韓戰爆發便是關鍵轉捩點。[77]美國國務卿迪恩．艾奇遜回想當初表示，朝鮮「出手拯救了我們」，鞏固了圍堵政策及維持此政策所需的聯邦軍事預算。[78]經濟顧問委員會主席凱澤林指出，杜魯門政府在一九五〇年後決定「推動極大規模經濟擴張計畫」，與冷戰軍事支出的增加不謀而合。[79]一九五〇年，哥倫比亞大學歷史學家理查．霍夫斯塔特（Richard Hofstadter）猜測：「我們正處於一種弔詭的軍事凱因斯主義下，仰賴戰神來填補市場經濟衰退所留下的缺口。」[80]為新政設下了左派立法限制的保守派南方民主黨人士樂於將軍事預算投入自己的選區。煽動共產主義威脅的行為持續影響美國。一九五〇年二月，麥卡錫參議員譴責聯邦政府中有共產分子，並發動了一場紅色恐慌。[81]儘管如此，到了一九五三年，當韓戰的開支在一九四九年後的商業循環中達到巔峰之際，聯邦政府的總支出占了國內生產毛額近四分之一，其中將近三分之二為軍事開支。因此，在控制時代，驅使了戰後總體經濟第一次復甦的力量是軍事支出與政府補貼的私人住宅建設，而不像是資本時代的資本主義信貸循環上行與投機性投資熱潮。

韓戰期間，國會再次授予總統額外權力，以國防名義干預大眾經濟生活。所得稅額提高，公司所得稅率也達到了歷史新高。然而，這場戰爭的政治經濟與二戰時期的政治經濟截然不同。聯邦政府向私人企業祭出所得稅獎勵措施替戰爭生產籌措資金，而不是提倡公共投資。[82]國會也意外發現了一項可誘發私人投資的長期政策，那就是對資本所有者實施所得稅減免。如先前所述，聯邦經濟政策可誘導私人投資，但難以干預投資內容與地點。

最後，在韓戰期間，通貨膨脹再度出現。主要原因在於社會認為戰爭的再起有可能導致物資（尤其是商品）供不應求，改變了原有的前瞻性預期。杜魯門簽署了一項戰時行政命令，成立了經濟穩定局（Economic Stabilization Agency），該局實際上就在履行物價管理局的許多職責。但現在與二戰時期不同，聯準會拒絕以低利率出售公債來為戰爭提供資金。在一九五一年的《財政部與聯邦準備系統之協議》（Treasury-Federal Reserve Accord）中，以紐約聯邦準備銀行總裁艾倫．斯普勞爾（Allan Sproul）為首的聯準會，重申其有權行使自由裁量權來設定利率（貨幣政策），藉此對抗通膨。在銀行與金融領域，新政有許多監管性工具仍持續運作，包括信貸控制、準備金與保證金要求及Q條例，而這些工具使聯準會有權設定存款利率上限。[83]然而，在聯邦政府其他部門嘗試停止干預有可能控制通膨走向的經濟體制與經濟關係的同時（譬如薪資談判），聯準會重拾了維持物價水準的最終政府責任。在此同時，聯準會的利率政策不但為信貸制定價格、設定了企業預期利潤所需超越的標準，更將再次成為私人投資的金額與流動的主要決定因素。

私人投資的模式將決定控制時代下自由主義的命運。到了一九五〇年代初，美國經濟已擺脫經濟大蕭條時期的流動性陷阱。在全面戰爭的刺激、戰後充分就業需求的壓力、對預期利潤的關注，再加上美國政策不再傾向社會主義的發展趨勢，讓資本所有者與管理者承擔起長期投資的任務。在一九五〇與一九六〇年代，戰後對生產性資本的長期投資熱潮，將引發一波生產力增長與財富創造企業成立的浪潮，而這樣的榮景持續了整整一個世代之久。在戰後的富足時代，消費者收割了經濟發展的成果。

第十六章 消費主義

塞繆爾・費恩伯格（Samuel Feinberg）是《購物中心有何魅力》（*What Makes Shopping Centers Tick*，一九六〇年）一書的作者，這本著作彙整了《女裝日報》（*Women's Wear Daily*）雜誌發表的報告，描述美國郊區的購物中心在二戰過後數十年裡的擴張。費恩伯格回顧表示，美國記者林肯・史蒂芬斯（Lincoln Steffens）在一九二〇年代從蘇聯旅行歸國時曾說：「我看到了未來，而這是可行的。」但他堅稱，看到未來的是他本人。他遊覽美國郊區後，看到了未來——這個未來指的就是郊區購物中心，這種商業模式奏效了。[1]

費恩伯格口中的未來，是一個致力於大眾消費的文明。首先，郊區購物中心的前提是普遍的汽車使用，因為購物商場的客群，便是居住在獨立且低密度之單戶住宅的消費者。在郊區新鋪設的道路、高速公路與林蔭大道旁，新落成的購物商場拔地而起。人們的皮夾與錢包裡有信用卡，雜誌刊登各式各樣的廣告文案，電視也播放一則又一則的商業廣告。事實上，到了一九六〇年，費恩伯格所指的未來，基本上已成為今日的美國。一九五〇年，有四千零三十萬輛汽車登記在三千九百九十萬個家庭的名下，到了一九五五年，三分之二的家庭都有電視機。[2]大眾消費的地理景觀，也就是郊區、單戶住宅、汽車展售中心與購物商場，已成了人們習以為常的生活方式。

在戰後的數十年裡，消費主義一點也不新奇。從古至今，歷史上發生了太多次「消費革命」，數都數不清。一些經濟史學家認為，家庭的消費者需求開啟了商業時代，創造了工業革命的條件。[3]十八世紀英屬北美地區爆發的一場消費革命，在許多文獻中都有據可考。[4]之後，在南北戰爭前夕的南方地區，黑奴（尤其是女性）成了炫耀性消費品。[5]資本時代見證了標準化消費品的興起，而在全國性郵購的盛行下，出現了全國性的「消費社群」。[6]到了二十世紀初，都市的市區有了百貨公司，如沃納梅克百貨公司（Wanamaker's）與梅西百貨公司（Macy's）、電影院及許多其他形式的都市休閒設施與「平價娛樂」。[7]企業廣告在一戰期間發展成價值十億美元的產業，並在一九二○年代福特主義耐久性消費品蔚為風潮之際，隨著企業與商店分期付款的消費模式大量湧現而出現爆發性成長。[8]在那個年代，洛杉磯市實際上是開車往返郊區與都市生活模式的發源地。[9]就連在經濟大蕭條與戰爭艱難時期，許多勞動階級與族裔社群（如洛杉磯的墨西哥人、芝加哥的波蘭人、紐約的猶太人）都接觸了大眾消費文化。[10]在廣播這種全新大眾傳播工具的推波助瀾下，全國性消費文化逐漸形成。

儘管如此，戰後消費主義在一些重要方面與過去有所區別。首先，大眾消費成為一種真正的全國現象，因為電視作為「每個房間裡的銷售機器」逐漸取代廣播，成為主要傳播媒介。[11]到了一九六○年，美國人每週觀看電視的時間平均達二十五個小時。[12]全國性的同質大眾消費文化無所不在且無可避免，尤其是在《一九二四年移民法令》（Immigration Act of 1924）頒布後，移民潮大幅減緩的那數十年期間。

第二，消費的政治意義在二戰過後起了變化，因為公民身分的根本基礎變得更加偏向消費主義。再一次地，消費又再次被政治化。革命時期，愛國人士通過了反英國的禁止進口法規；[13]十九世紀，美國民眾將公民身分綁定「奢侈品」的消費。[14]進步時代的消費者聯盟與工會抵制風潮使工廠惡劣的勞動環境廣為人知，而消費者集體抵制的社會運動也始於十九世紀。[15]

然而，隨著公民身分與消費以前所未見的方式緊密交織，戰後的美國在政治商品化方面開闢了新的領域。「富足」成了經濟公民身分的一項權利。[16]公民與顧客、權利與滿足之間的界限，變得模糊不清。就連民主政治也日益變成另一種形式的消費娛樂，儘管這未必表示公民身分的尊嚴有所降低。正如民權領袖約翰．路易斯所說，黑人「在冷飲販賣店甚至買不到漢堡與可樂」的現象成了種族壓迫的一種政治恥辱。[17]一九五〇、一九六〇年代的民權運動長久以來根植於舊時生產端的勞工組織。但是，藉由抵制行動與靜坐示威，這項運動在消費領域取得重大突破並非偶然，而是反映出消費行為具有政治意義的程度有多大。[18]

在經濟大蕭條與戰爭期間，消費先是遭到抑制，接著再度受到壓制。[19]一九四一年，羅斯福在著名的「四大自由」演講中承諾將賦予人民「免於匱乏的自由」。戰後，遭壓抑數十年的需求爆發。歐洲與日本首先必須著重於重建生產資本，因此他們犧牲消費以投資資本財，與蘇聯共產主義的經濟邏輯不謀而合。當然，冷戰時期的自由主義將資本投資的責任留給了資本家。但是，美國的收入政治將所得從上層階級重新分配給中層階級。沒那麼富裕的人比較有可能即刻消費，進而推升消費總量，這便是維持國民所得成長的戰略因素。凱因斯在《一般理論》中假設，基於心理因素，個人消費是相對穩定的總量，即便個人所得增加時也是如此；相較之下，他認為投資更容易變動。許多美國凱因斯主義者開始認為，或許凱因斯錯了，可能同時推動與穩定所得成長的是私人消費而不是投資。某種程度上，戰後的消費主義前所未見，因為它被賦予了「總體經濟」的意義。

的確，戰後國民所得成長的穩定，相較以往在更大程度上來自於個人消費的擴大。矛盾的是，對經濟的控制，需要從道德角度來重新評估之前對消費欲望的管控。十八世紀的班傑明．富蘭克林與十九世紀的威廉．薩姆納，都從道德的角度來探討一個致力於節約與誠信、禁欲與節儉、救贖與虔誠，進而在經濟匱乏的世界中累積實質資本的經濟體。占主導地位的新教白人男性經濟文化強調美德、性格與對欲望的抑制。如今，新舊價值觀互相拉鋸，因為消費資本主義牽涉了趣味與玩樂、愉悅與滿足、個性與自我實現、曝光度與知名度、娛樂及性——如避孕藥「Enovid」（一九六〇年）即為戰後的另一項消費品。[20]

費恩伯格顯然認同林肯．史蒂芬斯的觀點。一個原因是，消費熱潮與紅色恐慌往往密不可分，史蒂芬斯所處的一九二〇年代與費恩伯格所屬的一九五〇年代都是如此。在費恩伯格遊覽郊區的同時，副總統理查．尼克森人正在莫斯科，與蘇聯總理尼基塔．赫魯雪夫站在一座美國郊區廚房的模型中，辯論資本主義及共產主義的優點。對史蒂芬斯而言，共產主義是一項烏托邦計畫。但是到了一九五〇年代，美國消費經濟的特色是廚房電器、可口可樂、藍色牛仔褲、棒球比賽、漢堡、搖滾樂、好萊塢電影、享受陽光與海灘的假期，以及許多其他形式的娛樂。如果說這不是共產主義的民胞物與理想，那就是一個普遍的夢幻世界，靠看似深不見底的消費欲望之井來維持。一種矛盾的資本主義驅動力出現了，渴望透過無止境的消費來不斷追求滿足感。[21]一個人若在反覆的消費行為中一次又一次地捨棄過時的身分，最後會變成什麼樣子？

戰後的美國資本主義將目光投向一個新領域：全世界人們的嚮往與幻想。正如一位批判美國消費主義的法國評論家所言：「無論發生什麼事，無論人們如何看待美元或跨國公司的自大與傲慢，正是這種文化在世界各地迷惑了那些飽受毒害的人們，而他們都懷抱一種堅定而瘋狂的信念，深信這種文化實現了他們所有的夢想。」[22]美國消費主義同樣也是一項烏托邦計畫，大膽程度不亞於蘇聯共產主義。這正是購物中心能夠業績長紅以及二十一世紀網路購物盛行的原因。

消費市場的景況

在戰後轉折時期，最初的一九四五年《塔虎脫－艾倫德－華格納住宅法案》提出了公共住宅計畫的可能性，包括都市公寓建設的補助。相較之下，最終的《一九四九年住宅法》著重於拆除都市「貧民窟」，並透過所得稅減免與信貸補貼鼓勵興建私人住宅。該法第二條擴大了聯邦住宅管理局的政府信貸補貼計畫，並進一步確立三十年分期攤還房貸的業界標準。[23]所得稅法也規定了貸款利息的扣除額。考量經濟大蕭條與戰時住宅建設的停滯，聯邦政府延長並保證了房貸支付期，以刺激私人投資跨空間的建設，並滿足迫切的住宅需求。

緊接而來的是戰後的住宅興建熱潮，這是戰後固定投資進一步激增的重要一環。一九五〇年，住宅固定投資占國內生產總額的比例達到了百分之七點三，達到前所未有的高點（只有到了二〇〇〇年代的房市熱潮，才再次超越百分之六）。住宅投資幫助美國的總體經濟走出一九四八到一九四九年的衰退，也因此之後政府才有辦法應付韓戰（一九五〇至一九五三年）的軍事開支。到了一九六〇年，每四棟房屋中，就有一座是二戰後興建的。當時，美國有百分之六十二的家庭擁有房屋，對比一九四〇年，只有百分之四十二的家庭有自己的住宅。[24]自那時起，擁有住宅的家庭比例從未低於百分之五十。單戶住宅，以及居住其中、典型的男主外女主內家庭，成了戰後消費郊區的物質與情感支柱。新建的高速公路與快速道路連接了全新落成的郊區購物中心。退一步可見，這是跨空間經濟活動之地理延伸的另一個決定性時刻，堪比商業時代種植園的擴張及資本時代東北部至中西部製造業地帶的建設。如今，人們的目的不在於從商或製造商品，而是消費。

為什麼選擇開發郊區？首先，戰後的房地產開發商傾向在郊區的「綠地」上建房，也就是先前未經任何商業開發的土地。[25]這樣的土地價格低廉，周遭沒有既有建築，自然也沒有當地居民需要顧慮。總的來說，剷平的農地可以更容易且便宜地改建為大量建設的住宅區。在一九四八至一九五八年間興建的一千三百萬棟房屋之中，有一千一百萬棟坐落於市郊。郊區人口激增了四成多，一九六〇年代有將近百分之三十五的人口住在郊區（此數據為歷史高峰）。[26]此外，聯邦住宅管理局公布的《貸款承作指南》（*Underwriting Manual*）將資本與信貸導入郊區開發。在進行估價、判斷「鄰里品質」及評估貸款風險時，該機構明顯刻意低估了都市財產。迎合種族主義者對白人郊區的偏好，是政府刻意推行的政策。[27]

萊維特父子郊區房屋建設公司（Levitt & Sons）的威廉・萊維特（William Levitt）曾表示：「幹這一行的理想狀態，就是除了從政府獲得適當的保險之外，還可以擺脫它的控制。」[28]

一九五〇年代，萊維特父子郊區建設公司之於住宅，就如同一九二〇年代亨利・福特之於汽車那樣。當然，郊區開發已有先例。二十世紀初，零售商西爾斯－羅巴克公司（Sears, Roebuck）的郵購型錄已有提供運送至「有軌電車郊區」單戶住宅的商品。[29]然而，戰後的建設開發商首開先例，整合了買地、建房到最終銷售的一整個過程，例如紐約與賓州的萊維特父子郊區建設公司，或洛杉磯聖費爾南多谷（San Fernando Valley）的費里茲伯恩斯公司（Fritz Burns）。休士頓的威廉法靈頓公司（William G. Farrington）。戰爭期間開發的新合成建材（無論是層板或粒片板）及其他工廠製部件，都實現了標準化。在萊維特父子郊區建設公司的廠房，每十六分鐘就有一棟四房住宅在生產線上組裝完成。到了屋址現場，萊維特公司的人員會將房屋的建造過程拆分為二十七個獨立步驟。新式電動工具取代了技術性的工會化勞動力。「科德角式房屋」（Cape Cod Cottage）可說是住宅界的T型車，售價為六千九百九十美元，配有免費的邦迪克斯（Bendix）洗衣機、奇異出產的爐子與艾德蒙（Admiral）電視。某些情況下，只需九十美元的頭期款與五十八美元的月付額，就能買到一棟這樣的房子。財務上，聯邦住宅管理局提供的抵押貸款，往往讓郊區買房比在都市租房顯得更划算。房屋所有權助長了家庭的財富。儘管房子是一種金融投資，但在這個時代，多數的家庭都期望透過持續的收入增長來改善經濟生活，而不是憑藉房屋的增值（這也是一九五〇年代的房市熱潮與二〇〇〇年代的不同之處）。

對戰後單戶住宅的心理投資，就跟財務投資一樣值得評論。一九四五到一九四六年，戰後的離婚率先是上升後再逐步下降，結婚率則有所增加。[30]一些夫妻為了在長島的萊維頓（Levittown）購買一棟「夢想之家」，不惜排隊數天之久。[31]路易斯・孟福特等紐約藝術評論家嘲諷郊區住宅的發展；新左派的富家子弟替那些住宅冠上「墨守成規」的臭名；自由派女性主義者貝蒂・傅瑞丹（Betty Friedan）所著的《女性的奧秘》（*The Feminine Mystique*，一九六三年）稱其為「舒適的集中營」。[32]但是，對於那些在經濟大蕭條中失去了家園，或曾在歐洲或太平洋戰場上克難求生的人們而言，擁有一棟單戶住宅是可以理解的願望，畢竟這樣的生活一直以來即使不專屬於富有階層，也大都是上層中產階級的專利。歷來，勞動階級會將多戶住宅的空房出租以補貼收入，但戰後的嬰兒潮加劇了民眾對單戶住宅的需求。經過經濟大蕭條時期的出生率下降，美國的出生率在戰後大幅上升，誕生了數千萬名戰後寶寶。[33]

戰後典型的郊區住宅多了兩個新房間，一個是擺放家用電器的「雜物間」，另一個是帶有更多意識形態色彩的「家庭房」。這兩個房間由郊區的家庭主婦負責管理，普遍上更符合戰後人們心目中「理想的家庭」。廚房改成設置於房屋的前側，與車庫相鄰，使起居室的空間變得寬廣開闊，推開雙層玻璃門就可通往後院草坪，而這也是戰後住宅的新闢空間。[34]

戰後郊區住宅的建築體現了核心家庭的情感投入，同時也體現了工業現代主義的主題。在《藝術與建築》（*Art & Architecture*）雜誌主辦的〈案例研究房屋〉（Case Study Houses）實驗計畫下，洛杉磯迎來了戰後一波設計精緻、以鋼架建成的平頂玻璃屋興建潮，這些房子沿襲了偉大的現代主義建築師路德維希・密斯・凡德羅（Ludwig Mies van der Rohe）的風格。藝術評論家孟福特肯定了這樣的建築風潮。「牧場式住宅」變得隨處可見，就連休士頓都不例外。[35]從新英格蘭殖民地到紐奧良開墾地，原本多元且符合區域需求的房屋類型，逐漸匯聚成一種同質性的戰後產物。

加州的建築師在一九三〇年代發展出這種風格。萊維特父子郊區房屋建設公司在牧場式住宅中裝設了萊特典型設計的三面式壁爐，作為室內空間的亮點。郊區的牧場式住宅「漫無邊際」，多半以單層為主，試圖透過將盡可能延伸外觀寬度，來展現低密度生活方式的空曠感。聯邦住宅管理局的《貸款承作指南》規定，住宅用地的面積不得少於十公頃，遠大於舊時的郊區用地。依循草原風格，牧場式住宅的特點是水平線，外觀上最醒目的是其長而水平的屋頂輪廓線。如同圖表上的任何線條，這種屋頂輪廓線傳達了控制時代的政治經濟價值，也就是穩定、架構，以及戰後家

圖 71　「一九六〇年代一戶人家的背影，一家四口手牽手望著前方的郊區新房」（一九六〇年）
戰後美國社會的投資標的以郊區的單戶住宅為最大宗。

庭所得不平等的壓迫。

在此同時，戰後的郊區住宅群完成了一個了不起的戲法，同時創造了協調與互斥。聯邦住宅管理局發布的《貸款承作指南》因種族歧視的立場而惡名昭彰。法蘭克・洛伊德・萊特充滿巧思的預組式「美國風」住宅設計遭到了否決，因為他在「協調性調整」類別的評等得到了低分。[36]聯邦住宅管理局的罪過不僅於此，他們還認為貸款給白人男性的風險並不高，但女性就很有可能無法還款。一九五五年，哥倫比亞大學教授、同時也是著名的都市規畫師查爾斯・艾布拉姆斯（Charles Abrams）表示：「聯邦住宅管理局採取的種族政策，很可能摘取自紐倫堡法案*。」[37]一九六〇年，紐約萊維頓共有八萬二千位居民，清一色是白人。[38]許多郊區的白人社區也是如此，起初透過產權所有人之間簽訂的正式「限制條款」來管理，禁止向非白人出售房屋。美國最高法院

圖 72 羅伯特・亞當斯（Robert Adams），科羅拉多州科泉市（一九六八年）

牧場式單戶郊區住宅盛行的水平線，傳達了戰後那數十年期間，家庭經濟不平等的平抑化。此外，這張照片也描繪了郊區女性家庭主婦潛在的疏離感。

在雪莉訴克雷默案（*Shelley v. Kraemer*，一九四八年）中推翻了公然種族歧視的限制條款的司法實務後，白人屋主暗中透過更陰險的方式來阻止黑人購屋。到了一九六〇年，在聯邦住宅管理局核准的抵押貸款中，少數族群取得的建房融資額度不到百分之二。[39]

這在很大程度上是因為郊區開發商自行編訂了聯邦住宅管理局《貸款承作指南》的大部分內容。房地產遊說人士甚至成功通過了一項法律，禁止聯邦住宅管理局雇用內部公務員進行評級與估價——這是戰後「經紀商式國家」(broker state）的一個典型例子，在這種情況下，互相競爭的「利益團體」積極爭取國會金援，而之所以會有這種結果，是因為業界利用稅收補貼來促進發展，卻普遍缺乏一致的公共利益意識。最後，聯邦住宅管理局雇用了房地產代理商與經紀人。規畫住宅的權力落到了開發商與產權所有人手中，因此，財產利益決定了房地產的發展方向。這意味著，戰後許多都市房地產市場（尤其是窮人的房地產市場）都由白人與黑人屋主及房東所組成的聯盟來主導，他們的共同目標是從被隔離的黑人住宅市場中獲取利潤。[40]

新建設需要的不只是國家的補貼而已。房屋蓋好後，公共基礎建設通常由地方政府負責（如果不是屋主自行負責的話）。舉例來說，萊維特父子郊區房屋建設公司替住宅挖設了化糞池，而不是汙水處理系統。一九六〇年代，聯邦政府終於不得不介入，撥款給地方政府，為一九五〇年代建造的許多住宅區闢設下水道。地方與州政府建立了供水與汙水處理系統、天然氣與電力設施，以及學

* 譯註：納粹德國於一九三五年頒布的反猶太法律。

校系統，供市郊社區使用。許多開發商在郊區修築道路只是為了運輸建材，這些道路並未與既有的交通系統串聯。隨著範圍擴大，郊區的道路需求益趨迫切。德懷特・艾森豪總統在一九五六年簽署的《州際公路法》（Interstate Highway Act）承諾，建設一個總長超過六萬五千九百八十多公里的聯邦公路系統，同時兼顧郊區及居民的生活便利性，而不是都市及其居民。[41] 提供更多政府補助，而背後的理由便是國家安全利益。

對郊區實際基礎建設的投資，並非僅有建設單戶住宅或高速公路。購物中心的成立緊接在後。一九四六年，美國只有八座明顯位於郊區的「購物中心」。[42] 在一九二〇與一九三〇年代，出現了設有寬敞而充足的停車空間、而非以步行動線為主的帶狀購物商場。在郊區的住宅建設熱潮中，都市的百貨公司開始將顧客群導向郊區，零售業也離開了市中心。[43] 這些「大型知名商店」與開發商及投資者合作，雇用建築師並取得商業抵押貸款。由於戰後的收入政治涵蓋了醫療保險及養老金等福利，私人保險企業的資本逐漸積累，必須找個投資標的。這些「制度性投資者」成了郊區購物中心最大的金主。他們要求購物中心與全國性零售連鎖店簽訂長期租約，忽視了當地店主。[44] 一九五〇年代是郊區購物中心建設的黃金時代。到了一九六〇年，美國共有三千八百四十間購物中心，民眾大部分的零售購物活動都在郊區進行。[45]

維克多・格魯恩（Victor Gruen）是最偉大的購物中心建築師與設計師，他在維也納初出茅廬時，與著名的現代主義者阿道夫・盧斯（Adolf Loos）一起工作過。格魯恩曾為秉持社會主義的維也納市政府設計公共住宅，後於一九三八年逃離了希特勒掌權的歐洲。他在紐約找到了第五大道店面櫥窗設計的工作。不久後，他開始為購物中心設計頂樓停車場的混凝土坡道，這是新興的停車場設計領域的重要成就。

一九五二年，維克多・格魯恩事務所在底特律郊區的北地中心（Northland Center）破土動工，這是一間戶外購物中心，由哈德遜（J.L. Hudson）百貨公司選址並出資興建。一九五四年開業時，北地中心在高達三千萬美元的固定投資下，成為全球最大的購物中心。占地六十六公頃，零售樓板面積達約十八公頃，可容納一百家商店，其中包括一間雜貨「超市」。[46]

格魯恩的設計大量運用水平元素且向外延伸，外觀結構分明，是體現戰後極端現代主義國際風格的象徵性

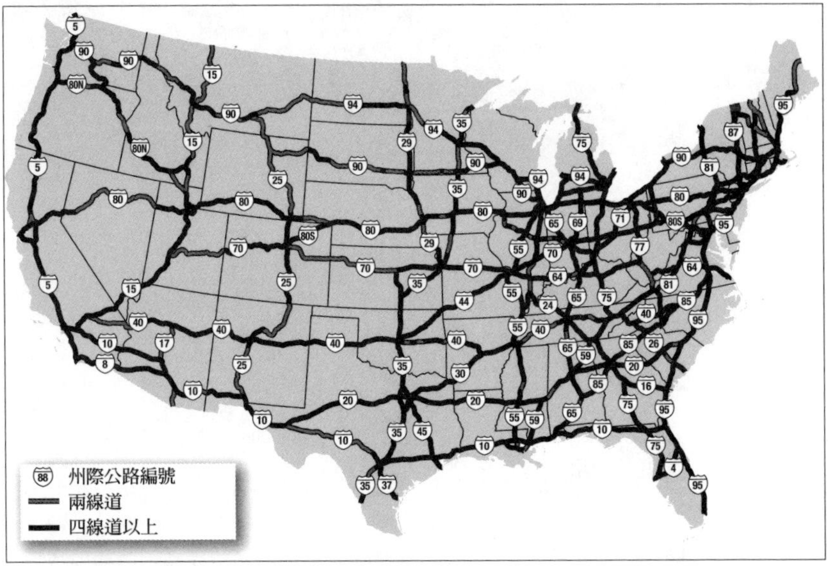

圖 73 州際公路系統（一九五八年）
一九五六年的《聯邦資助公路法案》（Federal Aid Highway Act）標誌了美國漫長的「國內改良」歷史中的另一個篇章。

建築。在他的想像中，北地購物中心是一座封閉且設計完整的城市，擁有專屬的私人道路系統、發電廠、警力部隊及水塔，還有一萬個車位。格魯恩表示，這項計畫涉及「規畫、建築、運輸工程、大規模機械工程、電氣工程、室內工程、景觀建築與平面設計」。[47]《時代》雜誌、《生活》雜誌、《新聞週刊》（*Newsweek*）、《商業週刊》與《美國新聞與世界報導》（*U.S. News and World Report*）都派記者前往報導北地購物中心的盛大開幕。

明尼蘇達州埃迪納（Edina）的南代爾購物中心（Southdale Shopping Center，一九五六年）是格

圖 74 維克多．格魯恩設計事務所，「出自格魯恩之手的北地購物中心建築模型」（一九五四年）
位於密西根州南田（Southfield，底特律一處郊區）、由格魯恩設計的北地中心，是商場設計與現代主義建築規畫的一座里程碑。

魯恩真正的傑作。南代爾購物中心坐落於雙子城（Twin Cities）郊區、二九四號聯邦公路（I-294）旁，是世界上第一座完全封閉、具有空調設備的購物中心。其外觀裝飾刻意採用暗色與中性風格，內部則充滿玻璃、色彩及燈光。這座購物中心有兩層樓高，設有電扶梯與一棟兩層樓的停車場。「中心廣場」的設計令人眼花撩亂，充滿樹木、花草、魚池，及一個三十英尺高、展示多種異國鳥類的籠子。

格魯恩的設計旨在實現全面控制購物環境的理念。他的想法是，商店引領著一種「雙重生活」，它們是「展示場所」，必須能「引起顧客的興趣」，但同時也是「工廠」。南代爾購物中心有一項出色的創新設計，那就是將商場裡的「機具」都「藏起來」。[48]格魯恩為商店建造了地下通道來運送貨物，讓商品就像變魔術一樣憑空出現在貨架上。在中心裡逛街的顧客不會看到任何電路、管線及其他所有非商品的東西。

格魯恩本人並不喜歡購物，但十九世紀末的維也納是現代主義建築與都市規畫的溫床，而格魯恩也渴望將戰後美國的購物中心打造成類似的都市空間。[49]他感嘆美國郊區是「沒有核心的社區」，但是，購物中心可以改變這一點。他相信南代爾購物中心將成為一個

圖75「北地購物中心的室內照」（一九五七年）
格魯恩的規畫構想以受控的消費環境為前提。

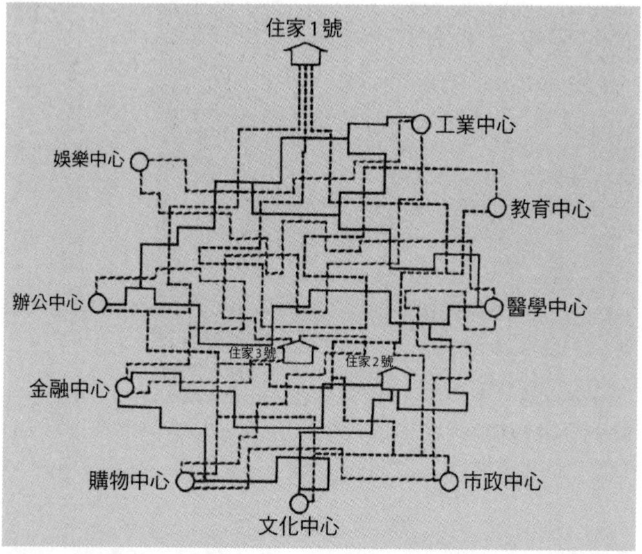

圖76 維克多．格魯恩，「郊區的迷宮」（The Suburban Labyrinth，一九七三年）

這張呈現戰後美國郊區設計原則的類似模控學視圖出自格魯恩所著的《城市環境中心：城市的生存》（*Centers for the Urban Environment: Survival of the Cities*，一九七三年）。到了一九七〇年代，格魯恩已對美國的郊區不抱希望了。

「社區中心」，一個新社區的錨點，不但規畫周詳，還合理地整合公寓、街道、公園、學校、湖泊與辦公大樓。在《美國購物城》（*Shopping Towns USA*，一九六〇年）一書中，他引述了維也納的人行道咖啡館文化，慶賀自己設計了一個全新的「都市空間」。[50]

在戰後的世界，都市規畫往往著重於大規模公共住宅計畫，美國境內的一些方案也是如此。[51]格魯恩最具野心的計畫是全面重新設計密西根州卡拉馬祖市（Kalamazoo）。這項名為《一九八〇年的卡拉馬祖市》（*Kalamazoo: 1980!*）的計畫從未付諸實行，但在南代爾購物中心建成後，一波封閉式商場的浪潮席捲全國。然而幾乎沒有任何一家購物中心如原先規畫那樣發展成計畫中的多用途郊區社區中心，就連南代爾購物中心也是如此。

相反地，令格魯恩感到恐懼的是，南代爾購物中心最終還是符合了郊區常見的土地使用模式：商場不斷擴張，單戶住宅區與路旁的帶狀商業區自由向外蔓延。這種新興模式之所以會出現，原因不在於維克多・格魯恩等傑出的建築規畫師，而是所得稅法隱蔽的規畫手段，例如加速商業房地產的折舊時程，或是對新建工程實施減稅。一九五〇年代末，固定商業房地產的投資建設蓬勃發展，郊區的速食餐廳、加油站、汽車旅館，以及辦公場所與工業園區的建設也隨之興起。第一間假日酒店於一九五二年開業，到了一九六〇年，它已成為知名的全國連鎖酒店品牌。一九五五年，雷・克洛克（Ray Kroc）在伊利諾州德斯普蘭斯（Des Plaines）開設了第一間麥當勞。到了一九六〇年，美國共有二百二十八間麥當勞加盟店。最終，帶狀購物中心與大規模區域購物中心延伸到了郊區邊界，催生了「邊緣城市」，也就是

圖 77 法蘭克・戈爾克（Frank Gohlke），《洛杉磯的風景》（*Landscape, Los Angeles*，一九七四年）

戈爾克在一九七〇年代的攝影作品與攝影圈新興的捕捉景觀重點有所關聯。戰後消費者的無序擴張以及後工業化時期的遠郊蔓延促成了新的建築環境。將這幅風景與哈德遜河畫派的作品或查爾斯・希勒所拍攝魯治河工廠做個對比，就能看出明顯的差異。

有更多郊區或「遠郊」空間在缺乏長期規畫下面臨了快速過時的窘境。[52]

小說家湯瑪斯．品欽（Thomas Pynchon）在《第四十九號拍賣物》（*The Crying of Lot 49*，一九六五年）中貼切地描述了這些新興的地景：「這就像加州許多地名一樣，與其說是一個有特色的城市，不如說是一組概念集合——人口普查區、特殊目的債券發行區、購物中心等，全都與對外連通的道路錯綜交織。」[53]

格魯恩對這樣的發展感到驚恐。對美國郊區深感失望的他逃回了維也納，卻發現自家後院外有一間美國式（或者該說是格魯恩式？）的購物中心。格魯恩設計的購物中心並沒有如他預料地為人們提供「如同古希臘的市集、中世紀的廣場及現今的市鎮廣場那樣參與現代社區生活的需求、場所與機會」，而是出現了「不倫不類的發展」，成了專供大眾消費的狹窄私人空間。[54]退休後，格魯恩寫了一本科幻小說，書中一位名叫維克多．格魯恩的人物與一個外星人討論了郊區擴張對環境造成的影響。格魯恩說服了這個外星人，讓他相信美國的郊區正在摧毀地球。這種烏托邦的消費社會願景，到頭來創造了一個反烏托邦的世界。[55]

消費者的幻景

獨立的單戶住宅、高速公路、商場與帶狀購物中心構成了消費主義的物質景觀。同樣重要的是美國人的精神層面，因為消費者必須要有消費的動機。冷戰時期的自由主義將所得的成長導向一般美國家庭，提高了大眾購買力。但是，投資者與生產者可以合理期望消費者繼續購買更多東西嗎？這個答案牽涉了美國民眾與這些新物品、自己本身及他人之間的關係。

消費可以從許多角度來解釋。經濟學家往往將個別消費者的偏好視為分析前提，只是單純揭示，而不去探討這些前提一開始怎麼會出現，以及消費者為什麼會產生這些欲望。其他對於消費主義的詮釋，則更偏向社會學層面。托斯丹・范伯倫（Thorstein Veblen）在《有閒階級論》（*The Theory of the Leisure Class*，一八九九年）一書中創造了**炫耀性消費**（conspicuous consumption）一詞，[56]他認為與其說消費者購買的是商品，不如說是一種地位。凱因斯的《一般理論》則在更大程度上聚焦於「投資的誘因」，而不是作為動態經濟因素的「消費傾向」，但他針對消費動機的簡要分析，近似於范伯倫提出的地位說。大衛・里斯曼（David Riesman）與納森・格萊澤（Nathan Glazer）合著的《孤獨的人群》（*The Lonely Crowd*，一九五〇年）是戰後社會學經典之作，認為美國人在十九世紀是「內在導向」，有自己的主見，到了二十世紀卻變成「外在導向」，容易隨波逐流。美國人消費是為了從眾，換句話說，就是為了獲得「標準配備」。[57]如果「社會」更新了標配的內容，有地位意識的消費者就會採取行動。

一九五三至一九五四年的經濟衰退過後，《時代》雜誌解釋了經濟反彈的原因。消費者「意識到他們可以將電扇換成冷氣，來促進經濟成長。一九五四年，市場一共賣出了五百萬台微型電視機，**景氣旺得不得了**。」[58]空調在一九五一年後上市，成了人們追求的「標準配備」，彩色電視機也是如此。一位原本從事社會人類學研究、後轉職進入商學院教書的教授所創立的社會研究顧問公司提倡這種觀點。這家公司大力提倡從社會學角度將大眾消費市場「細分」為不同群體，而在這些群體中，個人可以相互模仿。這種宣傳類型的重要作品如珍妮特・沃爾夫（Janet Wolff）的《什麼可以激起女性的購物欲望：瞭解與影響現代新女性的指南》（*What Makes Women Buy: A Guide to Understanding and Influencing the New Woman of Today*，一九五八年），以及帕克・吉布森（D. Parke Gibson）的《三百億美元的黑人》（*The $30 Billion Negro*，一九六九年）。[59]

然而，經濟學或社會學都無法充分解釋消費資本主義的決定性特徵是「淘汰」。購買一輛汽車也許是「理性」的行為，但淘汰一輛狀態良好的車子後再買一輛新車的欲望，該做何解釋呢？這有可能是消費者對地位的焦慮。然而在消費社會中，購買「新商品」的行為永遠不會消失，而這是最需要解釋的一種現象。[60]「基本的實用性不能作為服飾業蓬勃發展的基礎。」一九五〇年一家服飾領導品牌的主管宣告：「我們必須加速汰舊換新。」在一九五七到一九五八年經濟衰退期間，一些企業意識到美國人很快就會沒有新的必需品可買。[61]不可否認地，國外有許多消費者依然需要美國人已經擁有的東西。美國的跨國公司正迅速向歐洲發展快速的工業經濟擴張，使得歐洲終於在一九五八年實現布列敦森林體系規定的貨幣可兌性。由此可見，在戰後的重建過程中，歐洲的生產活動以資本財為主，而不是消費品。隨著世界各地國民所得的攀升，美國消費文化在各地日益壯大。[62]儘管如此，假使美國消費者都把東西用壞後才購買新品，本地製造商的生意可能就會因為有效需求不足而受到影響。

戰後廣告業面臨的急迫問題是，如何讓人們渴望已經擁有的東西。這個問題之前就已有人研究過。到目前為止，商業培養人類的欲望已有一段相當長的歷史；很久以前，亞里斯多德曾訓示，商業欲望的精靈一旦被放出瓶子，就再也回不去了，因為人類的欲望有可能「永無止境」。[63]然而在戰後時代，市場找到了激起人類欲望的新方法。他們廣泛宣傳那些因為貨幣收入與購買力迅速增長的個人與家庭所懷抱的憧憬與夢幻生活。[64]例如，在詹姆斯・瑟伯（James Thurber）創作的短篇小說〈華特・米堤的祕密生活〉（The Secret Life of Walter Mitty，一九三九年）中，米堤在逛街購物時覺得生活百無聊賴，忍不住做起了白日夢。故事的最後以廣為人知的一句話作結：「無人能敵的華特・米堤到最後一刻仍難以捉摸。」[65]隨著消費活動從市區大街轉移到了郊區購物中心，戰後的廣告業期許自己能仔細研究米堤的思維。他們必須讓米堤這種人對消費產生白日夢，而不是一味避免消費。

為了打入消費者的幻想生活，廣告商從商品本身著手，在消費者腦中植入購買商品後會得到美好結果的想像。但之後，廣告商偶然發現了一個更有效的策略，並沿用至今：賣點不再是商品，而是消費者經驗本身的心理特質。一個充滿可能性的嶄新領域自此開啟。

至於夢幻生活，西格蒙德・佛洛伊德（Sigmund Freud）以《夢的解析》（*The Interpretation of Dreams*，一八九九年）開創了精神分析學科。許多戰後的美國廣告商都支持佛洛伊德學說，他們希望能誘引消費——就像內戰後許多美國人信奉達爾文主義，都希望誘發競爭那樣。凡斯・帕卡德（Vance Packard）在暢銷書《隱形的說客》（*The Hidden Persuaders*，一九五七年）中引述了戰後芝加哥一位廣告人對香菸的看法：

> 所有文化都透過某種形式的吸或吐來展現對口腔舒適的基本需求。南海島（South Sea Island）的居民習慣吸食檳榔。不論男女都經常嚼口香糖，抽菸也是。這兩種行為都能讓口腔感到舒適。這種根深柢固、透過嘴巴攝食的需求，起初是嬰兒感到飢餓與緊張時會有的反應，要靠母乳或奶瓶才能得到安撫。這種需求被修正過，但在成人生活中仍是一種主要的衝動與需求。[66]

假如佛洛伊德看到這些胡言亂語，肯定會把嘴裡的雪茄吐出來。當然，我們不該誇大戰後精神分析對當代廣告文化的影響。儘管如此，一流的戰後廣告理論家皮耶・馬蒂諾（Pierre Martineau）在自己的辦公桌上也擺了奧地利精神科醫師亞伯拉罕・布里爾（Abraham Brill）所著的《精神分析的基本原則》（*Basic Principles of Psychoanalysis*，一九四九年）。《欲望的策略》（*The Strategy of Desire*，一九六〇年）的作者、同時也是心理學界聲望崇高的動機研究學院（Institute for Motivational Research）主任恩內斯特・迪希特（Ernest Dichter，同樣是維也納移民），向廣告商大力提倡精神分析的原則。[67] 佛洛伊德在《心理功能的兩大原則》（*Formulations on the Two Principles of Mental Functioning*，一九一一年）中提出了「快樂與不快樂原則，或簡稱為快樂原則」作為精神生活的一種動力，與「現實原則」形成了無法解決的張力。[68] 戰後的廣告商轉而針對快樂、幻想與不滿的主題，將消費行為塑造成一種透過幻想使現實落實的手段——如同巴納姆玩弄表象與現實那樣。

「有全新且更好的東西可買、而我如果不買就無法得到滿足，買了之後也沒有得到滿足，因為我還想買更多新鮮貨」的這種感覺，是消費資本主義的矛盾驅動力。投機性投資中的矛盾推力，正是貨幣同時使短期流動性偏好與長期承諾投資成為可能。在消費主義中，當下不斷消費新事物的欲望可能會增加有效需求，並推動長期經濟發展，但矛盾在於，消費者必須不斷消費，即使知道買來的東西永遠無法滿足自己的需求。消費者的欲望不斷啃噬心靈，永遠不會得到滿足。迪希特在動機研究學院時總說：「不要賣鞋，要賣養成一雙美腿的秘訣！」[69]也就是說，商家應該賣給人們的不是商品，而是他們希望成為的人，讓他們能在擁有美腿的經驗中找到快樂，而不是單純買到了好看的鞋子。想達到這個目的，就得讓消費者在舊鞋磨平之前便不得不買新鞋。

一九五九年，經濟衰退期過後，《大眾機械》雜誌（*Popular Mechanics*）深入採訪了好幾位美國汽車「設計師」。福特公司的首席內裝設計師羅伯特．馬奎爾（Robert H. Maguire）解釋：

> 你會買車，有更大程度是因為你想得到它，而不是因為你需要它。你家裡那台舊車也許性能還好得很。你有一種得到新車的欲望。冰箱不會帶給你這種興奮的感覺，汽車才能。

作為一種欲望的物品，汽車就如同女人：

汽車很容易成為一種臉部象徵，它的車燈看起來像眼睛，散熱罩看起來像嘴巴。

其他設計師則解釋：

造型師必須創造需求。什麼是好的設計？能引人「興奮」的就是好設計。它必須激起你想擁有它的欲望。

馬奎爾補充表示：

我們設計了一款車，但完成後我們就對它感到厭煩了，必須再設計另一款……我們設計一輛車，讓車主在不到一年的時間就對自己在一九五七年購買的福特汽車感到不滿意，這樣他就會買另一輛。我想，這就是計畫性淘汰。一個在今日看來頗糟糕的詞彙，可不是嗎？

《大眾機械》雜誌問他：「這種計畫性淘汰真的有必要嗎？」馬奎爾答道：「是的，如果這個國家想繼續進行它正在做的事的話，就有必要。」[70]

一九五七到一九五八年的經濟衰退結束後，快樂、幻想與新奇的主題開始主導廣告走向。前述的一九五九年一月期《大眾機械》刊登了以下廣告。有一個景點號稱能讓遊客體會到「如何從舷外引擎機與船獲得雙重樂趣」。哈雷機車公司（Harley-Davidson）則主打其新式雙避震滑翔座椅可帶來「額外的騎乘享受」。從當時的廣告可明顯看出，賣點從商品本身轉移到了抽象的消費經驗：

> 彈奏任何樂器。想像一下！即使你從未夢想過自己能夠演奏……這會讓你大受歡迎！有機會認識新朋友與參加同志派對等等……放輕鬆吧！將憂愁與挫折拋諸腦後。盡情地自我表達。讓創造力馳騁。培養自信。

肌肉發達的查爾斯．阿特拉斯（Charles Atlas）聲稱：「我來教你如何每天只花十五分鐘就能脫胎換骨。」身材健美的比利．范（Billy Van）也不甘示弱，他向《大眾機械》的讀者承諾：「不管你幾歲，都可以擁有一個新的身體……新的健康，就代表新的力量！」[71]在此同時，銀行開放本地消費者開立信貸帳戶，讓消費者的未來欲望可以提前實現。一九五八年，美國最大的銀行美國銀行與大通曼哈頓銀行（Chase Manhattan）推出了信用卡。[72]

如果消費經驗能在消費者心中占據一個特殊空間（填補對目前現實的不滿與對未來的夢想與幻想之間的差距），那自然也不需要「計畫性淘汰」的規畫。正如佛洛伊德所訓誨的那樣，人類的欲望在本質上是模稜兩可且自相矛盾的，而這只會助長消費。比起購買商品，消費的經驗本身隱含的追求抽象的愉悅感才是驅使人們掏錢購物的動力。在最極端的情況下，生活本身可以成為消費的對象，而商品本身只不過是被購買與拋棄的東西。消費主義促進了人們在消費方面的不滿足，卻沒有

圖 78　安迪・沃荷，《一百個康寶濃湯罐頭》（一九六二年）

在成為著名的普普藝術家之前，沃荷是一位商業插畫師。康寶濃湯罐頭是大量消費連續性的標誌性意象。

破壞他們對消費樂趣的幻想，實在了不起。

消費的經驗開始深入人心，不只在戰後的美國經濟，在心理與文化上也是如此。幻想流派成為消費文化中的重要元素，在一九五〇年代，即所謂的漫畫書白銀時代，蜘蛛人、蝙蝠俠與驚奇四超人等漫畫人物紅到發紫。當然，相較於任何其他產業，好萊塢電影以其浪漫的異性愛情故事將美國人迷得心神蕩漾，對唯美的情愛滿是憧憬。[73]

同時，消費也成為戰後藝術表述的一個重要主題。安迪・沃荷（Andy Warhol）是一九五〇年代成功的商業插畫家，因鞋款設計廣告而紅極一時。《一百個康寶濃湯罐頭》（*100 Cans*，一九六二年）開創了沃荷的「普普」風格，成為連續大量製造與消費的標誌性意象。在《八個貓王》（*Eight Elvises*，一九六三年）中，沃荷改採企業廣告商普遍使用的感光絹印工法，傳達了更深層的創作理念。重複的貓王人像一個比一個模糊與黯淡，最終褪色並消失。就如同唱片圈推出了一首新的流行歌曲，人們一遍又一遍地聽著，到了最後，重複聆聽的欲望消失了。消費者不斷轉動收音機的旋鈕，期待能聽到「新」歌，這是一種典型的消費經驗。不論是歌曲還是車子，消費的商品改變了，但消費者追求的經驗不變。

計畫性淘汰的邏輯在戰後消費資本主義的精神世界中運作的同時，也對自然景觀造成了負面影響。美國人丟棄了大量的汽車、冰箱、烤麵包機、毛衣與鞋子，導致了戲劇性的後果，正如凡斯·帕卡德在《垃圾製造者》(*The Waste Makers*，一九六〇年）一書所描述的那樣。在一九四〇到一九六八年間，人均固體廢棄物增加了一倍，從每天兩磅變成了四磅。這些垃圾不是經過新推出

圖 79 安迪·沃荷，《八個貓王》（費魯斯畫廊版〔Ferus Type〕）（一九六三年）
一個比一個褪淡的貓王人像凸顯了消費經驗的一項重要特質，那就是重複消費同一種事物的行為會致使報酬遞減，導致消費者無止境地追求新的商品與體驗。

的消費品（垃圾處理機）的處置後成了廢物，很可能就是進入了新設的垃圾掩埋場。到了一九六九年，光是紐約市報廢的汽車就有五萬七千輛，更不用說是堆積如山的廢輪胎了。塑膠是石油副產品，在戰後存在感愈來愈大，到了一九六四年，美國人每年丟棄約兩千個塑膠包裝容器。紙張是到目前為止最大宗的廢棄物，在一九四七到一九六三年間，紙巾使用量從每年十八點三萬噸暴增至六十二點九萬噸。[74]到最後，以汽車為基礎的郊區，創造了一種化石燃料密集的生活方式。一九六〇年代，每戶家庭使用的能源平均增加了三成。[75]即使消費與幻想前所未見地緊密結合，但「消費」一詞的原始含義是「用完」或「耗盡」，且至今依然適切。隨著消費主義強迫性地捨棄了當下，對環境有害的未來日益逼近。

「小才是王道」

在某個時刻（無法確切肯定是何時），美國人夢想中的生活充滿了消費幻想，以致企業與廣告商不必再費心創造消費欲望。如今有太多像華特．米堤這樣的人對消費懷抱憧憬，而不是逃避消費。廣告商可以全心致力於深入瞭解消費者的幻想，甚至是自己的幻想。這一點從廣告商與行銷人士對一九六〇年代反主流文化的重視程度顯而易見。消費資本主義最顯著的一個特點是，它能夠吸收外界的批評。

戰後的企業廣告飽受外界的批評，這些恐懼在二十一世紀初仍引起許多共鳴，尤其是人們擔心創新的科技與社群媒體會暗中左右消費者的偏好。[76]帕卡德撰寫的《隱形的說客》著實令人毛骨悚然。他引述了美國公共關係協會（Public Relations Society of America）主席說過的一句話：「我們的工作是理清人類的思想結構。」帕卡德語重心長地表示：「我們從詹姆斯．瑟伯筆下的友善世界，進入到喬治．歐威爾（George Orwell）在小說《一九八四》中描繪的那種監視無所不在、令人不寒而慄的社會。」[77]約翰．肯尼斯．高伯瑞的《富裕社會》（*The Affluent Society*，一九五八年）創造了**依賴效應**一詞，其意指「獨立決定的欲望」是一種癡心妄想，因為廣告業中心麥迪遜大道（Madison Avenue）的目的是「創造先前不存在的欲望」。[78]在一九四五至一九六〇年間，廣告支出激增了三倍，達到一百一十億美元。高伯瑞呼籲社會進行更多的公共投資（長期的發展政策），以滿足企業在吸引消費者時所無法滿足的真正需求。高伯瑞與帕卡德的立場漸趨一致。廣告對商業「青年文化」（一九六〇年代一個新的市場類型）的刻意培養，讓人特別感到不安。一九五九年，《生活》雜誌統計，嬰兒潮時期出生的青少年總計使用了一千萬台留聲機、一百萬台電視及一千三百萬台照相機，每年共花費一百億美元。[79]佛瑞德里克．魏特漢（Fredric Wertham）的暢銷書《純真的誘惑》（*The Seduction of the Innocent*，一九五四年）將漫畫書視為促使青少年犯罪的罪魁禍首，而文化保守派對青少年追求搖滾樂或「愉快的駕車體驗」等消費樂趣的現象尤其感到惋惜。

不分左派或右派，戰後的知識精英在抨擊消費文化的同時，某種程度上都在哀悼自身文化權威的消逝。消費者在充斥著象徵與圖像的大海中遨遊，這些意象圖謀誘使他們消費，以維持總體經濟的「總合需求」。但是，還有操作的空間。[80]羅伊．里奇登斯坦（Roy Lichtenstein）的普普藝術再現了老掉牙的消費者形象，譬如他在一九六〇年代創作的漫畫。然而，里奇登斯坦靠自己的力量巧妙地改變與操縱了這些圖像。他曾說，他不介意消費主義的出現，只要他在這樣的風潮中「有事可做」就好。[81]這種模稜兩可的說法耐人尋味，因為當時消費主義已經無孔不入，在持續創造欲望的過程中，消費主義不僅僅解放了個人，也支配了個人。[82]在這方面，艾德．拉斯查（Ed Ruscha）的普普風可以說比沃荷更具啟發性。他跟沃荷一樣，最初也靠商品意象的設計起家，為奧克西朵兒（Oxydol）香皂及聖美多（Sun-Maid）葡萄乾等商品的廣告製作黑白照片。然而不久後，他的畫作開始以普普風格的文字取代物品，以傳達深刻的感受。一九七二到一九七三年，拉斯查創作了三幅主題為「希望」的畫作。在這些作品中，情感與渴望被消費主義的文化漩渦所淹沒（抑或是被迫與其交融？）。即使變成了一種商品，希望是否仍然意味著希望？拉斯查向觀者（也許就是消費者）提出了這個值得深思的問題。[83]

圖 80　艾德．拉斯查，《希望》（Hope，一九七二年）

拉斯查的藝術往往在文字與語言上大作文章，並將其融入消費漩渦中。

企業廣告商對這一切都了然於心，畢竟他們本身也是消費者。比爾．伯恩巴克（Bill Bernbach）便是在此時躍上歷史舞台，他是傳奇的廣告公司多伊爾丹恩伯恩巴克（Doyle Dane Bernbach）背後的創意天才。一九六〇年代的反主流文化對大眾消費主義提出了新的批判，當時美國作家保羅．古德曼（Paul Goodman）在新左派經典著作《荒誕成長》（*Growing Up Absurd*，一九六〇年）中指稱廣告商為「一群自信的人」。[84]伯恩巴克出於本能地反感大眾消費不真實，他仔細理解了這些批判並藉由反諷的方式，將這些批評展現在消費者眼前。消費者的心理不再是一個關乎福特主義與佛洛伊德學說的工程問題。伯恩巴克試圖與消費者心理建立連結，而不是設法操控它。這代表他相信自身的創造力與想像，並留給廣告商一些做夢的空間。[85]

伯恩巴克的廣告是「時髦的」，不但思緒敏捷、超凡脫俗，而且往往具有諷刺意味。他最偉大的廣告宣傳可說是企業廣告史上最著名的作品，那就是一九五九年行銷福斯金龜車時所主打的口號「小才是王道」。

福斯金龜車在形象上有個問題，其自推出以來都主打「希特勒所創造的」，而這永遠不會成為一個成功的口號。伯恩巴克設計的廣告宣傳將金龜車從極權主義的象徵轉變為

圖 81 「小才是王道」（一九五九年）
廣告商掌握了如何利用消費者對廣告的批評來作為賣點。這項標誌性的廣告宣傳嘲弄了計畫性淘汰的現象，文案的第一句寫道，「我們的小車沒什麼新奇的」。

一九六〇年代反主流文化的象徵。「小才是王道」嘲諷了美國大型汽車製造商的風格化矯飾。伯恩巴克的廣告公司以一小輛黑白汽車為主角，背景是一片什麼都沒有的灰白色，並在底部加上了簡短而有力的一句話：「小才是王道」。這個文案意在說服讀者，而不是告訴消費者該如何思考。廣告從業者傑瑞・德拉・費米納（Jerry Della Femina）在很大程度上遵循了伯恩巴克的模式，他避開了所謂「生產線式」的廣告，稱福斯汽車的廣告是「廣告商第一次與消費者進行溝通，將對方當作成年人來看待，而不是嬰兒」。伯恩巴克甚至在另一項廣告中挖苦了計畫性淘汰的做法，海報中可見一台在聚光燈下的白色金龜車，而下方的標題寫著，「五一到六一年式的福斯汽車」。[86]

到一九六〇年代末，麥迪遜大道上到處都是伯恩巴克這樣的廣告人。廣告業變得更具有藝術氣息與創造力，而不是注重精神與科學層面，所推出的廣告也相對富有想像力與智慧，試圖貼近年輕族群（奧斯摩比〔Oldsmobile〕推出了「年輕人的汽車」），具真實性，甚至是反叛性。一九六六年，智威湯遜廣告公司（J. Walter Thompson）的總裁宣布：「我們致力於不斷對現狀感到不滿。」[87]道奇汽車則提到了「道奇的反叛」，勸請買家「人多的地方不要去」。一九六八年，一則服裝廣告宣稱：

全世界的男人，動起來吧！革命已經開始，時尚界已經站在堡壘前方。讓我們前進查普曼（Chapman）的男裝店，邁向嶄新的男裝自由之路。

當時，理想幻滅的格魯恩已經前往維也納，但維也納動機研究學院的迪希特博士已擁抱了反主流文化。一九六七年，他主張廣告人可以向迷幻藥學習，去瞭解「引起幻覺的顏色與動作」，並努力「以嶄新且更令人興奮的意義賦予產品活力」。[88]隨著普普藝術將消費主義不可捉摸的本質納為己用，消費主義也反過來吸收了普普藝術，將諷刺與暗示轉換成促銷手法。安迪・沃荷開始出現在商業廣告中，甚至親自擔任導演。一九六〇年代的廣告熱潮讓這條從「計畫性」過渡至「流行時髦」的汰舊換新之路變得輕鬆好走，這種翻轉與其說是受到車商推出新款的年分所影響，不如說是取決於前面數個世代的反叛意識。每個世代都有想像自己創造新事物的機會。

消費資本主義

一些歷史學家成功從消費的角度敘述了資本主義自開端以來的歷史。[89]在人類歷史的大半篇幅中，資本主義並不存在，而它存在的前提是，過往經濟體系並未帶動的動態因素必須出現，這個動態因素便是追求更多的欲望，意即消費者需求必須顯現。因此，消費一直是一種強烈的推動力。在漫長的歷史中，儘管不平等的確存在，但如果說資本主義擅長一件事，那便是為消費者提供更多的物質，而在此嚴格意義上，「物質」已經轉化成更高的生活水準與更多的人類福祉。[90]

然而在某些方面，戰後時期偏離了這個路線。十九世紀的工業革命提高了貨幣收入，但並未提高人們的生活水準，直到二十世紀才開始有所改善並在二戰後的數十年裡達到了巔峰。[91]除此之外，在控制時代，投機性投資尚未出現之際（之後將會再起），計畫性淘汰逐漸成為一個不斷變化的經濟因素。凱因斯認為，投資是比消費更加多變的總體經濟變數，因為資本所有者可以選擇囤積財富而不是投資，而大多數的消費者為了生活仍需要至少從事某種程度的消費。他也表示，在所得增加的幅度超越了邊際消費傾向的高成長經濟體中，如果希望發揮生產潛力，投資變得更加必要。事實或許是如此。但我們是否至少有可能將消費傾向擴大到超越凱因斯所想像的程度，並利用這種方式實現成長？是的，這是有可能的。

一個與消費而非投資有關、且新出現的預期面向日益普遍，那就是「消費者信心」的議題。在一九三三年逃離德國的塔式格心理學家喬治・卡托納（George Katona）進入密西根大學從事經濟學研究，而在一九五二年，他的團隊蒐集了「消費者預期」與「消費者情緒」的調查資料，成為當代「消費者信心」的起源，一種新的信任騙局。[92]卡托納在《強大的消費者：美國經濟的心理學研究》（*The Powerful Consumer: Psychological Studies of the American Economy*，一九六〇年）中提出了研究結論。[93]為了使消費推動長期的經濟成長，在長期投資未擴大的情況下，消費者短期內必須渴望獲得更多物質，即使他們知道消費欲望永遠不可能得到滿足。在戰後時期，這是一種新的長期生活方式，一種同時牽涉經濟與心理層面的新結構。隨著消費主義成為文化霸權，短期消費心態甚至有可能滲透投資函數，意即危害長期投資，迫使人們進行更多消費以維持總體經濟運作。

在控制時代的所有面向中，沒有其他事物比戰後消費主義的邏輯更持久了。在資本主義經濟體中，我們該如何看待人類實際上有可能藉由消費來得到真正的滿足及實現欲望呢？[94]消費者信心是一種大規模現象，比投資者階級的信心更為廣泛，而消費者信心與日俱增的重要性反映了物質富裕

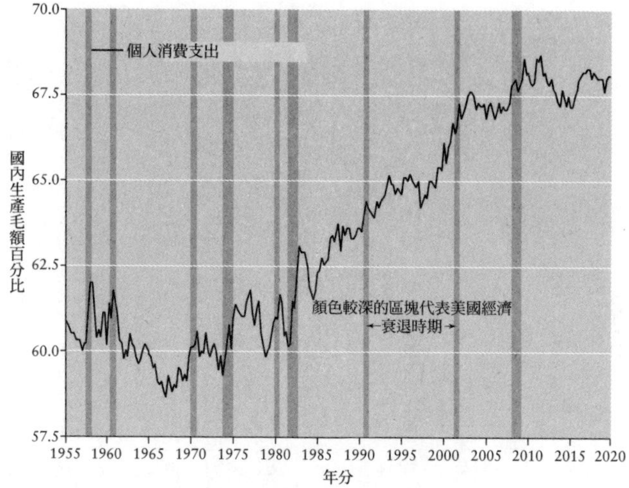

圖 82 消費者支出

自戰後數十年消費社會出現以來，消費者支出在國內生產毛額中占了愈來愈大的比例。

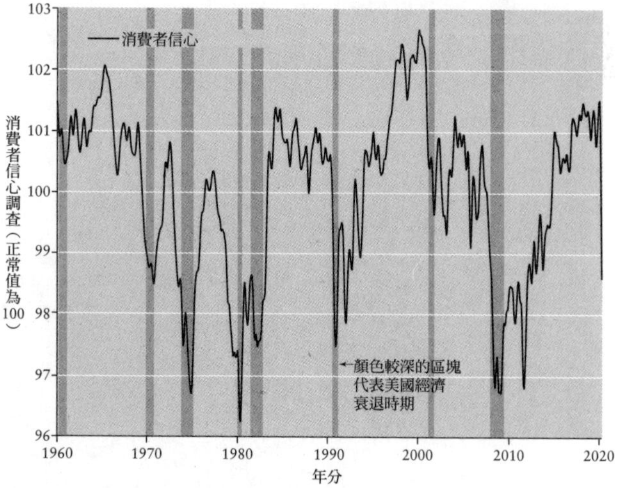

圖 83 消費者信心

有鑑於消費者支出在國內生產毛額中的比例不斷上升，消費者信心成了美國經濟發展中一個日益關鍵的因素。

的民主化，也反映了資本主義核心經濟動力的民主化。但是，物質豐足的壞處是，人們愈來愈難跳脫消費文化，即便只是反省並自主性地重新調整自身欲望。幸福並不是擁有更多的物質，而是獲得更多無形的東西，那就是自由。

法國歷史傳記作家安妮・艾諾（Annie Ernaux）表示，她在戰後的生活從未離開過美國的消費主義潮流：「想起以前曇花一現的老牌子，比想起那些更知名的牌子更讓人高興，像是都索洗髮精（Dulsol）、卡爾登巧克力（Cardon）與納迪咖啡（Nadi）等，這就像個人的記憶，無法與別人分享……這個世界正因為缺乏超越真相的信仰而受苦。」[95]數十年後，普普藝術家艾德・拉斯查在一九九八年重拾當初創作的「希望」系列作品。圖像中的文字不變，但顆粒感比三十年前要重得多。

圖 84 艾德・拉斯查，《希望》（*Hope*，一九九八年）
希望變得模糊，但依然存在。

第十七章 黃金時代的嚴峻考驗

資本主義要求經濟生活以未來為取向，因此，不斷回顧過往的衝動、並傷感地替舊時代加上「黃金」的印記，或許是某種心理補償，尤其是在許多人覺得難以樂觀看待未來的時刻。

在美國的經濟史上，有多少個黃金時代？答案可能需要兩隻手才數得出來。光是十八世紀，就有殖民地商業的黃金時代，緊接的是觀察家所謂的一七九〇年代法國大革命戰爭期間的中立貿易「黃金雨」時期。最近代的黃金時刻是二戰過後數十年的工業經濟。二十一世紀初，無論是因為所得平等或家庭價值觀，人們對這個時刻都充滿懷舊之情。

當然，人們之所以傾向回顧過往，原因主要是戰後的工業社會擁有二十一世紀初經濟生活所缺乏的東西，那就是結構。戰後時代充斥了抑制、邊界與高牆。所得的不平等遭到「壓縮」。[1]核心家庭包含了丈夫、妻子與孩子。[2]世界貿易復甦之際，國家的管制措施仍抑制了跨境的投機性資本投資，移民也受到限制。極端現代主義的直線元素主導了企業建築的國際風格。據評論家指出，其中最偉大的實踐者之一路德維希．密斯．凡德羅，實行了「藝術的任務是為既有的混亂強加秩序」的原則。[3]在企業的辦公室裡，白領階級的辦公隔間被設計成五乘五英尺的方形空間。《格拉斯－斯蒂格爾法案》與其他法規將金融業分為不同的「地域限制」，禁止不同借貸與投資類別之間的資產買賣。[4]種族隔離持續存在，同性戀被視為「異類」而受到監控，官僚機構充滿單調乏味，反共產主義小說《滿洲候選人》（*Manchurian Candidate*，一九六二年）般的驚悚與焦慮無所不在。[5]但是，即使高牆日益限制了人們的生存空間，至少還存在著結構。

在戰後的社會思想中，**結構**這個具有物理意涵的術語廣泛隱喻了社會的穩定。[6]然而從字面上看，大規模工業社會的結構大都來自實質架構與非流動性生產資本的長期投資集中，即工廠的廠房、機器與有限空間，而勞動與生產藉此創造金錢收入。男性每天進工廠幹活，下班後回到核心家庭，居住在圍繞工廠而形成的許多戰後社區。這就是所謂的「社會結構」。

在戰後的政治經濟中，企業主管階層對產業資本的長期投資，支撐了所謂的「財政三角」：[7]聯邦政府、營利企業、非營利企業。細項來看，財政三角包含干預主義政府、大財團與大型慈善機構，為冷戰自由主義的主要政治經濟協調機制，任務是創造、分配與重分配產業收入。

產業資本是財政三角的錨點。到了一九五〇年代，投資的任務重回大型私人企業的手中。被稱為行政官僚的白領經理階層掌握了資本的分配。掌握局面的是官僚機構，而非信貸驅動的投機性投資循環。即使是戰後的金融業，也乏善可陳——美國作家沃克·柏西（Walker Percy）所著的《影迷》（*The Moviegoer*，一九六一年）是戰後最出色的存在主義小說之一，當中的主角表示，「放棄如此遠大的抱負，屈就於最平凡無奇的生活，失去以往的渴望，是百般不得已的決定」。在這個時代，人們可以靠著「出售股票、債券與共同基金」，過上平凡的生活。[8]若想追求獲利，不能靠變化無常的金融資產增值，因為股票或債券的價值只會短暫飆漲。相反地，應該要靠會逐漸折舊的生產性資本，拿來購買固定性資本、雇用勞工，並物盡其用，進而使大量生產的福特主義所追求的能源密集型生產力收益達到最大化。按歷史標準來看，戰後時代的生產力、利潤與薪資中位數的成長率都相當高。這種做法似乎有效。

財政三角的其中一角是聯邦政府。相對於戰後的其他社會，以及美國的過去或未來，高額的累進所得稅維持了財政收入。在民主黨與共和黨政府的領導下，新政意識形態的關鍵字是更多的保障，指的是達到比資本時代更高的總體經濟穩定性，也意指「收入的保障」——在兩黨共同推動下，社會保障與其他權利（有些基於公民身分，有些基於就業）都逐步擴大。例如，在一九六〇至一九七〇年間，聯邦在「收入保障」的支出從二十二億美元攀升至七十九億美元。財政政策藉由反循環支出平穩了商業循環的週期性衰退，成功防止經濟嚴重蕭條。

作為財政三角的另一角，免稅所得的捐款流向了戰後的非營利企業與基金會，也就是慈善財富的守護者，無論是福特基金會（Ford Foundation）、還是聯合勸募（United Way）。大學是戰後主要的非營利團體，致力推行未來勞動力的大規模教育，以及在知識領域中創造適用於國民經濟的經濟與規範性評估標準。國家「經濟成長」的速度由大學院所的經濟學系來衡量與定義。在指引收入政治這方面，最早、也最出名地將戰後自由主義的「分配正義」原則編纂成典的著作，就屬道德與政治哲學家約翰・羅爾斯（John Rawls）撰寫的《正義論》（*A Theory of Justice*，一九七一年）了。[9]

財政三角的制度結構是美國收入政治的巔峰。它將美國經濟與世界上其他國家的政治經濟區分開來，例如，有些國家所得稅的累進率較低，或者有些國家的「混合經濟」的發展性政策透過不同於美國的財政三角方式，促使政府得以干預資本。此外，財政三角也展現了戰後的意識形態，即政府、經濟與公民社會這三個領域界線分明，而這也使得美國與蘇聯極權主義的高壓控制狀態有所區別。

依照其自訂標準（安全、結構、白人男性養家的社會模式、全民富足），戰後美國的政治經濟解決方案進行得相當順利，擁有不容忽視的成就，但也不可否認地具有局限性與斷層。

戰後數十年期間，同時也是一個去殖民化、「經濟發展」，以及世界各國人民都懷抱更大希望的時代。[10]美國的收入政治一直帶有歧視色彩，讓白人異性戀男性享有特權。同時，美國的總體經濟變數與衡量標準，如國內生產毛額或「總合需求」，並不適合解決許多經濟關係中的具體錯誤，或是許多族群遭受的不斷惡化的不利條件。根據定義，沒有一個國家的統計數字可捕捉戰後美國經濟變化中以地域為基礎的地理動態，在這之中，由於私人的資本投資不斷變動，某些城市與地區的經濟成長及發展，與其他地方的長年貧困顯然就是兩個世界。戰後自由主義經濟政策的核心，便是一九六四年由甘迺迪提出、詹森總統簽署的《一九六四年減稅法案》，他們試著藉由已存在的管道刺激總體經濟，從未將不受重視的地區與人民帶到長期經濟發展的方案中。

一九六〇年代出現了一種非比尋常的局勢。在一九六四年減稅政策推動下，長達十年的經濟熱潮展開了。經濟成長在總合上有所增加。儘管如此，由於城市暴動、性解放、女性主義、政治暗殺、學運、資本外逃、越戰、通貨膨脹，以及倫敦貨幣交易商對美元與黃金掛鉤的投機性攻擊，自由主義開始瓦解。最終，資本主義的黃金時代經證明是一場嚴峻的考驗，沒有什麼好讓人懷念的。

財政三角

在美國，戰後時代經常被歷史學家視為一個單一時期、一個黃金時代，但這些詞彙都難以全然解釋當時的經濟重大事件。一九五〇年代，商業循環導致美國經歷多次衰退，而背後的成因則是產業投資的波動（通常與公司如何累積與釋出庫存有關），而不是信貸循環。即使結構與穩定在財政三角之下顯而易見，美國的總體經濟在一九五〇年代末期，依然存在著經濟成長、失業與通貨膨脹之間的衝突。[11]

在一九五二年的總統大選中，艾森豪取得了勝利，共和黨則控制了國會參眾兩院。這意味著捍衛「自由企業」，反對新政當中「令人毛骨悚然的社會主義」（就連個性溫文爾雅的艾森豪都如此稱之），以及對通貨膨脹與聯邦預算赤字發動「永無止境」的戰爭。[12]冷戰時期的自由主義偏向右翼立場，而在二戰期間曾任歐洲同盟國最高指揮官的艾森豪就任總統時期望以「國家利益」號召人民，最後卻落得失望的下場。

一九五三年艾森豪就職數個月後，經濟微幅衰退，原因主要是產業投資的不景氣。此外，由於擔心韓戰期間發生通貨膨脹，聯準會自一九五一年脫離財政部控制後，在新任主席威廉．麥切斯尼．馬丁（William McChesney Martin）的領導下，提高了貨幣與信貸市場的短期利率目標。經濟衰退爆發之際，儘管國家軍事開支在一九五三年朝鮮停戰後有所減少，聯邦預算仍出現赤字。

赤字開支有助於總體經濟的復甦，而聯準會調低短期利率目標的目的也是如此（聯準會宣布將不再直接干預長期利率，以及資本的長期分配）。[13]但是，一九五三至一九五四年的經濟衰退證明，就連嚴重擔憂赤字與通膨出現的共和黨政府，也願意參與反循環的財政政策。

作為總體經濟的刺激措施，一九五四年國會提議大幅削減所得稅額，以鼓勵私人投資。艾森豪政府的經濟顧問委員會主席、哥倫比亞大學經濟學家亞瑟·伯恩斯（Arthur Burns）認為，資本所有者的「信心」是投資的關鍵動力。[14]減稅措施有助於提高商界人士對未來獲利的預期，進而誘發投資。最終，一九五四年的減稅法案只略微削減了個人所得稅額，

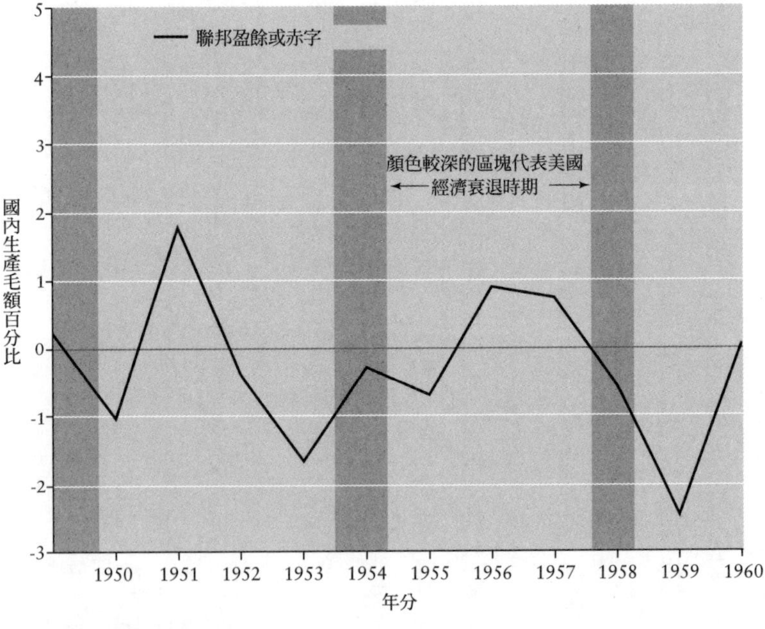

圖 85 聯邦盈餘或赤字

有別於資本時代，控制時代的財政緊縮不再是因應經濟衰退的政策。相反地，聯邦政府採行補償性的聯邦赤字支出，以刺激總體經濟的復甦。

其中大多數的類別調降了百分之二的稅款，[15]變動的不是稅率，而是退稅額。

一九五四年的《國內稅收法》是一項重要的立法，原因有二。其鞏固了政治經濟的財政三角，並支持所得稅的扣抵與退稅這種新的收入政治形式。國會議員耗費三十萬個小時制定了篇幅多達九百零七頁的法案。在「利益團體多元主義」發揮作用後，最終的法案總計減免了十五億美元的稅收，在個人所得方面，涵蓋了從企業員工的附帶福利（包括透過雇主納保的健康保險）到持續的房屋貸款利息扣除額。該法案甚至對在職母親施行育兒相關費用的所得稅扣除額，但前提是她們的丈夫有身體或精神方面的「缺陷」。在投資方面，聯邦政府提供了各種誘因，以提高固定住宅與非住宅投資率。[16]一九五四年減稅法案頒布後，戰後的住宅建設熱潮隨即進入最後階段，而在一九五五年，非住宅的固定投資回升，占國內生產毛額的比例達到了自一九二九年以來承平時期未曾有過的新高。聯邦預算的存在，是為了從反循環角度穩定總體經濟的發展。為了促進國民經濟成長，稅法提供了一系列的投資誘因刺激利益團體。

一九五四年的減稅法案也針對非營利企業與其他非法人組織制定了「五〇一（c）」類別的免稅規定。這奠定了戰後財政三角的另一角，也就是「非營利領域」，被視為美國公民社會的非營利組織，與營利性的「自由企業」一樣，都是反對大政府的「唯意志」思想堡壘。戰後規模最大的非營利組織是福特基金會，由埃德塞爾．福特在一九三六年創立，而在其父亨利．福特於一九四七年離世後，該基金會獲得了毛額三點二一億美元的福特汽車股票。也因為如此，福特家族試圖規避高額的遺產稅。到了一九六〇年，福特基金會的捐款金額多達全美國大學捐款總額的三分之二，成為

「大型慈善事業」最主要的參與者。很快地，「五〇一（c）」類別中涵蓋最多組織類型的將是「五〇一（c）（三）」，主要子類別有「宗教」、「慈善」與「教育」組織。德州參議員林登·詹森提出的一項修正案，禁止「五〇一（c）（三）」中的組織參與政治活動。「五〇一（c）（四）」類別則以「社會福利組織」為主，不久後便成為慈善事業進入政治的管道。到了一九五四年，福特基金會已成立一項公共事務計畫，雇用了許多從共和黨控制的華盛頓流亡出來的自由派民主人士。[17]

在艾森豪的監督下，一九五四年實踐了社會保障擴大涵蓋一千萬名受益人的計畫（包括身心障礙公民，一個新組成的利益遊說團體），收入政治持續發展。[18] 一九五四年通過的《農業法案》（Farm Bill）幾乎沒有削弱對農商企業的價格支持，並以第三世界「糧食援助」的名義增加出口補貼，因為西歐國家對美國的許多農產品設立了關稅壁壘。[19] 艾森豪總統向人民表示：「如果有任何政黨試圖廢止社會保障、失業保險，並取消勞動法與農業計畫，那麼在美國的政治史上，你們不會再聽到那個政黨的名字。」[20]

共和黨控制的國會與出身該黨的總統共同確立了美國福利國家的合法性，與其他國家不同的是，美國福利國家透過就業來提供福利，而不是普遍的公民權。美國並不像許多戰後社會民主國家那樣，擁有公營與私營企業的「混合」經濟，反而是各個私人利益團體激烈爭取大政府提供的福利。例如在一九五六年，國會通過了艾森豪提出的《全國州際及國防公路系統法案》（National Interstate and Defense Highways Act）。經由私人承包，聯邦政府資助了近九成的經費以建設四萬多英里長的聯邦公路系統，打造汽車郊區的消費景觀。[21] 該法案以「國家安全」之名在國會中順利通過，滿足了多個利益團體的要求，包含汽車製造商、郊區通勤者、卡車司機、建築業與石油遊說團體。然而實際上，它並未提出總體性的全國計畫，更像是重現商業時代的「國內改良計畫」。聯邦及州政府與私人承包商之間形成的複雜網絡，建構了聯邦公路系統。

艾森豪政府自我期許的目標是平衡經濟成長與通貨膨脹，但在艾森豪總統任期結束時，令人不安的總體經濟動態出現了。一九五六年，非營利組織洛克斐勒兄弟基金會（Rockefeller Brothers Fund）聘請多位來自大學（也就是「五〇一（c）（三）」免稅規定的非營利組織）的頂尖經濟學家組成工作小組，請他們就「國家意圖與目標」發表意見。他們表示：「國家必須加快成長速度。」[22]一九五六年，在固定工業投資激增所促成的商業循環擴張中，美國的國家預算進入盈餘狀態，對此艾森豪聲稱政府成功了。但在一九五七至一九五八年，美國經濟再次陷入衰退。聯準會擔心通貨膨脹的發生而收緊了貨幣供給。結果，私人投資衰減。經濟評論人士開始談論一種可能的「衰退心理」，也就是在經歷短期成長後，資本家基於某種原因而放棄投資。結果，再次帶領美國總體經濟走出衰退的仍是個人消費。

令人擔憂的是，一九五七年，通貨膨脹與失業率同步攀升，即使幅度極小。一九五七至一九五八年的通膨率達到了百分之三，失業率達到了令人憂心的百分之七點四。政府認為之所以有這些現象，都是因為工會無理要求加薪（尤其是煉鋼工人），以及企業提高商品售價以將工資的漲幅轉嫁到消費者身上。艾森豪政府僅僅關注總體目標，不願過度干預「自由企業」，所以沒有任何可干預經濟機構或關係以控制通膨的有效政策，可以說是無計可施。在財政政策方面，艾森豪政府在經濟衰退期間再度盡忠職守地讓聯邦預算出現赤字。

通膨問題落到了貨幣政策與聯準會頭上。聯準會陷入了進退兩難的困境。一九五七年秋天，在經濟衰退的頭幾個月，聯準會將短期利率提高至百分之三點五，防止通膨發生。但一九五八年的利率仍然不到百分之一，因為聯準會試圖放寬信貸與釋出貨幣，以刺激更多消費。等到國民經濟在一九五八年夏天恢復成長之際，艾森豪正致力在剩餘的任期內建立充足的預算盈餘以對抗通膨。出於對通膨的擔憂，馬丁與聯準會將利率提高到百分之四。一九五九年，通膨率降至百分之一以下，但失業率仍高於百分之五。

儘管經濟衰退再起，但總體波動相當溫和。然而，隨著每一個商業循環的到來，失業現象循環往復，失業率還一次比一次高。雖然一九五〇年代的經濟成長趨勢高而穩定，但在美國的全國總體經濟總量中，似乎出現了一些隱患。

與此同時，艾森豪希望建立一個和諧的「企業共同體」，將大政府限制在適當的公共領域內，與「自由企業」的私人領域並立。但到了如今，許多私人利益無法脫離大政府，而本著公共利益精神的公共行動仍然難以實現。值得一提的是，艾森豪在總統任期中所寫的信件與日記，「充滿了對軍方私利的憤怒譴責」。[23]他將國防開支縮減至國內生產毛額的百分之十一，但國會通過的國防預算仍比這位曾是五星上將的總統所要求的多出了三十億美元。在華府，軍事承包商的說客與國會議員一起將國防資金轉移到了位於南部與西部且日益擴張的私人企業，形塑了「軍工業」經濟。在一九六一年的告別演說中，艾森豪抨擊了他所謂由「科技精英」控制且逐漸崛起的「軍事工業複合體」。[24]宣布卸任的同時，他也使用了舊時具備典型共和黨特徵、幾近民粹主義的語調來闡述，在那樣一個大時代中以總統的身分向小人物提出懇求。

一九六〇年，聯邦預算再次恢復盈餘狀態，但在聯準會因擔心通膨而再次收緊貨幣之際，經濟衰退再度來襲，失業率超過了百分之六。不過，通膨仍然不算嚴重。但是，對美國總體經濟表現感到失望的民主黨總統候選人約翰·甘迺迪，派遣了一支代表團前往法國取經，研究其國家主導的經濟規畫方式。[25]這時，美國的大政府在國內生產毛額中占了百分之十五點九。當私人經濟活動尤其是投資放緩時，這種做法有助於穩定國家的總產出。然而，大政府的政策執行跟日常經濟保持了一定的距離。在設計上，大政府並未過度干涉日常經濟生活的結構，而是將其交給大企業調整。

企業管理主義

在戰後轉折期間，白領產業企業管理階層取得了戲劇性的勝利。本身也是受薪員工的產業管理階層，從政府、加入工會的勞工甚至是自家公司的股東手中奪取或保有了企業經營權。在一九五〇年代，這場勝利被廣泛討論。[26]由四位傑出的大學經濟學家合著的《美國商業信條》（*The American Business Creed*，一九五六年）指出，企業管理階層握有廣大而「不受約束的自由裁量權與權力」。「股東」有權獲得「公平的投資回報」，但僅此而已，更別說介入公司的日常營運了。[27]法學家制定的「商業判斷法則」賦予企業管理階層廣泛的自由裁量權，可依照自認合適的方式去調動公司的資金。[28]一九五四年，曾擔任新政顧問的公司法教授小阿道夫・伯利在調查這種情況後宣稱：「資本有了，資本主義也到位了，只差資本家了。」[29]謀利動機似乎無處可尋。另一位研究戰後企業的學者也贊同這個看法，主張「利潤最大化」是「早期純正資本主義的遺風」。[30]

這些戰後的企業管理階層是何方神聖？他們在短暫的戰後時期究竟做了什麼事？信貸驅動的投機性投資並非他們的目標。戰後的法人產業並沒有壓倒性的短期謀利動機。在短時間內，經營的誘因是為了生產而長期投資非流動性生產資本，而未著重於流動性偏好之上（不論是基於預防、投機或政治目的）。作為一個群體，資本家若願意花更多的錢，往往就會賺得更多，而代表生產承諾（而非利潤）的高投資率，矛盾地導致了高額的獲利。此外，經營階層的投資鞏固了戰後同時具有經濟、建築、組織與心理特性的產業結構。

這不是一個充滿企業家精神或出現偉大技術創新的時代。不同於過去的安德魯・卡內基或未來的史蒂夫・賈伯斯（Steve Jobs），戰後很少有企業主管成為家喻戶曉的人物。新政的銀行改革阻止了資產在金融體系中跨部門轉換，因此金融運作與交易少之又少。例如，艾森豪簽署的《銀行控股公司法》（Bank Holding Company Act，一九五六年），即禁止總部設於一州的銀行收購另一州的金融機構。[31]許多產業企業將利潤重新投入生產，將留存盈餘作為資金，而不是尋求商業貸款或嘗試炒股賺錢。多數人只想從事生產，而高層只想管理。如此一來，他們試圖從既有的能源密集型方法中合理榨取任何可能的生產力收益，將福特主義的大量生產原則發揮得淋漓盡致。

資本主義變得相當無趣，因為企業管理展現了官僚機構訓練有素的特性。戰後產業創新的一個代表性例子是一九五二年美國作業研究學會（Operations Research Society of America）的成立，其出版了枯燥乏味的《作業研究》（*Operations Research*）雜誌。福特基金會委託進行的研究報告《商業高等教育》（*Higher Education for Business*，一九五九年），發現了當代的學士與商業專科學位激增的情況。[32]即使利潤依歷史標準來看頗高，謀利行為本身仍淪為一種濃厚的官僚主義。[33]通用汽車主管法蘭克·唐納森·布朗直到一九二一年之前都在杜邦公司任職，在職時他制定了衡量企業獲利的一種新的官僚指標，名為投資報酬率（Rate of Return on Capital Invested，ROI）。投資報酬率適合衡量過往生產性固定資本的部署所實現的利潤。[34]其中的關鍵變數是具體資本存量的折舊率，意即生產性資本在損耗過程中所喪失的價值。唯有訓練有素的企業會計人員（白領官僚），才具備足以判斷公司是否獲利的技術能力。

作為一項利潤指標，投資報酬率在企業中用途廣泛。官僚特性使企業得以對長期的「利潤規畫」、「利潤控制」、「利潤平穩」與「資本預算編列」進行全新的管理實踐。[35]舉例來說，通用汽車宣布試圖透過實體工廠八成的產能來達成兩成的投資報酬率。這種做法與安德魯·卡內基不同，並非「硬是」設立工廠，讓其火力全開，並採用「營運比」這種更短暫的鐵路利潤指標。投資報酬率也有助於總部在不同的產品線與部門之間分配資本。通用汽車在一九二〇年代引進了多部門的組織結構，這個制度又稱為「M型」結構。雪佛蘭與奧斯摩比是不同的營運部門，帳務也各自獨立。[36]對所有部門來說，投資報酬率幫助了公司管理階層拉長資本投資的時間跨度。值得注意的是，在戰後的會計部門，四十年的「直線」折舊時程成了常規標準。到了一九五〇年代末，大型而多元化的

M型產業企業，一般都對未來的長期發展預先制定了計畫。[37]

然而，這影響了勞工政策。一九五〇年，通用汽車與聯合汽車工人工會簽署了歷史性的五年期集體談判協定《底特律條約》，正如丹尼爾．貝爾（Daniel Bell）在《財星》雜誌中所述，這為戰後的許多產業立下了一套「模式」。光是在篇幅上，這項協議就讓人印象深刻。除此之外，協議也將持續的生產力收益及追蹤通貨膨脹的「生活成本調整」（cost of living adjustment）納入考量，另外還規定了「附帶的」私人福利，包括延續到未來的公司退休金與健康保險。[38]

利潤仍然是企業追逐的目標，但要走完這條隧道要好幾年。除了勞工政策之外，各家企業還有所謂的「組織餘裕」（organizational slack），以追求眼前利潤以外的各種目標。[39]許多法院支持企業管理階層對非營利組織進行慈善捐款，催生了新的「企業社會責任」領域。[40]生產性資本有沒有可能再度翻倍，價值超越資本，就像舊時代的土地那樣？《財星》雜誌在一九五九年解釋：「利潤動機的巨大幸福悖論是管理，正是因為管理階層多年來的任務是賺錢，反而無法純粹專注在此時此地。」[41]一群白領企業員工（也是學界人士）依循此脈絡開始想像戰後資本主義的未來。[42]另一群人則著手研究管理階層的心態。[43]身兼經濟學家與通曉多種語言的社會科學家赫伯特．西蒙（Herbert Simon）在一九五五年形容企業主管並不負責將利潤最大化，而是追求「滿意」的利潤。[44]研究戰後企業管理的學者指出，管理階層致力於「提高」公司的市場占比，而不是利潤率。[45]一九五七年，哈佛大學經濟學家卡爾．凱森（Carl Kaysen）總結了這個全新的觀點：

管理階層不再是追求投資報酬最大化的所有權代理人，而是自認必須對股東、員工、客戶、大眾，以及（或許最重要的）作為一個機構的公司本身負起責任……對大眾負責的範圍廣泛，譬如領導當地的慈善事業，關注工廠的建築與景觀，支持高等教育甚至純科學研究等。

凱森的結論是：「現代企業擁有靈魂。」[46]無論衡量標準為何，只要保持在高點，利潤就沒有這麼重要。

本質上，戰後的企業管理階層是極端現代主義者。他們相信理性、效率與直線，[47]這點從他們委託建造的建築，也就是從他們夢寐以求的固定資本投資的設計美學中可明顯看出。在生產中，工廠依然是採用電動生產線的鋼筋混凝土建築，低調又不起眼。戰後的企業專注於為白領管理階層興建專屬的新式建築。鋼鐵、混凝土、玻璃與塑膠領域的技術與工程在戰時取得的進展，讓真正的機械式建築得以成功建設，但前提是社會必須擁有理性純粹主義的審美原則。所謂的國際風格，成了「官僚機構的建築」。[48]這方面的大師，也就是在芝加哥工作的德國移民路德維希・密斯・凡德羅，提出將單一模組作為理想「控制單位」的想法。[49]他設計的建築物外觀的金屬結構，皆覆有玻璃帷幕。其中，著名的西格拉姆大廈（Seagram Building，一九五四至一九五八年）是一座位於曼哈頓市區的企業總部摩天大樓，也是最能達到形式美的典範。但是，過度氾濫的直角元素，往往使戰後的企業建築顯得死板與近乎「神經質地形式化」。[50]

通用汽車再一次地獨領風潮。通用汽車執行長艾爾弗雷德・史隆投資一點二五億美元成立通用汽車技術中心時表示：「現代科學是經濟進步的真正來源。」這棟建築是戰後最雄偉壯觀的「企業園區」，於一九五六年在密西根州郊區沃倫（Warren）盛大開幕。芬蘭建築師埃羅・薩里寧（Eero Saarinen）從通用汽車的「精確標準化」與機械式重複的製造原則中汲取靈感，在設計整座園區時採用可互換且皆是一百五十七公分的標準化預製模組，將其「運用於鋼造結構，以及……家具、倉庫及隔間牆等」。[51]

在這些年裡，許多企業總部跟隨員工遷移至郊區，這讓企業建築師有了「整合」設計與景觀的機會，呼應有機經濟中的自然組織結構。在此類型中，薩里寧一九六四年在伊利諾州莫林（Moline）為約翰迪爾公司（John Deere）設計的企業園區堪稱傑作，是戰後企業建築的巔峰。

在建築物內部，標準化邏輯能取得多大的

圖 86（左） 埃羅・薩里寧，「位於密西根州沃倫的通用汽車技術中心」（約一九四六至一九五六年）／圖 87（右） 埃羅・薩里寧，「位於伊利諾州莫林的迪爾公司（Deere & Company）總部」（約一九五六至一九六四年）

戰後的產業企業對白領階層的企業園區挹注了大量的固定資本投資。在戰後的企業建築中，商品的標準化與建築及其內外設計的標準化互相呼應，有些甚至對人員也採標準化管理。通用汽車技術中心與迪爾公司總部均由美裔芬蘭建築師埃羅・薩里寧設計。

圖 88 埃羅·薩里寧,「位於伊利諾州莫林的迪爾公司總部,伊利諾州莫林」(約一九五六至一九六四年)
現代主義企業建築改採自然主題,似乎是為了回顧前工業時代的有機經濟,並喚起戰後工業社會表面上的穩定(持續不久)。

成功?企業的合理化有可能包含「可互換的」白領階層——即單一面向的同質性員工嗎?戰後,管理學的重要關鍵字是整合:「整合」不同部門與產品線、「整合」物質流動,以及「整合」個人心理與更大的企業社會整體。[52]如哥倫比亞社會學家賴特·米爾斯(C. Wright Mills)在《白領》(*White Collar*,一九五一年)中所抱怨的那樣,階級制度這個「龐大的權力鏈」將社會孕育成同質的平淡乏味,甚至成了普遍的組織原則。[53]每個人擁有職稱、辦公室,這些都與個人特質毫無關係。《財星》雜誌的作者威廉·懷特(William Whyte)在《組織人》(*The Organization Man*,一九五六年)一書中,對個人與企業的過度認同問題做了極其廣泛的探討。[54]組織人經歷了一系列的「整合」環境:核心家庭、非營利大學教育,最後是營利企業的「人力資源」辦公室,在那裡接受主管階層進行的「人格測試」,以決定適當的工作職務與職涯規畫。企業管理階層利用組織餘裕聘雇「產業心理學家」，以監測員工在職場中的整合情況。[55]以下是一堂企業團體治療的片段：

第五次會談中，這個團體對自身進展的感受成為最初的討論重點。「談話者」照常參與……不滿的情緒逐漸加劇……喬治．法蘭克林看起來特別不安。最後他拍桌子大喊，「真不知道大家在這裡幹嘛！聽你們胡言亂語，真是浪費我的時間！」……一些成員鼓掌叫好，其他人顯然不認同他的看法……於是喬治．法蘭克林成了討論的焦點……「喬治，當你以為有人支持你，實際上卻有人與你意見不同，感覺如何？」……最後鮑伯說，「讓喬治一個人靜一靜，不要再找他麻煩了。」……在團體領袖的引導下，大家將焦點轉移到鮑伯身上。「你說『找他麻煩』，是什麼意思？」「鮑伯，你為什麼試圖改變討論內容？」「你為什麼這麼幫喬治說話？」……此刻，鮑伯逐漸瞭解別人如何看待自己，同時也對自身行為有進一步的認識。[56]

一個人擁有戀母情結，似乎比階級鬥爭更加引人注意。[57]

在合理化的白領職場中，不僅有官僚主義的枯燥乏味，也有不計其數的戲劇性事件。對異性戀者與同性戀者而言，企業的工作環境充滿了情欲。這些職場日益女性化，秘書的數量在一九五〇年代成長了兩倍，而一般以女性為主的「服務業人員」增加的程度，遠遠超越各地的藍領製造業工作。[58]一九五九年，《現代職場常規》（*Modern Office Procedures*）雜誌刊登了〈辦公室戀情〉一文，提醒各家企業「正視生活的事實」，那就是公司有許多員工彼此間都存在戀愛與性愛關係。[59]海倫．格利．布朗（Helen Gurley Brown）在《欲望職場》（*Sex and the Office*，一九六四年）一書中的〈辦公室戀情〉一章中主張，辦公室「比土耳其國王的後宮、兄弟會的週末派對……或《花花公子》（*Playboy*）雜誌的摺頁照片更引人遐想」。[60]也許，隨著生產線的自動化，許多中階白領主管其實一整天沒什麼工作要做，卻坐領養家糊口的薪水，還有足夠時間去騷擾女性下屬？對此，比利．懷德（Billy Wilder）執導的經典電影《公寓》（*The Apartment*，一九六〇年）肯定了這個假設。該片描述一家保險公司的男性員工在辦公室性侵女同事，但這部同時也是一部浪漫電影，刻畫了一名低階男性主管與一位電梯小姐在一場牌局中陷入愛河的情節。

戰後的文化不斷提出一個問題：大規模的企業官僚結構整合了這麼多事物，還有什麼個體性可言？亞瑟．米勒（Arthur Miller）創作的戲劇《推銷員之死》（*Death of a Salesman*，一九四九年）是描繪平凡小人物才是真正英雄的眾多作品之一。戰後最偉大的小說則是拉爾夫．艾里森（Ralph Ellison）所著的《看不見的人》（*Invisible Man*，一九五二年），其中主角談到了抵抗「從眾信念」的過程，以及從眾如何壓抑心靈，並不斷強調堅持自身「思想」的重要。[61]作為回應，藝術表述從一九三〇年代流行的社會寫實主義轉向了戰後存在抽象主義。[62]在繪畫領域，**抽象表現主義**一詞說明了一切。奉行官僚主義的企業在總部的牆上懸掛馬克．羅斯科（Mark Rothko）的畫作。當符合「五〇一（c）（三）」免稅規定的非營利企業紐約大都會藝術博物館，花了三萬美元買下傑克森．波洛克（Jackson Pollock）的《秋之韻》（*Autumn Rhythm*，編號三十號，一九五〇年）的那一刻起，就象徵著戰後藝術市場起飛，其他非營利機構也幾乎在同時試圖壟斷創作市場。一九五〇年代福特基金會資助的藝術家包含了約瑟夫・亞伯斯（Josef Albers）、詹姆斯・鮑德溫（James Baldwin）、索爾・貝洛（Saul Bellow）、雅各・勞倫斯（Jacob Lawrence）與芙蘭納莉・歐康納（Flannery O'Connor）。其中，拉爾夫・艾里森在紐約大學找到了一份非營利企業教學工作；貝洛寫了一篇辯護性的短文〈反派的大學〉（The University as Villain），一九六二年任職芝加哥大學後，更寫了《韓伯的禮物》（*Humboldt's Gift*，一九七五年），是一本關於戰後美國文化企業化的曠世鉅作。他在當中描述普林斯頓大學這個非營利環境，也就是他完成了突破性小說《阿奇正傳》（*The Adventures of Augie March*，一九五三年）的地方：

> 〔普林斯頓〕是一處保護區、一座動物園、一家水療中心，有小火車、枝葉繁茂的榆樹以及

圖 89 《公寓》（一九六〇年）

戰後職場內部的生活場景。如果說第一張影像捕捉了當代企業白領工作乏味的官僚文化，那麼第二張影像——莎莉・麥克琳（Shirley MacLaine）飾演的角色在劇中最後一幕對傑克・李蒙（Jack Lemmon）說：「閉嘴，只管做生意就對了。」這句話表明了，愛情與機遇不可能從企業的職場中完全消失。

> 可愛的綠色籠子……但是，普林斯頓所沒有的東西，或許更重要。它不是工廠或百貨公司，不是大企業的辦公室或公務員的官僚體系，也不是充滿例行公事的世界。如果你能設法避開那個充滿例行公事的世界，你就是一個知識分子或藝術家。假如一天坐在辦公桌前八個小時的生活會令你感到煩躁、不安、焦慮、激動與發狂，就表示你需要一個機構，一個更高的機構。[63]

在戰後的富足時代，對於貝洛這樣的異性戀白人男性而言，所謂的危險似乎是大企業在其龐大的結構、統合後的權力與一致性要求下，可能會把他們這些個人壓得喘不過氣——即使這樣的組織將當代大部分的經濟利益都轉移給了他們這些異性戀白人男性。對其他人而言，問題不在於認同與壓抑，而是在於壓迫、排擠，以及在長期經濟成長的時代中持續面臨的貧困——這有部分是企業管理階層在固定資本上投入大量資金所致。

自由主義先是大獲全勝，之後卻「四面楚歌」

貝洛離開了紐約，前往芝加哥這座有著百年歷史、位於東北部到中西部製造業地帶邊緣的城市謀求生路。戰後「民族」文化的生產以紐約為中心，這座城市是「大都會地帶」上最大的點，是沿著九十五號州際公路（I-95）從哈佛大學一路延伸至華盛頓特區都市走廊上最雄偉的城市。[64]戰後的

「公共知識分子」（宗教領袖愈來愈少）以自身經歷代表國家整體，為「建制派」發聲。[65]相較之下，偉大的美國攝影記者羅伯特・法蘭克（Robert Frank）在巧妙命名的《美國人》（*The Americans*，一九五八年）一書中，集結了那些生活在貧民區或鳥不生蛋的南部與西部邊境的人們的舊照片。原則上，這些美國人的確處於總體經濟總量的國民經濟之中。法蘭克的鏡頭捕捉了他們生活的特殊性，而像國內生產毛額這樣的國家統計資料，或是像國民經濟成長這樣的自由主義政策目標，做得到這一點嗎？

答案是不太行。首先，戰後監管的「美國人生活」明顯忽視了地理分布。國內生產毛額的增長只捕捉了時間，不包含空間。國內生產毛額假設了均質的國民經濟，並隨著標準化的時間而持續成長。例如，麻省理工學院經濟學家羅伯特・索洛（Robert Solow）在一九五六年發表的〈經濟成長理論〉（A Contribution to the Theory of Economic Growth）一文，使戰後經濟成長的主要理論更加完整，他將資本作為單一同質性的生產存量——或一種名為「K」的事物。根據定義，「K」排除了貨幣資本，因此也排除了流動性。這種事物完全提取自空間。索洛在文章的開頭表示：「所有的理論都建立在不完全真實的假設之上。」[66]他說的沒錯，但在指涉「國民經濟」或「K」時，完全沒有提及資本投資與撤資的空間模式，不論是在K或國民經濟內。聯邦政府掌握了可刺激總體經濟的手段，但其深究總體經濟變數以改變經濟生活結構的能力相對薄弱。這正是林登・詹森執政時，自由主義能在總體經濟上取得驚人成功、在政治上卻遭逢失敗的原因之一。

一九六〇至一九六一年的經濟衰退是二戰以來的第四次，而這場衰退幫助時任麻州參議員的約翰．甘迺迪登上了總統大位。在競選過程中，甘迺迪承諾將實現百分之五的國民經濟成長率。他入主白宮時，全國失業率接近百分之七。這位總統感嘆，美國的經濟成長率在「全世界主要的工業化社會中敬陪末座」。[67]許多著名的凱因斯主義公共知識分子，包括麻省理工學院的保羅．薩繆森、耶魯大學的詹姆斯．托賓（James Tobin）與哈佛大學的約翰．肯尼斯．高伯瑞，都指出了一九五七年以來私人投資的貧瘠。高伯瑞所著的《富裕社會》（一九五八年）主張，私人投資過於偏向生產消費品，而不是需求迫切的公共財，這種現象解釋了許多孤立地區長期貧困的原因，無論是北部的貧民區或阿帕拉契山脈地帶。即使家庭收入的不平等在戰後數十年裡均維持歷史低點，「貧困」也逐漸成為公眾辯論的議題，而背後的推手正是《富裕社會》與麥可．哈靈頓（Michael Harrington）的《另一個美國》（*The Other America*，一九六二年），以及福特基金會的自由派。[68]高伯瑞、薩繆森與托賓都建議甘迺迪增加目標性的公共投資。甘迺迪派往歐洲研究法國國民經濟計畫方法的華特．海勒（Walter Heller），後來成了經濟顧問委員會的主席。[69]

最後，海勒建議削減所得稅。他對艾森豪總體經濟的批評是，景氣的繁榮受「財政拖累」，所得稅的徵收破壞了投資者的「信心」。一九六一年，在經濟衰退期間，預算赤字開始發揮作用，幫助總體經濟在一九六二年走出了陰霾。為了預防財政拖累的情況，一九六二年的《歲入法案》規定了百分之七的投資稅收抵免率。甘迺迪政府致力於削減資本稅，認為在政治方面也必須調降個人所得稅。一九六二年夏天，甘迺迪向國會提出了範圍更廣泛的減稅法案。根據一位經濟顧問的說法，總統認為「還有一些未獲滿足的社會需求比個人需求重要得多，而這些需求可透過減稅來達成」。

一九六一年通過的《地區再開發法案》(Area Redevelopment Act)撥款五億零七百萬美元的貸款與補助預算,以「緩解某些經濟困難地區長期且嚴峻的失業問題」。[70]甘迺迪向軍事工業複合體投入了更高額的一百七十億美元,[71]但他擔心「企業對政府缺乏信心」。換言之,政治流動性偏好的威脅逐漸逼近。資本所有者贏得了這一輪的信任騙局,因為「甘迺迪給了企業在一九三七至一九三八年間希望得到,並在一九六二年依然想要的東西——減稅」。[72]

甘迺迪提出的減稅法案直到一九六四年二月才通過:在這段歷時十八個月的日子裡,法案在國會緩慢進展、受到特殊利益團體的刁難,更發生了慘重的後果。一九六二年秋天,古巴飛彈危機使全世界瀕臨核戰的邊緣;一九六三年春天,在阿拉巴馬州伯明罕(Birmingham)的民權抗議行動中,媒體捕捉到白人員警暴力攻擊黑人兒童的畫面,而馬丁·路德·金恩率領群眾在華盛頓示威遊行,爭取就業與自由;同年夏天,白人至上主義分子炸毀了伯明罕的一座教堂,奪走了四名黑人兒童的生命;到了秋天,在加州的薩利納斯谷(Salinas Valley),一列貨運火車撞上了一輛載滿墨西哥農工的公車,造成三十一人喪命,引起了全國關注墨西哥短期勞工在國家移民法下飽受剝削的情況。一九六三年十一月,大時代的一位小人物躍上歷史舞台,彷彿來自某個黑色電影選角機構——他暗殺了甘迺迪,之後,副總統林登·詹森繼任總統一職。

林登·詹森來自德州中部的丘陵地帶,在他出生前的數十年,這裡是民粹主義反叛活動的溫床。一九三七年,詹森在二十九歲時當選國會議員並多次連任,為自己所屬的選區爭取預算,在一九四九年成為參議員後,則開始為德州挹注資金。詹森是一位優秀的國會議員,但同時他也代表了一種新政治類型：南方地區選民。他積極爭取聯邦預算以供道路、醫院、電力設施、機場、軍事基地及主要軍事合約的建設，並希望藉由這些誘因吸引私人資本的進駐。在他擔任參議員的期間，南方地區在全國軍事開支中所占的比例從百分之七增至百分之十五。[73]在親商立場的自由主義者中，詹森的獨特之處在於他普遍同情窮人，以及相較於許多南方議員，他憎惡白人至上主義。

一九六四年一月，詹森總統首次發表國情咨文，呼籲全民「向美國的貧困與失業問題全面開戰」。[74]他宣布，就任後兩項優先立法是通過之前甘迺迪提出的減稅與民權法案。詹森邀請了一群企業管理階層到白宮，指「不確定性」阻礙了過往的經濟擴張。他呼籲企業界「保持信心」，並解釋「政府希望幫助你們，與你們攜手合作」。一九六四年的《歲入法案》削減了一百億美元的稅收，相當於聯邦預算的十分之一。企業所得稅微幅調降，從百分之五十二減至百分之四十八，但這項法案提供更多稅收優惠以刺激私人投資。最高收入階層的個人所得邊際稅率從百分之九十一降至百分之七十，最低收入階層稅率則從百分之二十降至百分之十四。[75]與此同時，在一場高潮迭起的耗時辯論之後，一九六四年的《民權法案》（Civil Rights Act）通過了。其中以第七條最具爭議，其禁止基於種族、膚色、宗教、性別與國籍的就業歧視，並成立了公平就業機會委員會（Equal Employment Opportunity Commission，ＥＥＯＣ）來執行此規定。之前，甘迺迪還成立了總統婦女地位委員會（President's Commission on the Status of Women），交由戰後的勞工女性主義者主導（包含主席艾斯特・彼得森〔Esther Peterson〕），以克服女性勞動力參與率上升所面臨的問題。[76]然而，將「性」相關的平權規定納入第七條的決定拖到了最後一刻。[77]

非比尋常的局面即將來臨。一九六四年的《歲入法案》在美國財政政策史上前所未見。這並不是為了挽救經濟衰退而制定的反循環減稅措施，而是旨在縮減國家歲入以利總體經濟持續擴張。長期的總體經濟熱潮開展，私人投資也暴增。工業產能利用率達到了九成，股市更在一九六五年攀上歷史新高。一九六五年第一季，通用汽車宣布取得了美國歷史上最高額的利潤——六點三六億美元。[78]國內生產毛額增加了近百分之六，利潤與薪資同步攀升，失業率也降至百分之四以下。起初，通貨膨脹程度輕微。雖然不平等的情況稍微變嚴重，但貧困率在此時卻微幅下降。經濟顧問委員會的年度報告強調了總體經濟的變數和諧運作，讀來就像是沾沾自喜的勝利炫耀。在一九六四年的選舉中，詹森打敗了貝利．高華德（Barry Goldwater），民主黨也贏得國會兩院的多數席位。經過略微令人失望的一九五〇年代，在一九六五年的頭幾個月裡，麻省理工學院經濟系舉辦的一場自由派研討會中，首度出現了美國戰後資本主義黃金時代的概念。

然而不知為何，到了一九六五年底，儘管總體經濟繁榮，美國依然捲入了一場社會與政治危機。戰後自由主義的勝利時刻，與其說是種下之後滅亡的種子，不如說是滅亡的起始。怎麼會這樣呢？

首先，自由主義為其最初的罪過與限制付出了沉重的代價。羅斯福與南方白人至上主義者達成了協定，因為他需要他們的選票。戰後的收入政治經濟成功將薪資與「收入保障」導向白人男性受薪者，讓消費主義核心家庭所組成的中產階級擴大。[79]但是，所得的分配未能解決關係上的缺陷，而在白人男性受薪者的收入成為分配正義基準的情況下，若其他群體要求經濟利益，便有可能引發零和鬥爭與政治難題，而不是更公平的經濟成果分配。因為，當長期邊緣化與受壓迫的群體爭取更多經濟利益時，自由主義幾乎無法訴諸政治正當的機制。新興的民權運動「權利意識」與既有的總體經濟激勵常規並不一致。[80]無論總合數據有多好看，一九六四年實施減稅後的總體經濟擴張都無法解決這個問題。

此外，到了一九六〇年代中期，資本投資的組成與地域起了變化。東北—中西部製造業地帶非流動的生產性資本原本在戰後的政治經濟中落地安頓，此時開始動搖。資本的流動性以及連帶的全球資本流動的復甦，削弱了聯邦政府的控制能力，使經濟政策一事無成。

這些問題之中，「都市危機」最為急迫。[81]自新政以來，聯邦政府並未向都市地區投入資源，尤其是北方城市，而是將政治責任交給了民主黨掌管的地方政府。冷戰時期的自由主義誘發了郊區的住宅投資，進而減損都市經濟的發展。在戰後的「都市更新」計畫下，地方政府將許多地區夷為平地以建設都市街區，但就如同南北戰爭過後西部平原地帶從未雨隨犁至，私人投資也並未跟隨戰後的土地開發而來，[82]反倒相繼出逃。資本分散到了郊區、南部與西部地區。不論是中央或地方，自由主義政策對這種現象都無能為力。[83]

起初，資本的分散緩慢進行。一九四七年，通用汽車在喬治亞州亞特蘭大郊外的多拉維爾（Doraville）興建了一家雪佛蘭工廠，該公司在戰後擴張資本，向南方挹注的資金與日俱增。[84]根據對抗性集體談判的勞工法規，工會無權對企業的投資決定發表意見。南方各州通過了產業遷移的租稅抵減法案，而新的商業諮詢機構則建議各家企業搬遷據點。[85]《塔虎脫-哈特萊法案》確立的工作權法規使南方勞工的工會化比例與薪資始終維持在低點。一九四〇年，農工人口占南方勞動力的百分之七十三，但隨著機械化與南方工業的崛起，該比例到了一九七〇年只剩下百分之六點八。[86]於是，東北部至中西部製造業地帶開始出現工業遷離的去工業化狀況。[87]

知識分子抱怨白領官僚「循規蹈矩」的做事方式之際，一九五七至一九五八年經濟衰退過後的短暫投資潮，以及一九六四年實施減稅後的急速發展，都加速了資本的流動。企業將利潤再投資到不同的地方，首先是南方地區。一九五八年是經濟衰退年，全國固定投資下降了百分之十七，但南方地區卻不受影響。[88]北方都市的黑人勞工不久前才離開南方到當地尋找製造業工作，如今現在這些工作全消失了。[89]備受打擊的他們成了最大的受害者。礙於白人種族主義，黑人再也無法輕易跟隨資本投資而遷移到郊區或回到南方。[90]

一九六四年後的減稅政策將私人投資集中於政治評論家凱文・菲利普斯（Kevin Phillips）在《新興的共和黨多數》（*The Emerging Republican Majority*，一九六九年）一書中所稱的「陽光地帶」，該區位於北緯三十六度以下，從北卡羅來納州延伸至南加州。電子與航空航太企業在佛羅里達州中部新建了工廠，地點鄰近因甘迺迪總統提高軍事預算而受益的多家軍事承包商。美國鋼鐵公司於一九六三年在休士頓開設了一家工廠，這座城市獲得了詹森總統最初撥予的部分公共補助，一九五八年設立的國家航空暨太空總署（NASA）也因此受益。該項太空計畫在阿拉巴馬州亨茨維爾（Huntsville）新建設施後，國際商業機器股份有限公司（IBM）也在一九六五年跟進。[91]一九六七年，芝加哥的白人失業率平均約百分之三點四，但同一年，芝加哥以牲畜飼養維生的白人社區失業率高達兩成，而這些社區長期是新政自由主義的票倉。[92]自此，私人資本投資模式中的地理變化，開始破壞總合國民經濟統計數據中對於地域平均的假設。

倘若細窺總合國家資本存量（麻省理工學院經濟學家、甘迺迪經濟顧問委員會委員，同時也是一九六四年減稅法案的初期起草人索洛，在自己提出的成長模型中將其簡稱為「K」），會發現兩項更重要的特質。首先，自動化的應用逐漸消除了許多低技術且普遍工會化的藍領職缺。國會甚至在一九六三年舉辦了「生產線與電腦科技的結合」的主題聽證會。一九六四年，在民權示威行動風起雲湧的阿拉巴馬州伯明罕（即民主黨綽號「公牛」的公共安全委員尤金·康納〔Eugene Connor〕下令警犬攻擊黑人兒童的地方），美國鋼鐵公司善用一九六四年《歲入法案》中「現代化」的投資稅收抵減規定，透過電腦系統實現鋼鐵生產的自動化，淘汰了相對高薪的黑人職缺。[93]

第二，一九六四年後的投資熱潮也將美國的資本推向了海外。歐洲的混合經濟聚焦於重工業，消費市場卻尚未充分開發，因此，美國的跨國消費品企業急於將固定投資輸出至歐洲。[94]到了一九七〇年，美國在海外的法人製造業投資，幾乎是國內製造業投資的百分之二十五（一九五七年僅有百分之九）。[95]除了美國的跨國投資，隨著歐洲經濟的發展，歐洲企業開始向美國市場出口商品，賺取美元。美元不斷在海外積累，威脅到了布列敦森林國際貨幣體系的基礎。

黃金時代的另一個考驗是，布列敦森林體系從未充分發揮作用。歐洲貨幣與其他貨幣直到一九五〇年代末才恢復法定可兌性。到了一九六〇年代中期，基於歐洲經濟的出口收入或海外美國跨國企業的交易需求，海外美元在歐洲堆積如山，在資本主義世界經濟中形成了一道「離岸」缺口。[96]除此之外，不滿新政時期法規（尤其是Q條例的利息上限）的許多美國銀行，在英國政府積極扶植、相對不受監管的倫敦歐洲美元（Eurodollar）*市場中設立據點。在倫敦，歐洲美元成為跨境貨幣投機的熱點，使國家對跨境熱錢流動的資本控制飽受威脅。在布列敦森林體系的協議下，美國於法有義務以一盎司黃金兌換三十五美元，而過多美元存在海外的現象，讓匯兌關係難以維持。一九六〇年，倫敦的貨幣投機者首度對美元發動攻擊。一九六三年，甘迺迪政府宣布對短期的資本外流課稅，希望藉此將更多美元留在國內。之後，詹森總統展開了更大規模的資本控制。經歷一九四七到一九四八年巨大的海外「美元缺口」之後，如今海外「美元過剩」威脅更大。

詹森提出雄心勃勃的「偉大社會」立法計畫，希望讓弱勢群體也有參與經濟的機會，結果遇到了上述限制。美國的福利國家透過更大程度的收入政治而擴大了保障範圍。[97]一九六五年的《社會保障法》擴大了福利，並成立聯邦醫療保險，為六十五歲以上的公民提供就醫與醫療保險的聯邦津貼。聯邦醫療補助則是撥款給各州，以資助根據健康情況核准的健康保險。然而，「偉大社會」的核心是「向貧窮宣戰」，以及一九六四年的《經濟機會法案》（Economic Opportunity Act）。「向貧窮宣戰」計畫的確減少了百分之二十六的貧困人口，[98]但在政治上卻嚴重失敗。不同於羅斯福的「新政」，「向貧窮宣戰」計畫並未建立充足的選民群體，說明了自由主義在一九六〇年代的經濟限制。

一九六四年，詹森政府向經濟機會局（Office of Economic Opportunity）撥款七點五億美元，一九六五年又撥款十五億美元，但這樣的預算根本不夠。隨著總體經濟在減稅政策實施後蓬勃發展，政府未必認為經濟出現結構性問題。社會所需要的就只是「機會平等」而已。保守派認為，黑人族群的問題並非來自經濟困境，而是腐敗的市政機器造成的；不是來自種族歧視，而是黑人文化的一種「病態」，這種病態據稱破壞了黑人家庭與黑人的職業道德，導致暴力與犯罪浪潮持續不斷。在二〇〇〇年代的「中國衝擊」（China Shock）期間，當資本外逃讓白人的製造業職缺以相同規模崩跌，而大量的貧窮白人遭到監禁時，很少有人立刻將矛頭指向病態的「白人文化」，反而找出了根本原因就是突如其來的資本撤資所導致強烈的社會經濟混亂。

制度上，為了實現目標，「偉大社會」計畫借助了非營利組織的力量。無論是財政或政治上，大政府都不具備獨立完成這項任務的合法性。財政三角開始運作，並有所轉變。聯邦政府倚仗福特基金會的協助，更依賴小型的地方非營利機構。此外政府也成立了新的組織，如社區發展公司，將其作為提供聯邦資金與減稅優惠的管道。值得一提的是，詹森政府負責衛生、教育與福利事務的部長是約翰·加德納（John W. Gardner），他是卡內基基金會的前主席，曾擔任大都會藝術博物館及殼牌石油公司（Shell Oil Company）的董事會成員，是一位與財政三角關聯密切的人士。聯邦醫療保險、聯邦醫療補助及《經濟機會法案》首度批准聯邦政府與非營利組織簽約，而這些非營利組織依然有得到慈善基金會的資助。[99]財政三角的體制結構與意識形態的分界開始變得模糊，非營利組織逐漸被國家吸收、慈善事業在自由主義者的操作下日益政治化，使得保守派也很快地採取類似的策略。

* 譯註：意指儲蓄在美國境外的銀行、不受美國聯邦準備系統監管的美元。

貧窮現象減緩，但政治窒礙難行。共和黨的保守派人士怎樣都不支持任何消除貧困的戰爭。在此同時，受到壓迫與邊緣化的人們發起由下而上的社會運動以爭取福利權益及公共住宅，期望能享有《經濟機會法案》所承諾的「最可行的參與權」。一九六五年八月，國會議員在洛杉磯舉辦戶外聽證會，討論「向貧窮宣戰」計畫中的「社區行動」，而其中主要包含了青年就業技能的培訓計畫。結果，在聽證會上，來自洛杉磯東部與中南部地區的非裔及墨西哥裔居民要求更多的政治參與、政治發言權與工作機會。[100]幾天後，黑人失業率高達百分之三十三的華茲市（Watts），發生了一場抗議警方使用暴力手段的暴動。通用汽車公司、克萊斯勒公司與凡士通輪胎公司（Firestone）關閉了戰後在洛杉磯設立的工廠，而當地長期受軍事資助且日益高科技化的航太工業，正在逐漸淘汰那些一般由黑人負責的非技術性工作。由於白人種族主義，從加州理工學院畢業的工程專業人才與當地工會的成員中，黑人與白人的人數不成比例（這兩個機構在全國都是出了名的種族排外）。在華茲市的暴動中，有三十四人喪命，財產損失高達四千萬美元。[101]

不足為奇的是，在飽受資本撤資與失業所苦的貧民區，各種暴力與犯罪率激增，引發了全國性犯罪浪潮。[102]在貧困的北部都市區，不成比例的黑人成了加害者與受害者。一九六五年九月，詹森簽署了《執行援助法》（Law Enforcement Assistance Act），財政拮据的地方政府與州政府根本沒有能力嘗試推動自訂的經濟發展政策，於是開始將預算投入警政治安。回顧歷史，黑人遭受監禁的可能性是白人的五倍，因此若入監人數增加，黑人比白人更有可能坐牢（至今依然如此）。不久後，建造監獄成了新的經濟發展模式。如果要解釋二十世紀自由主義經濟發展議程為何失敗，最能說明其原因的，莫過於統計數據：一九六五至一九六九年間出生的黑人男性入獄的平均比率，比取得大學學位要來得高。[103]

兩年後，也就是一九六七年，城市起義的「漫長炎夏」到來。自由派採取了標準的政治經濟措施，如今，對農民的擴大信貸補貼間接提供給了都市的居民。一九六八年的《住房與都市發展法案》（Housing and Urban Development Act）將房利美*從聯邦預算中剔除，並成立了美國政府全國房貸協會（Government National Mortgage Association，又稱吉利美〔Ginnie Mae〕），該協會試圖將房貸證券化，希望能將投資引入低收入戶的住房市場，讓無法獲得房貸的家庭能夠購屋。[104] 一九六四年，政府徵召了十一萬二千三百八十六名美國青年入伍，一九六五年徵召了二十三萬零九百九十一人。[105] 一九六五年，軍費支出大幅增加，與一九六四年的減稅政策共同刺激了國家總體經濟的持續發展。

如果財政刺激措施無法將遭排除在外的資源導入生產性經濟體（包括地方、勞動力、閒置的經濟產能及受捨棄的經濟可能性），便可能會使既有的生產線負荷滿載。如此一來，更多的刺激措施有可能導致通貨膨脹，因為政策如果不是向同樣的商品貨量投入更多美元，就是促進經濟所無法滿足的需求。一九六六年，通膨現象再次惡化，原因正是某些地區受到過度刺激，但其他地區的資源仍嚴重不足。與此同時，越南戰爭讓美國的軍事供應鏈環繞著整個東南亞，使更多的美元流向海

* 譯註：舊稱「聯邦國家抵押貸款協會」，是美國最大規模的特許企業。

外。一九六六年，聯準會調高了利率（戰後首次超過百分之四），目的是阻止通膨及吸引外國資本進入美國，以維護美元與黃金的掛鉤，對抗倫敦的貨幣投機者。雖然倫敦美元「離岸」貨幣市場是新興市場，但中央銀行採取競爭性利率調整，不免讓人想起了在控制時代的自由主義誕生之前，國民經濟調整政策下的舊式金本位制。

後來，詹森這位繼羅斯福之後思想最敏捷的國民政治家回憶道：

我感覺大軍正迅速從四面八方壓境而來。一邊是美國民眾催促我為越南做些什麼，另一邊是經濟的通膨現象失控地愈演愈烈。前方有無數個危險標誌，提醒我留意又一個都市充滿動盪的夏天。暴動的黑人、示威的學生、上街遊行的為人母者、大發牢騷的教授與歇斯底里的記者把我逼到無路可退。[106]

在所謂的資本主義黃金時代，大政府儘管在國內外掌握了龐大權力（坐擁能夠終結所有文明的核子武器），但在脫離了國家安全或支持白人男性戶主所得的軌道外後，便沒有什麼立場以公共利益的名義採取行動，更別提越戰的發展甚至一度讓國家安全的號召逐步失效。戰後的歷任總統都汲取了這些教訓，詹森也不例外。

戰後時期是一個總合生產力、利潤、薪資與國內生產毛額成長，以及家戶所得相對平等的黃金時代。儘管如此，美國戰後的經濟發展計畫在政治上仍舊失敗了，不論在國內或國外都是如此。[107]

為了遏制共產主義在全世界去殖民化的過程中四處蔓延，詹森將自由主義推向了越南，但這條路的盡頭只有死亡、軍事潰敗、更多的通貨膨脹、更大的「美元缺口」與更廣泛的工業資本主義危機，而這一切都意味著控制時代徹底結束。

第十八章 工業資本的危機

美國資本主義超過一世紀的漫長工業紀元，在一九七〇年代告終。實際上，美國製造業就業人口占總就業的比例在二戰期間達到了百分之三十八的高峰時，「服務業」的就業人口就已多於其他行業。就大致的總數而言，戰後服務業就業比例擴大，製造業則保持平穩，但在一九七〇年代，結構性轉變跡象益趨明顯。例如，艾瑪．羅斯柴爾德（Emma Rothschild）在一九八一年指出，「自一九七三年以來，餐飲業就業人數的成長」，已經「超越了汽車與鋼鐵業的總就業比例」。[1]

一九七三年之後，除了工業就業人口減少，工業生產率、利潤與薪資就各種衡量標準來看都有所下滑。製造業並不會完全消失，在經濟中依然重要，尤其是「附加價值」（即在相關生產階段附加在商品上的價值）的比例。然而，與工業化時代相反，從這個時期開始，製造業的發展多半是藉由重組來推進，而不是擴張。[2]與此同時，一九七〇年代的工業資本危機的影響範圍比任何經濟統計數據都來得廣泛。在所有工業社會中，這十年見證了一次又一次的合法性危機——不只經濟，也包括社會、文化、環境與政治。[3]

數個世代以來，工廠的生產性資本確保了利潤、薪資與財政收入，同時也鞏固了族群與家庭、內心生活與身分認同。一九七〇年代，這個基礎崩塌了。作為象徵，藝術家戈登．馬塔-克拉克

（Gordon Matta-Clark）的攝影作品《一天的盡頭》捕捉了位於已去工業化的曼哈頓下城中一座廢棄工廠，設計風格類似亞伯特・卡恩在底特律打造的大量生產工廠。馬塔-克拉克設計多孔窗戶的同時，也將地板、地基與天花板「切割」成不同區塊，以創造豐富的視覺效果。[4]長期以來，工業建築對文明如此重要，值得接受藝術洗禮。馬塔-克拉克描繪了舊結構的空洞化，彷彿工業社會的基礎已開始龜裂。事實也的確如此。控制時代的許多斷層引發了一系

圖 90　戈登・馬塔-克拉克，《一天的盡頭：五十二點三號碼頭》（Days End Pier 52.3）（一九七五年在美國紐約展開的「一天的盡頭」藝術行動之紀錄）
隨著一九七〇年代工業結構的崩潰，馬塔-克拉克大膽（也危險地）進一步「切割」了建築。這個地點是曼哈頓五十二號碼頭的一部分，起源於十九世紀的工業界。隨著工業的消失，這位藝術家希望能透過鏡頭下的「無建築」（anarchitecture）啟發大眾在使用空間時發揮創造力。然而，這座建築在對外開放的當天遭到警方封鎖，從那之後便不幸地閒置生塵，直到兩年後被拆除為止。

列衝擊，讓「衝擊」成為一個屬於一九七〇年代的詞彙，從「未來衝擊」、「尼克森衝擊」、「石油衝擊」，最後是貨幣政策的「沃克衝擊」，這些衝擊為這十年畫下了句點。這十年內的整體轉變，猶如一次結構改造。[5]

考量工業資本危機的整體性質，我們或許可貌似合理地制定出一些討論方式。經濟上，主題的順序顯而易見。首先是利潤減少。自一九六五到一九七〇年之間，儘管總體經濟擴張，企業的淨利潤率從百分之十六降至不到百分之十，許多美國製造商受國際貿易競爭的影響，利潤少了一半。[6]相較於戰後的標準，一九七〇年代的企業利潤率均維持在低點。但平均而言，工業企業的主管階層卻基於習慣，繼續推動投資與生產。這十年期間，經濟雖然繁榮，但無利可圖，企業投資與生產的比率很高，利潤卻不見起色。

很快地，問題變得複雜。一九七一年，美國出現了與世界各國的商品貿易逆差，這是二十世紀以來的第一次。不論是外國向美國市場出售產品而賺取出口收入，或美國從事跨國投資及美國在海外進行軍事部署，都使美元不斷積累在倫敦的歐洲美元市場，讓貨幣投機者有機會攻擊布列敦森林體系下三十五美元兌一盎司黃金的自由匯兌制。經過數十年世界經濟的復甦與成長，如今美元相對其他貨幣被高估了。這傷害了國內外的美國製造商。考量這些因素，尼克森政府在一九七三年打破了美元與黃金掛鉤。布列敦森林國際貨幣體制宣告瓦解。不久後，美國解除了對所有跨境資本的管制。自此，美元的價值由全球貨幣交易市場決定，自然也會受一時興起的貿易與投機預期影響。

與此同時，世界經濟出現了製造商與原料之間的關係失衡。戰後，全球各地的工業擴張涉及了工業投資與全球貿易的加乘效應，而這之所以成為可能，必須仰賴持續不斷的初級產品供給。在世界各國的農業領域中，出現了一場節約土地的「綠色革命」。此外，美國與其他國家的官方儲備物資與商品價格支持計畫，調整了商品供給量並穩定價格。然而在農業與原料領域，由於生態的限制（土地就只有那麼多），始終存在收益遞減的威脅；相較之下，製造業活動往往受限於收益遞增。[7]

一九七三年，當石油已經成為所有工業輸入中最關鍵的一種原料時，石油輸出國家組織卻提高化石燃料的價格，催生了第一次的全球「石油危機」。另一方面，蘇聯與中國的糧食歉收導致各國政府糧食儲備枯竭。若物資存量無法調整，自然也無法控制商品價格，再加上與後布列敦森林體系貨幣市場的投機預期，使得商品價格大幅飆漲。物價通膨爆發，初級產品輸入的成本跟著增加。隨後，美國的生產力成長率一落千丈，[8]再也沒有恢復。[9]經濟生產更飽受其害。一九七三年，美國進入了經濟大蕭條以來最嚴重的經濟衰退，只不過此時正在通貨膨脹，而不是像一九三〇年代的通貨緊縮。

聯邦政府展開了標準矯正措施，但這些手段全是自一九三〇年代以來研擬制定的。政府的福利支出在一九七〇至一九七五年間增加了一倍多，幾乎與軍事開支打平，也因此得以穩定收入與消費。一九七五年，聯邦預算在反循環的方式下出現了赤字。接著，國會通過了減稅措施以吸引私人投資。整體而言，到了那年年底，總體經濟走出了衰退陰霾，開始擴張到一九八〇年，是戰後持續時間第二長的成長期。

儘管如此，控制時代的兩大經濟弊病（通貨膨脹與失業）卻同步開始惡化。戰後的凱因斯主

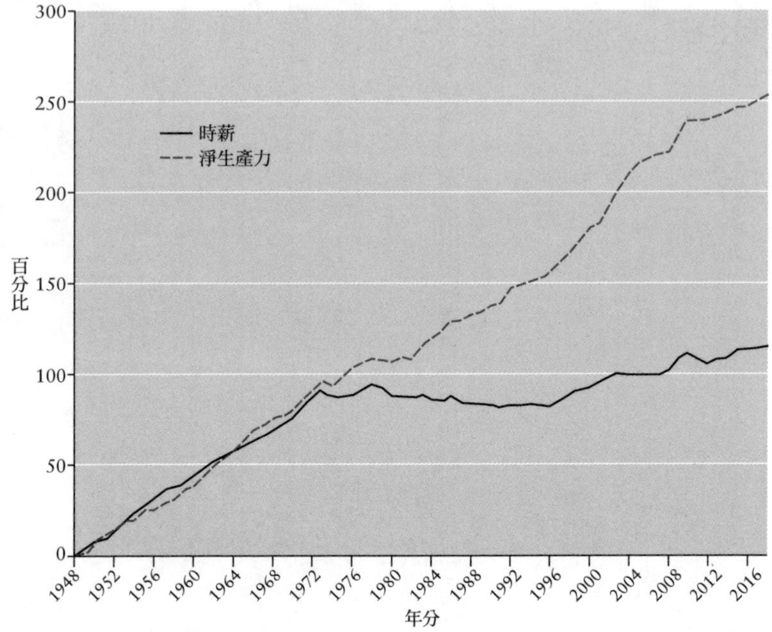

圖 91 生產率成長與平均時薪成長

新政將收入從資本轉移至勞動力。二戰後的數十年裡，生產力的成長與平均勞動報酬之間的密切連結促成了這個現象。一九七〇年後，這項連結被切斷了。

義總體經濟學家曾建議，政府可透過通貨膨脹來創造更多的就業機會。然而，在經濟衰退的一九七五年，失業率與通膨率都高於百分之八。這種現象被稱為「停滯性通膨」。

美國的政治經濟依然主要經由白人男性受薪者的薪資來提供收入與福利，假如男性的就業率與薪資開始下滑，問題就來了。一九七二年之後，男性的平均薪資持平。令人不安的是，薪資發展自二戰以來一直與生產率的成長大致相關（儘管微乎其微），但在這個時期卻徹底脫鉤了。同時，男性的勞動力參與率也逐步下降。

就十九世紀工業紀元以來的意識形態而言，男性養家糊口、女性操持家務的家庭也陷入了危機。[10]一九七三年，離婚率達到了百分之五十。同樣具有象徵意義的是，馬塔-克拉克在作品《分裂》中，透過雕塑手法從中間「切割」了紐澤西郊區一棟典型的單戶住宅。

一九七〇年代，獨居男性的人數從三百五十萬增加到六百八十萬。[11]男性的身分危機成為流行文化表述的重要主題。[12]與此同時，如果沒有生產率的增益，包括無法獲取能源密集型產業必需的

圖 92 戈登·馬塔-克拉克，《分裂系列之二》（*Splitting 2*，一九七四年在美國紐澤西拍攝的「分裂」行動紀錄）

與工廠相比，家庭在更大程度上是工業社會的支柱。馬塔-克拉克將大膽的雕塑「切割」手法運用於紐澤西恩格爾伍德（Englewood）的另一棟郊區住宅。這位藝術家在三十五歲時因癌症去世。

廉價石油，工業就不可能（為任何一個性別）帶來不斷成長的利潤與薪資，也無法創造持續擴大的消費富足。如此一來，便會出現通貨膨脹。

關於一九七〇年代通膨原因的經濟論戰，一直持續到了今日。[13]為了釋出銀行信貸並幫助總體經濟走出衰退，聯準會在民選政治官員的施壓下調降了目標的短期利率。這下子，有更多的信貸與貨幣追逐總量不變的商品，更別提此時還同時面臨生產率下滑與經濟產出日益萎縮的問題。貨幣政策反而造成了通貨膨脹。但是，通膨問題很少能以單純的貨幣供給帶過——在這種情況下肯定不是如此。[14]一九七三年之後，財政與貨幣政策引發經濟擴張，加劇了製造業與初

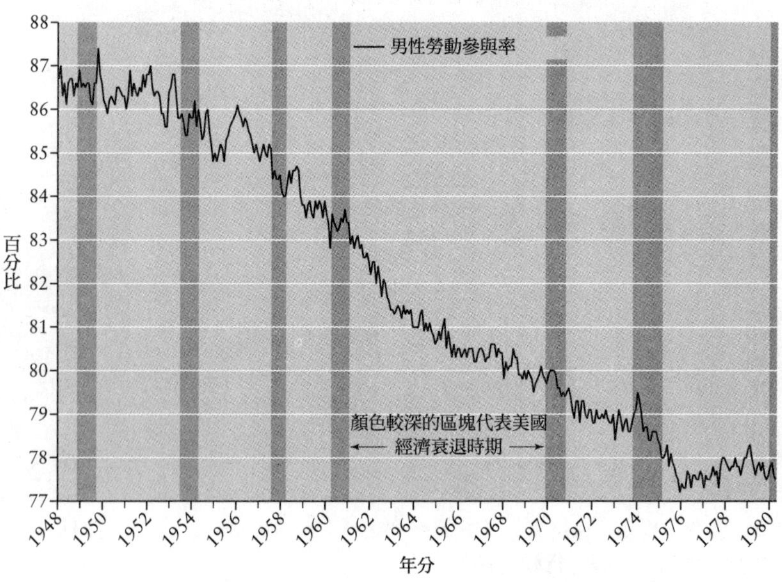

圖 93 民間男性勞動參與率

二十世紀，就業年齡男性在有薪勞動力中所占的比例逐年下降，顯示控制時代的基礎之一（男性養家的工資），實際上是多麼地薄弱。

級產品產業之間的緊張關係，其中初級產品產業已達到了供給的極限，商品價格應聲上漲，通貨膨脹自然出現。同時，隨著工業生產率與利潤的下降，在資本與勞動力之間，無可避免地出現了在經濟大餅擴張速度較慢的前提下，如何分配經濟利益的衝突。然而，薪資與物價的上漲或許可以讓所有人延遲面對最後誰將為整體經濟生產率的放緩付出代價的這個問題。最終，生產力相對較低的服務業的驚人成長，加重了生產率的趨緩，尤其是這些餐飲行業正位於十年來成長最快速的陽光地帶都市地區。

通膨未必總是壞事。某些通膨會削弱那些靠投資獲利維生者的利潤、促進即刻的消費、支撐對未來利潤的預期，並防止現金與其他流動資產的囤積。但是，持續、變化多端且嚴重的通膨，可能會破壞市場預期，並使經濟因為不確定性而聚焦於短期活動，破壞長期發展。因此，套句歷史學家傑佛遜．考伊（Jefferson Cowie）的話，面臨通膨的一九七〇年代，是一個「缺乏敘事的全面轉型」的年代。[15]

為了結束通膨，政府必須調解衝突，裁決經濟部門與群體之間的分配衝突，並重新規畫一條可行的長期經濟道路。要解決通貨緊縮的螺旋，這些做法也是必然，回頭看看經濟大蕭條期間，新政雖然絲毫稱不上完善健全，但已證明規畫長期經濟能發揮作用。在一九七〇年代的通膨期間，美國聯邦政府作為世界經濟霸主，再度成為這項任務的首要人選。

聯邦經濟政策的制定在一九七〇年代非常活躍。除了財政政策之外，自由主義管制部門也有所強化。在白人中產階級自由主義者的要求下，議會通過了新的消費者與環境法規，但這只是侵蝕了利潤並導致通膨而已。聯邦政府根本沒有立即可行的機制以控制通貨膨脹。無論如何，他們沒有符合所有人的公共利益概念可作為行動基礎。相反地，聯邦政府分裂為尼克森提出的「沉默的多數」（Silent Majority）、黑人民族主義者、主張「回歸土地」的農民、白人民族復興主義者（包含新聯盟國〔neo-Confederate〕支持者）、國際環保組織地球之友（Friends of the Earth）、秉持反墮胎福音派「家庭價值觀」的基督徒、激進的女同性戀、國際銀行家、印度主權擁護人士、商業圓桌執行長會議（Business Roundtable CEOs）成員、全國福利權利組織（National Welfare Rights Organization）的非裔女性社運人士、支持白人民族主義的越戰老兵，以及自戀的個體實踐者。因為一九七〇年代也是「唯我的十年」，引用詩人約翰·阿什貝里（John Ashbery）在〈凸鏡中的自畫像〉（Self-Portrait in a Convex Mirror，一九七五年）的話來說，「自我對自我的迷戀」成了文化焦點。瓊妮·蜜雪兒（Joni Mitchell）在一九七一年發行的〈我想要的一切〉（All I Want）中唱道，「我在一條孤獨的道路上旅行，不斷地走著走著」，開創了這十年詞曲作者透過作品自白的音樂類型。[16]

那個年代的美國人都在工業社會下長大。即使他們經歷了經濟大蕭條與第二次世界大戰，但也親身體會了戰後對安全的承諾。人們很自然地認為，控制是一切的預設狀態，事情總能以某種方式應付過去。或許這個原因就是企業管理階層在利潤下跌時依然堅持按慣例維持一定投資率的關鍵。相較之下，自赫爾曼·梅爾維爾的《騙子》以來最晦澀難懂的資本主義小說（即使不是最頂尖的，也是其中之一）《JR》（一九七五年）中，作者威廉·蓋迪斯（William Gaddis）便認為：「假設組織是一種固有屬性……而這種無序與混亂只是與此無關的外部力量」，這種假設完全錯誤。「事實恰恰跟假設完全相反。秩序只不過是我們試圖強加於混亂這個基本現實之上的一種脆弱而危險的條件。」[17]

控制時代是一個危險的時代，而它將步入終點。

在充滿危機的這十年當中，新的資本主義已經誕生。資本不再固著在土地結構之上，變得更具流動性、可轉換性，而且遍布全球。新的經濟生活方式逐漸崛起，尤其在陽光地帶。一種前所未有、廣義上的未知情況出現了，不但具有破壞性，也帶來了助益。戰後的工業社會有其優點，包括結構、穩定，以及可將所得成長導向平均的分配。然而，儘管這個社會以白人異性戀男性戶主的薪資、社會因循守舊的立場、威脅地球未來的能源制度、危險及有時單調乏味的生產線工作為前提，但不論是過去或現在，我們都沒有道理對這種工業社會的消逝感到遺憾。畢竟，馬塔－克拉克之所以在作品中對工業與郊區建築進行雕塑式「切割」，都是為了引入光線。

尼克森衝擊

一九六八年的總統選舉中，詹森拒絕參選，民主黨因越南問題而鬧內訌，最終由共和黨的理查．尼克森勝選。在《繁榮的政治經濟學》（*The Political Economy of Prosperity*，一九七〇年）一書中，詹森的經濟顧問委員會主席亞瑟．歐肯（Arthur Okun）以傲慢的代表姿態吹噓，在詹森的監督下，國家迎來「無與倫比、空前未有且連續不斷的經濟擴張」。[18]但事實是，尼克森繼承了面臨沉重壓力的政治經濟。眼前最急迫的問題是，美國沒有能力維持其在布列敦森林國際貨幣體系下的國際義務，同時也無法刺激自身的總體經濟。尼克森政府從未解決這項艱困難題，而他們的補助措施也影響深遠。

詹森遺留給尼克森的美元政策已宣告破產。由於聯邦政府的國外開支（哪怕只是為了打越戰）、美國的跨國海外投資及貿易赤字，有太多的美元分布在國外。它們主要集中在倫敦的歐洲美元市場，提供資金給美國跨國企業的長期投資與金融家的短期國際貨幣投機。投機性投資的矛盾動力再度出現。倫敦的投機者爭相哄抬黃金價格，質疑美國還能維持三十五美元兌一盎司黃金的匯率多久。甘迺迪與詹森的政策都是專為特定問題而設的臨時手段，但在一九六八年，國內通膨率達到百分之四點二時，即將卸任的詹森果斷採取行動，實施嚴格的資本管制，抑制美元外流。美國宣布將不再與私人機構進行美元匯兌，只與國外的中央銀行交換黃金。布列敦森林體系促成的「自由兌換」只持續不到十年。[19]詹森卸下了總統職位，同時聯準會將利率調高至超過百分之六以吸引倫敦的短期「熱錢」，緩解了美元在外匯市場承受的壓力。尼克森上台後，聯準會進一步將短期利率調高至百分之九以上。看來，美國似乎成功避開了美元危機。然而，緊縮的貨幣與信貸供給使美國的總體經濟在一九六九年面臨衰退（自一九六一年以來的第一次），戰後最長的經濟擴張時期宣告結束。這一年，通膨率達到百分之五點四。

尼克森曾擔任對通膨政策有莫名執著的艾森豪的副手，但他也指責聯準會在一九六〇至一九六一年的經濟衰退期間收緊貨幣與信貸，認為這是他以些微差距輸給甘迺迪的原因。起初，尼克森總統支持聯準會的貨幣緊縮政策以減緩通膨問題，並開心地刪減詹森「向貧窮宣戰」的計畫以減少聯邦開支。但是，他擔心經濟衰退可能導致的政治後果，尤其是失業，曾有一位顧問指出，尼克森的擔憂甚至到了「恐懼症」的地步。[20]這位總統曾指示下屬，他需要「政府內的每一個官員從現在起自政治角度去思考問題，而不是擔心該如何把事情做好」。[21]在經濟政策上，尼克森是憤世嫉俗的政治家，但並不是一個不知變通的理論家。一路走來他堅守經濟民族主義，他是末代的凱因斯主義者，也是第一位川普主義者。

甚至早在一九七〇年共和黨表現不佳的期中選舉之前，尼克森就已經改變路線。他改採財政刺激措施以降低失業率，在一九七一年，聯邦預算便逼近戰後高點。由於通膨率仍在百分之五附近徘徊，尼克森任命艾森豪時期的經濟顧問委員會主席亞瑟．伯恩斯為聯準會新主席。伯恩斯遵從總統要求，放寬了信貸條件，在此之前，尼克森向左右手透露，如果伯恩斯不這麼做，「我會狠狠教訓他」。[22]一九七一年，聯準會將短期利率調降至低於百分之四，美國的總體經濟逐漸走出衰退陰影。

問題是，這種總體經濟的刺激措施如今與美元和黃金掛鉤的政策已不相容。隨著美國利率調降，流動的短期資本外逃至倫敦，並轉換成其他貨幣。此外，由於國際貨幣體系以美元為基礎，當更多的美元外流，國外累積了更多的銀行準備金，便會迎來通貨膨脹。在冷戰時期的盟國之中，法國與西德對美國「出口通貨膨脹」有滿山怨言，但這些盟國（包括日本在內）都不願重新評估本國貨幣的價值，因為這些國家的製造業之所以能贏得國際市場，有很大程度仰賴出口到美國市場創造的外匯收入，而各國貨幣相對於美元的弱勢更是促成市場擴大的一大助力。一九七一年，美國在二十世紀首度出現了貿易逆差。[23]

尼克森向全世界發出的訊息很明確，美國將優先考慮國內問題，而不是國際義務，因而有了一九七一年的「尼克森衝擊」，或尼克森所謂的「新經濟政策」。尼克森的財政部長是民主黨員約翰・康納利（John Connally），身為前德州州長、也是一位民族主義者的他認為：「外國人要來壓榨我們，而我們的工作就是先搞垮他們。」他與尼克森都深切希望能恢復美國製造業的國際實力，尼克森更認為，這是戰後美國地緣政治力量的基礎。[24]至於國內政治，尼克森表示「必要的話，我們可以接受通貨膨脹」，但「我們不能接受失業問題」。[25]

一九七一年八月十五日，尼克森宣布關閉「黃金之窗」，不再接受黃金與美元之間的任何匯兌，還對所有進口商品徵收百分之十的關稅，種種作為令美國盟友大吃一驚。財政部副部長保羅・沃克受命前往國外談判，到了一九七一年十一月，華盛頓史密森尼學會（Smithsonian Institution）宣布了一項協議。最終，美國放棄實施百分之十的關稅率，並讓美元以每盎司三十八美元的價格與黃金掛鉤，而不是三十五美元。總之，美元對歐洲貨幣貶值了約百分之八，對日幣貶值了百分之十七。最終被端上檯面的新經濟政策，還包含百分之十的所得稅投資信貸及幾項消費稅。除此之外，為了對抗通貨膨脹，尼克森也宣布凍結勞工薪資與物價。為了提高美國的出口收入與扭轉貿易逆差，他略微鬆綁了農業供應管理政策，商品庫存量隨之減少。[26]至此，尼克森認為經濟政策已穩妥，便轉向了自己最關注的國際外交政策，包括對中國開放、緩和與蘇聯之間的緊張關係，以及在越南推行具諷刺意味的「榮譽的和平」政策。[27]

宣布新經濟政策之際，總統要求演講撰稿人威廉．薩菲爾（William Safire）不要寫一些「關於國際貨幣事務危機的官話」，而是把重點放在「情感面上，盡量鼓舞民眾士氣」。[28]這與尼克森的「新多數」選舉夢想有關……他向白人藍領工人提出民粹主義式呼籲，希望分化並征服舊有的新政自由派政治聯盟。他意圖挑起藍領階級白人與新左派之間的衝突，美國全國勞工聯合總會（AFL-CIO）*的政治事務主任阿爾．巴爾坎（Al Barkan），便曾形容新左派是「長不大的孩子、怪人、共產分子和其『作風古怪』的左派自由主義者」。為了分裂這兩個階級，尼克森試圖點燃自由主義中不同利益團體之間既有的緊張關係。向來直言不諱的尼克森表示：「我們需要在沉默的多數、藍領天主教徒、波蘭人、義大利人與愛爾蘭人的基礎上，建立屬於自己的新聯盟。把希望寄託在猶太人與黑人身上，是不會有未來的。」[29]實際上，這位總統的政治策略比人們想的要複雜得多。

尼克森非常擅長挖洞給「自由派精英」跳，而他們往往會直接掉入陷阱。的確，從伯明罕到波士頓，白人強烈反對黑人民權的立場自然地四處蜂擁，讓共和黨吸納了這些反民權運動的票源，可謂坐享其成。不過，尼克森很樂意簽署白人中產階級自由主義者所擁護的多項新社會管制措施，讓新左派催生的新政反大企業管制部門重新採取行動。首先從消費主義的政治化著手，再將焦點轉向環境保護主義。一九六六年的《國家交通和機動車安全法》(National Traffic and Motor Vehicle Safety Act)是一項突破性法規，在公民活動家拉爾夫．納德（Ralph Nader）的著作《任何速度都不安全》

＊譯註：一九五五年美國勞工聯盟（AFL）與美國勞工總會宣布合併，此後名為美國全國勞工聯合總會。

（*Unsafe at Any Speed*，一九六五年）出版後通過。身為普林斯頓大學五十五屆畢業生的納德，代表一種新的自由主義者，而他的支持者大都是中產階級與上流階層的白人，而不是此刻尼克森關注的忠誠藍領工人。新一代的「五〇一（c）(三)」與相關的「五〇一（c）(四)」非營利組織在華盛頓成立了總部，其中包含共同目標組織（Common Cause）、國家資源保護委員會（National Resources Defense Council）及公眾公民組織（Public Citizen），它們主業為揭露企業瀆職行為與渲染公眾事件，無論是容易爆炸的雪佛蘭科維爾車款，還是一九六九年的聖塔芭芭拉（Santa Barbara）漏油事件，都是他們揭露的。在一九六八至一九七七年間，認同「企業試圖在利潤與公眾利益之間取得平衡」的美國人比例，從百分之七十驟降到百分之十五。[30] 尼克森在一九六九年簽署了《國家環境政策法》(National Environmental Policy Act)，並於一九七〇年頒布行政命令，成立了環境保護局（Environmental Protection Agency，EPA），同年還簽署了《消費品安全法案》(Consumer Product Safety Act)。這些新設立的「權利意識」社會法規將帶有消費主義色彩、屬於中產階級的富足視為理所當然，對美元危機、企業在國內外的投資與撤資或通膨問題沒有太多著墨。這時，強化後的自由主義管制部門已完全與發展部門脫鉤。儘管社會監管部門的成效有多麼值得稱讚，都進一步削弱了正逐漸下滑的美國企業利潤率，連帶威脅到了藍領工人的薪資。

利潤自一九六五年後開始下跌，尤其是鋼鐵與汽車等產業面臨了來自歐洲與日本低成本生產商的國際貿易競爭，而這些競爭國家因為幣值較低，而在國際市場中斬獲良多。此時，世界貿易量急速增長，甘迺迪於一九六二年簽署的《貿易擴張法案》(Trade Expansion Act）大大地推了世界經濟成長一把，但各國的發展速度不一。「製造業進口滲透率」衡量的是外國生產商向美國本土市場出口商品占美國國內進口的比例，該數據從一九五九至一九六六年的百分之六點九攀升到一九六九至一九七三年間的百分之十五點八。[31]製造業的利潤受到了貿易競爭衝擊。一些產業希望政府讓美元貶值以刺激出口市場，尼克森在一九七一年回應了這項請求，而那些企業也開始遊說政府推行貿易保護措施。

工業界正在尋求其他救濟管道。一種做法是將生產轉移至工資較低的南方或海外地區；另一種做法是出於慣性地繼續在原地投資與生產，固守在舊時的東北部至中西部製造業地帶。然而，通用汽車公司總裁愛德華．科爾（Edward N. Cole）坦承：「我們達成技術改良的機會已不如以往。」人為操作的電動生產線的潛在生產力增益幾乎被挖掘殆盡，僅剩無人操作的自動化應用展望比較高。他補充表示，另一個選項則是單純提高生產線的效率，減少「虛耗時間」。[32]值得注意的是，工業事故率在一九六〇年代後半葉增加了兩成，背後原因正是生產線速度加快，而這促使尼克森簽署了成立職業安全與健康管理局（Occupational Safety and Health Administration）的法案（一九七〇年）。在提高生產線效率這方面，最大膽的嘗試就屬通用汽車利用電腦監控、位於俄亥俄州洛茲敦（Lordstown）的雪佛蘭維嘉（Chevy Vega）工廠了，這座工廠在一九七二年爆發了為期三週的罷工，這場罷工被稱為「工業界的胡士托」（Industrial Woodstock），因為平均二十五歲的勞動力族群無法忍受這般的操勞。[33]對此，通用汽車再度將海外生產的跨國投資提高了一倍。之後，最後一種從現有生產線中榨取更多利潤的做法，是將收入從勞動轉移到資本，也就是削減勞工薪資來增加利潤。

一九七〇年代初，由於商品價格與薪資持續上漲，「實質」的勞動報酬開始陷入停滯。[34]

許多情況下，工會基層工人會在遭受壓迫時起而反抗，包括反對日益僵化的勞工領導階層。七十四歲的水管工工會代表喬治．米尼（George Meany），同時兼任美國全國勞工聯合總會會長，他的身分在在象徵了產業工會勞工自新政以來如何從社會運動逐步淪為幾乎等同於自由派利益的團體。工會不滿的聲音湧現，閃電式罷工爆發。工會成員投票反對領導階層批准的合約，叛亂分子爭取工會職位。[35]工會面臨的危機還不僅如此。到了一九七一年，公平就業機會委員會調查來自少數群體的數千成員對工會運作條例的申訴，而這些規定平均而言導致非白人與非男性的工會成員領到的薪資較低，享有的保障較少，升遷的機會也相對較低。在政治上屬於自由派的民權律師根據一九六四年《民權法案》第七章向法院提出集體訴訟。美國最高法院在葛里格斯訴杜克電力公司案（*Griggs v. Duke Power Co.*，一九七一年）中判定，看似種族中立的工會條例對少數族群造成「不利影響」，違反了第七章的規範，譬如偏重資歷的規定。罰款與來自底層的壓力迫使工會整合。一九七二年，黑人勞工齊聚芝加哥，抗議美國全國勞工聯合總會領導階層的歧視性待遇，並組成了黑人同業工會聯盟（Coalition of Black Trade Unionists）。法律上，民權運動的發展方向，如今步上了不同於集體談判或大型經濟政策制定的路線。[36]同年，公平就業機會委員會在控告美國電話電報公司（AT&T Corporation）的性別歧視案中勝訴，獲得了五千萬美元賠償金，不久後，一些企業也面臨了根據一九六四年《民權法案》第七章提出的集體訴訟。在威廉斯訴薩克斯貝案（*Williams v. Saxbe*，一九七六年）中，美國最高法院依據該章禁止工作場所出現所謂的「性騷擾」行為進行裁定判決。

尼克森的「安全帽」策略已準備就緒。一九七〇年，尼克森帶領的勞工部製作了一份研究文件，題為〈藍領勞工的問題〉（The Problem of Blue Collar Workers），其靈感來自記者彼特・哈米爾（Pete Hamill）為《紐約雜誌》（*New York Magazine*）撰寫的〈中下階層白人的反叛〉（The Revolt of the White Lower Middle Class）一文。一九七〇年五月，隸屬於一個極度種族主義且腐敗工會的多名紐約建築工人攻擊「嬉皮」反戰示威者，最終致使尼克森支持者發動十萬人的大規模安全帽集會。一位助理向總統指出：「他們仰慕你的男子氣概。」[37]之後，尼克森政府委外進行的嚴肅研究《美國的工作》（*Work in America*，一九七三年）指出：「數以百萬的美國人對……扼殺自主性與創造性的枯燥工作感到不滿。」[38]尼克森感受到了白人藍領階級的怨言、社會對白人男性戶主特權發起的民權挑戰，以及自由消費主義者與環保主義者對商業利益及藍領薪資提出的質疑，而這一切開啟了他在政治上的新可能。他開始運籌帷幄。例如，他宣布支持一項聯邦「基本所得」計畫以取代所有的福利「依賴」。保守派的共和黨員指這是一種施捨，全國福利權利組織則抱怨所得下限定得太低，最終這項法案沒能順利通過。然而，尼克森樂見這種情況，因為光是這些辯論，就足以激怒那些受夠了自由主義精英的工人階級，他們控訴那些精英「想把他們的錢拿來給那些成天遊手好閒的無業人口」。[39]之後，國會通過《綜合發展法》（Comprehensive Development Act）以動用聯邦預算來資助建設兒童照護設施時，尼克森卻否決了，稱法案「削弱了家庭的功能」。[40]尼克森充分發揮了自己的政治天賦，將自由派的提案公諸於世，藉此引發了白人保守派的不滿。

一九七二年的總統選舉標誌著歷史學家羅伯特・塞爾夫（Robert O. Self）所謂的「養家者保守主義」的誕生。尼克森徹底擊敗了南達科他州參議員喬治・麥高文（George McGovern）。麥高文得到新左派的強烈支持，導致美國全國勞工聯合總會不願為麥高文背書，宣告立場中立。尼克森贏得了超過六成的民眾選票，其中有百分之五十七的體力勞動者、百分之五十四的工會及百分之六十的白人工會成員投給他。思想保守、支持民粹主義的白人男性身分政治就這麼出現了。[41] 從羅斯福在一九三六年獲得勞工支持而贏得總統大選以來，這條漫長的道路帶來了新政政治聯盟。

無論「新多數」的計畫在政治上多麼成效卓著，它並未改變美國總體經濟擴張的通貨膨脹性質。使美國貿易赤字增加而需要融資，以及對美元與黃金掛鉤的投機性攻擊（即使在每盎司三十八美元的情況下）的，便是通貨膨脹擴張。一九七三年一月，尼克森歡欣鼓舞地宣布結束管控勞工薪資與物價，結果通膨率隨即攀升。[42] 接著，一切土崩石裂。隨著六十四億美元貿易赤字的公布，美國於一九七三年第一季面臨了六十億美元的短期資本淨流出。這時，前芝加哥大學經濟學教授喬治・舒茲（George Shultz）已經取代康納利，當上了財政部長。受到同事米爾頓・佛里德曼的啟發，舒茲想出了一套新計畫：全面取消貨幣掛鉤與資本監管，以鼓勵「資本流向最能促進經濟成長的地方」。[43]

事實上，「流動」對全球資本來說往往是一個糟糕的比喻，因為某個銀行帳戶中的流動股票之所以跨越國界，往往是出於投機性預期，也是因應位於世界上其他地方、可促進經濟成長之企業所需。就尼克森而言，這時他已經開始因為水門事件（Watergate）的醜聞而分身乏術（假設他關心這件事的話）。但不論有沒有水門案，他其實一點也不在乎這個問題。幕僚告知他貨幣投機客正在攻擊義大利里拉時，這位總統想都不想地回道：「我才不管什麼里拉呢！」[44]

美國終結了布列敦森林體系。一九七三年三月，美元與黃金的掛鉤就此告終。不到一年，美國取消了對短期「熱錢」的所有資本控制。芝加哥期貨交易商開始出售「貨幣期權」，以利貿易商對沖風險。新奇的金融產品因而取代了國家的控制。美元一開放浮動便迅速貶值，對西德的馬克貶值了百分之二十，對日圓貶值百分之十二。競爭性貶值讓美國製造業出口的競爭力提升，實現了尼克森一直以來的心願。一九七三年，美國恢復貿易平衡，很快便實現了順差。

為了實現民族主義經濟發展，尼克森在試圖恢復美國製造業世界霸主地位的同時，實際上也翻開了世界經濟史上前所未見的新頁：一個由法定貨幣組成的國際貨幣體系，而這裡所謂的法定貨幣，便是意指由國家發行、僅由政府許可支持的貨幣，其相對價值取決於公開市場交易，而不再是之前的貴金屬儲備。

此時此刻，美國其實沒有這樣做的急迫性。正如歐洲盟友所懇求的那樣，美國仍擁有實力與資源，可與其他國家聯合行動，以維持一套以資本控制為主的某種國際貨幣體系。[45]就連聯準會主席亞瑟．伯恩斯也「十分擔憂」固定匯率的崩潰。然而，他在午餐會中向財政部副部長保羅．沃克提及這層顧慮時，沃克回道：「（亞瑟，）你最好馬上回去收緊貨幣供給。」[46]唯有靠著高利率來收緊貨幣供給，才能吸引足夠熱錢進入美國，挽救黃金與美元的掛鉤。但是，伯恩斯無意調高利率，因為他擔心這會遏止信貸供給、危害經濟成長及增加失業率。如此一來，他可能會被總統叮得滿頭包。

然而在一九七三年，通貨膨脹成了最緊迫的問題。該年第二季，通膨率為百分之八點六，第四季為百分之九點八。早在一九六〇年代，總體經濟的擴張中便已窺見通膨跡象；如今更多新的因素一同推升了通貨膨脹，像是：新的消費與環保法規所導致的成本被轉嫁給了消費者，以及勞工對薪資持續成長的期望導致利潤持續萎縮。但在當時，造成通膨的主因是物價無預警飆升。

在一九七三年十月以色列爆發贖罪日戰爭期間，石油輸出國家組織宣布對美國實施石油禁運。[47]油價飆漲了四倍。作為世界上最大石油生產國的美國，此時對石油的需求比以往更大。美國的汽車工業社會是全球能源密集度最高的經濟體，而石油衝擊讓關鍵能源的投入成本大幅提升。過沒多久，能源密集型產業的生產力下降，美國的經濟活動也隨即衰退。[48]

同時，世界各地穀物歉收，尤其是蘇聯與中國。美國商品的銷售填補了這道缺口，卻也進一步消耗了農產品的庫存。存貨量不足，讓即時調整以穩定價格的手段無用武之地，商品價格也應聲上漲。就連咖啡這類在當時沒有供給限制的商品也逃不出通貨膨脹的魔爪。追根究柢，不久前市場因美元與黃金的掛鉤告終而產生的通膨預期心理，有可能是罪魁禍首。

最終，尼克森仍做了詹森在一九六八年不得不做的事：為了緩解通貨膨脹，他刪減了聯邦開支。聯準會將短期利率調高超過百分之十二，創下戰後新高時，他已置身事外。等到一九七四年八月尼克森因水門事件醜聞而辭去總統職務時，美國經濟已陷入經濟大蕭條以來最嚴重的衰退：通膨率不斷攀升，超越了百分之十，國內生產毛額呈現負成長，失業率激增，甚至在一九七五年五月達到了九個百分點。這十年的代表性經濟弊病已經出現，這就是「停滯性通膨」。

休士頓：流動的城市

自一九七三年最後幾個月開始出現的美國總體經濟衰退，情況非常嚴峻。在景氣最蕭條的一九七四年年底，通貨膨脹率為百分之十一點一。然而，在一九七五年中期，美國總體經濟走出了衰退。總體經濟並未完全失控。

標準的矯正措施在某種程度上起了作用。一九七五年三月，在水門事件後由民主黨主導的國會中，傑拉德．福特（Gerald Ford）總統勉為其難地簽署了一項減稅法案以刺激總體經濟。國家總體經濟恢復了成長，隨之而來的擴張一路持續到了一九七〇年代末。一九七六年，通膨率下降至百分之五點七。然而，失業率從未降到百分之五點五以下。一九七七年，通膨率再度上揚。我們可以驚訝地發現一九七五年後私人投資激增，並很快地在一九七八年攀上高峰，可謂工業的最後一口氣。

即使利潤下降，通膨也降低了資本的實際成本。如果工業企業有意投資，資本幾乎是免費，而許多企業真的這麼做了。然而在這次的擴張期間，美國的貿易逆差再次加劇。倫敦的國際貨幣投機客，也就是以原始貨幣形式存在的流動資本的所有者再次對美元發動攻擊。通膨及失業率再次居高不下，令人擔憂。顯然，停滯性通膨在當時成了美國總體經濟特有的現象。

但是，我們必須將總體經濟暫擱一旁，因總合情況只能說明這麼多，掩蓋了美國經濟生活的經驗與軌跡中驚人的地理差異。在一九七〇年代，世界上幾乎每個工業化的經濟體，都經歷了某種程度的總體經濟「蕭條」，就連共產黨的經濟體也不例外。美國的不同之處在於，首先，在如今去工業化但具歷史意義的東北部至中西部製造業地帶中，城市空間備受重創，經濟極度匱乏。第二，不同於其他工業經濟體，美國有個地區的後工業經濟復興特別引人注目。這個地方就是陽光地帶，從卡羅來納州一路延伸到加州，核心正是休士頓。

在一九七五年後的總體擴張中，休士頓可謂和平時期史上擴張最為顯著的城市，任何城市的擴張速度都無法比擬。然而，休士頓的成長，背後其實依循著新穎的經濟邏輯。總體數據顯示停滯性通膨正在發酵時，資本主義新時代的新經濟輪廓在休士頓浮現了。一九七六年，紐約知識分子丹尼爾・貝爾出版了《後工業社會的來臨》（*The Coming of Post-Industrial Society*）一

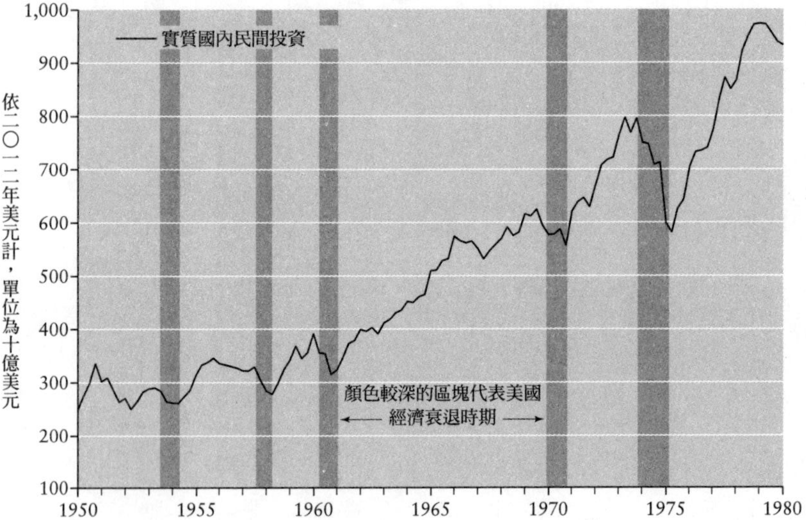

圖 94 美國國內實際的私人投資總額

面臨利潤下降的情況，許多企業管理階層彷彿出於習慣似地，繼續投資舊有的工業路線。在陽光地帶的投資不斷擴張之際，一九七〇年代也見證了工業投資的奮力一搏。

書。[49]在休士頓，這樣的社會早已存在。[50]

現代工業經濟是一種單向、線性時間的經濟，一種對生產性固定資本進行長期投資的經濟，它需要時間來耗盡資本，並在勞工與企業身上創造財富與利潤。想做到這一點，最好的方法是提高生產力，或者提高單位成本生產量。必要條件是，將非流動資本長期固定在某地。在控制時代，美國的總體經濟在地域空間的約束下，採取了類似的時間邏輯。「經濟成長」成了線性時間進展的主要敘事。

然而到了一九七〇年代，許多過往的長期投資開始荒廢。市場瀰漫著倉皇奔逃的情緒，而不是穩定的信心。新出現的動態敘事從空間著手，而非時間。一種近乎夢幻的出逃欲望，一種逃離舊有固定工業結構的渴望，既顯而易見又清晰可聞。這種動態以「後現代主義」的形式在建築領域大鳴大放，或者在設計中大量運用線性、漸進的歷史序列，汰換掉國際風格理性的直線元素。[51]一九七〇年代初期最暢銷的小說、理查·巴赫（Richard Bach）所著的《天地一沙鷗》（*Jonathan Livingston Seagull*，一九七〇年），講述了一隻喜愛飛行、遭到同類遺棄的海鷗，渴望追求「更崇高的生活目標」。[52]至於音樂領域，後工業時代充斥著個人主義的出逃歌曲，與描述群體前往共同目的地的老式工業列車歌曲互別苗頭。鄉村音樂的興起可說反映了美國經濟的「南方化」，但在一九七四年，南方搖滾樂團林納·史金納（Lynyrd Skynyrd）披著南方邦聯的旗幟，發行了〈自由鳥〉（Free Bird）這首歌曲，歌詞寫著：「如果你是一隻自由鳥，難道不會渴望展翅高飛嗎？」道盡了一名男子為了追尋自由而離開愛人的豐沛情緒。[53]一九七〇年代的文化記錄了許多個人可望超越包括經濟結構的舊體系；相對而言，在某些地方，經濟生活卻大幅提升了人們的生活品質。

具有百年歷史的東北部至中西部製造業地帶備受影響。最初被稱為「雪帶」或「霜凍帶」的地方很快就變成了鐵鏽帶。[54]中西部部分地區受創最深，其中最令人印象深刻的是一九七七年楊斯頓板材與管架公司（Youngstown Sheet and Tube）坎貝爾工廠（Campbell Works）的關閉（該工廠雇用了五千名工人）。這僅僅是開端而已，後續還有一連串令人震驚的「工廠倒閉潮」。工會再次發現，他們在公司的投資決策或如今的撤資決策中沒有發言權，[55]企業投資的調整，導致不論是小型的工業城鎮或大型的工業都市，無一幸免。在一九七〇年代，芝加哥失去了百分之十二的人口，巴爾的摩失去百分之十四，克里夫蘭失去百分之二十四，聖路易失去百分之二十八。民眾大批遷往南部與西部地區，休士頓的人口增加了百分之二十四，聖地牙哥增加了百分之二十五，鳳凰城則增加了百分之三十三。[56]

不是每個人都能一走了之。在北部城市，黑人的政治權力提升了，但資本投資卻變少了。一九七〇至一九七七年間，都市的黑人淨移出達到了六十五萬三千人，數字十分可觀，但黑人的失業率依然是白人的兩倍左右。[57]此刻在北部城市，黑人是被解職或自願辭職的最大族群，而且速度驚人。到了一九八〇年，在芝加哥最大規模的公共住宅計畫羅伯特泰勒之家（Robert Taylor Homes）的兩萬名正式居民之中，失業率達到了令人咋舌的百分之四十七。[58]由於白人種族主義，黑人居民難以搬到發展較繁榮的郊區與外郊。美國最高法院在一起有關芝加哥郊區的案件阿靈頓高地村訴大都會住宅開發公司案（*Village of Arlington Heights v. Metropolitan Housing Development Corp*，一九七七年）中認為，市府當局可透過分區規畫低收入戶住宅的分布範圍。北部城市出現了「貧窮陷阱」，在一九七○年代後半葉，後工業化時期都市黑人「下層階級」飽受失業與絕望所苦。[59] 在一九七○年代的工業「蕭條」中，沒有任何地方比美國都市貧民區還糟糕，暴力與犯罪率自一九六○年代起與日俱增，持續惡化。為了解決問題，都市黑人領袖要求政府提供經濟發展與執法資源，但第一項要求卻被尼克森政府拒絕。地方與各州花愈來愈多的錢來實施大規模監禁。[60]

經濟活動轉移到了南部與西部地區，也就是一九七五年後蓬勃發展的陽光地帶。當時，許多公共知識分子都忽視這一點，因為後工業化的陽光地帶經

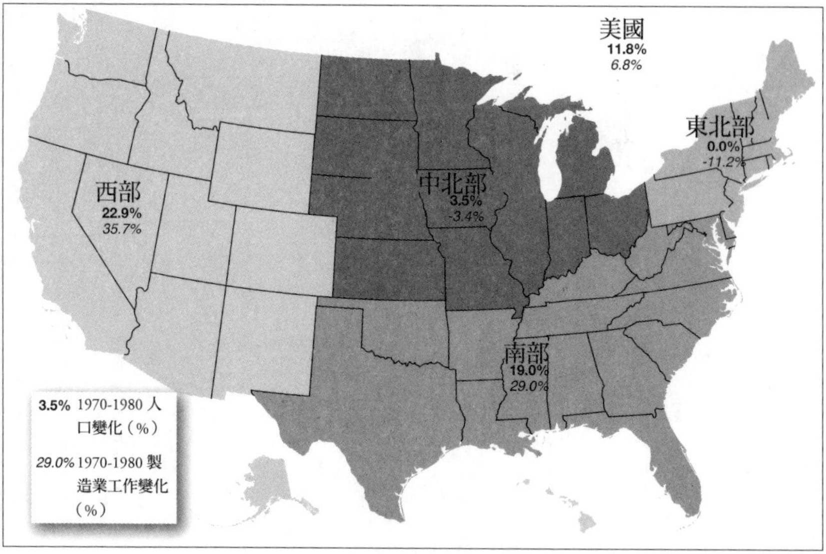

圖 95 一九七○至一九八○年人口與製造業職缺的區域變化
工業資本的危機發生於具有百年歷史的東北部至中西部製造業地帶。這段期間，人口與製造業轉移到了陽光地帶。

濟發展，看起來與工業化的東北部與中西部製造業地帶並不同。紐約市的工業與稅收基礎逐漸萎縮，跌跌撞撞地往破產的道路前進。[61]無論如何，大多數的紐約知識精英認為，無法想像休士頓這樣的地方有可能是國民經濟的未來趨勢。費城移民道格拉斯·凱撒（Douglas Caesar）與維吉尼亞·凱撒（Virginia Caesar）曾在一九七八年向《紐約時報》（*New York Times*）解釋，休士頓的經濟生活也許會更好，但這種說法難以讓紐約知識分子採納（這對夫妻還補充道，「休士頓比其他地方要好得多」）。[62]平心而論，休士頓的經濟模式有點難以自述。

休士頓是一座流動的城市。[63]建在沿海的沼澤地上，在過去的地質年代曾處於海洋底部，自一九三〇年代成為炒房熱區以來，一直都飽受洪災所苦。銀行家與新政資本家傑西·瓊斯是這座城市真正的開創者，在一九三五年的水災過後，以瓊斯為首的政府機構投入資源替這座城市興建防洪設施。當時，在一九〇一年德州博蒙特（Beaumont）附近的紡錘頂發現石油後，休士頓已成為許多石油勘探與煉油公司的據點。在一九〇〇年一場颶風摧毀了加爾維斯頓島（Galveston Island）的港口後，政府疏濬了休士頓船舶航道（Houston Ship Channel），此後休士頓成了德州的主要海港。瓊斯稱芝加哥是「現代都市發展的奇蹟」，預言這座城市將成為下一個芝加哥。[64]一九八〇年，休士頓港的外國貨物噸量高居美國所有港口之冠。[65]許多芝加哥人移居休士頓以尋求經濟機會。龐克搖滾歌手伊基·波普（Iggy Pop）在〈今晚的休士頓打得火熱〉（Houston Is Hot Tonight，一九八一年）中唱道：「我的腦袋受夠了凜冽寒風／芝加哥的冬天讓我生無可戀。」道盡了芝加哥的現況。

科學家對人為氣候變化的起點為何時看法不一。然而，休士頓在一九七〇年代的迅速擴張，無疑是人為的都市經濟成長的代表。[66]在一九七五至一九八一年間，由於多間煉油廠與石化工廠聚集在勞動階級分布的東區，休士頓的製造業發展傲視其他美國都市。這段時期結束時，休士頓的製造業附加價值在全美城市中排名第四，僅次於芝加哥、底特律與洛杉磯。該市的「石油業」公司，如哈里伯頓公司（Halliburton），都於一九二〇年代成立，業務遍及全球，包括歐洲、中東與拉丁美洲地區。化石燃料成為美國與世界經濟發展的長期核心，便是休士頓存在的原因，也是其在高油價的一九七〇年代能繁榮發展的緣由。此外，休士頓的擴張也仰賴汽車產業，並且因為氣候炎熱潮濕而倚靠消耗能源的空調。一九七三年，由於空氣汙染，環保局建議休士頓民眾減少百分之十的駕駛里程，但市民拒絕照做。最後，環保局也只能退讓。一九八二年，休士頓違反環保局規定的每日臭氧限值的紀錄多達一百八十一次。[67]一九七〇年代，隨著休士頓這樣以汽車與空調為基礎的城市持續發展，美國全境的能源消耗也隨之攀升。

石油與石化產品是休士頓的製造業基礎。值得注意的是，之後在科學證實人為氣候變遷的時代，美國經濟發展最強勁的城市依然是以汽車為基礎的休士頓。這是一座以石油為前提的城市，而石油正是工業社會的主要化石燃料能源投入，那麼問題來了，究竟是什麼讓這座城市成為「後」工業都市呢？部分的答案與空間有關。

休士頓創造收入的途徑，是快速擴張空間，而不是隨著時間的推移提高生產力。在空間上，城市之後的擴大程度，幾乎是費城、芝加哥、底特律與巴爾的摩加總起來的面積總和。建築環境在沒有任何都市計畫的情況下產生了變化。一九八〇年，休士頓的大都會人口達到二百七十五萬，自一九七〇年以來增加了百分之四十五，但人口密度仍只有洛杉磯的一半。在那個年代，隨著其他都市「節點」的出現，市中心人口實際上已逐漸流失。都市地理學家將那些都市稱為「多節點城市」、「邊緣城市」、「無邊界城市」或「無限城市」。[68]像芝加哥這樣的工業城市，商業、工業與住宅區界線分明，以商業區為中心向外輻散，無法作為休士頓的發展參考。對移民與遊客而言，休士頓沒有什麼結構可言。它沒有長期計畫，發展模式充滿了不確定性與未知。當地一位移民表示，這座城市有「四分之三的地區有時會讓人感覺處於城鎮邊緣」。其他居民則指出，這個地方「讓人難以捉摸」、宛如「謎題」般難解，就像「變色龍」一樣，「難以確知」，「甚至難以理解」。[69]

廣為人知的是，休士頓沒有分區條例。都市計畫委員會沒有任何規畫，僅僅試圖做好建檔的工作而已，結果當然失敗了。這座城市的擴張有清楚可辨的模式嗎？答案就連市政府也不知道。建築的形式與地點都由房地產開發商決定。來自德州阿馬里洛（Amarillo）的喬・伊利（Joe Ely）在〈想像休士頓〉（Imagine Houston，一九八四年）中唱道，「如果你只是站在一旁，最好小心腳步／因為建築物不是人蓋的，而是從地下冒出來的」，便清楚唱出了這座城市的擴張步伐。[70]布朗與露特商業建築公司（Brown & Root）是休士頓在一九七〇年代最大的資方，當時該市增加了至少六百一十九公頃的辦公空間。[71]出身印第安那州蓋瑞（Gary）的吉羅德・海因斯（Gerald Hines）很快便成為全美最大的私人開發商，他效仿一八七七年米蘭一座同名商場，以歷史上的後現代建築風格為模型，打造了室內購物中心加樂里亞（Galleria）。海因斯還建造了史上最雄偉的後現代摩天大樓之一，即菲利浦・強森（Philip Johnson）設計的賓茲石油公司大樓（Pennzoil Place，一九七六年），而它就如同馬塔-克拉克的攝影作品《一天的盡頭》，特點是雕塑般的切割元素，彷彿標誌了一條鮮明的分界線，區隔不同的紀元。

之後，文化評論家佛瑞德里克．詹姆遜（Fredric Jameson）在論述後現代主義的標誌性文章中提及，新的建築空間有能力超越「個體辨認自身所在位置及在感知上統整周遭環境資訊的能力」。[72]不論是否迷失方向，如果說休士頓居民有辨認自身所在位置的需求，很有可能會是在購物中心裡。真要說的話，後工業模式比工業

圖 96 菲利浦．強森，賓茲石油公司大樓（一九七六年）
強森是當代最重要的後現代建築師之一。他在休士頓設計了許多建築。從賓茲石油公司大樓的外觀來看，可見一九七〇年代對工業現代主義支柱之一進行了又一次的雕塑性切割，而這次的對象是摩天大樓。空間的視覺斷裂意味著在休士頓這個標誌性的城市中，工業與後工業之間的時間分界。有鑑於工業結構的崩解或缺失，方向的迷失是後工業風格初體驗的一種特質。從賓茲石油公司大樓的這張內部視圖可知，這也是一九七〇、一九八〇年代藝術與建築的共同主題。

模式更致力於消費主義，由於缺乏工廠聚落，消費空間因而成了社交生活場所。到了一九八〇年，休士頓有多達兩百座購物中心，總面積超過六點九公頃。[73]

住宅與商業的房地產是這座城市真正的經濟動力，工業的房地產需求儼然退到幕後。在一九七五至一九八〇年間，休士頓的住宅開工位居全國之首。[74]除此之外，德州也立法禁止資方與工會強制勞工加入工會，而且休士頓的製造業並未成立工會。美國全國勞工聯合總會甚至直到一九八一年才嘗試在該市推動成立工會。[75]休士頓的製造業高度自動化，表示當地製造業的受雇人口比其他工業城市的製造業來得少。[76]這導致了休士頓經濟生活另一個混亂特性：與先前的工業經濟相比，受薪持家男性的薪資不是休士頓經濟的支柱。休士頓在所得與財富分配位居中層與底層階級的女性勞動力參與率極高，引領全國潮流，所以即使男性的實質勞動報酬停滯，家戶收入不平等的現象在一九七〇年代依舊有所趨緩。

勞動力市場上出現了後工業時代的正回饋循環。隨著愈來愈多婦女進入勞動力市場（這是男性工資下降或夫妻離婚的結果，或兩者皆是），市場對傳統上由無償家庭主婦負責的勞動之需求就愈大，不管是煮飯、照顧孩子或清掃居家環境。家庭與工作界線逐步模糊，養家糊口與操持家務合而為一。與房地產同時發展的是活力蓬勃的「服務業」，涵蓋了石油勘探「服務」、房地產投資與建設、漢堡等小吃攤及醫療保健的經濟活動。休士頓的大型醫療中心則是都市「節點」之一。

接下來介紹的休士頓都市經濟特點，都準確預示了隨後到來的資本主義時代。就工業而言，這座城市沒有結構可言。新的收入往往來自房地產的升值，而不是工會男性勞工戶主持續上升的薪資，因為都市的空間變化快到讓人難以察覺。商業與住宅房地產位於經濟中心，意味著以抵押貸款形式存在的高額債務。

不平等的程度也很高。因為如果收入創造的管道主要都經由財產所有權而不是勞動收入，富人肯定占有優勢，畢竟他們擁有社會上大部分的財產。休士頓既存在經濟機會，也存在不平等的現象。在勞動力市場中，無論是收入頂層的房地產開發商、企業律師及醫生，或是護士、保母及速食店員工等傳統上女性化的基層職業，高薪與低薪領域的服務經濟皆在擴張。最後，服務業總是一個低生產力的經濟產業，但此時在經濟生活中卻日益重要，這便說明了一九七〇年代整體經濟生產力成長為何令人失望，這也正是通貨膨脹的肇因之一。

休士頓的最後一項特質同樣值得一提：天生就是一座「私有化」的城市。為了吸引企業家，休士頓始終實施低稅額，這也意味著市政公共服務非常匱乏，從公園與公共空間、到政府資助與管理的福利或公共住宅都是供不應求。零售與購物商場、帶狀購物中心、餐廳及醫院等服務經濟場所，取代了公共與市民空間。紐約市為了維持福利措施而發行的公債被評為垃圾級別，休士頓發行的少量公債則獲評為AAA級。公領域與私領域之間的界線變得模糊，性質也有所轉換。不論是傑西・瓊斯的恩惠，還是一九六三年詹森推動國家航空暨太空總署成立的載人太空船中心（Manned Spacecraft Center），這些聯邦資源一度對休士頓的發展舉足輕重。聯邦住宅管理局核發的官方信貸補貼，一向對住宅抵押貸款市場十分重要。但是，休士頓漸漸變為自成一格的「自由企業城市」。[77]實際上，這座城市由於汙水處理系統設計不良，在一九七三年不得不暫停房地產開發。但很快，城市又再度擴張，透過合併與吸收「特定區域」的債務，讓房地產開發商得以藉此抵銷道路、汙水處理系統及電力設施的成本，[78]許多設施反而因此都由私人或準私人企業經營。休士頓的市政服務薄弱，貧窮人口高度集中，尤其是在非裔與墨西哥裔美國人的社區。然而相較於芝加哥這樣的城市，都市的「貧窮陷阱」仍比較少，因為就經濟層面來說，後民權運動時期的南方地區比北方更適合黑人居住。[79]因此，許多黑人遷居休士頓與亞特蘭大等城市。私人捐贈的善款經由非營利宗教組織取代了窮人享有的公共福利。有時，非營利的中介機構也會向營利性公共住宅開發商出售「稅收抵免」額度。財政三角結構遭到腐蝕，原本的框架崩毀。事實上，休士頓從來都沒有財政三角，因為這座城市的國家基礎設施不曾真正存在。

因此，一種新的政治經濟在休士頓誕生了，特色是腐敗。這裡的腐敗並非意指邪惡行為，而是機構與身分是可形變、模稜兩可或公私同體。原本被視為公共的東西變成了私人的，或者打從一開始便不屬於公共所有。購物中心等私人空間被迫作為公共空間。女性湧入職場，家庭則成為有償工作的新場域。營利企業與非營利組織界線開始模糊，甚至與政府合而為一。這一切都可能讓人迷失方向。起初，許多經歷其中的人們都覺得這些變化充滿不確定性且缺乏方向。這座城市沒有藍圖，沒有長期計畫。休士頓是一座流動的城市，因為它坐落於濕地上，總鬧水災，也因為其重要的經濟基礎石油不斷在地底流動。然而，它的發展模式出奇地體現了投機流動性偏好的概念，像是精力充沛的躁動、看似毫無關聯的東西之間出現了可轉換性，或包羅萬象的各種市場，以及忙亂而不顧長期發展的景況。

然而，最重要的莫過於男主外、女主內的家庭經濟模式式微，在一個多世紀以來，這個模式一直是工業經濟生活與美國政治經濟的支柱。男性勞動力參與率下降，因為男性平均實質薪資一直停滯不前。到了一九七六年，儘管性別歧視的投訴持續被積壓在公平就業機會委員會的待辦清單上，仍有超過五成育有學齡兒童的已婚婦女加入了勞動力市場。[80]但是，細看這十年就會發現，一如歷史學家艾莉森・萊夫科維茨（Alison Lefkovitz）所說：「妻子理應替丈夫從事的家戶勞動，擴張涵蓋了照顧孩子、家事、在家庭企業工作，以及想辦法提升家戶財產。」[81]法律上，女性有權向無法或不願提供經濟支持的丈夫提出離婚。如果男性的工資再也無法養家，那麼法定的婚姻制度就如其載於法規條文那樣，注定成為一種過時產物。許多男性加入了政治倡議團體，要求州立法機構免除他們的養家義務。一九七〇年，德州是第一批通過無過失離婚法規的州屬之一，在這十年期間，至少有四十五州通過立法，取消了男性扶養妻子的法律義務。一九七五年，德州成為第九個通過保障「家庭主婦權利」法律的州，規定離婚婦女有權獲得財產以補償其在過去的家戶勞動。[82]露絲・巴德・金斯伯格（Ruth Bader Ginsburg）律師在美國最高法院審理的溫伯格訴維森菲爾德案（*Weinberger v. Wiesenfeld*，一九七五年）中勝訴，確保了鰥夫的社會安全遺屬福利，進一步確立性別中立原則。男性的工資不再是經濟與法律權利的關鍵，這個演變無疑具有劃時代意義。然而在未來，究竟是什麼取代了男性養家糊口、女性操持家務的家庭模式，此刻不得而知。政治上，這些問題在休士頓畫下句點。

一九七七年十一月，由國會出資的全國婦女大會（National Women's Conference）於休士頓舉行。這場大會受一九七五年在墨西哥城舉行的聯合國國際婦女年大會（United Nations' International Women's Year）所啟發，[83]共有兩千名由州議會指派的代表來到此地，為名為「婦女要的是什麼」的國會「行動計畫」投票。在休士頓，女性主義者與日益普遍的家庭保守主義針鋒相對。

這場大會討論的主題是憲法的性別平權修正案（Equal Rights Amendment，ERA）之地位，該案是自由派女性主義者長久以來的目標，最終分別在一九七一及一九七二年於眾議院及參議院通過。該修正案宣示：「美國或任何州不得以性別為由，拒絕或限制法律規定的平等權利」。參加休士頓大會的代表們投票贊成該條性別平權修正案及另外二十五項決議，其中包括呼籲終結職場與信貸之性別歧視。另一項措施是，要求政府給予勞動市場中「被迫離開家庭的主婦」支持，譬如讓婦女在離婚時獲得「家庭主婦的權利補償」。其中一項決議則要求進行婚姻改革，因為「秉持婚姻是一種夥伴關係的原則，承認配偶雙方的貢獻具有同等的重要性與價值」。[84]

同時，在這座城市的另一頭，立場保守的反性別平權修正案團體組織了一場擁護大家庭模式的反集會，表達抗議。男主外、女主內的工業家庭或許已經瓦解，但若要說有什麼變化的話，那就是家庭與家的概念在人們心中變得更重要了。休士頓可說是陽光地帶離婚率最高的城市，但結婚率與再婚率也同樣居於首位。[85]隨著資產價格的升值取代了透過消耗工業資本帶來的勞動收入，新時代的房屋所有權將比過去更具經濟意義。在工業時代，家庭被認定為排除在經濟以外，但在一九七〇年代之後，家庭將承擔愈來愈多的經濟投資。同時，由於休士頓的擴張及嶄新的特質，工會、家長教師會、麋鹿俱樂部（Elks Club）*等許多機構要麼尚未建立、要麼不夠健全，不然就是力量薄弱。因此，家庭成了家庭派社運人士菲利斯・施拉夫利（Phyllis Schlafly）期望看到的「社會基本單位」，且程度更甚以往。[86]從《性自殺》（*Sexual Suicide*，一九七三年）的作者喬治・吉爾德（George Gilder）到《資本主義的文化矛盾》（*The Cultural Contradictions of Capitalism*，一九七六年）的丹尼爾・貝爾，這些著名的保守派知識分子都想知道，社會將男人從家庭關係中解放出來，是好還是不好。[87]然而就當時的情況來說，考量休士頓這類城市的生活本質，當地強烈的渴望「家庭價值」。最後一點，在休士頓，社會的基本單位如果不是家庭或購物中心，就是基督教福音派教會。[88]一九七二年，德州的立法機關正式認可性別平權修正案，隨後，在一九七七年舉辦的休士頓反集會，主辦人便是洛蒂・貝絲・霍布斯（Lottie Beth Hobbs），她是德州基督教會的成員，也是反性別平權修正案團體「想成為女人的女人」（Women Who Want to Be Women）的創辦人。把施拉夫利帶到休士頓的人，正是霍布斯。

事後，施拉夫利稱一九七七年的休士頓大會與反集會是一個轉捩點，在那裡，「性別平權修正案的支持者、墮胎業者與女同性戀者決定為共同的目標統一行動」。[89]但是，全國婦女大會最戲劇性的時刻，當屬一項由少數黨團起草、包含替女同性戀爭取「平等權利」的法案提案獲得了普遍支持。到了一九七七年，同性戀已成為一項爆炸性的國家政治問題。同年，詹姆斯・多布森（James Dobson）創立了「愛家組織」（Focus on the Family），之後更與施拉夫利及其他基督教保守派人士舉

* 譯註：屬於美國上層社會的俱樂部。

辦了盛大的社會運動，呼籲共和黨接受反女性主義。[90]接著在休士頓舉行的下一場決定性集會，則是一九七九年的美南浸信會聯會（Southern Baptist Convention，即所謂的休士頓會議）。當時，政治立場保守的基督教基本教義派控制了該聯會。[91]

國會陸續立法禁止經濟生活中的性別歧視，但在一九八〇年家庭派人士的施壓之下，共和黨撤除了全國黨綱中對性別平權修正案的支持。在一九七七年休士頓婦女大會過後，沒有其他州批准性別平權修正案，而此案至今仍未正式成為憲法的增修條文。[92]

自由主義的曙光

新右派（New Right）來自陽光地帶。在我撰寫本書的當下，作為詹森故鄉的德州上一次在總統大選中把票投給民主黨是在一九七六年，當時該黨的候選人是喬治亞州州長吉米．卡特。水門事件後，民主黨持續控制國會兩院。在控制時代的最後一次通膨性擴張期間，自由主義徹底失去了政治主動權。雖然精疲力竭，自由主義依然竭盡全力，一頭栽進了墳墓。究竟發生了什麼事？

答案顯然是通貨膨脹，一九七九年的通膨率令人不安地攀升到了兩位數。儘管自由主義轉型歷時百年，但之所以在一九三〇年代問世，是為了應對一起通縮性事件——經濟大蕭條。真要說的話，由於自由主義一向試圖支撐商品價格、工業利潤與勞工養家的收入，天生具有通膨傾向。此刻，通貨膨脹的原因變得愈來愈複雜。自一九七三年以來，生產力成長的速度一直很低（假如生產力沒有增加，失業率可能會更高）。各地的經濟成長依舊不平均，浪費了許多未開發的經濟潛力。聯準會的貨幣政策所標榜的短期利率到了一九七七年仍不及百分之五，低於物價上漲比率，因此無法遏止通膨。一九七八年，石油衝擊再度來臨。這引發了一個更大問題，為什麼聯邦政府無法採取任何行動，審慎打破大眾預期通膨發生的集體心理？失敗的不僅是自由主義而已，更打擊了民主制度的正當性。

對政治一竅不通的卡特當選總統。他是來自南方的福音派基督徒，從各方面來說都是一個道德高尚的人，形象與理查・尼克森完全相反。但是，國家的問題不僅僅是總統的道德問題，在本質上，是體制性的問題。[93] 卡特試圖用道德主義來彌補自由主義政治經濟想像力嚴重不足的缺口，但他主張的「反政治」不足以完成眼前的任務。[94]

民主黨內分歧的意識形態與利益團體並未形成有效的經濟決策。好打官司的自由派律師提出集體訴訟以擴大對抗性的權利主張，但此舉未能解決停滯性通膨的問題。善意支持群體行動計畫，例如針對工廠關閉潮的眾多「基層」響應行動，同樣也無濟於事。新左派對「監管俘虜」（regulatory capture）的批評，讓政界對反托拉斯計畫興致勃勃，但這個興趣沒有維持多久。在僵化的領導之下，勞工運動幾乎與國會的自由派完全脫節。不過，倒是有一項野心勃勃的自由主義倡議，回顧了新政的發展起源。一九七四年，休伯特・漢佛瑞（Hubert Humphrey）參議員與奧古斯都・霍金斯（Augustus Hawkins）眾議員提出了《漢佛瑞–霍金斯充分就業法案》（Humphrey-Hawkins Full Employment Act），旨在保障所有公民的工作權。該項法案沒能在國會通過。不管在競選期間或是就任後，卡特都只在口頭上表達支持。一九七八年，他簽署了該法案的一個版本，象徵性呼籲實現充分就業，但這個版本並未包含實際執行的條款。自由主義在一九七八年缺乏的是一種制度性機制，除了用以控制投資量，還可控制投資的地點與組成，但早自二戰以來，自由主義便一直無法催生這個制度。

在卡特擔任總統的期間，民主黨面臨一個更難對付且團結的對手。一九七八年不僅是家庭派社會運動不斷壯大的關鍵年，對於滿血回歸的「商業派遊說團」來說，這也是重要的一年。無利可圖的繁榮，定義了一九七五年後的總體經濟擴張，因為許多企業管理階層試圖透過投資來擺脫困境。但是，至少有一些資本所有者意識到，變化正在醞釀。隨著生產力趨勢走弱，以及消費主義與環境「社會法規」進一步削減利潤率，資本所有者開始期盼國會能通過有助於恢復獲利的立法。一九七二年成立、由美國前一百五十家企業的高階主管組成的商業圓桌會議，成為全新而積極的「頂尖」商業遊說團體。[95]在政界相當活躍的杜邦公司執行長爾文·夏皮羅（Irving Shapiro）指出，高階主管首次「親自參與政府流程」，因為認識這項流程逐漸變得「跟精通產品製程一樣重要」。[96]尤其許多資本家認為，工會繼續爭取更高薪資的力道（即使「實質報酬持平」），是通貨膨脹的主要原因。如今，許多企業認定，生產力衰退所造成的負擔必須透過減少勞工收入來承受，而不是降低資本利潤。這衝擊了集體談判的根本合法性。

一九七八年，企業的商業攻勢逐漸大有斬獲，而這不足為奇。在一九七〇年代，華盛頓的企業遊說人士急遽增加。一九七五年，聯邦選舉委員會批准成立企業政治行動委員會（PAC）。

一九七六年，美國最高法院在巴克利訴法雷奧案（*Buckley v. Valeo*）中裁定，政治捐獻受憲法保障。在一九七六年的選舉中，經由政治行動委員會組織的企業支出，超越了工會的選舉開支。[97]一九七八年，商業遊說在一定程度上使消費者保護局（Consumer Protection Agency）的成立告吹，不僅扼殺了拉爾夫．納德的公共利益研究小組（Public Interest Research Group）運動長久以來的夢想，更進一步扼殺了一項允許「共同工地罷工糾察」的法案（賦予工會對建築工地展開全面罷工糾察的權力）。該法案不久前才在民主黨主導的參議院與眾議院雙雙通過，但到了福特總統那一關便被擱置。這次的失敗象徵意義重大，《共同工地罷工糾察法案》旨在為多項勞動改革立法奠定基礎，但最終卻無法落實。一九七八年，因應商業遊說團體對稅收抑制私人資本形成的申訴，國會將資本利得稅從百分之三十五降至百分之二十八，並永久實施百分之十的投資稅收抵免額度。一九八〇年，私人企業聘來影響政府決策的說客及其他專家的人數終於超越了聯邦雇員。民主黨國會連同身為民主黨員的總統，再也無法通過「社會法規」或有利工會的勞工法。結果，它反倒制定了減稅措施。

轉向右派的現象不僅顯露在政策細節上，也出現於知性潮流中。一九七〇年代末，數年前的民調顯示，大眾對企業的負面觀感開始有了變化。提倡這類觀點的是新出現的保守派，也就是由「五〇一（c）(三)」、「五〇一（c）(四)」等非營利組織及政治行動委員會共同組成的網絡，例如傳統基金會（Heritage Foundation，一九七三年）、加圖研究所（Cato Institute，一九七七年）及約翰奧林基金會（John Olin Foundation，一九五三年）。這個網絡領頭人，便是尼克森與福特在位期間的財政部長、同時也是一九七八年暢銷書《真相時刻》（*Time for Truth*）的作者威廉・西蒙（William Simon）。他認為，真相是，資本必須從所有稅收中解放出來。奧林基金會開始在「自由企業」中資助設立教授職位。自由主義者曾抱怨右派資金對社會有害，但平心而論，思想開明的福特基金會曾慷慨贊助戰後高等教育的發展。[98]這只是意識形態上的差異罷了。

無論如何，卡特政府實際上對新穎的「親市場」想法抱持開放態度。如同許多州長，卡特在財政方面立場溫和，也同樣來自對「自由企業」友好的陽光地帶。在競選期間，他承諾當選後會平衡聯邦預算。根據卡特底下的經濟顧問委員會主席查爾斯・舒爾茲（Charles Schultze）的說法，他不過是個「不情願的凱因斯主義者」。舒爾茲曾在詹森在位時管理預算局（Bureau of the Budget），而他對總體經濟的思考包含了誘導投資的減稅措施。在舒爾茲的建議下，卡特上任後通過了一項減稅政策，希望能刺激投資，「重拾甘迺迪時代的做法」。[99]值得一提的是，比起總體經濟政策，舒爾茲帶領的經濟顧問委員會對個體經濟更感興趣。不久前，他寫了一本關於管制的書，建議政府「在管制政策中注入市場紀律」。[100]這本名為《私人利益的公共用途》（*The Public Use of Private Interest*，一九七七年）的著作主張：

> 市場上的關係是共識安排的一種形式。個人在買賣中交換交易時，可以自願在互利的基礎上行事。選擇向自由社會開放（民主派的多數決政治），並藉此組織大規模社會活動，必然會面臨不贊成每個決定的少數人。[101]

卡特讀了這本書後愛不釋手。他同意，政府應該推動管制改革而不是總體經濟的發展，如此將能增強市場效率來恢復個體經濟關係。

對於停滯性通膨的適應不良，「市場」是值得考慮的良方。在制度癱瘓的時代，市場也許能治百病。卡特就任時（一九七六年），也是諾貝爾經濟學獎（一九六九年首度頒發）頒發給芝加哥大學經濟學家米爾頓．佛里德曼的那一年。[102]多年來佛里德曼一直認為市場是「共識安排的一種形式」，比「民主多數決政治」更符合自由精神——這和舒爾茲的理論不謀而合。

長期以來，佛里德曼都在批評凱因斯主義的總體經濟政策。熬了數十年後，屬於他的時刻終於到來。思想上，他的計畫是重振「貨幣數量論」，或是用他的話來說，就是通貨膨脹「向來是一種貨幣現象」，是一個更多的金錢追逐相同數量商品的問題。[103]佛里德曼稱之為「貨幣主義」。他在諾貝爾獎頒獎典禮上致詞時抨擊「菲利浦曲線」。「菲利浦曲線」假定了通膨與失業之間有一種穩定的平衡，政府可以在令人擔憂的通膨出現之前斥資促進就業。佛里德曼不認同這種假定，並表示市場存在「一種自然失業率」。[104]所謂「自然」，是因為市場獨立於貨幣而有效運作，包括勞動市場。貨幣是「中立的」，也應該保持中立。只要政府始終確保各地的貨幣供給穩定，且市場可以持續預期貨幣供給增加（佛里德曼傾向百分之三到百分之五），市場自然就會實現效率、正義，並盡可能利用所有可用的稀缺資源。供給創造了自身的需求，經濟不會受需求所限制。一九七〇年代，菲利浦曲線由於停滯性通膨不再平滑、而呈現鋸齒狀時，佛里德曼宣稱自己的看法在經濟學界得到了平反。[105]

當時，佛里德曼已不再是從事研究的經濟學者，而是一位才華洋溢的自由放任主義演說家。[106]他一有機會就大力提倡「市場」的廣泛好處，暢銷著作《資本主義與自由》（*Capitalism and Freedom*，一九六二年）也幫助政治右派重奪**資本主義**一詞的定義與使用權。[107]之後他主張，在政治上，透過商業交流達成共識與互利為前提的市場，比以法律強制為前提的國家更具正當性。這裡指的是任何國家，包含民主國家。佛里德曼對民主抱持懷疑態度，因為民主可能會使國家無法負荷更甚以往的民眾要求，導致稅收加重、開支增加、福利救濟金的非裔受領公民變多、家庭基礎遭到削弱及通貨膨脹。

在當時舉足輕重的芝加哥經濟學派中，佛里德曼的意識形態最強烈，但他不是唯一一人。在那個世代，喬治．史蒂格勒（George Stigler）從事管制研究，抨擊自由主義的「公用事業」與「自然壟斷」觀點。[108]「法律經濟學運動」（The Law and Economics Movement）即誕生於芝加哥。其中最具影響力且經常招來誤解的成員，便是在一九六四年來到芝加哥大學法學院的英國經濟學家羅納德．科斯（Ronald Coase）。同樣在該所法學院任教的理查．波斯納（Richard Posner）所著的《法律的經濟分析》（*Economic Analysis of Law*，一九七三年）主張，「經濟學家的效率觀念」是現成的「正義」代理人。[109]法學院教授羅伯特．博克（Robert H. Bork）認為，「解釋反托拉斯法時，應該將消費者的福利視為唯一的目標」，而最好由不受政府管制的有效市場分配來達成這個目標。實現低廉的消費價格是運用反托拉斯法唯一適當的情境，而不是一般的市場結構或企業壁壘。除此之外，市場競爭總能摧毀任何值得摧毀的市場進入障礙。[110]在佛里德曼之後的世代中，尤金・法瑪（Eugene Fama）協助催生了金融學的「效率市場假說」，認為資產價格有效地整合了所有可能的資訊。[111]蓋瑞・貝克（Gary Becker）撰寫的《人類行為的經濟分析》（*The Economic Approach to Human Behavior*，一九七六年）探究了人類的所有行為，包括在家庭中的所作所為。[112]貝克釐清了一個經濟概念，那就是不論人類有沒有意識到，他們都擁有一種資本形式──「人力資本」。假若勞動本身就是一種資本形式，那麼資本與勞動之間又怎會產生分配衝突？這麼一來，互相對立的群體變成了彼此合意的個人。[113]

最後，在總體經濟學領域，羅伯特・盧卡斯（Robert Lucas）協助創立了「理性預期」學派。不同於佛里德曼，盧卡斯不是意識形態的擁護者。盧卡斯對戰後凱因斯主義總體經濟學的「批判」，發展到後來極具殺傷力。凱因斯主義者在建構總體經濟的模式與政策時，並未考慮到個人本身也注意到了這些模式與政策。立場與凱因斯相反的盧卡斯認為，個人會根據政府所為與預期可為而可能造成的結果來選擇，政府不可能比他們更精明。例如，如果政府調降利率，由於貨幣寬鬆，個人會預期通貨膨脹即將到來，利率也會隨之上升。[114]盧卡斯透過各種方式推論並總結表示，所有總體經濟學都需要個人決策的「個體基礎」。事實上，總體經濟學只是一種基於市場選擇的個體經濟學。有鑑於回饋迴圈的存在，政策制定的有效範圍便被大幅限縮。[115]

芝加哥學派提出了一套非常複雜而嚴謹的數學經濟思想。然而在政治上，結果往往很簡單。抽象而言，市場是有效且公正的，這碰巧與商業圓桌會議的總裁們內心深處的想法一致，而非基於任何數學模型推導而出。在凱因斯主義總體經濟學處於盧卡斯所說「完全混亂」的時刻，這樣的簡單與確定性非常有利。[116]亞瑟．歐肯的遺著《價格與數量》(*Prices and Quantities*，一九八一年)，是凱因斯主義在擬定停滯性通膨應對政策時最重大的嘗試。其篇幅近四百頁，內容繁細，非常難以向一個才二十幾歲的國會研究人員概述。[117]相較之下，在單一的經濟模式中，假設個人對未來的理解是完全理性且確定的，一切純粹關乎數學機率，這樣的假設雖然顯得非常簡單且令人寬慰。但實際上一切正逐漸變得不確定，因為長期的工業結構正在消散。制度可能會被推延到一旁。無論採取什麼「制度」，盧卡斯都建議採行不變的政策「規則」，因為規則不受民主政治與總統經濟顧問所左右。[118]如此一來，大家可以退一步(包括政治家及其國會人員)，靜觀市場協調總體經濟。而就如盧卡斯追隨者的一個支派所稱，「實質」景氣循環將會平靜地展開。無論如何，國家的介入只會弄巧成拙，因為作為理性代理人的個人會將這些干預納入考量。在這個世界上，除了個人的選擇與數學嚴謹的邏輯精確性之外，什麼都沒有。這個強調個人選擇的一九七〇年代經濟思想(之後被稱為「新自由主義意識形態」)，實際上就是「唯我的十年」經濟學。[119]

然而，在政策制定上，我們不能過分讚揚芝加哥學派的經濟學家。[120]經濟顧問委員會主席舒爾茲(不是佛里德曼)在《私人利益的公共用途》中表示，市場「不但在最大程度上減少了藉由強迫手段來組織社會的需求，更降低了透過同情、愛國主義、同胞友愛與文化團結來改善社會的需求」。[121]簡單來說，就是讓市場在民主政治管不動的時候發揮約束作用，讓市場去做國家不該做的事。

卡特政府針對停滯性通膨提出的經濟解方，是市場「解除管制」。一九七八年後，康乃爾大學一位主張自由放任的經濟學教授艾爾弗雷德・卡恩（Alfred Kahn），受任命為民用航空委員會（Civil Aeronautics Board）主席，負責監督愛德華・甘迺迪（Edward Kennedy）參議員發起的《一九七八年航運管制解除法案》（1978 Airline Deregulation Act，旨在廢止航運價格限制）。他嘲諷地表示，管制解除法案「正打著反通膨、節約能源、競爭、管制改革與自由企業的旗號意圖闖關。至於美國人的核心信仰則交給其他立法去負責」。[122]

過去數十年，新政中一些思慮不周的物價法規想必仍在施行。例如，為了保護消費者不受壟斷所影響，天然氣的價格上限反倒造成天然氣短缺，對價格的調漲形成壓力。一九七八年解除管制的《國家天然氣政策法》（National Gas Policy Act）起初收到了成效，但此刻的趨勢不是制定更有效的市場管制措施，因為就連自由主義者也徹底放棄了全面管制市場。卡特在一九七九年向國會提交取消貨車運輸管制的法案時，提議「加深對競爭性市場的依賴」。他簽署了一道行政命令，要求所有聯邦機構停止「對經濟、個人、公共或私人組織，或是州與地方政府加諸不必要的負擔」。[123]一九八〇年的《史岱格鐵路法》（Staggers Rail Act）解除了一個世紀前促成了「公用事業」的費率管制。州際商業委員會直到一九九五年都勉強維持運作。一九三五年的《公用事業控股公司法》的管制力道削弱，最終在二〇〇五年廢除。金融業的鬆綁移除了管制高牆，這些牆在過去阻礙了資產的流動性轉換。一九八〇年的《存款機構鬆綁與貨幣控制法案》（Depository Institutions Deregulation and Monetary Control Act）逐步取消了Q條例設定的存款利息限額。

根據估計，一九七七年，美國的國民生產毛額有百分之十七受到某種價格管制。到了一九八八年，該項數據下降至百分之六點六。[124]但真正完成卡特當初未完成的工作的，便是下任的羅納德・雷根。忘了發展政策吧！如今自由主義者正努力掏空管制政策的本質。

曾在喬治亞從事花生耕作的卡特，很熟悉個體經濟及市場規模、公司與個人的概念。國民總體經濟的規模太大，不得他心，區域或都市亦然。卡特政府對一九七七及一九七八年俄亥俄州與賓州的鋼鐵廠倒閉潮毫無表示。[125]他最關注的議題是外交政策，試圖在一個「全球相互依存」更甚以往的時代中，實現自稱的新「世界秩序」。他支持新興的跨國人權政治，在這樣的概念下，個人權利與國家權力再度形成了對比。[126]但是，卡特對全球範圍的關注，正是他在總統任期內唯一的新穎總體經濟舉措得以發揮作用的原因，而這有賴各國在「國際凱因斯主義」下的同舟共濟。然而，造成阻礙的不是人權，而是另一種對國民主權的跨國限制：全球流動資本的短期投機潮。

這名為「火車頭戰略」，由自一九七六年開始定期召開領袖峰會的七大工業國（G7）共同協議。通貨膨脹不管在哪裡都是個問題。然而，美國、日本與西德的經濟成長速度最快，法國、義大利、加拿大及英國難以望其項背。這項策略的內容是，美國、西德與日本將刺激本國的經濟。三國的需求若結合在一起，將能刺激相對弱勢的經濟體，而這些經濟體將致力壓低價格與提高競爭力，以打進美國、西德與日本的市場。問題是，西德與日本的經濟本身以出口為導向，且仰賴美國的消費者需求。火車頭策略若想奏效，西德與日本必須刺激國內需求，但他們並不慣於這麼做。

儘管如此，一九七八年，七大工業國在德國波昂達成了一項協定。卡特同意取消美國對國內石油價格的補貼，因為另外六國認為美國的高度能源消耗是導致全球通貨膨脹的原因之一。西德與日本同意刺激本國經濟，而這有助於彌補美國不斷擴大的貿易逆差，並設下美元在國際貨幣市場上的價格底線。其他國家則同意壓低商品價格，跟隨美國、西德與日本的需求所帶動的火車頭。[127]

國際凱因斯主義或許收到了成效，但它遭遇到的第一個打擊是，在伊朗革命過後十年內發生的第二次石油衝擊。石油輸出國家組織擔心美元貶值，因為全球石油的銷售均以美元計價，無論如何都得提高油價才行，但是，油價在一九七九年翻了一倍，讓既有的通膨性總體經濟加劇，幾乎達到了引發政治災難的程度。承諾減少石油補貼後，卡特政府除了公布非強制性的工資與價格準則之外（這些準則遭到市場公然忽視），並未採取任何有效的策略。[128]石油危機占據了報紙的頭條，美國民眾爭先恐後地到加油站加油，更不時傳出暴動。[129]

然而，給予國際凱因斯主義致命一擊的，是全球貨幣投機者。此時，資本以最原始的流動貨幣形式，數十年來一直集中在倫敦的歐洲美元市場。自從兩次的石油危機帶來衝擊以後，產油國從海外銷售中賺取「石油美元」，並存放在管制寬鬆的倫敦歐洲市場。這些美元並未「流向」能夠大幅促進經濟成長的地方。海外美元沒有被花掉，而是被囤貯在倫敦的銀行裡，助長了貨幣需求，甚至是成為短期投機的基礎，而這些投機行為不見得對企業的長期投資有幫助。隨著匯率的浮動與資本管制的解除，跨境熱錢的流動量大幅增加。

在美國，根據歷史學家丹尼爾．薩金特（Daniel Sargent）的說法：「如今外國人持有超過五千億美元的資產，金融的相互依賴性決定了國內決策的條件。」[130]布列敦森林體系終止後，尼克森曾試圖走捷徑來恢復戰後美國的霸權地位，結果反而一口氣倒退好幾年，退回到原本已隨著經濟大蕭條而結束的二十世紀初期。全球流動性偏好與國際資本流動再度限制了國民經濟政策的制定。資本紛紛逃離、美元幣值暴跌，「火車頭」戰略毫無作用。卡特驚愕地看著這一切發生：他宣布了一項新政策，將實施預算平衡、財政撙節與貨幣緊縮。此外，他也說服七大工業國跟上。七大國於一九七九年五月在東京召開會議時，所發布的聯合公報承諾將施行「緊縮貨幣措施，以及實施撙節而審慎的財政措施」，宣告解決通膨問題是「當前的首要任務」。[131]這是自一九三〇年代初以來，緊縮政策首度重回經濟決策中。

卡特從東京回到華府後，支持率下降到了百分之二十幾，跟尼克森在爆發水門事件時的處境一樣。除了緊縮政策之外，卡特還訴諸道德勸戒。民意調查顯示，民眾普遍「不看好未來的長期發展」，全國籠罩在「心理危機」的陰影下。七月，總統前往大衛營（Camp David），與政治人士、部會首長及學者進行為期一週的檢討與商議，其中也包含了歷史學家克里斯多夫・拉許（Christopher Lasch），他是暢銷書《自戀的文化》（*The Culture of Narcissism: American Life in An Age of Diminishing Expectations*，一九七九年）的作者。[132]卡特問拉許該怎麼做。「我不知道。」這位歷史學家忠於天職地如此回答。在大衛營，副總統華特・孟岱爾（Walter Mondale）簡直要精神崩潰。卡特在筆記中草草寫下：「偉大社會的時代已經過去了。四處撒錢和推動公共工程等做法，無法解決國家的問題。」[133]

回到白宮後，卡特透過電視向全國民眾發表了關於「信心危機」的談話。「世界上所有立法都不能解決美國的問題……我們對未來的信心受到了侵蝕，這會破壞美國的社會與政治結構。」卡特感嘆，民眾「崇拜自我放縱與消費」，國家政體受到「分裂與自利」的影響。他還使用了戰爭的語言。他提到，二次世界大戰固然殘忍，但戰爭提供了龐大能量，以及政治經濟中的壓倒性公共利益，成為重振陷入困境的經濟與社會的關鍵。涉入越戰的決定，無疑解釋了聯邦政府在一九七〇年代的合法性危機何以如此嚴峻。[134]然而，一九七〇年代的「能源危機」展現在各方面。石油衝擊使石油這個關鍵投入的成本變得更加昂貴，並拖累了能源密集型產業的生產速度，再度推升通貨膨脹。同時，隨著工業社會日薄西山，卡特察覺到了美國政體廣泛衰弱，破壞了經濟長遠的預期，使美國經濟陷入了通貨膨脹的膠著現狀。

早在一九七九年十一月伊朗學生衝進美國駐德黑蘭大使館、引發人質危機之前，卡特政府就已陷入困境。卡特撤換了當時的財政部長，指定曾任聯準會主席的威廉·米勒（G. William Miller）取而代之。這麼一來，總統需要為聯準會任命一位新主席，而他指派了現任紐約聯邦準備銀行行長保羅·沃克。卡特的首席國策顧問史都華·艾森斯泰特（Stuart Eizenstat）解釋：「沃克會雀屏中選，是因為他來自華爾街。」華爾街無疑受夠了通膨不斷侵蝕投資價值。艾森斯泰特還表示，「人們（對沃克）瞭解多少？眾所周知，他精明能幹，出了名地保守。不為人知的是，他將會帶來一些極為重大的變化。」[135]

沃克轉而採取米爾頓·佛里德曼的貨幣主義政策，導致了那個年代最後一次的衝擊，也就是「沃克衝擊」。在此之前，聯準會的常規做法是以短期貨幣市場的利率為目標，間接放寬或收緊貨幣供給。但是現在，沃克打算藉由聯準會的權力直接增加貨幣數量。他決定不再控制利率，讓市場自由決定。沃克並不支持貨幣主義政策，但他喜歡貨幣政策引起的輿論看法及政治效應，他認為：「加倍關注貨幣供給的舉動，也是在向大眾宣示我們是認真的。」[136]與此同時，卡特政府也委任聯準會管控信貸放款額度。整體而言，利率飆升，在一九八〇年四月超越了百分之十七。

聯準會重申了貨幣資本的稀缺性價值。貨幣主義政策促成的高利率將短期資本引入了美國，並遏止了美元的貶值。同時，貨幣供給的減少與高額的信貸成本，最終成功抑制了通膨，顛覆了物價上漲的預期。同樣重要的是，在市場的自由機制下，利率開始極端的波動。沃克打擊了通膨，但也加深了市場的不確定性。可預見的後果是，所有類型的支出全面停滯。一九八〇年的第二季，美國國內生產毛額縮減了百分之七點九。

同時間，卡特宣布推行全新的國家總體經濟政策，他稱之為「解控」。[137]

自由主義誕生於一九三〇年代，當時正值經濟危機，羅斯福奪取了美元控制權，而民族國家透過資本管控與貿易保護措施築起了高牆，以便進一步控制國民經濟。一九七〇年代的工業資本危機也是自由主義的危機，此時則面臨了截然不同的結局。貿易高牆將被拆除，全球各國的相互依賴度將會提升，商品與服務的貿易將會加速，懸而未決的流動性資本以原始貨幣形式跨境移動也將更快。控制時代至此告終，美國資本主義的新時代已準備就緒。

第四部

混沌時代

一九八〇年至今

前言 混沌

幾乎所有評論家都認為，二十世紀末的那數十年裡出現了一種「新」資本主義。然而，特徵難以描述（更別說是命名了），這正是這種新資本主義的顯著特徵之一。它或許是「後工業」或「後福特主義」，但這些標籤實際上說明的是「它不是什麼」，而非「它是什麼」。這是「第二個鍍金時代」，抑或是「新自由主義」時期嗎？在某種意義上是否是十九世紀晚期的再現？當然，這種資本主義的某些方面跟舊時代並無二致，譬如其不平等的形態及對債務的依賴。但是，在十九世紀晚期的鍍金時代，電腦尚未發明，而在現代，很少有人將馬匹當作交通工具。許多事物都變了。一九八〇年後誕生的新資本主義不再稚嫩。應該針對主要特質來描述。

混沌時代的最大特點是，資本主義的核心動力轉變了，即經由生產、交換與消費發揮作用的投資邏輯發生了變化。自一九八〇年以來，資本投資前所未見地偏好流動性，而非長期承諾。快速流動的資金，迅疾的投資與撤資，跨越各種資產階層及出入不同公司，不但顛覆了舊有的生產方式，邏輯也往往幾乎超越其他經濟模式。簡而言之，資本的流動性促成了這個受變幻莫測資產增值所主導的混沌時代。

在第十九章〈市場的魔法〉中，新時代的序幕令人熟悉：美國政府重申貨幣與信貸的稀缺價值。一九七九至一九八二年間，為了打擊通膨（有鑑於國家貨幣制度在一九七三年脫離了金本位制，政府無法採用任何金屬標準），聯準會在新任主席保羅．沃克的領導下動用了高利率這項武器。兩位數的利率與緊接「沃克衝擊」期間信貸緊縮而來的急遽雙底衰退（double-dip recession），最終控制了通膨局勢。聯準會自此主導了全球經濟政策制定，至今仍是如此。一九八二年，這項任務大功告成但總體經濟仍舊衰退，聯準會態度放緩，調降了利率。新現的價格穩定使得人們的信心與預期猛增。在投機性投資熱潮的帶動下，總體經濟展開了新一波的擴張。

一九八二年後發生的事情出乎決策者的意料——此時沃克跟雷根總統早已不再是決策者。一九八〇年就職後，雷根放手讓沃克主導經濟發展。他所率領的政府成員大都是理論家，他們頌揚「市場的魔法」，痛斥「大政府」的控管，譴責黑人對「福利的依賴」。大致上，他們的政策對財富所有者是友善的。政府固然實施了重要的「解除管制」，但雷根許下的經濟承諾，不論是製造業就業的復甦、國民儲蓄與投資的激增、預算赤字的減少，還是福利支出的大幅削減，沒有任何一項兌現。新的資本主義反而誕生了。

沃克衝擊改變了國內外資本投資的特徵。在全球經濟中，美國的高利率導致世界各地信貸緊縮與經濟蕭條。為了追求高利率，全球資本大量湧入美國資本市場。美金幣值飆升，使美國的貿易逆差擴大。這個新模式最終會陷入困境，徹底重組美國全球經濟霸權。二戰之後，如同過去的其他霸權，美國是資本與商品的出口國。在沃克衝擊過後，它成為了全球資本的淨進口國，以及世界製造業出口導向經濟體（包括日本、西德與後來的中國）最終消費市場。

在國內，由於資本進口與金融管制放鬆，較容易獲得貨幣與信貸。資產之間的可兌換性增加，交易流動性也更大。一九八二年之後，聯準會仍然擔心通貨膨脹，因此利率仍維持較高水準。自一戰後恢復金本位制以來，資本市場從未出現過這樣一個時代，當時信貸極為新奇與自由可得，但利率相當高。就如同一九二〇年代，一九八〇年代出現了巨大的投機性投資熱潮。信心高漲的投資者為了克服高利率，拿債務當槓桿來追求短期投機利潤，尤其是股票、債券與商業地產。投機性投資重新成為經濟生活的動力，與無法饜足的美國消費主義攜手並進。

長久以來，企業的短期投機與長期投資動機便相互矛盾。不同於一九二〇年代工業福特主義的誕生，一九八〇年代的投機熱潮並未導致生產活動投資的激增，反而讓金融家經由「槓桿收購」打通了新的資本與信貸途徑，藉此摧毀了戰後的工業企業與推翻戰後的管理階層。固定資本存量被廢棄，尤其是在歷史悠久的東北部至中西部製造業地帶。企業撤資重創了男性的製造業就業比率與工會。隨著利潤轉向短期融資，一九八〇年代的總體擴張，顯然成為有史以來唯一一次固定投資占國內生產毛額份額下降的時期。

資本的流動性變大，使新資本主義變得混亂。在工業時代，固定投資已投入夠多安置於地面上的資本財，時間久到足以讓工業社會的許多穩定結構隨之出現且安頓下來，像是工廠社區、財政三角，以及男主外、女主內的家庭。緊接在這些投資之後，無論根源自利潤、工資或財政收入，收入都是藉由消耗工業資本財而來。當然，在混沌時代，勞動、生產與創造財富的企業依然存在，但有一種不同的價值邏輯占了上風。收入的產生從資本資產在使用過程中的貶值轉向了增值。什麼意思？不論一家企業有無創造財富或盈利，股票價值仍可能上漲。或者，增值的是另一種資產類別，例如債券、房地產或複合式「衍生性金融商品」（一種專門為此目的所新建的資產類別）。透過銷售（資本收益）或資產在信貸市場中的槓桿作用，資產的增值創造了貨幣收入。

這麼一來，原本屬於勞動者的收入成長轉向了財產所有者，也就是那些擁有增值資產的族群。因此，收入差距擴大。和「金融」與「商業」服務中資本資產增值相關的資本所有者收入與勞動收入飆升。這種現象在生活富足的地方創造了新的就業需求，即在傳統上以女性及黑人為主的低薪服務業，譬如食品產業或家庭保健。沃克衝擊過後，隨著金融資本不斷湧入美國，全球大部分地區的經濟在一九八〇年代仍處於低迷狀態。因此，新資本主義在美國誕生了。

資產的增值取決於雷根所說的「市場的魔法」。對短期資產價格上漲的投機仰賴交易流動性，也就是在上漲行情中總有人願意買入。因為，如果一項資本資產沒有被拿來生產另一種可供出售的商品，本身就必須出售才能產生利潤。這個時期信貸的普遍擴張助長了這種行為。如果一項資產無法輕易售出，至少可以透過債務融資。在此過程中，市場參與者必須相信交易流動性存在，這點至關重要，因為倘若沒有這樣的信念，信心便有可能崩潰，交易可能會中止，緊迫的催債也可能導致信貸循環逆轉，使原本的流動性偏好從投機性轉向預防性。在隨之而來的衰退中，資產價格投機性投資熱潮所帶動的總體經濟擴張將走向終點。

在壓力超乎以往的混沌時代，金融市場中新的交易流動性擔保人是聯準會，即「最後貸款人」。只要聯準會能維持市場信心，讓人們繼續相信資產價值將持續增加（就像利用神奇的思維來創造奇蹟），資產就能持續增值。在此基礎上，總體經濟將得以繼續擴張。一九八二年後的經濟擴張或許缺乏長期投資，卻是一段持續很久的商業擴張期。

到了一九八〇年代末，新資本主義已正式確立。在柏林圍牆倒塌與其二十世紀意識形態對手蘇聯共產主義告終之後，資本主義擺脫了一九七〇年代的工業困境，前景高度可期，而這部分將在第二十章〈新經濟〉有深入討論。一九九〇年代，對比隨性的雷根政府，比爾・柯林頓（Bill Clinton）總統領導的「新民主黨」為新時代提出了一個長期政治經濟解決方案。柯林頓全力支持金融與技術驅動的中間偏左「全球化」願景。這是一個仍由美國主導的全球經濟，具有新的流動性、流向、能量與風險。新的自由貿易協定促成了全球資本與商品跨境流動，也小幅導致合法與非法移民流動。長期以來負責確保局勢穩定的結構與圍牆變得愈來愈模糊，國家邊界、公益與自利、營利與非營利之間的鴻溝逐漸消弭。柯林頓宣稱「大政府」時代結束。只要抑止公然的種族主義或性別歧視以確保機會平等，資本就會自由發揮並物盡其用，造福所有人。

在艾倫・葛林斯潘（Alan Greenspan）主席的領導下，聯準會也成為了新經濟的信徒。一九九〇年代末是這個時代唯一一個固定投資率上升（資訊科技的新建基礎設施）、生產力成長率也同步提高的時期。投資與企業之間的關係也產生了變化。矽谷科技企業的估值通常取決於企業家創新「想法」的預期價值，而不是上個世代慣常的商業利潤。嶄新、無形的資本形式有所增值，譬如連接矽谷的重組關係網絡的「人力資本」與「社會資本」。在任何地方，不論線上或線下，「網絡」都成為逐漸跨越國界的美國企業新奉行的商業組織原則，甚至成為整體社會生活的核心。同時，流動性更勝以往的全球資本開始湧入美國資本市場，在網際網路的早期商業化期間抬升了美國科技的股價。一九九七至一九九八年亞洲金融危機爆發後，全球信貸循環反轉、資本外逃打擊世界各地的市場與經濟之際，葛林斯潘領導的聯準會出手調降了利率。此舉緩和了資本所有者緊繃的神經。然而，成本低廉的融資進一步將美國科技股的價值推到了頂端。

儘管如此，信貸循環在二〇〇〇年出現逆轉。投資者對科技股的終極價值提出了無解的問題，美國股市遭受巨大損失。第二十一章〈大穩健時期〉講述二十一世紀頭十年的下一波經濟擴張。聯準會短期利率處於歷史低點，支撐了真正的全球經濟熱潮，站在舞台中央的，則是中國在二〇〇一年加入世界貿易組織之後作為世界製造業大國的崛起。隨著中國的生產商向美國龐大的消費市場出口平板電視，以及蘋果公司自二〇〇七年推出的iPhone等產品，中國各地與美國跨國供應鏈的連結比以往更加緊密。為了支持美國的消費與累積美元計價的資產，中國也開始將鉅額存款投入美國資本市場以累積美元資產，因為美元資產具有世界上最安全、最保險且流動性最強的特性。同時，這也有助於壓低長期利率。二〇〇四年，聯準會主席班．柏南克（Ben Bernanke）談論當代的「大穩健時期」時指出，自沃克衝擊以來，總體經濟擴張相對延長，從國內生產毛額的角度來看，波動性也變小了。

柏南克說得沒錯，除了價格穩定與低通膨之外，本世紀頭十年的擴張與一九八二年以來的擴張有許多共通點。但他並未強調，經濟發展的模式依然受資產主導，因此新的收入成長主要流向了富有階層，而如今這個族群有愈來愈多人受過高等教育，且居住在新經濟繁榮發展的城市。在其他未見這般榮景的地方，經濟生活凋零殆盡。

二十一世紀的頭十年，股市價格出現反彈。在Google的帶領下，許多資訊科技企業創造了一個新的複合資本資產類別，找到了獲取實際商業利潤的新方法。這些資產是資料的數位結構，由企業網站上擷取而來的個人資訊所組成，再賣給希望深入瞭解（甚或是影響）消費者偏好的行銷商。Google與臉書作為開路先鋒，收購了其他社交媒體公司，進而有更多管道獲取原始的個人「資料廢氣」（data exhaust），成為新產業的「先行者」，迴避潛在競爭。這十年當中，另一個出現聚合趨勢的產業是華爾街金融業，它開始設計另一種新的增值型複合資本資產，這同樣也是一種由純粹資訊組成的資產：不動產抵押貸款證券（Mortgage-backed security，MBS）。

二〇〇三年，喬治・布希（George W. Bush）總統提倡一種全新的「所有權社會」。自傑佛遜的自由帝國以來，美國可說還未出現過活躍的財產所有權政治。自十九世紀晚期的工業化以來，收入政治大大主導了經濟走向；但在混沌時代，收入政治很快就成了明日黃花。然而在本世紀的頭十年裡，中國實際上曾試圖利用住房所有權這項工具，讓更多人得以參與資產價格增值的經濟。這是「家庭價值觀」經濟的巔峰。在二十世紀頭十年的全球低利率，以及政府鼓勵住房所有權的有利政策下，全國性的住宅房產價格開始飆升，不過就如同傑佛遜時代，急遽增長的財富主要受益者依然是白人家庭。許多勞動收入停滯的家庭都負債買房或拿房子抵押增貸，希望藉由資產價格的增值來維持消費水準，這種情況在各個族群皆十分普遍。如此一來，債務取代了收入成長。只要房價依舊上漲，大穩健現象就會繼續存在。在華爾街，銀行業運用數學模型將住房抵押貸款證券化，自認在彩虹的彼端找到了黃金，相信這是一種利用數學原理完美避險並獲取驚人利潤的方式。但是，這不過是個幻想。

在第二十二章，大穩健時期演變成了「經濟大衰退」。許多負債的屋主沒有足夠的收入以支付抵押貸款。貸款違約情況與日俱增，全國房價從二〇〇六年開始下跌。許多銀行注定損失慘重。信心徹底崩潰，二〇〇八年九月雷曼兄弟投資銀行破產後，全球金融體系幾近瓦解。由於不相信整個體系有辦法償付債款，銀行停止相互交易與融資。交易消失了，這下子仰賴交易流動性的資本市場便陷入癱瘓。總會有一個市場出售資產，或總有債權人願意提供資金的這種神奇信念，已化為烏有。隨之而來的是恐慌性資金出逃，人們巴不得將資產兌現，或是換成全球經濟中最類似現金的資產（即美國國庫債券），以滿足擔心受怕的債權人的要求。為了結束這場恐慌，聯準會大動作進入資本市場，不但扮演最後貸款人，還成為大量「問題資產」的最後買家。與此同時，財政部透過問題資產救助計畫（Troubled Asset Relief Program，TARP）向美國最大的幾家銀行注入公共資本，成功緩解了人們的恐慌。但自經濟大蕭條以來，美國經濟首次掉入流動性陷阱。現金需求極大。儘管短期利率為零或接近於零，財富所有者依然緊抓自有的流動資產不放。經濟產出衰退，失業率攀升。

接下來發生的事情同樣引人注目。巴拉克・歐巴馬政府成功地重新整合了核心為資產價格增值的資本主義。歐巴馬執政的頭幾年充滿了戲劇性的政治事件：美國第一位黑人總統的就職典禮、二〇〇九年的財政刺激措施、二〇一〇年的醫療改革、反政府與反移民的茶黨（Tea Party）崛起、金融監管制度的改革。在聯準會買下數兆美元資產來壓低長期利率（這有個不太好聽的名詞：量化寬鬆）以刺激投資的決策下，貨幣政策異常背離，財政政策同樣非比尋常地趨向緊縮。但是，大衰退只不過是延續經濟發展模式的結果。許多人生活困苦，失去了家園與工作，但資本主義仍繼續將大部分的好處給了富裕階層，而這些人的利益受政治家所保護。在這場危機中，政界未能像經濟大蕭條過後那樣，為經濟生活描繪可行的新長期願景。隨著大衰退逐漸顯現緩解的跡象，新一輪資產主導的總體經濟開始擴張，並持續超過二〇一〇年代，這段擴張開始展露許多與一九八〇年代以來每一次擴張相似的特徵。

令人訝異的是，在如此戲劇性的衰退之後，大穩健時期再度出現。這時，民主開始顯得比資本主義還要脆弱。

第十九章 市場的魔法

雷根總統在一九八一年的就職演說中表示，美國正遭受「嚴重的經濟困境」。與羅斯福在一九三三年發表的第一次就職演說相左的是，這位新總統宣稱「在當前的危機中，政府不是解決問題的辦法，而是問題本身」。[1]解決辦法是市場，或者確切來說是雷根不久後所稱的「市場的魔法」。[2]

市場擁護（market advocacy）不是新鮮事。過往的美國透過少說三種方式歌頌市場的好處：指其可供個人主義展望美好未來，推動經濟的改善，以及扮演社會與政治衝突的仲裁者。在一九七〇年代的產業資本危機中，出現了各種形式的市場擁護。然而，一九八〇年代迎來了市場隱喻的絕對「蔓延」。[3]

一些學者稱之為「新自由主義」的親市場意識形態非常重要，但並不能解釋一切。儘管佛瑞德里希・海耶克或米爾頓・佛里德曼等市場擁護者曾經提出關於市場的論述，但並不表示雷根上任後，某些預言就會應驗。雷根當選後，許多左翼知識分子傾向認為預言會成真，並費心從新維多利亞時代的角度對貪得無厭的「市場」進行了不切實際的批判。[4]然而，若要就市場的適當道德界限展開辯論（想必會助益良多），不應該偏重於資本主義企業自雷根上任以來有何變化，以及為何有所轉變的這些問題上。

這段期間，關鍵在於經濟生活的細節，而非雷根及其支持者與批評人士都十分熱中的市場宏大意識形態宣言。畢竟，雷根對市場「魔法」的祈願，顯露了這位前好萊塢演員的信念，也就是「政治這行有如娛樂業」。[5]一九八〇年釋出的一則競選廣告中，有一位貌似失業的藍領白人男性站在一間閒置工廠裡，等待市場的魔法在雷根當選後發揮作用。假如有一根魔杖能立刻解決卡特總統在一九七九年宣告的「信任危機」，那該有多好。雷根的當選的確預示了資本主義新時代的到來，但我們不能輕易將這項轉變歸功於其政府上台後有意識的行動。

競選過程中，雷根及其顧問團隊預料，將決定權交給市場後，不論市場意味什麼，都將導致私人儲蓄、固定投資、生產力增長及利潤的激增。總而言之，最終結果將是全國製造業就業與產出全面復甦，以及製造業出口量回升，進而扭轉美國貿易逆差。聯邦開支的降低，尤其是福利支出大幅減少，將促成聯邦預算平衡與減輕國家債務。

雷根就職的第二天，紐約證券交易所中多支股票開始上漲。民主黨的反對力道令人意外地小，因此雷根得以推動自己訂下的大部分目標。基本上，接下來的事態是，雷根當初許下的承諾沒有任何一個實現。他只兌現了一張經濟支票，那就是加強軍事實力，而這與他早期對蘇聯抱持的反對立場沒什麼不同。這項承諾以高科技武器為基礎，是舊時軍事凱因斯主義的願景之一，但帶動的就業機會要低得多。[6]除此之外，軍事擴張的資金也來自預算赤字。雷根一路堅持到底，從未懷疑過他最鍾愛的供給面經濟學（supply-side economics）——也就是知識分子喬治．吉爾德所謂的「人類自由與創造力的形而上資本」。[7]但是，聯準會主席保羅・沃克如此評論雷根：「我推測他不是一位十分精通經濟學的人。」關於總統的經濟顧問，沃克得出的結論是，「他們將貨幣主義、供給面理論與自由主義混為一談」，得出來的論點「有些矛盾」。[8]

然而，雷根的第一個任期結束時，資本主義的新時代已然誕生。雷根派的供給面理論人士認為，立場自由開放、著重於需求的凱因斯主義者本末倒置。在資本主義中，企業資本家在供給方面所做的決策正是催生「魔法」的關鍵。這話不無道理（正如凱因斯本人老早所認知的那樣）。但是，雷根派人士把賭注押在供給面這匹馬身上，而牠掉頭朝錯誤的方向跑去，或至少可說往一個讓人意想不到的方向去了。隨著供給端資本被解放，資本投資的形態產生了變化。一切再也回不去戰後的工業社會了。在雷根執政的那些年，不只「後工業」經濟繼續發酵，還出現了一種由資產價格上漲所主導的資本主義，這種嶄新而獨特的事物直至今日依然存在。

這種新資本主義帶來了持久的現象：服務業就業激增，收入的分配從勞動轉向資本，進而加深了不平等現象；休士頓的陽光地帶發展模式擴展到了其他地方；美國全球經濟霸權大洗牌；承諾維持低通膨與價格穩定；擴大債務與槓桿盈利等等。種種一切及彼此之間的相互關係都有待闡述。但是，這些發展也圍繞著逐漸崛起的經濟秩序關鍵的一項新特徵，意即資本所有者高度偏好流動性。隨著短期利益凌駕長期利益，這項特徵為經濟生活注入了前所未見的不確定性。

儘管如此，首要問題是新資本主義時代究竟從何而起。雷根上任時，啟動時代的力量便已展開，地點就在位於白宮街尾的聯準會。

沃克衝擊

卡特總統在一九七九年任命保羅・沃克為聯準會主席。因此，雷根當選時，正值沃克利率造成「衝擊」的那段期間。一戰結束後，取得勝利的同盟國在戰後通膨的背景下決定讓本國貨幣恢復金本位制，自此開啟國家權力公開強調貨幣資本的稀缺性價值以試圖打擊通膨的時代。

差別在於，如今貨幣不再有金屬作為後盾。聯準會的自由裁量權控制著美元的供給，而美元仍然是全球通用的交易與儲備貨幣。在美國與全球的經濟全面復甦之際，沃克衝擊成功扼殺了通膨這隻巨獸。

沃克表示，通貨膨脹「是一條惡

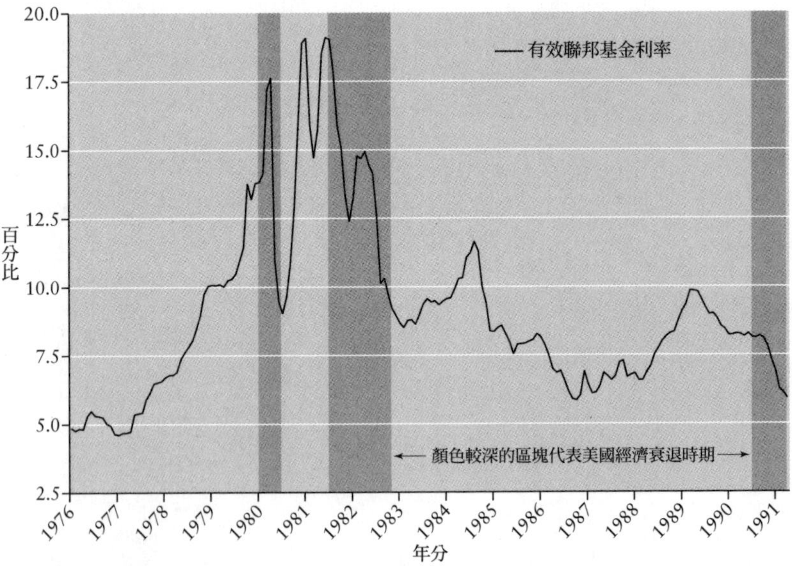

圖 97 有效聯邦基金利率

沃克衝擊既導致了高利率，也造成了波動的利率，讓人意外。從歷史角度來看，利率在一九八〇年代始終處於高位。

龍，吞噬我們的內臟，甚至是其他部位」。[9]聯準會的貨幣主義實驗例示了將決定權交給市場會發生什麼事。戰後以來，聯準會在信貸市場或短期美國國庫券（最接近現金的貨幣）市場訂定短期目標利率，試圖間接調整貨幣供給量。貨幣主義的立場是，聯準會必須進行更直接的干預，手段即控制實際貨幣供應量。貨幣愈少，通膨的程度就愈小。這麼一來，信貸利率便能在市場中自由發展，不受政府干預。然而，由於貨幣量受到限制，信貸的成本（即利率）會跟著增加。一九八一年，短期利率超越了百分之十九。

在貨幣與信貸如此緊縮的情況下，市場消費下降，美國經濟也陷入了一九八〇年與一九八一至一九八二年的雙底衰退，是自大蕭條以來最嚴重的一次。起初的低迷景氣促成了雷根當選。上任後，雷根大多數時候都讓沃克自由發揮。沃克回憶道：「我想他可能覺得聯準會正努力解決通膨的問題。」[10]失業率達到了百分之十點八。一九八二年十月，聯準會結束了貨幣主義實驗。在物價趨於穩定之際，總體經濟復甦緊接而來。這場衝擊奏效了，消滅了通膨這條巨龍。

沃克衝擊重啟了政治與經濟。在政治上帶來了自羅斯福時代以來從未有過的政策體制變動（當時羅斯福放寬了貨幣的稀缺性價值）。當然，自大蕭條以來，沒有任何一個政府相信，公權力引致的兩位數失業率（代表通縮）是一種合理的政策選擇。在一九八〇到一九八二年的經濟衰退期間，沃克並不是一位極受歡迎的公眾人物，有時還會遭到國會議員的抨擊。儘管如此，他正確地判斷自己還有施展手腳的空間。他推測，國會與民眾都認為「政府必須做點什麼了」。[11]當時米爾頓．佛里德曼的貨幣主義便主張經濟的成長總是慢了一步，跟在貨幣供給增加的後頭，而通貨膨脹不論在哪個地方，向來是貨幣供給增加過多的結果——但沃克並不完全相信這種說法。因此，佛里德曼認為，聯準會的目標應該始終是穩定增加貨幣供給量，使其接近經濟「實體」成長能力，而這邊的「實體」，意味著獨立於貨幣之外。奇怪的是，貨幣主義者認為，潛在的「實體」經濟與貨幣沒有太大關聯。沃克推想，以貨幣量為目標的貨幣主義者將成功幫政府需要完成的工作轉移炮火。既然目標是貨幣供給，聯準會就不用負責制定高得嚇人的利率了。決定權落在市場手中。

事實上，聯邦公開市場委員會保留了廣泛的自由裁量權。此外，實際的貨幣與信貸量既涉及供給，也涉及需求，不是那麼容易掌握、甚至定義，而且可能會受經濟活動的高漲影響，就像它可能會引發經

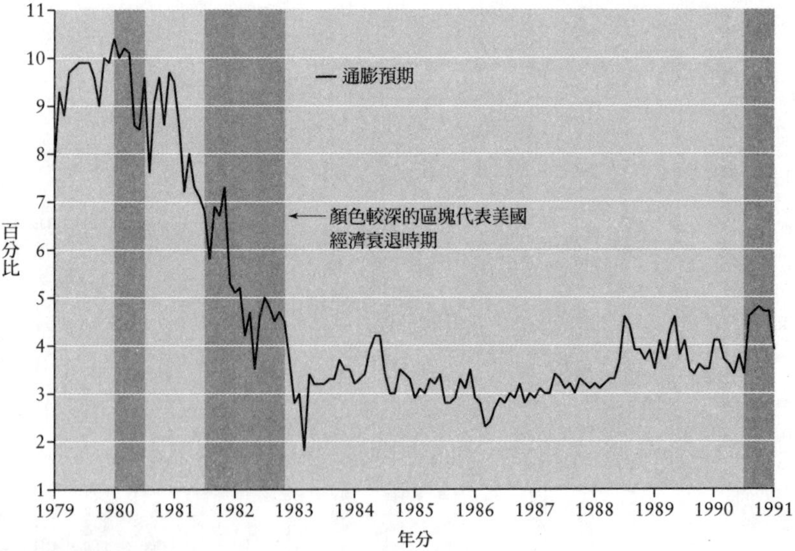

圖 98 通膨預期

沃克衝擊強烈壓制了通膨及人們對未來通膨的預期。

濟活動那樣。貨幣主義象徵了此時期市場放寬管制的實際情形。雷根當選後，決策者大致上逐漸傾向市場價格機制，而不是政府的監管。但是，監管未必是零和遊戲，不是一定得從限制多跟限制少中擇一。[12]在這段期間，制定經濟政策的權力從國會與總統手中轉移到了行政機關，而這些行政機關基於成立宗旨，較不用對選民負責。[13]最重要的是，聯準會晉級主導了監管。

不久後，貨幣政策的訴求變成了「中央銀行獨立性」。[14]即使沃克率領的聯準會將廢除貨幣主義，佛里德曼的基本觀點仍占了上風。這意味著聯準會必須遵循一個簡單而透明的「規則」，目標應是一個非通膨、「中性」的利率，意思就是，它讓貨幣供給的增加與實體經濟的成長維持一致。聯準會只需要制定合適的利率，然後坐等市場經濟自我改善即可。通膨比失業率問題更優先，因為在低通膨與穩定的物價水準下，就業會自行在「自然」市場水準上找到均衡。由於民主政治不太可能促成中性利率（一九七〇年代的通膨明確顯現了這一點），因此中央銀行必須脫離民選政客的干預。

「獨立」貨幣政策的成功是「沃克衝擊」的長期結果之一。另一個結果是美國徹底鞏固了全球經濟霸權地位。通貨膨脹威脅到美元作為全球交易與儲備貨幣的首要地位。這點令卡特感到震驚，也嚇壞了沃克。「我當然擔心美國在世界上的地位。」沃克表示：「在我成長的年代，人們很自然地將美國視為人類最後的希望。」[15]沃克衝擊的高利率吸引短期投機性熱錢流入美國以尋求豐厚的報酬率。如此的結果是美元幣值抬升，鞏固了美國的全球交易與儲備貨幣霸主地位。

美元走高導致美國進口量激增，同時削弱了美國製造業出口導向企業在海外的競爭力。另一方面，資本的注入為美國不斷增長的貿易逆差帶來了資金。在嶄新全球趨勢中，資本「向上」流入了美國的資本市場。[16]

簡而言之，「沃克衝擊」開啟了美國第二次且遠比之前新穎的全球霸權地位。二戰之後，美國就跟過去許多世界霸權一樣，向世界各國輸出資本及貨物。[17]在沃克衝擊過後，動向逆轉了。如今，美國引進全球資本，成為世界各地生產商瞄準的最終消費者市場。[18]聯準會可能原本不打算、也沒有預料到會引發如此重大的轉變。無可否認地，美國的經濟與許多其他國家相比仍相當「封閉」，全球貿易量只占國內生產毛額一小部分。然而，這一小部分有可能至關重要，就像新的貿易模式影響了某些地區的經濟，以及全球金融日益突出那樣，嶄新的全球重組將在特定時刻深刻影響新時代。

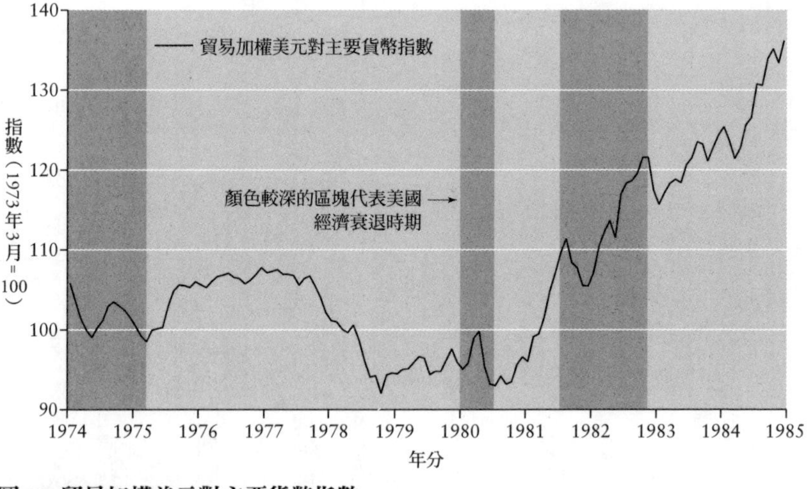

圖 99 貿易加權美元對主要貨幣指數

沃克衝擊帶來的高利率促使美元迅速升值，確保了美元持續成為全球交易貨幣與儲備貨幣的霸主。

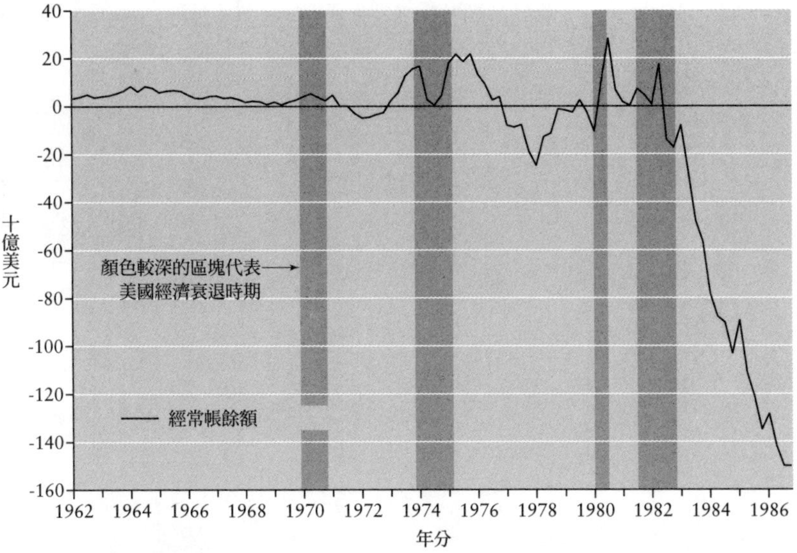

圖 100 美國經常帳餘額

隨著財富所有者在避險美元資產中尋求安全，流入美國的外國資本提供了資金，鞏固了美國消費者對全球經濟的地位，因為外國資本流入填補了美國經常性帳面赤字，或其與世界各國交易後的結餘（不包含金融項目）。在混沌時代，全球的資本流動在總體經濟中的重要性終將取代貿易模式。

在此同時，「沃克衝擊」對美國總體經濟造成的影響同樣舉足輕重，在當時甚至令人驚訝。沃克衝擊收緊了貨幣供給，大膽恢復了貨幣資本的稀缺性價值。如同外國的熱錢，在企業突如其來地清除利潤不多的工業固定資本之際，高而多變的利率吸引資本轉為貨幣，追求高利率帶來的自然積累。去工業化在東北部至中西部製造業地帶湧現。[19]市場轉而將目光放在短期金融盈利上。因此，沃克衝擊引發了更強烈的流動性偏好。這與雷根當初承諾的製造業全面復甦完全相反。

某種意義上，固定資本的清除為時已久。自一九六五年以來，美國的利潤率不斷下降，尤其是工業企業的利潤率。[20]資本透過跨國公司投資，轉移到低工資的南方陽光地帶，同時也流到了國外。儘管一九七七年俄亥俄州與賓州出現了一波鋼鐵廠倒閉潮，但許多工業企業的經理出於習慣似地，仍試圖利用投資來擺脫盈利危機，完全不嘗試其他方法。一九七九至一九八三年間，製造業結構與設備的固定投資出現有史以來最大的降幅。耐久性用品製造業的就業人口下降了百分之十五點九，少了兩百多萬個工作機會，其中絕大多數為男性的工作。[21]壯年男性（二十五至五十四歲）的就業率從百分之九十二下降至百分之八十六。

這項轉變的起源比沃克衝擊來得早。在工業企業之中，一種新的資本投資觀念已經發展了一段時間。商業顧問公司與具金融素養的企業經理向財務經濟學取經，學習了「投資組合理論」或「資本資產定價模型」。[22]戰後的企業管理階層一直致力於生產與市占率，以及如何讓固定資本的長期投資回報率增加。隨著利潤下滑，工業管理階層的時代終於走到盡頭。現在，新的目標是讓即時、具有風險的「股本收益率」或實收資本最大化。例如，湯瑪斯．科普蘭（Thomas E. Copeland）與佛瑞德．韋斯頓（J. Fred Weston）的《金融理論與公司政策》（*Financial Theory and Corporate Policy*，一九七九年）統整了這種新思想的精華。[23]然而，基本要點非常明確：將資本從利潤較低的生產線中抽離出來，改而投入到相對可立即獲利的地方。

意思相當清楚，就是追求利潤最大化。不過，就短期或長期而言，利潤動機並非戰後企業管理階層考量的唯一因素，而經理級主管往往有特定的專責地區要管（其中許多人住在生產設施附近，包括工廠在內），有些人則負責特定的生產過程。因此，他們不認為自身的投資總是可轉換且流動的，也不認為全球及所有經濟產業都是潛在投資領域。然而，財務經濟學並不在乎實際過程或人事摩擦，它只假設交易流動性或所有投資的潛在可轉換性，沒有實際阻礙流通的摩擦來源。同樣地，它也假設資本總是以最高利潤為目標。財務經濟學假定一種經濟理性，那就是資本所有者不會囤積資金，每每都會投資最有利可圖的資產類別，並且視風險進行調整。

「沃克衝擊」發揮了作用，導致企業經理階層大動作暫停投資長期固定資本。高利率使任何類型的投資信貸變得稀缺，經濟活動衰退則削弱了再投資的利潤。除此之外，隨著聯準會在貨幣主義實驗期間放寬了利率限制，利率不僅攀升，還變得比平常更不穩定，波動比之前大得多。這樣的轉變使市場變得更加難以預測與不定。對此，資本所有者積貯擁有的現金，減少長期投資。既然聯準會強制實行資本的稀缺性，不如乾脆把企業現金存入銀行帳戶，透過利率的自然積累獲利。在一九七九到一九八二年間，無論是股息、資本收益或應計利息，「投資組合收入」占製造企業總收入的比例從百分之二十攀升至百分之四十。作為投資組合收入的一部分，應計利息從一九六五年的百分之四十上升到了超過百分之七十。[24]這便是沃克衝擊發揮作用的第一步：將資本從透過生產資本獲利轉而投資流動性更高且類似貨幣的資產。貨幣資本食利者對利潤的追求，是經濟衰退的導火線。那些存在銀行帳戶裡追求高利率的每一塊錢，都沒有為就業機會或擴大出口的投資提供財源。

與此同時，東北部至中西部製造業地帶的去工業化加速，其中以中西部受影響最深。許多勞動工作者對這種新出現的「利潤導向」感到震驚。一九八〇年，芝加哥南部與印第安那州西北部的卡魯梅特（Calumet）地區爆發了鋼鐵廠倒閉潮，九萬個製造業工作機會就這麼沒了。當地社區對這種現象感到「困惑」且「難以置信」，因為許多工廠都有獲利。不過，按照愈來愈不瞭解「實際製程」的管理階層所採取的新標準來看，它們賺取的利潤還不夠多。[25]美國鋼鐵公司的新任執行長大衛·羅德里克（David Roderick）宣布，該公司「不再從事煉鋼業務」，而是專注於「賺錢的生意」。該公司昭告對匹茲堡分支進行大規模裁員，關閉了卡內基舊有的霍姆斯特德工廠，並在休士頓建造了一座高度自動化的工廠。到了一九八四年，收購了馬拉松石油公司（Marathon Oil）之後，美國鋼鐵公司的鋼鐵資產僅占總資產的三分之一。[26]作為象徵，理查·塞拉（Richard Serra）立於匹茲堡的雕塑作品《卡內基》（*Carnegie*，一九八五年）便是以鋼鐵製成，紀念著美國工業史。

一九八二年，在沃克衝擊去工業化週期結束之際，伯利恆鋼鐵公司關閉了位於紐約水牛城郊外拉克瓦納（Lackawanna）、占地廣大的鋼鐵廠。鋼鐵工人班傑明·布佛回憶道：「一開始訂單滿滿，三家工廠沒日沒夜地運轉，然後某天徹底崩潰。」肯尼斯·錫恩補充：「這行原本蓬勃發展，突然就這樣停了下來。」[27]事實上，這只是假象，這個產業一直都不算繁榮，但經濟生活無預警遭到「衝擊」的感受是真實的。某天工廠關閉了，由於布佛與錫恩所屬的工會在公司的投資與撤資決策上沒有發言權（這是戰後對抗性集體薪酬談判的限制），因此他們都無能為力。[28]工人們「在乎實際製程」。肉體與工廠的比喻一再出現。在拉克瓦納鋼鐵廠工作的迪克·休斯說：「你會覺得工廠是生活的一部分，是身體的一部分……當它關閉不再運作，那感覺就像胃被切掉了一塊。」[29]

製造業勞工組織受到了更大的衝擊。一九八〇年，百分之四十二的工會家庭投給雷根。在一九八一至一九八二年間，美國全國勞工聯合總會仍是世界上最大的勞工組織，但失去多達七十三萬九千名成員。[30]一九八一年八月，美國專業飛航管制員工會（Professional Aircraft Traffic Controllers Organization，PATCO）投票通過，決定發動罷工爭取薪資調漲。雷根要求該工會成員在四十八小時內返回工作崗位，違者就會被他人取代。這種方式在技術上合法，但自從羅斯福實施新政之後，就很少有雇主願意這麼做。[31]這道命令替私營雇主壯了膽，使他們紛紛跟進。結果，罷工次數急遽下降。[32]在美國，男性就業密集型產業很快地讓工會勞工陷入了困境。[33]

一九八二年十月，聯準會終於結束了貨幣主義實驗，但是開始在資本市場中發揮了一種新作用，不僅透過高且易變的利率協助引發更強烈的流動性偏好，還採取新措施，以確保那些擁有增值資產的人們始終享有交易流動性。

資產包含債務的可轉換性，逐漸成為新的運作準則。一九八四年，美國第六大資產銀行伊利諾州大陸銀行（Continental Illinois National Bank）瀕臨倒閉。[34]該銀行利用貨幣市場中新的資

圖 101　理查・塞拉，《卡內基》（一九八五年）
包含鋼鐵廠在內的許多工業結構，都被一九八〇年代的金融市場轉折與主導公司治理的「股東價值」意識形態所摧毀。這座紀念匹茲堡工業史的紀念碑呈現了似乎顛倒的工業。頂部看起來似乎比底部重。這讓人想起卡內基他本身也曾離開金融業、轉而投入工業；到了一九八〇年代，事情有了逆轉。

金來源提高槓桿，並向國內石油生產商發放了不少高風險貸款。在沃克衝擊重挫物價後，這些生產商面臨危機。高昂的利率使大陸銀行更難償清債款。接著，有一家日本投資商因為一個空穴來風的謠言而拋售大陸銀行的股票，使得股價大跌。然而，大陸銀行的失敗有可能引起連鎖反應，因為在金融管制解除的情況下，資本與信貸市場變得更具流動性，交易的相互關聯也更加緊密。因此，光是一家銀行倒閉，就有可能引起廣泛的恐慌。一九八三年，雷根任命的證交會主席約翰．沙德（John Shad）向國會通報金融機構之間出現了「前所未見的資本流動」。貨幣與信貸跨越了「傳統的鴻溝」，凌駕於「依產業分類的管制」。沙德指出，資本「徹底穿越、繞過與跨越了《格拉斯－斯蒂格爾法案》」，新政築起的這道牆曾分隔了商業銀行與投資銀行，譬如在新的「場外交易」市場與「利率交換」（Interest Rate Swap）等工具。[35]由於「沃克衝擊」的緣故，銀行家取得了新的資金與信貸管道，雖然利率變高了。但如果信心消失，資本同樣容易外逃，使金融機構不論是否有償付能力都將陷入癱瘓。

聯準會決定出手援救伊利諾州大陸銀行，透過「貼現窗口」供銀行貸款，接受任何一個私人機構都不會接受的抵押品。這麼一來，聯準會提供資金與交易流動性，好讓大陸銀行或許能保有償付能力——就算只有維持一陣子也好。一九八四年，大陸銀行由聯邦存款保險公司接管。當時，政府認為這家銀行規模「大到不能倒」，交易的相互關聯也更是原因之一。作為最後貸款人，聯準會拯救了整個金融體系。在外界看來，這是一次非比尋常的干預，史上毫無前例，事實上也的確如此。

與此同時，聯準會的新職責擴大涵括了全球各地。一九八二年六月三十日，聯邦公開市場委員會開會討論「墨西哥傳奇」。在通貨膨脹的一九七〇年代，墨西哥與許多拉丁美洲國家一樣，利用低廉的實質資本成本與高昂的全球物價，在公債市場上大舉借款。美國商業銀行從產油經濟體回收了石油美元，轉而投入拉丁美洲的公債。[36]沃克衝擊帶來的高利率破壞了物價，使世界各國的經濟陷入衰退，石油價格因此下跌，而這也是沃克衝擊削弱美國通貨膨脹的一個原因。然而，美國的高利率使拉丁美洲的主權國家難以展期債務。墨西哥是其中最容易受影響的國家，花旗銀行則是曝險最高的美國商業銀行。花旗銀行總裁華特・里斯頓（Walter Wriston）曾打趣地說：「國家不會破產。」[37]但是，外國投資者質疑了這種看法，因為當時墨西哥的短期資本正積極外逃。一九八二年六月，聯準會就是否向墨西哥提供六億美元信貸額度一事展開內部商討，但這筆資金的注入不過是過渡融資而已，之後國際貨幣基金啟動了更大規模的紓困計畫。

在商議過程中，來自亞特蘭大的聯準會委員威廉・福特（William F. Ford）表示：「六億美元微不足道。」他指出，聯準會必須解決關鍵問題：「資本外逃」。在布列敦森林體系解體之後，跨境資本管制已不復存在。沃克回答：「我不知道資本外逃之後，會發生什麼事。」誰又知道呢？沃克對同僚說，我們「可以做出任何推測」。「沃克衝擊」造成的意外後果，甚至也讓沃克的預期落空了。如果說當時有誰必須對全球經濟負責，那就是保羅・沃克了；假使他無法回答這個問題，那就表示，新政治經濟中存在某種根本的不確定性。過去，羅斯福很清楚自己的經濟政策，他可以肯定不會有任何黃金將逃離美國，因為他早已通過一項禁止黃金外逃的行政命令。

墨西哥究竟積欠美國商業銀行多少錢呢？沃克問道。來自紐約的副主席安東尼・所羅門

（Anthony Solomon）回答：「兩百多億美元。」「嗯，金額龐大。」沃克回道。在資本跨境流動如此快速的情況下，墨西哥若違約，可能會導致美國銀行蒙受鉅額損失，使國際質疑其他主權國家不具償付能力，進而可能導致更嚴重的資本外逃與國際金融恐慌。因此，聯準會批准了過渡融資，以銜接國際貨幣基金近四十億美元的援助。美國國內各家銀行面臨虧損，但程度並不嚴重。這不會是國際貨幣基金對墨西哥經濟進行的最後一次「結構性調整」。[38]對聯準會而言，全球金融危機管理將成為一種新常態。

隨著時間幅度的壓縮，一個新的紀元來臨，這個紀元主要由全球資本短期且有可能變化無常的跨空間流動所定義。因此，隨著時間推移，全球經濟事件的敘述變得不容易。即使以沃克的立場來看，這些事件似乎也不太有目的性。沃克衝擊有了另一個含義。沃克跟拉克瓦納那些遭解雇的鋼鐵工人一樣，對於緊接自身行動而起的全球經濟事件的進程，以及這些事件表面上的不可預測感到驚訝。如果資本持續不定，那麼沃克說得沒錯，我們的確「可以做出任何推測」。這是新時代最恰當的警世之言。

儘管如此，「沃克衝擊」最終還是成功壓制了通膨。整體物價穩定確實有助於提高可預測性，這起成就相當可觀，不容小覷。在一戰後恢復金本位制的那段期間，貨幣緊縮也曾如此重要。不過，貨幣政策也在某些時期，在資本的配置上幾乎沒有發揮任何作用，例如二戰期間。貨幣政策在一九八〇年後的重要性可說超越了任何時代。因為隨著資本變得更具流動性與可轉換性，聯準會的目標利率日益成為全球投資流動的基準，因為如果資本所有者對債務市場存在的信念不斷減弱，聯準會便開始身負確保交易流動性的責任，而一個龐大的全球資本市場若要能順利運作，其中的交易流動性也變得比以往更加必要。[39]

一九八二年，聯準會結束了貨幣主義實驗，重新將目標對準短期利率，而不是貨幣供給。為了緩解景氣衰退，聯準會調降了利率，哪怕只有一點點。一場由信貸推動的投機性投資熱潮展開，焦點放在了資產價格的增值上。不過，雷根政府率先推動了新政治經濟。

雷根經濟學

沃克衝擊的後果主要集中在資本市場。即將上任的雷根政府的意識形態政策支持資本，並且與財產所有者的利益站在同一陣線。但是當共和黨專注於改變既有政策時，他們便涉足了收入政治，包括收入保障政策與所得稅稅率。一九八一年的《經濟復甦稅法》（Economic Recovery Tax Act）成為政策核心，因為雷根政府希望解放供給面資本。[40]

雷根一上任的首要政策是減稅。競選期間，他的民調團隊發現，減稅政策廣受民眾歡迎，而雷根政府也在一種新流行的經濟理論（供給面經濟學）中找到了共鳴。這個理論由紐約眾議員傑克·坎普（Jack Kemp）、《華爾街日報》的裘德·萬尼斯基（Jude Wanniski）與學院派經濟學家亞瑟·拉弗（Arthur Laffer）共同提出。最初手繪於雞尾酒餐巾上的「拉弗曲線」（Laffer curve）主張，高所得稅率一旦到了某個門檻，會導致稅收減少，因為它會抑制經濟活動，而較低的稅率能夠推動自利與企業獨創性的頻率，並進而促成更大的經濟成長。根據這種推論，降低所得稅，應該可刺激更多的投資，促使經濟發展，進而提高財政收入。[41]

坎普在國會發起了《一九八一年經濟復甦稅法》。雷根總統在一九八一年二月十八日的演講中推出了這項計畫，獲得高度民意支持。對此，在一九八〇年失去參議院席位、但掌控了眾議院的國會民主黨團提倡更「負責任」的減稅政策。最終，個人所得稅率全面下降。最高稅率從百分之七十降至百分之五十；最低稅率從百分之十四下降至百分之十一；資本利得稅率從百分之二十八降至百分之二十；公司稅率則大致維持在百分之四十六。但是，一項新方案被推上了檯面，被稱為「十比五比三」，即建築以十年、機器以五年、卡車與汽車以三年的速度折舊，使得稅收方面的資本折舊率變快了。

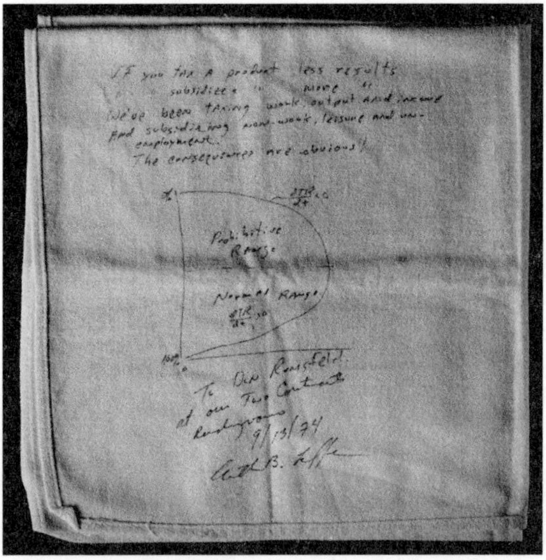

圖 102 《拉弗曲線餐巾》（一九七四年）
據傳主張稅收的減少會透過收入的增加來自我補足的「拉弗曲線」，是一九七四年有一次拉弗、記者裘德．萬尼斯基，以及政治家迪克．錢尼（Dick Cheney）與唐．拉姆斯菲爾德（Don Rumsfeld）在餐廳開會時所發想的。餐巾上寫著：「對產品課稅，刺激的效果會比較差；提供補貼，效果就會比較好。」我們一直在對工作、產出與收入課稅，補助非工作性活動、休閒娛樂及失業。如此的後果顯而易見！

退稅的措施應該要能引發更多的投資、經濟成長及政府收入才對。結果政府預測，減稅將導致政府損失四千八百零六億美元的收入。[42]

根據拉弗曲線，這個數據說得通嗎？尼克森時期的財政部長、時任貝泰公司（Bechtel）管理階層喬治・舒茲承諾，這項法案將「對預期造成強烈刺激」，而他在不久後便擔任雷根政府的國務卿。[43]法案迅速被企業界接受，政府則將聯邦預算寄託在市場與經濟上。結果，由於直接成本極高，以致隔一年雷根與國會不得不悄悄調高對企業的稅收，讓商業遊說團體感到萬分沮喪。

雷根於一九八一年提出的預算計畫要求削減三百億美元以減少開支。舉例來說，上一任總統卡特制定的預算，經由供給管理農業政策撥了三百億美元來支撐農業收入，而雷根擬定的第一份預算以減少兩百億美元為目標，但國會未能通過。事實證明，農業收入政治難以動搖。隨後國會增加軍事開支，但聯邦支出卻沒有大幅增加，主因便是雷根政府大幅削減了針對婦女與兒童族群、依經濟狀況提撥的福利預算（不包括社會保障措施）。一九八二年的開支方案削減了撫養未成年子女家庭援助計畫（Aid to Families with Dependent Children，ＡＦＤＣ）百分之十四點三的預算，糧食券計畫減少了百分之十三點八，醫療補助計畫削減了百分之二點八。聯邦補助資格標準也變嚴格，據估計ＡＦＤＣ有四十四萬二千名個案遭到排除。[44]就業培訓的經費遭到大幅刪減，但各州得以強制執行「工作福利制」條件，就如同雷根擔任加州州長期間針對有名無實的「暗黑福利女王」*採取反

* 譯註：透過欺詐、危害兒童或操縱等手段過分領取福利的女性。

制措施那樣。[45]在沃克衝擊引發經濟衰退的期間，聯邦政府實施的政策讓窮人備受折磨。[46]

撇開聯邦預算不說，計畫性的治理變革加速了一些早已存在的趨勢。雷根一九八一年的民營企業促進會專門小組（Task Force on Private Sector Initiatives）推動福利輸送等公共職能的私有化，[47]鼓勵政府與非營利及營利企業簽署合約。營利與非營利企業開始相互合作，也愈來愈常與國家配合。[48]在公共與私人、國家與市場、營利與非營利的融合中，可以看到企業交易流動性的主題（包括流動性、可轉換性），此時此刻如何在治理領域中引起更廣泛的共鳴。

股東價值

新的總體經濟擴張邁開了腳步。它與過去的發展在方方面面都不同。由於一九八二年後的總體經濟擴張是一連串新浪潮中的第一波，因此值得詳加探討。

這是有史以來唯一一次固定投資占國內生產毛額比重減少的商業擴張，與雷根政府所承諾的不同，國內並未出現製造業投資熱潮。美國跨國企業的投資持續流向國外，且速度愈來愈快。[49]至於國內，美國新「工業結構」的價值在一九八一至一九八六年間減少了三分之一。[50]相對而言，金融與房地產資產的投機性投資增加。一九八二年後的蓬勃發展主要集中在美國股票與債券以及商業房地產上。值得注意的是，即使是非金融機構的美國企業，金融資產淨收購額與耐用性資產淨收購額的相對比例也有所增加。[51]這影響了勞動力市場。隨著資產價格的攀升，金融資產的所有者的資產增加，直接或間接受雇的商業與金融服務階層的專業人士（如銀行家、會計師、商業房地產估價師）的收入也有所增長。[52]之後，這些收入創造了對服務及照護勞動力的新需求，尤其在收入分配率較低的領域（如零售業、兒童保育、護士與保母）。[53]收入分配率中等的產業則開始出現缺口。

隨著投資占國內生產毛額的比例下降，個人消費的占比則上升。但是，如果薪資成長的中位數保持不變（如同一九七〇年代），如今卻與生產力成長下滑趨勢（部分原因是投資率較低）脫節，那麼是什麼支撐了個人消費？答案是減稅措施。然而，與雷根所承諾的不同，家庭儲蓄率並未激增，反倒是家戶負債增加了。實際上，家庭負債取代了通貨膨脹，掩蓋了薪資長期停滯的事實。[54]例如，商業銀行出售的未償消費性信用貸款（以

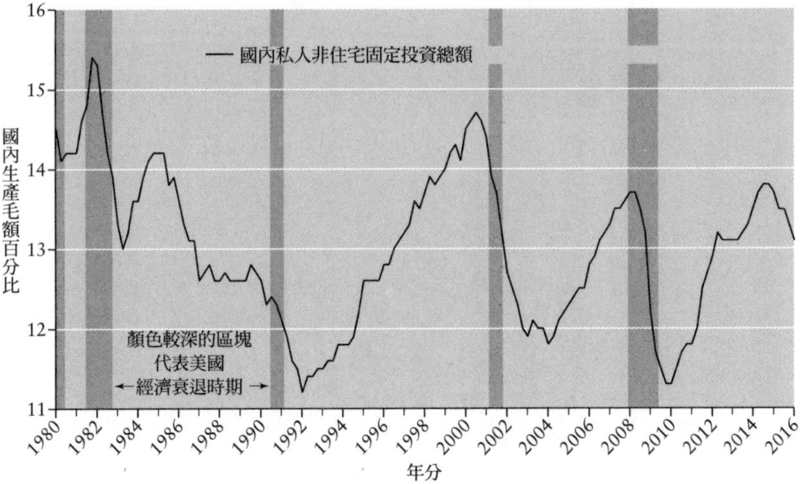

圖 103　國內私人非住宅固定投資總額占國內生產毛額的比例
總體經濟擴張通常由非住宅固定投資在國內生產毛額所占比例的增加所帶動。值得注意的是，在一九八〇年代的經濟擴張期間，這個比例顯著下降。

信用卡為主）在一九八〇年代增加了一倍。[55]如同沃克衝擊的模式，負債累累的美國消費者在這十年當中購買了世界各地由美國資本進口提供資金的製造業進口產品，尤其是日本的製造業。[56]

最後，推動經濟擴張的另一個重要因素是聯邦預算赤字。供給面經濟學失敗了，因為國家負債擴大了。然而，若能帶動美國國債搶購潮，將能吸引一大票外國資本。[57]

美國的家庭與聯邦政府都轉而選擇負債，美國企業也是如此。為什麼呢？首先，美國擁有可用的信貸，但並不是所有地方都這樣，因為世界上大部分地區的經濟仍深陷於沃克衝擊所留下的公債危機與國民經濟衰退。然而，由於擔心通膨會捲土重來，聯準會將短期利率目標維持在相對高位，只有在一九八四年十二月時才跌到了百分之八以下。資金充裕但利潤高

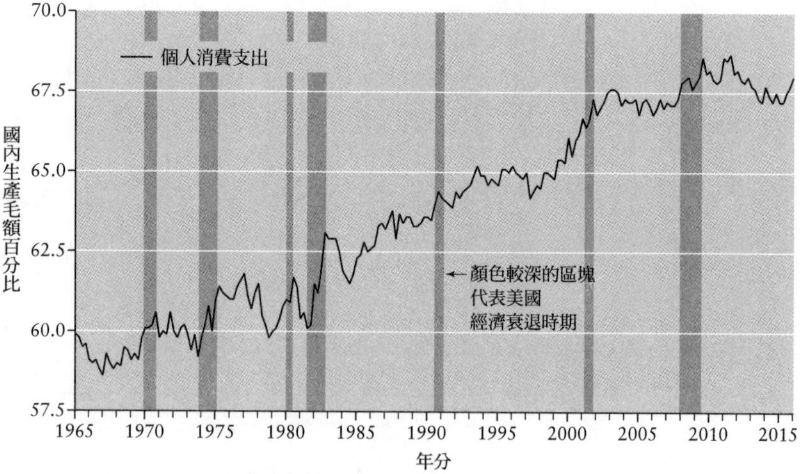

圖 104 個人消費支出占國內生產毛額的比重

控制時代與混沌時代之間最主要的經濟連續性，便是消費主義重要性日益增加。在一九八〇年後的全球總體經濟中，美國的確成了世界上最重要的消費市場。

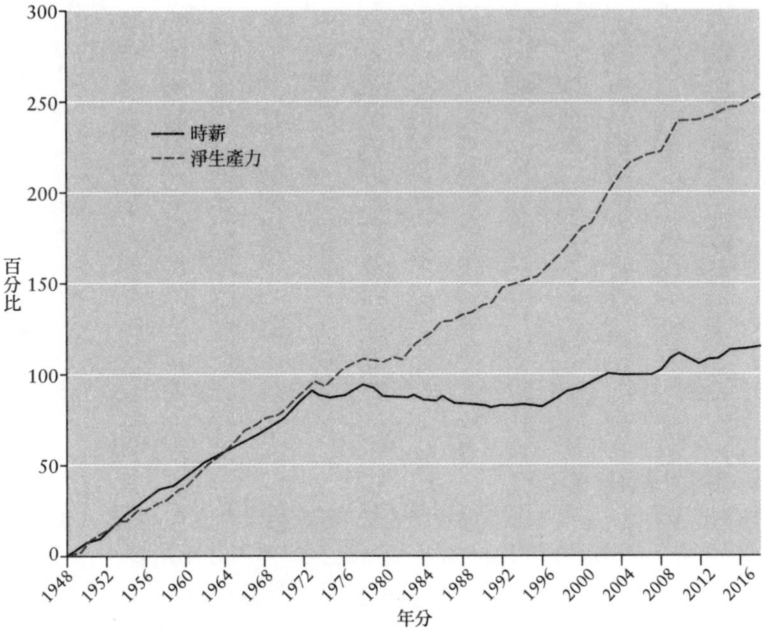

圖 105　生產力成長與平均時薪成長的對比

在混沌時代，生產力的成長始終不盡人意，而且一直與平均薪資成長脫節。生產力上升所帶來的好處流向了富裕階層，對許多勞動階層的美國人來說，持續增長的是維持消費所增加的債務，而非薪資。

昂的不尋常組合，自一九二〇年代恢復金本位制以來便從未出現過。高利率下的信貸熱潮需要信心十足的預期，在這一點上，雷根的資本友好政策無疑成了推手之一。然而，假設以百分之八的利率借款，收益率必須高於百分之八才能獲利。汲取利潤的一種方法是提高槓桿，或運用更多借款來投資，而不是用自己的存款。因此，相當矛盾的是，信貸推動了高利率投資熱潮，但也意味著債務會像雪球般愈滾愈大。

美國公司債在一九八〇年代多了一倍。如果說在

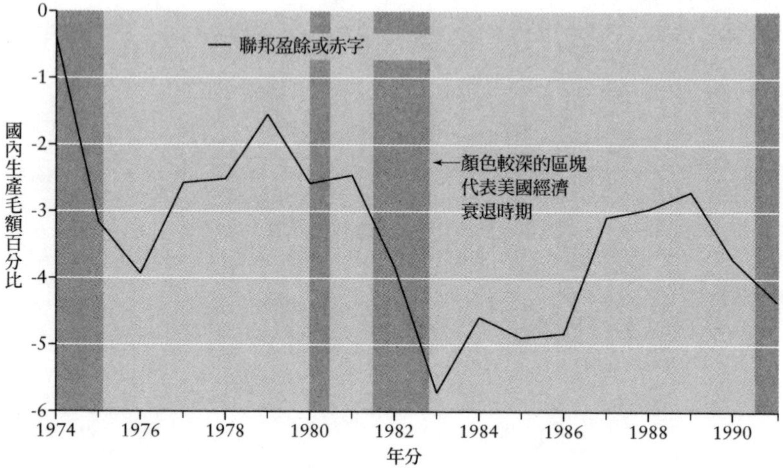

圖 106 聯邦準備盈餘或赤字

藉由增加預算赤字，雷根經濟學實現了與當初承諾相反的結果。但是，美國債務的擴張，將創造更多以美元計價的安全資產供全球資本所有者購買。

沃克衝擊的第一步是資本所有者決定積貯現金，並透過應計利息賺取短期利潤，那麼在一九八二年之後的經濟擴張期間，第二步就是負債的投機性投資，透過槓桿來制衡高借貸利率。顯然，卡特、雷根及沃克等人承諾的偉大「市場紀律」都失敗了，[58]資本主義者信貸週期反而出現了混亂的上行，這種上行的前提在於，相信交易流動性永遠存在於這個迅速發展為連結緊密的大型資本與信貸市場，也就是永遠會有人提供資產與購買資產。

畫家伯納德・弗里茨（Bernard Frize）創作的《德崇證券》（*Drexel, Burnham, Lambert*，一九八七年）代表性地刻畫了這種現象，題名取自當代規模最大的垃圾債券公司。

這幅畫由一條連續的線構成，就像一個單一的市場。表面令人眼花撩亂，有活躍的空間運動，但沒有敘事，因為這條線並未指向任何特定方向，僅僅是不同種類的物體相互連接在一起。弗里茨還使用了不同的筆刷作畫，彷彿想將不同類型的資產連接在一起，形成充滿活力的信貸流。

若想深入研究一九八二年後商業擴張的特徵，投資銀行德崇證券是一個好的起點。企業若想轉而利用槓桿資產增值來獲利，便極其需要一場美國公司治理的革命，包含投資銀行家在內的金融業人士持續從已深陷掙扎的管理階層手中奪取愈來愈多的權力。

他們憑藉的武器是新的「股東價值」信條，要求管理者依照股東的金錢利益行事。這通常意味著削減工資，放棄長期投資，或出售資產，目的都是為了擴大眼前的利益。今日沒有硬性法律規定（過去也是），美國企業必須努力追求短期利潤最大化。[59] 戰後大多數工業企業都關注長期成長指標與維持「組織餘裕」(organizational slack)，甚至沒有嘗試過這種短期利潤動機。一九八〇年代的股東價值革命，如今使得企業股票的市場價格成了衡量企業成功的新標準。

讓股東價值凌駕一切的，是一波有時充滿敵意的企業收購潮。這股收購潮始於一九七〇年代末，當時利用石油衝擊的高油價獲得大量財富的石油商逐漸認為，多元化的大型能源公司的股票交易價格低於實體

圖 107 伯納德．弗里茨，《德崇證券》（一九八七年）

這幅畫以一九八〇年代規模最大的垃圾債券公司命名，象徵這十年來資本市場日益緊密的連結。

資產價值。一九八三年，德州石油商布恩．皮肯斯（T. Boone Pickens）在競購海灣石油公司（Gulf Oil）期間，在《華爾街日報》上宣稱：「我們致力於提高股東價值。」[60]這句話開啟了「股東價值」這個詞彙的用法。皮肯斯試圖說服海灣石油公司的大多數股東將公司轉讓給皮肯斯的「權利金信託」。接著，他再出售與石油業務無關的資產，將現金返還給股東。之後，他會將這家精簡過後的石油公司重新上市，希望能賣個好價錢。皮肯斯從未獲得海灣石油公司的多數控股權，但管理階層付給他「綠票」（greenmail）。也就是說，管理階層以高於現行市價的價格，買回皮肯斯及其盟友積累的股票，開價甚至遠高於皮肯斯集團當初支付的價格。*布恩、休士頓石油商小奧斯卡．懷亞特（Oscar Wyatt, Jr.）與來自紐約的卡爾．伊坎（Carl Icahn）等企業「掠奪者」，都成功利用這項策略。伊坎甚至藉由「綠票」敲了美國鋼鐵公司一筆。[61]

企業掠奪者不可能憑藉一己之力完成股東革命。他們需要資本市場的幫助。加入企業掠奪者行列的還有機構投資人，尤其是公共與私人退休基金。換句話說，戰後因收入政治而來的資本積累，提供了公司治理變革所需的資金，而諷刺的是，這些變革危害了收入政治。關鍵的經濟場域從收入變成了財產。如果勞動階層開始利用債務來彌補不斷下降的工資及維持消費水準，那麼從槓桿收購的做法可知，房地產所有者如何將債務當作槓桿來提高投資獲利。整體而言，收入成長的領域從勞動力轉向了資本。

在一九七〇年代，通貨膨脹削減了退休基金的投資報酬，新的州與聯邦法律使退休基金得以追求更高風險的投資。[62]一九七五年，退休基金持有價值一億一千三百萬美元的股票；一九八〇年，價值增加到了二億二千萬美元。一九八五年，他們擁有四億四千萬美元的資產。這個例子充分說明了，資本在這個時期如何重新在不同的資產類別流通。負責這些投資的基金經理認為，他們可以透過新的金融產品對沖股市投資的風險。例如，退休基金買進了「投資組合保險」，如果股價下跌，電腦會自動從投資組合中拋售股票。投資組合保險背後的學術理論假設了交易流動性，認為「每筆交易有可能發生」，市場總有買方與賣方，而並不是每個人每次都是賣方。除此之外，一九八二年，芝加哥商品交易所開始出售股票指數期貨合約——本質上，這是一種追蹤標普五百指數（Standard & Poor 500）價格的資產（被稱為「spooze」）。在獲得監管機構批准的情況下，機構投資者購買這些債券的目的是對沖自己的倉位。[63]

有了對沖的籌碼，機構投資人效仿企業掠奪者的做法。一九八四年，德士古（Texaco）石油公司以每股五十五美元的價格向德州巴斯（Texas Bass）家族支付了五千五百萬美元的「綠票」，而當時市場價格為三十五美元。加州公務員退休基金（California Public Employees' Retirement System，CalPERS）是美國規模最大的公共退休基金，也是德士古公司的大股東之一，託管人想知道，為什麼加州公務員退休基金一無所獲。加州公務員退休基金帶領了機構投資人委員會（Council of Institutional Investors，一九八五年），並異口同聲地要求企業在股東價值上投注更多心力。[64] 管理階層必須不惜一切代價地關注公司的股價。

---

* 譯註：即所謂的綠票訛詐。

「股東價值」是槓桿企業收購與聯合併購浪潮的口號。一九八二年，在反托拉斯法的革命中，雷根執政下的司法部改變了「合併指導方針」。目標不再是一九六八年所說的，「維護並促進有利競爭的市場結構」。如今，評估是否合併的標準只有一個，那就是合併的結果是否會「將價格維持在競爭水準之上」。[65]這背後的基礎，便是芝加哥法律與經濟學運動所主張的，反壟斷執法的唯一相關標準是「消費者福利」或更低的價格，而不是市場結構或進入壁壘。法官取消了反對縱向與橫向合併的反壟斷法規。[66]在一九八五到一九八九年間，槓桿收購交易高達數千筆，總值超過二千五百億美元。[67]

假設企業並未支付足夠的綠票，槓桿收購便會如下操作。掠奪者與同樣新出現的「私人股本公司」購買了目標公司的一部分股份，通常在百分之五到十之間。當時規模最大的私人股本公司是科爾伯格克拉維斯羅伯茨公司（Kohlberg Kravis Roberts，KKR，成立於一九七六年）。[68]接著，遊戲開始了。其他股東，尤其是大型機構投資者，必須願意將股份出售給收購方。管理階層甚至可以選擇加入這場遊戲，商業顧問也經常鼓勵他們這麼做。[69]如果經營階層來自財務部門而非生產或銷售部門，該家公司更有可能進行買斷交易。[70]如果他們拒絕，收購便會「充滿敵意」。為了籌措購買股份的現金，買家會向銀行取得信貸額度或發行垃圾債券，也就是發行高收益的高風險公司債券。這是最後一個要素：新興的垃圾債券市場。垃圾債券正是收購變得槓桿化的原因。投資銀行家開創了這個市場，其中以德崇證券的麥可．米爾肯（Michael Milken）最大力推行。[71]最後，投資者集團建立起龐大的股票部位後，再向公司董事會以記名股票價格出價，收購該公司並取得其所有權。

這麼一來，公開交易的公司就變成了私有企業。但該家公司不得不籌措現金償還債務。這通常意味著出售實體資產，以及削減包括勞動力成本在內的營運成本。引人注目的是，為了彌補成長停滯的員工薪酬，員工退休基金參與槓桿收購以尋求收益，導致新負債的公司削減工資與裁員，如此才能償還債務。通常，大型企業集團會拆分成數個部分，並出售許多部門。這是戰後多部門工業企業縱向及橫向的解體，代表了有更多固定資本遭到清算、更多藍領工作機會流失。之後，公司再被賣回公開資本市場，希望新的股價能與最初的收購價格持平。如果股票價格持續上漲，通常就會被認為收購成功。然而，即使股價上漲，公司的價值就一定會比槓桿收購之前高嗎？如果股價上漲，價值有沒有更高還重要嗎？

一九八〇年代最後一次大規模槓桿收購是科爾伯格克拉維斯羅伯茨公司以三百一十一億美元收購雷諾納貝斯克公司（RJR Nabisco）。這家公司的總裁是羅斯・強森（F. Ross Johnson）。作為一名企業管理者，強森長期出於本能地批評白領官僚主義。他的管理風格屬於大學兄弟會派別。他認為，戰後的管理工業資本主義令人厭煩。他讓自己的公司「上場」，他用這個詞彙生動地描繪了組成一個集團以開拓債務市場並收購公司的做法。隨後發生的傳奇故事，被商業記者布萊恩・伯勒（Bryan Burrough）與約翰・海勒爾（John Helyar）寫成了《門口的野蠻人》（*Barbarians at the Gate: The Fall of RJR Nabisco*，一九八九年）一書，開創了扣人心弦又高潮迭起的非小說類商業敘事這種文學類型。[72]這本書講述的不可能是戰後的管理主義，因為效率研究的委託與長期的資本折舊預算編製並不引人入勝。槓桿收購才能讓人想一探究竟。

《門口的野蠻人》有段情節描述，芝加哥投資銀行家、人稱「瘋狗」的傑佛瑞·貝克（Jeffrey Beck），在中西部企業集團埃斯馬克公司（Esmark Corporation）的收購案中輸給了更高的出價。但是，這起融資併購（Leverage Buy-Out，LBO）是他的主意，因此他有權獲得一筆酬金。參與這筆交易的管理階層開玩笑地向「瘋狗」表示，他將無法得到酬金。貝克得知後，在芝加哥的一棟摩天大樓上打開窗戶，大喊：「我受夠了！我要跳樓自殺！」最終，他因為促成了這筆交易，得到了七百五十萬美元的酬金。

強森在雷諾納貝斯克公司的競購中輸給了科爾伯格克拉維斯羅伯茨公司，但仍實拿了五千三百萬美元。[73]這些錢屬於勞動收入。但是，收入來自於槓桿資產價格增值的經濟活動——意思是這些酬金是從債券市場中籌集的鉅額資金拆分而來的。在大型企業被「放上場」，卻只有極少數人能利用銀行信貸設法獲利的情況下，龐大資金岌岌可危。強森之所以是一位比別人更優秀的管理者，很難說是因為個人的教育背景或天賦（也就是他的「人力資本」）。他之所以獲得優勢，僅僅是因為他的職位與人脈，而他像將自己公司槓桿化一般地運用這些優勢。[74]

當總裁強森從亞特蘭大的總部搬到紐約市居住時，雷諾納貝斯克公司的命運或許就已經注定了，因為紐約市成功扭轉了後工業時代的命運，不再是一九七〇年代的笑柄。華爾街很快地成為了富有文化魅力的地方。奧利佛·史東（Oliver Stone）拍攝的《華爾街》（*Wall Street*，一九八七年）在眾多電影中脫穎而出。其講述虛構的企業掠奪者戈登·蓋科的故事，這個人物結合了現實世界中的掠奪者艾許·埃德爾曼（Asher Edelman）與股市收購投機者伊凡·博斯基（Ivan Boesky）。其中，後者曾在加州大學柏克萊分校商學院的畢業典禮演說上表示，貪婪是一件「健康」的事。[75]蓋科在電影《華爾街》中說過：「貪婪是件好事。沒有更好的詞彙可以形容它了。」史東希望透過《華爾街》一片來批判華爾街的醜陋，但這部電影把主角蓋科拍得太討喜了，一部分原因是這部影片充分凸顯了新式金融交易顯而易見的色情性：蓋科將股票交易技巧及自己的女友傳給了徒弟巴德・福克斯（Bud Fox）。另一部深刻刻畫金融運作的小說，是布雷特・伊斯頓・艾利斯（Bret Easton Ellis）所著的《美國殺人魔》（*American Psycho*，一九九一年），這是一部關於一位投資銀行家同時也是仇女連環殺手的諷刺作品。[76]艾利斯提出了一套看法，質疑這種金融活動存在著深層的反社會因素，認為其補償了男性的身分認同危機，但並未解決問題。

退一步來想，許多老字號工業企業的倒閉是咎由自取。除此之外，許多藍領工作必須負擔種種的苦活與危險，這些職位迅速消失也幾乎不值得挽救。促成這些現象的是資本的流動性。但是，在這樣的毀滅之中，創造何處可尋？它除了讓地球上某個地區的一小群人變得富有之外，究竟還創造了什麼？

儘管如此，到了一九八〇年代中期，關於公司的新「常識」已經成形。[77]一九七六年，兩位曾在芝加哥求學、後任職於羅徹斯特大學（University of Rochester）商學院的教授麥可・詹森（Michael Jensen）與威廉・梅克林（William Meckling），共同發表了一篇後來被廣泛引用的經濟學學術論文，題為〈企業理論：管理行為、代理成本與所有權結構〉（Theory of the Firm: Managerial Behavior, Agency Costs, and Ownership Structure）。[78]他們認為，公司是個現貨市場，是「契約之間的連結」。

最重要的契約在於委託人（股權所有人）與其代理人（經理人）之間。企業經理人的工作是盡可能擴大股東價值。戰後的標準管理利潤目標是二十年；到了一九八〇年代中期，成功槓桿收購「回本」的產業標準是兩年。[79] 詹森與梅克林的模型假設，所有資產之間都存在交易流動性。[80] 一九八五年，詹森離開羅徹斯特，到哈佛商學院推動股東價值的革命，「代理理論」開始滲透進商學院、諮詢建議與大眾意識。[81]

至於股東價值，在債務與電腦自動化的推動下，紐約證交所的交易量在一九八〇年代迅速成長。美國股市價格也節節攀升。股票市值攀升之際，公司的利潤率（即實際商業收益）卻仍低於一九七〇年代的熊市水準。[82] 藉由收買股東的忠誠，公司董事會逐漸將管理階層的報酬與股票期權綁在一起，而不是薪資，這使得管理階層開始回購公司股票，以維持股價高位。[83] 關於「基本

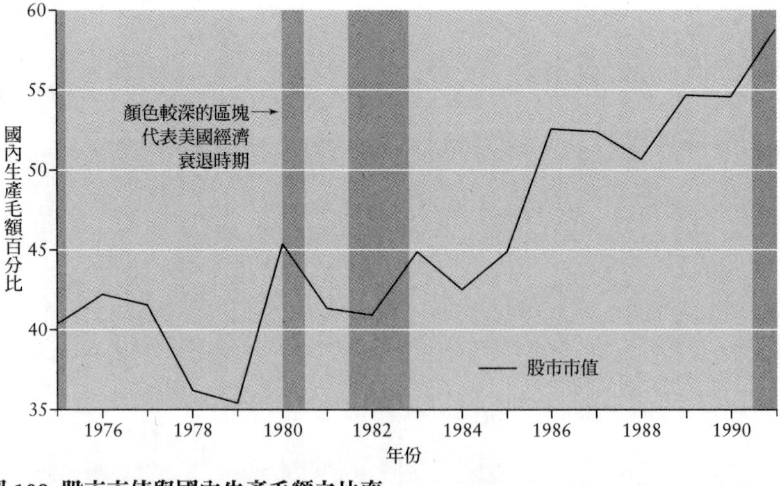

圖 108 股市市值與國內生產毛額之比率

在一九八〇年代，資產價格增值的新政治經濟推動了企業股價上漲。

面」（一家企業的實際營運狀況）的討論，在價值的評估方面依然重要，但資產價格（屏除資本收益）可能會與原本應該是企業「潛在」商業利潤的錨點脫鉤（這些利潤來自於耗盡在創造財富的企業和勞動中使用的資本）。[84]

但是，為什麼「潛在的」商業利潤不可脫離基本面呢？在一九八〇年代初期，FIRE產業（金融、保險與房地產）的利潤超越了製造業。一九七八年，製造業企業的投資組合收入（來自應計利息、股息與已實現資本收益）占總利潤的百分之十八。到了一九九〇年，比例達到了百分之六十。[85]如果你可以在債務推動的市場中輕鬆買賣資產（不用為了鉅額費用而揚言跳樓），何必放棄流動性來承擔風險呢？投資企業、雇用勞工、製造產品，並且以高於成本的價格出售產品必然需承擔更多風險不是嗎？至少，一般所謂的經濟現實與表象之間的界線變得愈來愈模糊，表象甚至超越了現實，這不免讓人聯想到巴納姆與信任騙局。

表象與現實的模糊界線，是一九八〇年代文化「後現代主義」的一大焦點。[86]就拿偉大的後現代文學體裁「按市值計價」的會計準則來說，[87]戰後管理主義的「歷史成本」會計根據生產資本過去的使用情況或其長期的貶值來計算利潤。在按市值計價的會計準則下，用於預測未來收入的當前資產市值才是關鍵。現在，投資收益始終以短期評估，未來的「股本收益率」或股票走勢，取代了「投資報酬率」或公司過往投入資源所得到的報酬，目的不再是生產某種產品，並以高於生產成本的價格出售。透過累積長期投資的遙遠過去被抹除了，人們更不會去考慮遙遠的未來，未來瓦解變成了以毫秒為單位而不停變動的當前資產價格。（在這個時期的小說中流行一種「逆向時序」（或稱時光倒流〕的敘事技巧，譬如馬丁．艾米斯〔Martin Amis〕於一九九一年出版的《時間箭》〔*Time's Arrow*〕。）這正是芝加哥學派經濟學家提出的「效率市場」假說：金融市場不承認過去，而是準確地利用現價來預測未來。[88]在文化表述中，這也是這十年的霓虹色調所象徵的強烈卻轉瞬即逝的當下。[89]在一九八〇年代企業掠奪者的服裝風格裡，明亮的顏色象徵著權力。紐約房地產開發商名人唐納．川普（Donald Trump）便誇張地展現了這種面貌。

在風格上，如同一八八〇年代，黑色再度成為一九八〇年代流行的色系，並隨著流行歌手瑪丹娜的出現大受歡迎。黑色是哀悼的顏色，在過去可說象徵了農業時代；而今日，則可說是戰後工業社會的顏色。毫無疑問地，一九八〇年代的資本市場使戰後的工業企業管理主義灰飛煙滅。

「真實的誇大」

一九八〇年代新的總體經濟模式有能力創造持續性經濟擴張，也推動了遠離華爾街的經濟生活。這樣的榮景看來與休士頓等城市的發展十分相似，在這些地區，經濟的重心不是男性養家糊口的工資，也不是長期固定投資與生產力增長，而是房地產在空間上的蔓延，以及高工資與低工資服務業的就業，流動性原則從資本市場散布到了日常生活。華爾街只有一條。在一九八二年後的經濟擴張期間，過去的「陽光地帶」經濟發展模式延伸到了全美各地。

在一九八〇年代，服務業就業迅速成長。一九八〇至一九八八年間，在新出現的一千兩百萬個工作機會之中，有兩百萬個屬於「商業服務」的高所得子類別，包括銀行家、業務、保險理算師與房地產經理。從中階到低階有三百萬個低技術且低薪的工作，例如食品製備、零售、教育與服務業。[90]無論薪資高低，這些工作按照常見的衡量標準，都屬於經濟中生產力較低的領域：像亨利．福特每分鐘生產的T型車數量逐步提升的那種生產力，在漢堡製作、廁所清潔、有氧運動教學或藥方開處的工作上沒那麼容易實現。一九八〇年代，生產力並未成長。[91]如果說沃克衝擊之後整體物價水準保持平穩，那麼在資產價格方面則出現了通貨膨脹，尤其是商業房地產價格更是如此。

商業房地產是沃克衝擊導致的另一個意外情況，結合了雷根的稅收政策造成的意外結果。房價在一九七三到一九七四年經濟衰退期間跌到谷底，但在一九七〇年代後期開始回升，因為商業租金不像許多收入流那般固定，可以隨通貨膨脹調漲。在沃克衝擊之後，資金充沛。例如，來自日本的資本大量湧入洛杉磯的房地產業；[92]拉丁美洲的資本為躲避債務危機，流入了休士頓。[93]就在此時，川普來到了曼哈頓，他挾帶的資金，來自在皇后區從事房地產開發的父親以及政府友善的稅收抵免。川普利用自己的房地產資產與名氣，借債打造了他的曼哈頓房地產與大西洋城賭場帝國，向「七十二間銀行組成的龐大網絡」融資，其中包括花旗銀行、摩根大通與信孚銀行（Bankers Trust），以及英國、德國與日本的銀行。[94]川普象徵了一種更廣泛的趨勢。相對於他透過向銀行借款而購買的資產，他的潛在收入非常少。當手上的資產價格上漲時，他就抵押它們以獲得更多貸款，有鑑於他實際經營的生意往往以虧損收場，從這些貸款中賺取的利差就成了他的收入。川普在找人代筆的自傳《交易的藝術》（*The Art of the Deal*，一九八七年）中，稱這種商業模式為「真實的誇大」。[95]

川普是個滑稽但精明的極端分子。但是，房地產與股票市場沒什麼不同。有了新的信貸來源，商業房地產的資產價值在一九八〇年代飆升，遠遠超過了該產業長期的基本面估價，包括商業建築的建造與實際的使用。[96]這十年內的全國房地產建設熱潮創造了一百五十萬個產業職缺（其中大都適合男性），不過主要集中在達拉斯或鳳凰城等城市，而不是匹茲堡或克里夫蘭。然而就估價來看，超越現實的表象無所不在。

相較於轉型中的某些重要細節，在商業房地產業中，關於市場的遠大意識形態宣言沒有多少意義。雷根在一九八一年實施的減稅政策提供「建築物」新的加速折舊抵免，儘管這個減稅政策目標鎖定製造業，但法律並沒有嚴格限制建築屬性，因此也適用於商業地產。公司之間可以互相出售抵免稅額，[97]而過程中所需的文書作業，也意味著稅務律師有更多的「商業服務」工作機會。就連通用汽車等工業企業也開始投資辦公大樓的建設，而不是工廠，哪怕只是為了獲得稅收抵免。律師開始為許多新出現的各種合夥關係與空殼公司申請執照。收入轉移給了這些實體公司，尤其在一九八六年稅收改革法案允許實體公司享有比法人組織來得低的稅率時更為明顯。[98]長久以來，自由主義一直試圖利用稅法來吸引私人投資工業，但效果好壞參半。這項技巧現在幾乎成了一種拙劣的模仿，因為資本經由複雜又無聊至極的低稅率媒介，進入了依賴債款的商業房地產，而不是工業。[99]

新的資金來源也發生類似的情況。一九八二年，《葛恩－聖喬曼儲貸機構法》（Garn-St. Germain

Depository Institutions Act）改變了儲蓄與貸款業中「儲貸機構」的金融法規。新政時代的法規嚴格限制儲貸機構的貸款組合。在房地產領域，儲貸機構主要局限於距離其所在地五十英里以內的住宅市場。你會發現，這種模式看起來並不陌生。一九七〇年代的通貨膨脹再度危害了這個產業，原因主要是許多儲貸機構的資產為利率低且固定的舊有住房抵押貸款。一九八二年的法規允許儲貸機構將高達百分之四十的資產投資於商業房地產，並將聯邦保險存款限額從四萬美元提高到十萬美元，此外也允許個人擁有儲蓄機構。最後，法律允許儲貸機構接受來自未受監管的影子銀行的「仲介存款」。於是，資金管理人湊足了十萬美元的存單，存入儲貸機構。這種做法沒有風險，只有收益，因為它們受政府擔保。[100]

儲貸機構的商業房地產貸款在一九八二年占總資產的百分之七，到了一九八九年攀升至百分之二十。[101]信貸大都流向陽光地帶不斷往外擴張的城市與郊區邊緣，譬如加州與德州的辦公園區。許多房地產開發商自行設立或是收購儲貸機構。他們可能會將聯邦擔保的仲介存款，透過儲貸機構轉移到旗下專營「轉手」房地產的子公司。許多商業建築有了「鏤空」的綽號，因為裡頭的辦公人員寥寥無幾。在休士頓，吉恩・菲利浦斯（Gene Phillips）利用一家名為紹斯馬克（Southmark Corporation）的空殼公司，收購了聖哈辛托儲蓄貸款公司（San Jacinto Savings and Loan）。聖哈辛托與紐約房地產開發商與查爾斯・基廷（Charles Keating）的儲貸機構來來回回交換了價值二億四千六百萬美元的商業房地產抵押貸款。如今，這種交易是可行的。這些人一次又一次地交換交易相同的資產，每次都透過指定更高的價格來獲取利潤。從這些交換交易中，雙邊獲得了一千二百萬美元按市值計價的帳面利潤，之後基廷再拿這些利潤去貸款，購買德崇證券利用槓桿收購的垃圾債券。[102]

令人詫異的是，佛羅里達州一家州立監管機構指出，如今，「比起經濟發展，資金可用性成為房地產開發的重要原因」。[103]有資金可用但利率很高，因此需要借債與利用槓桿來獲利，以抵消貸款成本。然而，這就是經濟學，或至少可說是一種建立經濟體的方式。在商業擴張的基礎上，商業房地產市場並未出現泡沫。這樣的情況或許愈來愈多，因為資本湧入某一類的資產，抛開收入，為銀行家、開發商、建築工人、以及自雇的建築稽查員、估價師、評估師、會計師與詐騙分子創造就業機會。比起男性薪資中位數持平，有愈來愈多女性進入勞動力市場，她們走出家庭的舉動與新取得的收入，開發了更多照護業服務類工作。畢竟，總有人得理髮、煮飯、看顧孩童，以及照料金融與商業從業者的年邁雙親。

當然，資本沒有四處亂竄。北部黑人城市的房產價格持續下跌，一如一九六〇年代晚期城市起義以來的那樣。[104]黑人向南方遷徙的現象加劇了，但是，許多生活在北方城市的黑人，他們住在日漸窮困的失業貧民區，被資本看輕，當失業情況加劇與依經濟狀況給予的福利減少，他們只能本著時代精神創業。地下經濟與犯罪經濟規模因此擴大。[105]一九六〇年代開始的全國性暴力與犯罪事件持續增加。[106]一九八二年，雷根進一步推動尼克森的「反毒戰爭」。黑人男性因非暴力毒品犯罪而遭到監禁的比例暴增，但整體而言，黑人與白人遭監禁的比例相同。到了一九九六年，美國的囚犯人口從三十萬左右攀升至一百多萬，在當時是全世界懲罰性最高的國家。監禁的支出增加，依經濟狀況給予的福利與公共住宅的開支減少。在資本投入下，監獄的高牆一道又一道地拔地而起。一九二〇年代成立的第一座營利監獄，於一九八三年在田納西州簽訂了合約，明定「一九八五年，營利性的監禁涉及了一千三百四十五名囚犯；十年後則涵蓋了四萬九千一百五十四張床位」。[107]同樣地，雷根政府提供稅收抵免給那些建造最低限度「低收入戶」公共住宅的營利性開發商。[108]在陽光地帶，監禁人口與營利性「公共」住宅的數量雙雙激增。在依循休士頓經濟發展模式的城市中，私有化十分容易達成，因為在這些發展蓬勃的地區，「公共」監獄、醫院及其他服務業者從一開始就不存在。這是新的政治經濟。一旦北方的公共基礎設施崩潰，新的政治經濟便會取而代之。

從底層人口的角度來看，經濟生活開始變得黯淡無光。監禁逐漸成為將某些人排除在後工業勞動力市場之外的解決辦法。[109]「美國刑罰政策的過度發展」與「美國社會政策的發展不足」互為因果。[110]然而，不斷擴大的服務經濟確實帶來了嶄新的可能性。

一九八三年面臨鋼鐵廠倒閉的紐約水牛城，的確因為總體經濟擴張創造了就業機會。身為黑人單親媽媽、曾是領取高薪且工會保障的鋼鐵工人桃瑞絲．麥金尼，在紐約州一家醫院找到照顧老年病人的新工作。薪資與福利比較差，但工作內容比較有趣。「我與年老的病患共事，也會做各種手工藝品……我愛死這份工作了，說不出有多開心……這是我在剩餘人生中想做的事。」[111]在雷根執政期間，醫療保健與教育服務領域增加了三百一十萬個工作機會，增幅接近百分之四十。起初，雷根政府縮減了障礙受助的人數與福利，但到了一九八〇年代中期，受惠人數再度飆升，而由於人口高齡化，雷根時期的福利轉移占美國人總收入的百分比有所增加。[112]公共福利國家與私人福利經濟的發展齊頭並進。在處於「鐵鏽帶」的許多城市中，醫療保健取代了工業，因為在家庭中，照顧年邁製造業男性工人的女性護理人員間接從工會健康保險計畫獲得了收入，取代了男性受薪者所損失的收入。[113]

一種新的服務業逐漸成形，具有社會互動性，包含情感、情緒與照護勞動。[114]這類的服務性勞動依然帶有明顯的女性元素。很少有被解雇的男性鋼鐵工人從事家庭照護的工作。男性比較有可能找到「自雇」類型的工作，而這種工作往往不穩定又福利差。但是，曾待過紐澤西州林登（Linden）通用汽車工廠的一名工人表示，在新的工作中，「人際關係比較好」。以前，他看老闆非常不順眼。一位新創業的自助洗衣店自營業者指出：「現在情況大不同了。拿衣服來洗的客人通常心情都很好，如果我心情也好，一切就會很美好。」[115]基於新出現的服務業工作的社交性質，有些人很珍惜這些工作，認為工作增進了人際價值。但從分配與金錢的角度來看，服務人員並未得到相對應的賞識。關心他人的意願不能算是可察覺的「人力資本」，但會計學的大學學位卻算。不久後，經濟學家發明了一個名詞來指稱這種現象：「偏向技術性勞動的技術變革」。[116]

剝削在服務業勞動力市場也很常見。工會意識到家庭與工作之間的界線已經瓦解，因此設法根除剝削。紐約、芝加哥與聖地牙哥的居家醫療照護工作人士為了組織工會而發起抗爭，他們絕大多數為黑人女性。如今，營利公司可以簽訂合約，提供由聯邦醫療保險資助的居家照護服務，因此從業者不得不與州政府、非營利組織與營利組織討價還價。[117]約翰・斯威尼（John Sweeney）領導的服務業雇員國際工會（Service Employees International Union，SEIU）也支持這些組織工作。

一九八三年，國際女裝車衣工會（International Ladies' Garment Workers' Union）在紐約設立了一間托兒所，並成功在一九八八年為其十三萬五千名成員爭取育嬰假。儘管如此，要聚集那些受雇於承包商、轉包商及眾多「供給商」且工作不穩定的勞工們並組織工會可不容易。無論如何，從那時起，美國婦女加入工會的比例開始超越男性。[118]

懷舊政治

一九八四年，雷根以百分之五十九的選票再度當選總統，取得壓倒性的勝利。這是一段令人眼花撩亂的經濟轉型時期。這些轉變是否過於五花八門了？就連雷根政府也停下腳步評估了一下，並且稍微收斂支持市場的意識形態，攙雜了一種懷念過往經濟秩序的新政治。一九八五年，在雷根就職數個月後上映、創下最高票房紀錄的電影《回到未來》（*Back to the Future*），充滿了對戰後時期的懷舊。一九八〇年代末，即便是文化先鋒派，主題也從後現代對表象的著迷轉向了失去的創傷。[119]接著，信貸週期終於結束，長期的商業擴張也走到了終點。

雷根在第二屆任期所帶領的政府雖然樂見資本輸入彌補了預算赤字，卻開始質疑後沃克時代的全球經濟格局。美元的幣值高得嚇人。一九八五年在紐約廣場飯店簽訂的《廣場協議》（Plaza Accord）向全世界宣布，美國、日本、西德、法國與英國承諾聯合干預外匯市場並使美元貶值。一九八五到一九八七年間，美元與其他貨幣相比，貶值了百分之四十，幾乎回到了一九八〇年的水準。[120]

為什麼要簽訂《廣場協議》呢？日本與歐洲的財政部長不願見到本國儲蓄流向海外購買美金及以美元計價的資產。由於美元走高，美國製造商推出的產品在國外變得更貴，而在美國國內市場，與國內製品競爭的進口產品變得更便宜了。製造商開始遊說國會。此外，藍領階級的失業，已成為整體政治文化難以忍受的問題。醫療保健領域的女性就業率激增，而製造業的男性就業率下降，這樣的經濟模式必定有某個地方出了問題。在五國簽署《廣場協議》後隔了一段時間，美國的貿易逆差大幅縮小。後沃克模式出現逆轉的過渡期就此展開（但逆差終究會回歸，而且來勢洶洶）。一九八〇年代末，受惠於貿易逆轉與平均實質薪資成長持續停滯，美國製造業的利潤開始攀升。[121]

農業政策受到懷舊政治影響的程度遠勝其他領域的政策。如同第三世界的許多商品生產商，許多美國農民在一九七〇年代為了擴大生產而選擇負債，卻因為沃克衝擊而蒙受更高昂的籌資費用。到了一九八三年，美國農業的負債金額達到二千一百五十億美元。「農業危機」成為一九八四到一九八五年的全國性事件，也是後工業時代的媒體奇觀。小型家庭農場不復存在。雷根秉持自由市場原則，否決了國會的援助計畫。持農業倡議立場的民主黨員將名演員作為「專家證人」帶到自家委員會面前。《家園》（*Country*，一九八四年）是一部講述愛荷華州一座家庭農場因繳不出貸款而遭到銀行徵收的故事，而在委員會中，主演《家園》的潔西卡·蘭芝（Jessica Lange）懇求國會不要「讓我們僅剩的遺產消失」。《夢幻成真》（*Field of Dreams*，一九八九年）是描述愛荷華州農場危機的最佳電影，片中不具政治色彩，單純刻畫了對過往的緬懷，而這種渴望唯有借助魔法才能真正重現。一九八五年，雷根讓步簽署了一項農業擴充法案，將百分之八十的福利分配給了年營收超過十萬美元、以白人勞工為主的農場或企業。傑佛遜願景下的白人自耕農與黑人福利女王一樣，都是神話。[122]

無論是自耕農，還是男性靠工業養家糊口的經濟模式，都沒有再現。但是，隨著信貸週期重啟，某種受壓抑的情緒宣告回歸。在一九八七年十月九日這一天的交易中，紐約證券交易所的道瓊工業平均指數下跌了百分之二十二點六，到了歷史性低點。一九八六年，紐約證交所開始面臨史無前例的劇烈波動。有鑑於一個相互連結的大型資本市場興起，資金以前所未見的速度湧入與流出證交所。一位市場參與者表示：「以前像這樣的流動需要十天才能完成，現在只需要十分鐘，速度快到你無法掌控。」[123]「指數期貨」（spooze）是一種股票指數衍生品（一種合成資產），價值衍生自其他資產的價格變動。當芝加哥的指數期貨飆漲時，基金經理人賣掉它們並買入標的股票，抬高了紐約證交所的股價；相對的，若反向交易出現，股價便會應聲下跌。當股價下跌時，會有人在此時進場並重新拉高股價嗎？市場中的交易流動性是否充足？監管機構認為，這樣的金融創新沒有問題。一九八五年，美國財政部、聯準會、美國證券交易委員會與商品期貨交易委員會（Commodity Futures Trading Commission，CFTC）共同發布的一份報告指出，大量新出現的複合式金融衍生品滿足了「實用的經濟目的」，因為「不願意承擔〔風險〕的公司與個人」可以將它們賣給願意承擔風險的公司與個人。這份報告也提到了金融市場的「合理性」與「效率」，並總結表示，衍生品「似乎對資本的形成不具有重大負面影響」。[124]

一九八七年十月，透過投資組合保險與股票指數交易出現大量賣出委託單，使紐約證交所股價下跌。市場已經來到谷底，沒有買家便意味著沒有交易流動性。東京、香港與倫敦的股票市場潰不成軍。十月九日星期一，紐約證交所的指數下跌了五百零八點。市場信心崩潰，爭相兌現，預防性流動性偏好爆發。這不僅削弱了短期投機，更別說是任何長期投資了。隔天，芝加哥與紐約股市的交易幾近停擺。交易員在衣服上戴著「別驚慌」的小徽章。自八月起，聯準會在艾倫．葛林斯潘主席的率領下宣布：「聯準會以身為國家中央銀行的職責重申，已準備好充當流動性的來源，來支持經濟與金融體系。」如此一來，恐慌消退，市場恢復了信心。紐約證交所也好不容易重拾了股價。[125]突如其來的崩跌並未導致立即性經濟衰退。

那十年裡，聯準會顯然願意支持以資產價格增值為基礎的新政治經濟。只要市場相信資產（或是為資產提供資金的債務）的交易流動性持續存在，就能維持市場信心，資產價格也有可能繼續攀升。由信貸推動的長期總體擴張也可望繼續開展。然而，唯一握有保證流動性之最終權力的，是聯準會這個政府機構。葛林斯潘非常清楚地表明，聯準會願意扮演這個角色。

一九八二年後的經濟擴張一直持續到了一九九〇年，是二戰以來承平時期最長的發展期，僅次於一九六一至一九六九年的經濟擴張。一九九〇到一九九一年的短暫經濟衰退發生時，雷根的任期已經結束，當政的是喬治．布希（George H. W. Bush，人稱老布希）。由於依然擔憂通膨的發生，葛林斯潘率領的聯準會在一九八六至一九八九年間將短期利率從百分之六以下提高至將近百分之十，但這個舉動結束了信貸週期，使負債經營的商業房地產價值下跌。作為一種商業模式，真實的誇大或許仍有限。川普宣告破產，很快地便開始靠個人名氣謀利。在房地產產業，欺詐性儲蓄與貸款業垮台，最終只能仰賴政府撥予近一千五百億美元的資金來紓困。[126]信貸管道加重了犯罪率。一九九〇年，垃圾債券專家麥可．米爾肯因內線交易遭判十年刑期。垃圾債券市場受到重創。企業融資合併的浪潮也消退了。最後，個人消費減少成為經濟衰退主因。在債台高築的情況下（部分原因是為了彌補頹軟的薪資成長），許多家庭決定不再借款且減少開銷，進而削弱了經濟活動。這造成了極大影響，畢竟，消費帶動的商業擴張遠比投資來得多。[127]

我們退一步來評估一下這十年的經濟變化。在一九七〇年代工業資本主義面臨危機期間，幾乎每個國家的經濟都經歷了某種形式的委靡不振。許多政府求助於資本市場、累積公債，尋求各種救贖，但目的通常是重振工業經濟。沃克衝擊來襲與全球經濟爆發衰退之際，融資利率飆升，導致嚴重的公債危機，拉丁美洲及非洲尤其嚴峻。但就連一些東歐共產主義國家也進入了資本市場，試圖利用貸款來擺脫工業蕭條，其中最戲劇性的例子就屬波蘭了。這些政權提高對資本財工業主義的投資，結果輸了這場賭博。共產主義終將滅亡。[128]

資本主義轉型了。在資本流動性的幫助下，走在前頭的依然是全球霸權的美國。由於美元是全球性的儲備貨幣，美國是唯一一個在一九八〇年代受益於資本輸入的國家，其他國家則大都遭遇了經濟難題。沃克衝擊藉由提高利率促成了全球各國的經濟困局，因而加深了持有美元的吸引力，更重要的是，沃克衝擊瓦解了通膨預期的基礎，增強資本所有者的信心。美國在一九八〇年代經歷了繁榮的經濟，但其他國家卻不然，像在法國就看不到休士頓這樣的城市。這是一個獨一無二的大好機會，美國不得不好好把握，勾勒一個充滿希望的後工業時代。

雷根經濟學的成就不勝枚舉。它讓戰後的工業社會成為了過去，使服務領域的就業驚人地增長。最大的成就或許是縮小了男性與女性之間的收入差距。[129]婦女與弱勢族群在後民權時代走進了以往白人男性因歧視將他們排除在外的職場，大力推動了生產力成長。[130]但總而言之，生產力成長率仍然令人失望，如果我們只看這一點，一九八〇年代無疑是工業革命後有史以來最糟糕的十年。[131]這主要是因為長期投資十分薄弱，不論私人或公共投資皆無大幅進展——除了軍事投資以外，像是軍方投資建設了一套無法有效打擊一個無論如何都將潰敗的冷戰敵人的星際導彈系統。由於貨幣與信貸在國內外隨處可見，美國資本所有者在這十年間所做的多數事情幾乎都不值得讚揚：特別是，他們培植了一個膨脹的金融產業，且這個產業著重於短期投資，社會價值令人存疑。此外，這些投資活動也帶有可疑的經濟價值，我們從統計資料中很難找到金融業自一九八〇年後對生產力的貢獻。[132]同時，由於收入的增加開始更加流向增值資產的所有者而不是勞工，經濟不平等的現象進一步擴大。[133]許多為富裕階層服務的新工作薪資並不多，甚至少得可憐。最終，即便在這十年裡科學證實了人為的氣候變遷，陽光地帶以化石燃料與汽車為基礎的能源密集型經濟依舊鞏固了根基且向外擴展。

各式各樣的經濟政策鼓勵了資本主義的轉型，但新資本主義算不上是任何長期政治或經濟願景刻意促成的結果。新資本主義反而出現了一種嶄新且持續的預期模式，特徵是新的流動性偏好。新資本主義仰賴更高的交易流動性，就像資產之間更高的可轉換性，而這通常是為了助長繁忙而多變、但不具任何額外目的的投機活動。矛盾的是，對貨幣或貨幣類資產的流動性偏好，創造了投機的不確定性，同時也提供了一種潛在應對模式，包括預防性囤貯具備流動與避險性質的價值儲備來穩定混亂時局的不確定性。這樣的預防性行為還有一個好處是，提供了可即時參與投機遊戲的機會。因此，無論表面上的繁忙，或是實際上的停滯，高流動性偏好都有可能使經濟受困於某種短線預期。在缺乏長期目標之下，懷舊政治把目光投向過去，投向一個早已不復返、且無論如何也不該重現的過去。在電影之外的世界，沒有人能夠回到未來。

總而言之，美國社會失去了刻意創造經濟成果的能力。一九八二年，在成為了堪稱世界上最重要的經濟決策者之後，沃克曾私下猜測，我們「可以做出任何推測」。他私下向同事坦承：「我不知道資本外逃後會發生什麼事。」那些在一九八〇年代遭到工廠解雇後的美國勞工，他們在服務業或自營業中另起爐灶後往往表示：「我很幸運」、「我真是走運」、「我運氣真好」。[134]「我想，如果你能接受良好的教育，就會有大好前途。」過去擔任鋼鐵工人、如今投入伐木業的班傑明．布佛表示：「但在我看來，每個人都必須懂得變通，而那些腦袋靈光的人將會是幸運的。」[135]

第二十章 新經濟

到目前為止，資本主義或許從未像一九九〇年代那般備受讚揚。一九九〇到一九九一年的經濟衰退如果從國內生產毛額的角度來看，不算嚴重；然而，緊接著經濟衰退而來的「失業型復甦」（對年輕人而言尤其如此），這對未來商業週期來說，是個令人不安的預兆。一九九〇年代初有一小段時期，油漬搖滾（grunge music）與厭世電影（slacker film）都廣受歡迎——其中最賣座的是在休士頓拍攝的《四個畢業生》（*Reality Bites*，一九九四年）。然而不久後，隨著信貸週期中投機活動日益活躍，下一個總體經濟擴張邁開了腳步，揭開了一個為期十年、令人興奮的經濟時代。

一九八〇年代始脫離許多固定產業結構的資本，在新經濟中湧入了資訊科技的基礎設施，途徑通常是與商業網際網路誕生相關的網路企業金融證券——譬如奇摩（Yahoo!）與Google。對比之下，蘇聯經歷了一九七〇年代的工業低潮之後，未能勾勒後工業經濟的未來，最終走向了滅亡。繼一九八九年柏林圍牆倒塌及一九九一年蘇聯解體之後，政治學家法蘭西斯・福山（Francis Fukuyama）在一九九二年隆重宣布，這是「歷史的終結」。地平線上看不到自由資本主義民主制度的替代方案。[1]除此之外，過去也不再如此重要了。對工業社會的懷舊暫時從人們的話語中消失了。企業管理大師詹姆斯・錢辟（James Champy）在《改造管理》（*Reengineering Management*，一九九五年）一書中寫道：

> 沒有什麼是穩定的。商業環境正在我們眼前迅速、徹底且令人困惑地變動著。**現在，無論我們做什麼都不夠。**我們習慣了漸進式的改變，也就是我們可以透過謹慎的計畫、廣泛的共識及受控的執行來逐步因應的那種變化。如今，我們不僅必須面對變化，還必須創造變化——重大且快速的變革。[2]

到了一九九八年，隨著資本主義的勝利與近期美國總體經濟的強勁表現，聯準會主席葛林斯潘在國會的見證下公開拋出了一項考量（儘管他個人持懷疑態度），即人們是否「有可能在某種意義上超越了歷史」。[3]

聯準會持續加強沃克衝擊時期開始實行的監管措施。葛林斯潘這位著名的貨幣政策「大師」，並不是華府唯一一位擁抱新資本流動性的政治家。一九九九年，哈佛大學經濟學家、同時也是財政部副部長的賴瑞．薩默斯（Larry Summers，十年後成為歐巴馬總統的首席經濟顧問），總結了「一九九〇年代的教訓」。在他的論述中最值得注意的是，世界「進入了一個嶄新的市場時代：一個獎勵開放、彈性與創新的時代」。這意味著各國政府必須「加快腳步，創造一個讓資源（尤其是資本）的使用能夠換取最高報酬率的環境。」[4]在過去跨境資本流動受到控制的時代，戰後自由主義所承諾的「機會平等」，如今已經更新。經歷一九九〇到一九九一年經濟衰退，在一九九二年當選總統的民主黨員柯林頓，承諾會超越左派與右派政治之間的舊有意識形態，走向「第三條路」，也就是透過任人唯才的方式實現機會平等。在自由主義這塊招牌下，個人與國家都將擁有吸引全球資本投資的自由與責任，且皆須承擔其後果。

延續一九八〇年代的趨勢，邊界與圍牆逐漸瓦解，體制的界線變得愈來愈模糊。貿易的藩籬崩塌，投資與商業金融之間的隔閡也消失了。二〇〇〇年四月，柯林頓總統在一場電腦貿易展上表示：「過去七年來，我屢次發現，在我們推動的重要工作中，唯一真正發揮作用的是公、私部門之間正確的合作關係。」[5] 柯林頓捍衛的唯一一道牆，便是他的政府官員身分與私人性生活之間的壁壘，但在時代精神影響下，這道牆也倒塌了。白宮實習生莫妮卡・陸文斯基（Monica Lewinsky）曾評論，一九九〇年代「蠶食了公私之間的界線」。[6]

在那個年代的熱門電影《魔鬼終結者2》（*Terminator 2*，一九九一年）中，一個由液態金屬製成的機器人不斷地液化與重塑。在政治經濟與社會生活中，許多曾經截然不同的制度領域變得愈來愈緊密，就像一個不斷變化的文氏圖（Venn Diagram）。什麼屬於公共領域？什麼屬於私人生活？什麼屬於個人？什麼屬於政治？男性與女性的身分有何區別？種族與性別難道不只是「社會幻想」而已？民族歸屬過時了嗎？界線遭到逾越，固態變成了液態，似乎一切都變得「網路化」了，以致幾乎沒有獨立的觀點可供退一步評估或劃定新的界線。可以肯定的是，獨立的公共利益立場變得可遇不可求。[7]

從柏林圍牆倒塌到「建造那堵高牆！」口號的盛行，中間已過了二十七年。但是，千禧年的結束，是執政精英稱頌「流動」的時刻，無須擔心穩定、結構或領域的區隔，這十年當中最重要的關鍵字全球化貼切表達了這種情緒。商品與文化跨越了國界，儘管幅度比較輕微，但合法或非法移民也是如此。[8]最重要的是，全球化意味著讓資本四處流動與順應變化。一切終將透過某種方式為每個人帶來益處。

然而事情並沒有按照這樣的走向發展。從一九九〇年代的統計資料來看，當時的美國經濟情況相當不錯。一九九八年，葛林斯潘在國會上誇耀表示，總體經濟的表現「是我見過最令人印象深刻的」。[9]由於資訊科技的投資，固定投資的總比率，或是添購新生產性資產的數量，比一九八〇年代還多。在一九九〇年代晚期，生產率提高至一九七〇年代以來未曾有過的水準。[10]同樣地，失業率自一九七三年以來首次降到百分之五以下。勞動力市場緊縮，薪資中位數則是從一九七〇年代以來首度上升。總體物價通膨維持在低點。就連暴力與犯罪率也降到了一九六〇年代以來的新低。[11]

然而，資產價格的增值更為驚人。一九九六年，葛林斯潘提醒大家謹慎留意股市估價的「非理性繁榮」。[12]股價開始攀升，遠遠超出了過往與潛在企業利潤或國內生產毛額的關係。

歷史不再能指引未來的經濟了嗎？葛林斯潘也認為，股票市場的價值於理有據，因為預期是合理的。考量創新的想法與對資訊科技的龐大投資，生產力成長的速度總有一天能創造未來的商業利潤，進而證實目前的高股價。現實將追隨表象。馬車能夠拉著馬前進，一直到馬醒來為止。

如果一九九七到二〇〇〇年的網路股市泡沫事件不是神奇的市場思維，那或許不過是「真實的誇大」的一個例子，重現一九八〇年代資產增值資本主義罷了？網際網路的蓬勃發展確實促成了對

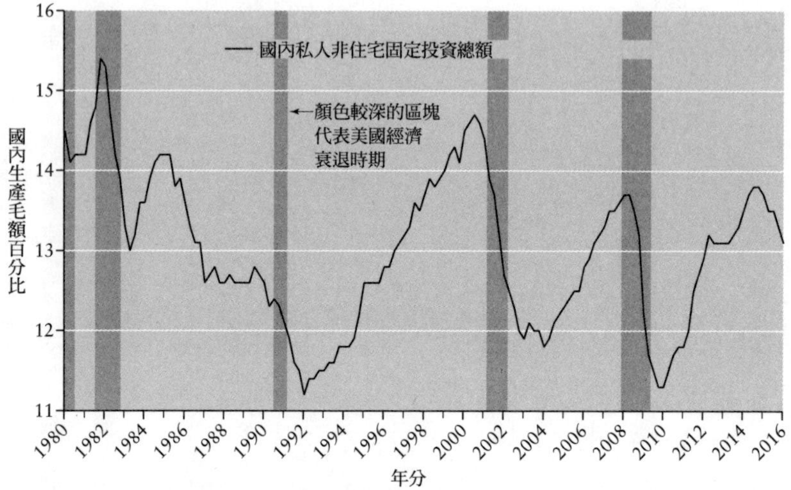

圖 109 國內私人非住宅投資占國內生產毛額之百分比

真正的投資熱潮與隨之而來的生產力成長，推動了一九九〇年代的新經濟。在混沌時代，這個短暫的時刻象徵了規則的例外。

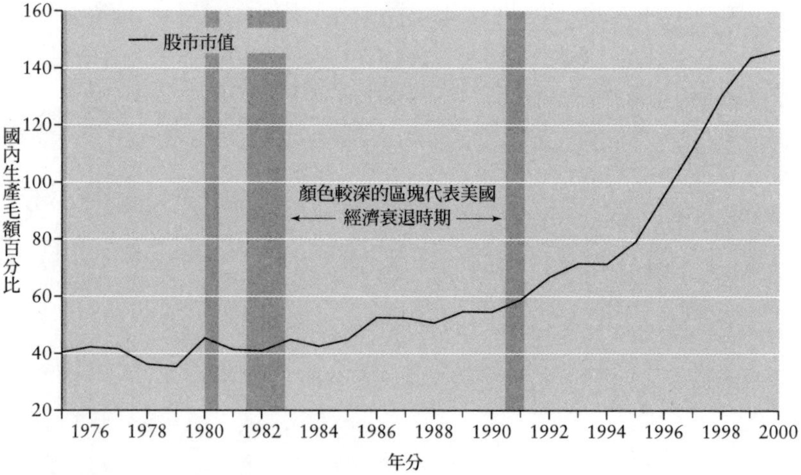

圖 110 股市市值對比國內生產毛額之變化

就資產價格增值而言，一九八〇年代的股價上漲，完全比不上一九九〇年代新經濟的發展。

資訊科技基礎建設的嶄新長期投資，但也帶動了信貸週期的投機性上行，進而抬升了資產價格，為富裕階層帶來了資本收入。投機性投資的矛盾驅動力主導了資本市場，且矛盾的特性尤為明顯。對嶄新創業形式與生產力的固定投資大增。然而，持續而易變的可轉換性意味著投機本身也成了一種短期目的。有了這麼多的能量與流動，一切似乎不斷發生，即使根本沒出現什麼大事。投機性資本迅速竄升，在偌大的全球資本市場中以一種全新的數位速度轉變著。然而，一旦信心與信念動搖，投機性投資的熱潮便有可能陷入蕭條，不會有短期投機，也沒有長期投資。囤積現金的避險行為、資產價值的下跌，以及整體經濟活動遭受的打擊，都顯露了信貸週期的矛盾特性。

事實上，葛林斯潘對於歷史本身有可能為人所遺忘的推測，是在一九九七到一九九八年亞洲金融危機之後提出的，事後證明，這起事件在全球具有重大的經濟意義。為了確保全球交易流動性，聯準會不得不出手干預。

一九八〇年代首次出現的資產增值政治經濟扎穩了根基。儘管如此，歷史已經表明，新經濟不只是信貸週期的單一回升，或單純是股市的一波熱潮。某種前所未有且持久的事物在一九九〇年代誕生了。新經濟開始改變經濟生活的特性，即使只是因為網際網路出現了。若想從各方面深入瞭解新經濟，就必須探究其誕生地——加州矽谷（Silicon Valley）。

矽谷——創新構想的集合

千禧年之初，世界上經濟活動最活躍的地區是跨太平洋西部，具體而言就是美國軍方承諾保衛的廣大區域，包括加州與華盛頓州，以及日本、韓國、香港與泰國。[13]資本集中於一個獨特的地點，連帶著讓美國軍事合約、大學科學家、鍾情於日本設計的工程師、探索佛教義理的嬉皮企業家以及創業資本也在此匯聚。這個地方就是矽谷，位於舊金山南部聖塔克拉拉谷（Santa Clara Valley）一塊面積約一百零五平方公里的半島地帶。一九九〇年代，網際網路首度在此實現了商業化。在卓越不凡的技術創新之中，嶄新的創業風格與金融評估邏輯應運而生。

「矽谷」一詞首度出現於一九七一年，在這一年，當地工業開始從第一個偉大產品矽半導體轉向下一代的矽微處理器——又稱「晶片電腦」。微處理器是數位電子革命的核心。正如經濟學家所稱，這是一種「通用技術」，意思是它可以經由各種方式加以運用，就像在第一次工業革命中問世的蒸汽機那樣。

是什麼成就了矽谷？[14]有幾個先決條件。二戰期間，美國的戰備需求讓加州工業化，之後五角大廈的研究基金進一步助長了矽谷的發展。史丹佛大學的教師與研究生成了為企業貢獻學術知識的中心。這個地區在文化上偏左派的自由意志主義崇尚創意與合作，力避一成不變的白領衣裝與官僚作風。一些當地企業家成功發跡後，許多人成為了創投家，勇於冒險對新公司進行長期股權投資。事實證明，矽谷的企業家十分擅長與華盛頓的權力走廊打交道。此外，加州北部的氣候也相當宜人。

但是，許多元素在其他地方也有，例如蘇聯也有軍事工業複合體，卻沒有誕生Google。有些地方成功的例子規模較小，譬如波士頓受惠於麻省理工學院與哈佛大學科研成就的一二八號公路（Route 128）。不過，休士頓擁有建立在大學基礎上的大型醫療中心，卻從未發展出成功的生技產業。在一九八〇年代，當地的石油企業家資助了既有公司的槓桿收購案，而不是將資本投入可望改變人性的技術。

矽谷之所以能有今日的地位，與其說是因為它具有的要素，不如說是因為它結合了所有要素，並且不斷加以重組。有一段話極為貼切地指出，這個區域的特性在於，「營利、非營利與公共科學組織活躍於三個穩健的叢集中」，這「讓跨網絡的轉置成為可能，將某個領域的經驗、狀態與合法性轉化為另一個領域的『新穎』行動」。在那之後，「跨領域的接觸成為常規，組織間的流動引導了人才、想法與資源的流動」。[15] 網絡化的工業區具有悠久的歷史淵源。在矽谷，制度經由創意互相重疊與形變，人才與資本的網絡則透過其他任何地方都沒有的創造性彼此連結。

受資本化而存在的矽谷，成功的因素正是當初使矽谷飛快發展的那些特質。想取得成功，就必須建立創造力網絡與獲得充足資金。我們可以將矽谷的崛起看作是各種事件層層推疊而成的一段歷史，這些事件就像永無止境的「凱文・貝肯的六度分隔」（Six Degrees of Separation from Kevin Bacon）遊戲——以這個在一九九〇年代末流行的益智休閒遊戲來比喻，再適切不過了。如果說矽谷有誰扮演了貝肯的角色，那一定是史丹佛大學。史丹佛大學於一九七〇年設立了技術授權辦公室（OTL），有許多研究成果就如同車輪的輪輻般以此機構為軸心向外放射。

矽谷最初花了十一年才真正形成連結。一九六九年，當時加州大學洛杉磯分校藉由高等研究計畫署網路（Advanced Research Projects Agency Network）向史丹佛大學進行了第一次傳輸。一九七一年，英特爾公司（Intel）推出全球第一款商用「微處理器」，而在一九八〇年，生技與重組DNA製造商基因泰克公司（Genentech）與個人電腦製造商蘋果皆首次公開募股（IPO）。[16]到了那時，一種嶄新的商業評估模式顯然已在矽谷誕生。一九九〇年代，這個商業模式運用到了網際網路，進而在千禧年結束時主導了全球經濟。

美國國防部在一九六〇年代末創造了網際網路，發想人是來自德州的羅伯特·泰勒（Robert Taylor），他是一名航太工程師，曾負責管理隸屬於五角大廈高等研究計畫署（ARPA）的資訊處理技術辦公室。泰勒對不久前讀到的一份關於人機共生可能性的報告特別感興趣，文中推測：「希望在不久的未來，人的大腦將能與電腦運算機器緊密結合，由此而生的合作關係將會創造人腦從未有過的思考方式。」泰勒對上司說：「我想打造一套網路。」[17]

一九六八年，高等研究計畫署補助了猶他大學、史丹佛大學、加州大學洛杉磯分校與加州大學聖塔巴巴拉分校最早建立的四個「網路節點」，協助建立這套網路。[18]等到一九六九年高等研究計畫署網路進行第一次傳輸時，泰勒已經因為反越戰的立場而辭去了五角大廈的職位。一九七〇年，他來到矽谷，負責全錄公司（Xerox Corporation）帕羅奧圖研究中心（Palo Alto Research Center）的營運。該中心的實驗室位於史丹佛大學出租的土地上，也就是位於一九五一年的史丹佛研究園區。史丹佛大學的教授與研究生經常到此與泰勒旗下的科學家與工程師們交流。[19]

泰勒在一九七〇年進入帕羅奧圖研究中心時，園區仍以半導體工業為主。早在一九二〇年代，該區就以電子技術領域的貢獻聞名遐邇。一九三九年，威廉・惠利特（William Hewlett）與大衛・普克德（David Packard）這兩位史丹佛大學電子工程系的畢業生聯手創立了惠普公司（HP），該公司以組織文化「惠普之道」而馳名——意指便裝上班、同事間以名字相稱、沒有等級制度。一九五六年，為了就近照顧生病的母親與開發電晶體，物理學家威廉・蕭克利（William Shockley）從在紐澤西的美國電話電報公司的貝爾實驗室（Bell Labs）離職，來到了帕羅奧圖研究中心。蕭克利雇用了八位年輕的博士。一九五六年獲得諾貝爾獎後，他轉換跑道，開始提倡優生學，並成立了精子銀行。後來，「背信忘義的八人組」決定離開，並在國際商業機器公司（IBM）第一任董事長之子謝爾曼・費爾柴爾德（Sherman Fairchild）的資助下，成立了快捷半導體公司（Fairchild Semiconductor）。他們使用矽來製作半導體，這種材料可以放大導電率，也能成為絕緣體，而且非常耐用。一九六八年，費爾柴爾德成立了英特爾公司，該公司由快捷半導體公司的兩位創辦人戈登・摩爾（Gordon E. Moore）與羅伯特・諾伊斯（Robert Noyce）所創立。[20]

一九七一年發表的「Intel 4004」是第一個商用矽晶片積體電路微處理器。它是一台「晶片電腦」，擁有可編程軟體、運算能力與記憶體。當時，大多數的微處理器仍在「保護市場」中交易，買家是軍方。但是，最終微處理器會出現在各種產品上，從電腦到咖啡機、工廠自動化系統、智慧型手機與無人機等。摩爾在一九六五年提出，積體電路所裝載的電晶體數量每兩年會翻倍成長——這正是所謂的「摩爾定律」（Moore's Law）。在未來的數十年內，指數成長率會變得更快。[21]

同時，在全錄公司的帕羅奧圖研究中心，羅伯特．泰勒正在監督個人電腦的研發。大型主機與「微型電腦」已存在於商業界供辦公使用。然而，全錄公司的帕羅奧圖研究中心開發的奧圖個人電腦，具有一個由彈出視窗、圖示、文字處理技術、滑鼠、電子郵件及乙太網路連線所組成的作業系統。全錄公司無意在商業市場中發表這款個人電腦，但在當時，矽谷有許多人都致力打造個人電腦。[22]一九七六年，史蒂夫．賈伯斯與史蒂夫．沃茲尼克（Steve Wozniak）創立了蘋果公司。沃茲尼克就喜歡嘗試發明各種新奇的玩意兒，一如過去亨利．福特一手開創的小型工業傳統，而在二十世紀初，底特律本身就是一個網絡化的工業區。如同福特在愛迪生底下工作時將製造汽車當作一種嗜好，沃茲尼克在探索各種電子裝置的同時仍在惠普上班。就賈伯斯而言，他曾在矽谷規模最大的電玩遊戲公司雅達利（Atari）擔任配線工程師。雅達利背後的金主是紅杉資本（Sequoia Capital），紅杉資本是「沙丘路」上第一家創投公司，由快捷半導體公司的前員工唐．范倫坦（Don Valentine）於一九七二年創立。起初范倫坦拒絕資助蘋果公司，但他向麥克．馬庫拉（Mike Markkula）提及了這件事。馬庫拉當時三十三歲，曾待過快捷半導體與英特爾，他賣掉了自己分得的股票，生活百無聊賴。馬庫拉拿出九萬二千美元投資蘋果公司，之後又居中引介了紅杉資本，並成功說服全錄公司投入一百零五萬美元的資金。[23]

賈伯斯前去全錄的帕羅奧圖研究中心一探奧圖個人電腦的面貌，認為自己在全錄的投資下有資格試用技術。他與工程師團隊見到的是，一個以Windows為基礎的圖形使用者介面，這促使蘋果公司迅速重新思考自家的設計。同年在西雅圖，比爾．蓋茲以五萬美元的價格向西雅圖電腦產品公司

（Seattle Computer Products）買了一個名為86-DOS的作業系統，並改稱為MS-DOS賣給了ＩＢＭ，供其用於開發中的個人電腦。這款電腦於一九八一年推出，是由沃茲尼克設計，當時面臨的競爭對手，便是富有質感的「Apple II」（Apple II本身就跟奧圖個人電腦一樣是個奇蹟）。比爾．蓋茲買下的作業系統也以Windows為基礎，並在一九八三年命名為「Microsoft Windows」。賈伯斯曾當面質問蓋茲抄襲，而據報導，比爾．蓋茲如此回應這項偷竊指控：「史蒂夫，我認為看待這件事的方式不止一種。這更像是我們都有一個名叫全錄的有錢鄰居，我闖進他家想偷電視機，結果發現你搶先了一步。」[24]

一九八〇年十二月十二日，蘋果公司首次公開發行股票，成為一家上市公司。一九七七年，馬庫拉評估蘋果的市值為五千三百零九美元。在沃克衝擊導致總體經濟陷入雙底衰退期間，蘋果首次開盤股價為二十二美元。到了一九八〇年十二月底，股價以二十九美元收盤，市值超過十七億九千萬美元。[25]賈伯斯的個人持股價值高達數億美元。距此的兩個月前，生物技術公司基因泰克開盤價為每股三十五美元，收盤價為七十一點二五美元。包含養老基金在內的大型機構投資者買進股票，為矽谷注入了新資金。這些都是早期的新經濟估值案例，也就是大量資金突然注入萌芽中的企業。一九八〇年，一位舊金山的創投家表示：「每次我在開車離開的路上想到矽谷發生的一切，都忍不住興奮不已。」[26]

無論以哪種標準衡量，蘋果都是一家獲利的公司，但資本估值正在轉變。投資人考慮的不僅僅是營業利潤而已。他們透過投機的方式，將矽谷重組關係網絡的創新構想所富含的潛在營利也納入公司估值。當然，「預期」長久以來一直是資本化的一部分，但焦點逐漸從建於某處的固定資本的使用及折舊所產生的預期利潤，轉移至無形的創意資本（即「人力資本」）及社交網絡（「社會資本」）。這些形式的資本就像電線與硬接線一樣，對新經濟的崛起至關重要。

如同其他生技或製藥公司，基因泰克公司耗費最高成本的部分，是運用知識找到正確的藥物分子結構。接著便是確保創意作為新收入創造資產，讓稀缺價值得到法律保障。一九八〇年，美國最高法院在「迪亞蒙德訴查克拉巴蒂案」（*Diamond v. Chakrabarty*）中以五票對四票的比數判定，採用基因工程技術的人造有機體可以申請專利。一九八〇年，國會通過《拜杜法案》（Bayh-Dole Act），允許大學為聯邦政府資助的發明申請專利。新經濟將造福智慧財產權律師的勞動收入。一旦發現正確的分子結構並申請專利，基因泰克公司產品的實際製造成本，包括雇用非技術勞工，就會變得相對低廉了。同樣地，就一九八一年的蘋果公司而言，走完工程、設計與行銷的流程後，人工組裝只占公司成本的百分之一。[27]任職於矽谷早期主要的創投公司凱鵬華盈（Kleiner Perkins）的布魯克·拜爾斯（Brook Byers）指出：「基因泰克的不同之處在於，它需要鉅額資金。」除此之外，「這是一門科學，幾乎賺不了錢，基本上沒有利潤可言」。[28]其所需的資金，意味著對生物醫學實驗室的龐大固定投資。這也表示必須聘請擁有高學歷的勞動力，即便需聘人數不多。產品的製造成本不高，但考量之前付出的創新成本，基因泰克沒有賺到錢。儘管如此，股票看重的並不是當前的利潤，而是這個構想未來在資本市場上的潛在價值。

到了一九八〇年代，有一種新事物正在矽谷醞釀成形。蘋果公司在一九八四年推出了麥金塔電腦（Macintosh），是一款富有質感且具標誌性意義的個人電腦。比爾．蓋茲的微軟公司於一九八六年上市。當時，華爾街把焦點放在槓桿收購老牌工業企業，而不是資助新創科技公司。槓桿收購隨著一九九〇到一九九一年的經濟衰退玩完後，華爾街才轉移注意力，而矽谷的高科技產業將引領華爾街股市下一波飆升。到了這個年代末期，焦點將是網際網路的商業化。

五角大廈在一九八〇年代資助了高等研究計畫署網路。在瑞士日內瓦，英國電腦科學家提姆．伯納斯－李（Tim Berners-Lee）設計了一套軟體，使任何一台連上網際網路的電腦都能向其他電腦新增與獲取資訊。致力推動開放來源授權的伯納斯－李在一九九一年向大眾免費發布了這套程式。全球資訊網（ＷＷＷ）就此誕生。那一年，美國線上（America Online，ＡＯＬ）入口網站推出了一款Windows介面。一九九三年，就讀伊利諾大學、在國家科學基金會（National Science Foundation）資助的超級計算中心從事研究的二十一歲學生馬克．安德森（Marc Andreessen），率領團隊編寫了使全球資訊網更易於使用的一套軟體程式，並將其命名為馬賽克（Mosaic），是最早問世的網路瀏覽器。[29]

與羅伯特．泰勒同樣來自德州的電腦科學家吉姆．克拉克（Jim Clark）在一九八二年辭去了史丹佛大學的職位，創立視算科技（Silicon Graphics），專門製造立體圖形處理器。克拉克注意到了馬賽克瀏覽器，延攬安德森到矽谷，請他率領團隊重新編寫程式碼。這款網路瀏覽器名為網景（Netscape）。克拉克一看到成品，就預估價值可達一千八百萬美元。當時公司只有少數幾名員工，也沒有任何收入可言。在一九九五年八月九日發表後過了八個月，網景通訊公司正式上市。首次公開募股的股價為十八塊美金，收盤價為五十八點二六美元，當日交易結束時從市場獲得了三十億美元的資本，使克拉克手上的股票價值漲到了五億美元。然而當時，網景公司還沒賺進任何一毛營利。[30]雖然蘋果公司與基因泰克公司也經歷過類似的資本化，但這次不同。網景公司並未創造一分一毫的利潤，許多人將網景公司的首次公開募股視為新經濟的起點。

從班傑明．富蘭克林到唐納．川普，自鳴得意的商業自傳是美國文學流派之一。在自我吹噓這方面，克拉克所著的《網景時代》（*Netscape Time*，一九九九年）甚至超越了川普的《交易的藝術》。「一路走來，我在關鍵時刻取得了某些具體的勝利，我樂在其中。」克拉克憶起網景公司首次公開募股的情況時說道，此外，「我很榮幸地得知，不管別人做了什麼，如果沒有我，這一切都無法成真」。這種自認成就了某種不凡的感覺，是生活中難得的快樂，儘管對克拉克來說這種快樂時常出現。至於負責編寫程式碼的安德森呢？「當然，如果沒有馬克，也就不可能有網景，但這都多虧我慧眼獨具，在第一次碰面時從這個性情壓抑、昏昏欲睡的年輕人身上看到了傑出的特質……」[31]

雖然克拉克的自我吹噓顯得可笑，卻凸顯了新經濟估值中人才的重要性，這似乎證明了他有足夠理由自認能夠致富全靠優秀的能力。在一九九〇年代，幾乎各族群的平均勞動收入都增加了。但是，新經濟看重的是史丹佛研究生與克拉克追隨者的遠大理想。有些人極度自滿，也有些人遭到極度貶低，甚至可能被完全排擠或監禁。一九九四年，加州議會投票透過了嚴苛的「三振出局」法，不久後，美國最大的私營監禁公司——美國矯正公司（Corrections Corporation of America）在華爾街首次公開募股，籌集了四億美元的資金。即便在繁榮的加州，這十年的監獄人口仍大幅增加。[32]

一九九五年，史丹佛大學研究生楊致遠與大衛．費羅（David Filo）創立了雅虎，一開始的目的只是作為兩人最愛網站的超連結索引資料庫。他們向紅杉資本募得了創業資金。雅虎在一九九六年四月進行首次公開募股，負責承銷的高盛盡責地警告潛在投資者，預測雅虎將「在可預見的未來出現重大的季度與年度虧損」。[33] 雅虎第一天上市的市值為八億四千八百萬美元，首日發行價很不錯，讓所有人眼睛為之一亮。一位股票分析師指出，「市場在某種程度上合理化了這些荒謬的市值」。[34] 然而，在這十年期間，雅虎的股價不斷創新高。到了一九九九年，其市值接近一千二百億美元。在新經濟中變得更具流動性與可轉換性的資本，迅速湧入了網路公司的股權。明確來說，資本主義史上從未出現過如此極端的情況。

接著，受美國國家科學基金會資助的兩位史丹佛大學研究生賴瑞．佩吉（Larry Page）與謝爾蓋．布林（Sergey Brin）開發了一個名為「搓背」（BackRub）的搜尋引擎，於一九九七年在史丹佛大學官網首度上線。這個搜尋引擎運用演算法來「爬行」網站，並根據這些網站的引用密度進行排名。奇妙的是，這個搜尋引擎會愈來愈大，意思是每當有更多資訊輸入到網際網路，搜尋的結果便會愈來愈好。一九九七年九月，「Google.com」這個網域名稱正式註冊，前身便是「搓背」。當時，乙太網路連線逐漸取代了撥號連線。一九九九年，Google獲得了紅杉資本與凱鵬華盈的創投。為了換取搜尋演算法授權，Google分給了史丹佛大學一百八十萬股的股票。Google擁有最頂尖的網際網路搜尋演算法，這又是一個高度資本化的創意，卻並未依賴任何實體資本設備。很快的，Google累積了數十億美元的市值。[35]

不論獲利與否，Google都創造了某種價值，那就是人類與資訊之間前所未見的關係。此外，先後待過全錄帕羅奧圖研究中心與蘋果公司的艾倫・凱（Alan Kay）表示：「當你設法完成一項艱難的工作，並且透過正確方式從小組中獲得助力時，那美好的感覺實在無法形容。這就像愛情。這是愛沒錯。」[36]不管商業利潤或股票市值有多少，人類的創造力與合作本身都富有價值。股票的市值回應了某種難以言喻、卻又不可否認地真實與重要的因素。

之後，Google掌握了從網際網路獲取實質商業利潤的關鍵。他們開始銷售廣告。二〇〇〇年，Google推出了「橫幅廣告」，而不是過去惱人的「彈出式」視窗。他們挖掘並提取使用者在自家搜尋引擎留下的「資料廢氣」，進行聚集與操作，然後販售給行銷業者。但是，這種商業模式不過是實踐消費主義罷了，沒有革命性的創造。矽谷式估值的夢幻特質，似乎喚醒了消費主義的夢幻生活。Google一直到二〇〇四年才進行首次公開募股。這時，大眾（尤其是投資者）才意識到網路的浩瀚無際，發覺這肯定有利可圖。直覺匯聚了資本，第一考量是資產價值，再來呢？是利潤嗎？

今日，要全面衡量新經濟特質到底有多新穎，還為時過早。有鑑於一九九〇年代資本主義信貸週期加速，新經濟某些特質必會與過往的投機性投資熱潮產生共鳴，例如一九二〇年代的股市熱潮。一九二〇年代，在剛萌芽的汽車工業社會中，金融活動為新出現的長期固定投資帶來了資金；而在一九九〇年代網際網路經濟的曙光中，金融活動看到了嶄新的長期投資。相較之下，一九八〇年代是投機性撤資的時期，沒有創造些什麼。一些真正新穎的事物確實在一九九〇年代留下了影響。許多未獲商業利潤的新經濟公司估值過高，導致金融資產的增值有可能與商業盈利完全脫鉤，使人們不得不建立新的標準來評估經濟生活中的價值（可以說這是一種非營利標準嗎？）。這是「後資本主義」的先兆嗎？如果不是，也許金融增值至少可用於其他目的，例如此時的「社會投資」，而不只是讓資本所有者致富。在一九二〇年代投機性投資的熱潮過後也有發生過類似的情況，當時新政與工會成功重新分配了資本中的工業收入。

同時，網際網路在早期的實際用途為何？電子商務公司在一九九七年春天的首次公開募股熱潮中流行一時，其中包括成立於一九九四年、總部位於西雅圖的網際網路零售商亞馬遜（Amazon）。然而到了一九九〇年代末，沒有一家公司接近盈利。當時，「Image.net」網站的共同所有人某次造訪亞馬遜伺服器的機庫，見識到了業界中最壯觀的伺服器機櫃。「太瘋狂了，無數個指示燈不停閃爍，那些機器運作的聲音聽起來好不熱鬧、嗡嗡作響，彷彿冒著熱氣一樣。」那是什麼？有人告訴他，那是「色情產業」的伺服器。[37]今日作為頭號電商的亞馬遜，在二十世紀末的淨銷售額攀升到了一年十六億美元；當時線上有五十萬個色情網站，線上色情產業據估達二十億美元市值。[38]

身兼記者、失敗的網路創業家及《網路指南：網際網路與線上服務之完整指南》（*Net Guide: Your Complete Guide to the Internet and Online Services*，一九九五年）的作者麥可・沃夫（Michael Wolff）指出，Google在一九九八年上線時，「最多人搜尋的詞彙就是『性』」。[39]這十年對性的開展，十足地展現在美國線上性愛聊天室、線上性愛錄影帶、被貼切稱為「約炮」的性接觸、「網路性愛」的誕生、電視影集《慾望城市》（*Sex and the City*，一九九八到二〇〇四年）、藝術家馬修・巴尼（Matthew Barney）創作的《懸絲》系列（*The Cremaster Cycle*，一九九四到二〇〇二年）、史坦利・

庫布里克（Stanley Kubrick）的《大開眼戒》（*Eyes Wide Shut*，一九九九年），以及「性成癮」與「欲望過動症」的醫學診斷。活躍的股市投機與性解放往往同時出現，前一次共鳴發生在一九二〇到一九九〇年代之間，當時的新媒介是電影。巧合的是，就在一九九五年十一月比爾·柯林頓與莫妮卡·陸文斯基展開不倫戀情的那天，道瓊工業指數追平了一年內創下五十九次新高的紀錄；在此之前，這項紀錄只出現過兩次，分別在一九二五與一九六四年。一九九六年二月，在網路色情與網路性愛聊天室誕生之際，矽谷的線上股票交易公司億創理財（E*Trade）正式營運。網際網路迅速成為性愛與股市投機的論壇。

不論最初是什麼吸引人們使用與投資網際網路，令人驚訝的是，有這麼多的資本急速湧入那斯達克指數。從一九九五到二〇〇〇年，那斯達克指數攀升了百分之四百，「股票本益比」達到了令人震驚的一百七十五倍，也就是股票在股市中的估值與實際的商業利潤之比率達到了一百七十五倍，而歷史上的比率通常介於十到二十之間。到了二〇〇〇年，矽谷上市公司的市值總共接近七千五百億美元，而美國汽車工業的整體市值為一千三百六十億美元。資本如此迅速地流入新的資產類別，簡直是史無前例。截至二〇〇〇年，加州的國內生產毛額在世界各國中位居第九。

網絡

網際網路不僅述說了人類的發明及創業與資本估值的新領域，還改變了企業的行為模式。千禧年末，身為老牌企業奇異公司總裁且力倡股東價值的傑克．威爾許（Jack Welch）對網際網路讚譽有加，稱其為「靈丹妙藥，開啟了電子商務的世界」。網絡成為一種新的社會組織原則，並立足於經濟生活核心。威爾許預言，奇異將成為一個「無邊界」的實體，一個「創意無所不在」的「商業實驗室」。[40]

值得一提的是，企業轉型了。一九八〇年代，資本市場衝擊了多部門（或稱M型）的大型企業，即使沒有收編經理階層，也推翻了舊有的模式。固定資本存量遭到清除，工廠也被拆除。一九九〇年代，一種新的組織邏輯浮現，核心與其說是產業結構、官僚形式、階級制度甚或一次性的市場交易，不如說是網絡。網絡是一個群體或系統，由重複性的互動與力量加乘的連接所定義。[41]相較於一次性市場交易或官僚階級制度，網絡對美國企業而言並不陌生。[42]然而在一九九〇年代，網際網路與全球化推升了網絡的重要性。

二〇〇〇年，世界上市值最高的企業是總部位於矽谷的思科系統（Cisco Systems），該公司在同年三月的市值達到了驚人的五千六百九十億美元，對比一九九五年，當時只有一百五十九億美元。一九八四年由史丹佛大學的一對夫婦創立的思科，充分代表了這種新經濟商業模式。該公司是全球最大的數據機與路由器製造商，這種機器是組織與引導網際網路流量的實體管道。該公司一九九七年推出的「Cisco Aironet 1200」路由器，可謂路由器中的T型車。這種資訊科技的基礎設施大力促成了一九九〇年代末私人固定資本投資的成長，而思科便是主導這項基礎設施投資的龍頭。

思科之所以具有代表性，不僅因為產品，也因為其商業模式：它是一家「平台公司」。[43]在一九八〇年代，許多公司使用電腦創建電子資料交換（EDI）系統，即時在供給商與客戶之間協調資訊。思科將這種做法帶到了網路。其網站「線上連線」（Connection Online）是一個供給商與客戶的媒合平台，思科只是一個節點。二〇〇〇年，思科每天收到四千萬美元的線上訂單，其中有六成由網站自動完成。之後，思科將絕大部分的生產轉包給一個不斷變化的低薪「全球供應鏈」。這家公司正式雇用的員工有三萬四千名（不為人知的是，平均一名員工擁有二十五萬美元的股票選擇權，且金額不斷快速增加），主要分布於設計與物流工作。分包商製造、組裝並印上「思科」的商標，最後將產品直接運給客戶。透過供應鏈的全球化，世界製造業貿易在一九九〇年代轉變了，從日本與美國等經濟體之間相對平等地貿易，變成由低工資地區向高工資地區的製造業出口貿易。

階級制度可提前規畫，網絡則是即時調整。隨著物流時間縮短，企業供應鏈開始跨越全球，進一步使得像個人電腦這種商品的價格急遽下降。[44]例如，公司開始使用新資訊技術來蒐集消費者偏好的相關資訊。過去，白領官僚坐在辦公室裡規畫長期的大規模生產；現在，跨國公司蒐集與分析大量的「大數據」，進而啟動短期的產品週期。新經濟形態中有一個西班牙服飾品牌將「可擴充性」發揮得淋漓盡致。Zara是第一家向所有銷售員提供手持式光學掃描器的零售商，這種裝置可將消費者的購買資訊即時傳送給位在西班牙西北部阿爾泰霍（Arteixo）工業區的設計師。Zara的主要全球性競爭對手Gap則是將庫存系統電腦化，並將從設計、生產到銷售的週期縮短為兩個月。Zara更是壓縮到兩週。如果美國的少女都「流行」穿黃色系服飾，那麼世界上某個低工資地區的供給商便會生產更多的黃色襯衫。[45]

M型企業是一種全球性實體。[46]國家貿易統計數據開始掩飾廣大的全球中間投入貿易。企業開始依賴快速變化的全球供應鏈。例如，台灣電子產品製造商鴻海精密工業有限公司（簡稱富士康）於一九七四年開始營運，重大突破是在一九八〇年為雅達利2600電玩遊戲系統生產操縱桿的訂單。一九八八年，它在中國開設第一間工廠。這家公司能根據要求迅速擴大或縮小勞動力與生產規模。[47]到了二十一世紀，富士康成為蘋果iPhone的製造商。全球與區域經濟規模在國家內外的層面相互作用。有時候，全球供應鏈的組裝會在美國進行。舉例來說，為了更接近終端消費者，日本或歐洲的汽車製造商選擇在工資低廉、工會組織較少的美國南部建造組裝廠。

網絡化的跨國企業並沒有完全浮動，在特定地區依然保有穩固根基，但通常是在文化層面。蘋果公司的企業文化不論在過去或現在，都徹頭徹尾地圍繞著矽谷，但若想摸清其以亞洲為主的全球供應鏈就得碰運氣了，更別說是它在瑞士、愛爾蘭與開曼群島的子公司為了避稅而建立的複雜網絡了。一九九〇年代，大眾零售商沃爾瑪（Wal-Mart）成為另一種企業典範。總部設於阿肯色州本頓維爾（Bentonville）的沃爾瑪，從未放棄在當地一步步打造而成的基督教服務意識。[48]沃爾瑪的新經濟成本結構與蘋果公司並不同。它將固定資本作為「輕資產」，使供應商必須承擔庫存與運輸，因此營運的利潤取決於廉價的服務勞動力及將少量固定資本運用最大化。[49]但是，沃爾瑪也是全球最大的資訊科技公司之一，標榜先進的電腦化倉儲系統，並且能依據消費者偏好的變化及時調整旗下多家門市的進貨。沃爾瑪在二〇〇二年取代通用汽車，成為美國最大的資方。[50]據估美國在一九九〇年代後半葉的生產力成長有三分之一來自零售業，其中以沃爾瑪及其實惠的產品售價推動了生產力增長，更造福了低薪的消費者。[51]如果說新經濟特點早就為人所知，那就是消費主義。

受雇於網絡化公司的個人也同樣需要彈性與靈活性。臨時工與自雇成為就業成長的產業。[52]一九九九年，加州只有百分之三十三的勞工在一家公司擁有一份全職、全年無休的固定工作，靠著在公司內所做的工作領取報酬，而不是在家工作或從事自雇的「獨立承包商」。如果再加上三年或三年以上年資的篩選條件，這個數字就下降到了百分之二十二。其他那些受公司正式聘雇的員工必須培養「可自我編程」的能力。[53]他們必須隨時根據每一項特定的單性「專案」，調整與擴展自己的才能與能力。一九九三年，奇異的家用電器部門移除了工廠生產線，取而代之的是規模較小卻更加彈性的專案「工作小組」。一九九六年，美國電話電報公司人力資源部副總經理詹姆斯·梅多斯（James Meadows）提出建議：

> 人們必須把自己當成自雇者，當成向公司推銷自身技能的供應商。在美國電話電報公司，我們必須提倡「視情況而定」（即短期合約，沒有一定的承諾）的整體概念，儘管多數臨時工都在公司內部工作。「工作」逐漸被「專案」與「工作領域」所取代，進而使社會中有愈來愈人「失業，但不是沒工作可找」。[54]

Google談到其注重才能並以人力資本為基礎的企業文化時宣稱：「我們重視能力，而不是經驗。」[55]

專案都是臨時安排的，排定的密集工作之間會不時出現賦閒期。如果持續無事可做，就有可能遭到解雇。運氣好的話，就會以短期合約的形式重獲公司雇用。一九九〇年代的ＩＢＭ便盛行這種制度。ＩＢＭ曾錯誤地將未來寄託在電腦主機的銷售與維修上，之後ＩＢＭ轉為以「商業資訊科技」為導向，並將員工人數從四十萬五千人裁減到二十二萬五千人，接著再將五分之一的解雇員工重新聘為「顧問」——這些顧問沒有固定地位，享有的福利較少，或甚至沒有福利。如同ＩＢＭ，柯達（Kodak）公司是另一個戰後工業資本主義的典範，但在一九九〇年代同樣裁掉了白領勞工，衝擊所有員工。「我們必須承認，慷慨大方的柯達公司再也無法照顧我們所有人。我們必須學著長大，自力更生。」羅徹斯特的《民主黨與紀事報》（*Democrat & Chronicle*）如此宣稱。吉姆·夏洛從小在羅徹斯特長大，二十三歲進入柯達公司，從機工一路升到經理，最後被解雇了。他對女兒凱倫說：

> 我們一生都在接受這樣的教育：如果你忠於某人或某事，就會得到對方的回報。我們家用的東西幾乎都是柯達生產的，底片用柯達，相機也是柯達。那又如何？到頭來也沒人管你死活。這是我們學到的教訓。

之後，吉姆·夏洛不再受雇於人，而是在家炒股票維生。[56]

在這個時代，即使資本被安置於固定場域，新的建築依然轉變成截然不同的樣貌。一九九〇年代，機器時代採高度現代主義風格、以鋼筋混凝土蓋成的工廠，被更容易調整、方便遷移且便宜的工廠「鐵皮屋」所取代。在辦公室設計中，長廊與四四方方的行政辦公室，被小隔間與共用辦公桌所取代。[57]一九八五年，蘋果公司的業績萎縮，史蒂夫・賈伯斯被趕了出去，之後投入大筆資金給皮克斯動畫工作室。一九九九年，賈伯斯協助設計了皮克斯總部，裡頭有一區寬敞的露天中庭，員工可以在這裡聊天交流，自發地創新。位於庫比蒂諾（Cupertino）、在二〇一六年賈伯斯逝世後啟用的蘋果公司總部，由賈伯斯與福斯特夥伴建築事務所（Foster + Partners）共同設計，福斯特夥伴是一家引進嶄新辦公設計風格的全球建築公司，他們將樓梯與建築設施改到室外，讓工作空間保持開放與流動，剩下的牆面由玻璃製成。這種架構是否藉由設計來彰顯工作場所的民主化，以及消弭公司階級制度？或者，這是否意味著唯一能躲避老闆目光的地方是廁所？工業主義的鐵籠消失，露天的小隔間取而代之。[58]

對勞工而言，在一個如今設計成沒有內部的機構，已不能透過建立自己的事業與生活來走向成功了。一九九〇年代的商業勵志書籍開始建議讀者，將自己視為顧問，心態調整為「具備受雇條件」，而不是「受雇於他人」，也就是將自己視為未來有增值空間的人力資本，而不是受雇以幫助公司實現過往投資的勞動力。哈佛大學商學院教授約翰・科特（John Kotter）認為，個人應存在於「組織外部，而不是組織內部」。「遠離大公司與官僚主義，走向小公司與創業精神！」不要「被體制給纏住了」。[59]建立社交網絡，才能在失業時還有去路。這個意思就是鼓勵人們多參加「聚會」。[60]

儘管企業有了新的互連性與適應性，卻失去了結構，失去了日積月累的堅實規模——許多情況下甚至失去了鋼筋混凝土牆。企業變得極具流動性，以致個人更難將公司視為掌握自身命運的集體代理人，將自己的成功與失敗內化了。這種新出現的經濟人格被稱為「創業的自我」或「人力資本的自我」，無止境地追求名聲與他人的欣賞——這種人到了二十一世紀則會執迷於社交媒體上的「按讚數」，甚至成為一個報酬優渥的「網紅」。[61]這種人極端地注重未來，常常忽視過去，因為在必須不斷即興創作時，過去那些依附，諸如對有交情的朋友、留戀的地方與前東家的忠誠，都會使人變得冥頑不靈。

人們有多希望經濟生活帶來長期的依附與忠誠，而非持續不斷的變化、破壞、活力與樂趣？大衛・芬奇（David Fincher）導演的《社群網戰》（*The Social Network*，二〇一〇年）以臉書在一九九〇年代起源為藍本改編，這部電影對流行文化中的探討至今或許依然沒有其他電影能比擬。片中主角馬克・祖克柏只注重未來，對朋友、敵人與女性等總是橫行霸道，只有在面對牽涉了數十億美元、事關重大的智慧財產權訴訟時，才勉強願意回顧過去。如果芬奇拍了一部關於戰後工業社會的電影，片名或許會是《社交結構》（*The Social Structure*），講述的內容則會是成年人每天上班做千篇一律的工作而鬱鬱寡歡。在史塔茲・特克爾（Studs Terkel）的著作《工作》（*Working*，一九七四年）中，鋼鐵工人麥克・勒菲弗感嘆：「每天都在焊切鋼筋，要怎麼開心起來？」[62]如果說更年輕、更有活力與更有趣的新經濟職場中出現了一個新問題，那會是，如何停止查看有沒有新的電子郵件寄來？

一九九〇年代矽谷各大公司以不分階層與年輕活力而聞名，但不久後也因為男性員工居多與性別歧視而惡名昭彰。祖克柏早期的名片上寫著：「婊子，我是執行長。」[63]在那個年代，美國各地的女性勞動力參與率（即成年女性在有償勞動力中占的比例）長期上升，最終穩定保持在百分之六十左右。相較之下，同期的男性勞動力參與率持續下降，掉到了百分之七十五以下。男女收入差距自一九八〇年代開始快速拉近，但到了一九九〇年代便逐漸放慢了。最重要的是，高學歷、高「人力資本」、已婚且有孩子的婦女進入了勞動力市場，提高了上流家庭的收入。教育程度較低、低技術勞動的男性與女性結婚的比例變得愈來愈少，導致收入不平等的現象在底層社會逐漸擴大。

隨著「北方世界」*有愈來愈多受過高等教育的女性進入勞動市場，來自「南方世界」的女性開始進入前者的家庭從事處理家務、照顧小孩或長輩的工作。一九九九年，美國有百分之十四到十八的家庭花錢找人清潔住家環境。家庭與工作之間的界線被破壞，「情緒勞動」成為新的有償勞動。二〇〇〇年，美國跨國人力派遣公司凱利服務（Kelly Services）雇用了七十五萬名員工，以些微差距超越了沃爾瑪，成為美國最大的雇主。[64]凱利服務公司可應客戶要求派遣訓練有素的技術人員擔任辦公室職員，或者派遣保母或女傭協助家務（這些保母或女傭通常是移民）。嚴格的移民限制仍然存在。但是，全球化的勞動力市場逐漸形成。現在，我們來想像一下這樣的全球化面貌：一位來自菲律賓的保母養育一位受過高等教育的矽谷女性主管的孩子；而在一家由沙烏地阿拉伯主權財富基金資助的新創企業中，這位女性主管做的工作跟男性同事一樣，賺得卻比他們來得少；她還雇用了一名墨西哥園丁，而他透過一台使用台灣自由貿易區所生產的零件、並且在墨西哥邊境加工廠組裝的電腦，把薪水匯回國內給家人。

在新經濟的管理語言中，凱利服務公司派遣的這類勞工被稱為「外圍員工」。這種外包的做法不只見於製造業，還延伸到了其他產業。不論是文書工作或客戶服務，這類內勤工作都被外包到了單調乏味的遠郊辦公園區。思科系統的「核心競爭力」當然不在於清潔公司廁所。他們將清潔工作交由外包廠商負責，而那些「自雇」的清潔人員沒有股票選擇權。新經濟既不尊重體力勞動，也不給予這類勞動者報酬。

加州再次在低薪勞工組織方面引領風潮。服務業雇員國際工會意識「自雇」往往是損害集體談判權的合法藉口，[65]為了適應這種新經濟的現實，他們試圖組織整個勞動力市場，發起象徵性的反抗行動，如封阻交通或闖入股東大會。一九九〇年意圖在世紀城（Century City）組成工會的移民清潔工發起了和平示威活動，隨後便被洛杉磯警方暴力壓制，讓「為清潔工伸張正義」的運動在一九九〇年代初期席捲整個加州。他們後來贏得了工會認證，工資也調升一倍。一九九一年，服務業雇員國際工會的一八七七分會向股東大會發起抗爭，說服蘋果公司強迫其清潔服務外包商晶亮大樓維護公司（Shine Building Maintenance）進行勞資集體談判。一九九六年，網際網路蓬勃發展之際，「為清潔工伸張正義」運動在矽谷發起了大型集會。在這十年當中，這項運動替成員向矽谷各大公司爭取到了許多契約，其中包括與惠普公司簽訂的清潔外包協定。在此之前，工會的組成從不屬於「惠普之道」的一部分。[66]

* 譯註：泛指歐洲、北美與亞洲一些已開發的國家或經濟體。

魯賓經濟學

很難想像有任何政府比前美國總統柯林頓所領導的民主黨政府更全面接納新經濟。雷根政府上台時秉持的支持市場機制、反對政府干預的意識形態，而這種理念除了一些指導原則例如管制措施是不好的、減稅政策才有利外，往往不成熟又矛盾。儘管言論帶有「新民主黨人」色彩，但柯林頓就任時明訂了標準的自由主義議程，包含改革勞動法規與擴大醫療保健權利，他後面這項任務指派給了妻子希拉蕊・柯林頓（Hillary Rodham Clinton）。這兩項措施在政治上都失敗了。一九九四年，共和黨贏得了國會，柯林頓轉而採取右派立場。[67]在經濟決策方面，以國家經濟委員會（NEC）主席、高盛前執行長羅伯特・魯賓（Robert Rubin）為首的顧問團隊主導政府內部。

正是在此時，混沌時代一套連貫的政治經濟解決方案完全發展成形，這套方案作為一種意識形態，被稱為魯賓經濟學（Rubinomics）或「新自由主義」。柯林頓率領的民主黨政府依照魯賓勾勒的藍圖，全力推動私人資本市場主導的全球化，並在不少關鍵時刻善用公權力來推動實現。

「魯賓經濟學」主要源自於對聯邦預算赤字的批評。[68]柯林頓繼承了雷根留下的高額預算赤字。由於未來政府將不得不借錢來履行職責，魯賓認為，國家赤字將推升公債長期基準利率。由於長期利率始終居高不下，聯準會為了刺激一九九〇到一九九一年經濟衰退後的「失業型」復甦，而在一九九三年將短期利率調降到百分之三。即使通貨膨脹尚未出現，魯賓推測，債券交易商在制定長期利率時已將通膨的影響納入考量。聯邦政府必須做的是平衡聯邦預算，表明財政紀律。魯賓無法透視債券交易員的心思，但他合理分析，一九八〇年代長期的高利率讓營利門檻高築，促使運用槓桿的投機行為增多。若降低利率，便能促使資金流入長期固定投資。因此，魯賓建議在制定經濟政策時，必須順應資本市場的需求，無論是真實或想像。柯林頓的政治顧問詹姆斯．卡維爾（James Carville）總結表示：「以前我常想，如果真有投胎轉世這件事，我想當總統、教宗或是打擊率達四成的棒球選手。但是現在，我想當債券市場。」[69]

魯賓的團隊說服柯林頓相信必須消除預算赤字。之後，政府提高對富裕階層的課稅，並藉由隨著冷戰結束而減少的軍事開支，來微幅減緩聯邦開支的增加。債券長期利率的確下跌了。

面對失業型復甦，葛林斯潘領導的聯準

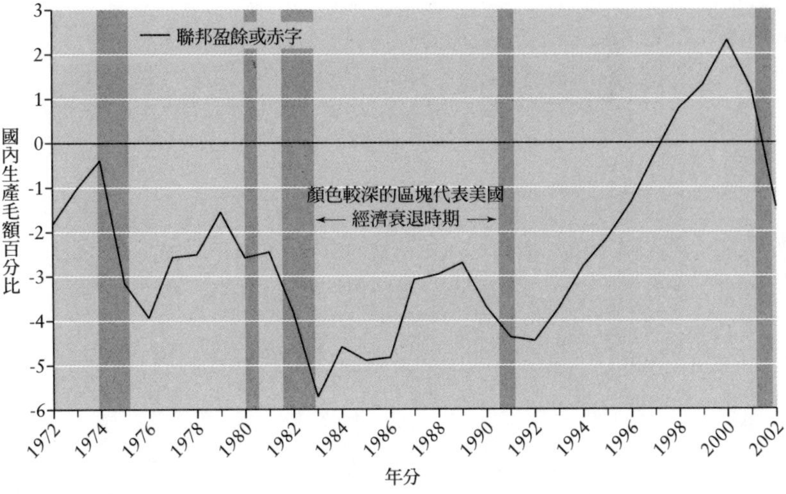

圖 111 聯邦盈餘或赤字

柯林頓政府反轉了雷根政府的趨勢，終結了聯邦預算赤字。當時他們認為，減少赤字將能刺激資本流入新經濟的私人投資。

會調降了聯邦基金短期貨幣市場利率，直到一九九三年底。此外，在一九八〇年代末的儲蓄與貸款危機之後，新法規迫使銀行持有更多的「無風險」資本。執行這項規定的聯準會將美國國債納入了無風險資本類別，因此銀行大量囤積這些債券。隨著長期利率下降，已發行的高利率債券增值了，銀行因此獲得了豐厚的利潤，得以釋放更多流動資金並發放新貸款，擴大了信貸額度。[70]整體而言，信貸週期新一波的上行與連動的總體經濟擴張開始了。

到目前為止，有兩個行政機構成為優秀的經濟決策工具，那就是後沃克衝擊時期的聯準會，以及後來加入的美國財政部。首先，美元仍是全球交易貨幣與儲備貨幣。聯準會控制了美元供給，隨著全球資本市場與利率跨越了國界而趨於一致，聯準會的短期利率逐漸影響了全球投資的流動。[71]儘管聯準會是一個規模相當大的官僚機構，利率政策也經過聯邦公開市場委員會許多成員投票表決，但葛林斯潘的個人名聲卻到達了神話般的程度。[72]

到了一九九五年，柯林頓政府已經訂下了國民經濟議程基調。同年一月，魯賓成為新任財政部長。網景通訊公司的首次公開募股開啟了網路股票市場的繁榮。資本開始湧入矽谷各家資訊科技公司。隨著葛林斯潘逐漸相信新經濟的力量，聯準會繼續調低利率。然而，一九九五年之所以在全球總體經濟中意義重大，還有其他原因。

聯準會下調短期利率目標，以因應美國邊境以南地區另一波的資本外逃。自一九八二年國際貨幣基金最後一次援助墨西哥以來，墨西哥政府開放了國家資本帳戶。一九九四年，墨西哥與美國及加拿大簽訂了柯林頓推動的北美自由貿易協定（NAFT

A）。[73]根據國際貨幣基金針對如何籌集資本所提出的建議，墨西哥政府削減了公共開支，並且讓法定貨幣披索與美元掛鉤，以向外國投資者保證投資不會虧損。如此一來，作為模範生的墨西哥，得到了資本流入的獎賞。

然而，數量超乎預期的製造業生產開始往亞洲工資更低的地區轉移，破壞了《北美自由貿易協定》吸引美國跨國企業投資墨西哥投資的承諾。在此同時，墨西哥農民不敵成本較低的美國農業生產商的競爭。數百萬名墨西哥人開始非法移民到美國，其中有些人到了矽谷擔任園丁與清潔工。[74]一九九四年，聯準會因擔心通膨發生而調高了短期利率，使得持有美元的吸引力增加，而在墨西哥總統

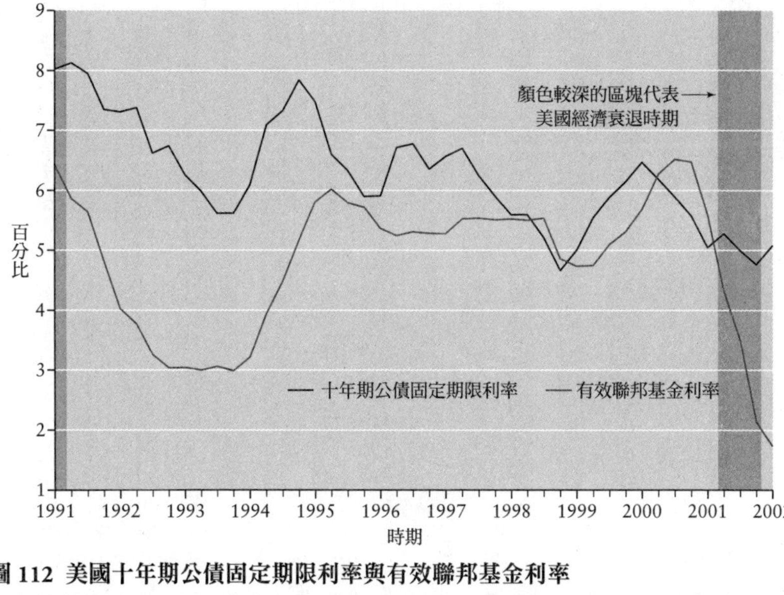

圖 112 美國十年期公債固定期限利率與有效聯邦基金利率

正如柯林頓政府所願，債券利率下降了。隨著美國貨幣政策對全球資本配置影響日益重要，短期利率也跟著下降。決策者認為，資本釋出後，自然會在全球各地得到最有效的利用。

候選人路易斯・唐納度・科洛西歐（Luis Donaldo Colosio）遭暗殺後，情況更為嚴峻，全球資本突然轉向，紛紛逃離墨西哥並流入美國。墨西哥政府無法在公開市場上獲得足夠美元來維持美元與披索掛鉤。因此，墨西哥央行調高了短期利率以吸引資本回流，結果反倒使國內信貸緊縮，經濟陷入嚴重衰退。美國銀行與投資者暫緩了對墨西哥的投資，而投資銀行雷曼兄弟受到的衝擊尤其劇烈。魯賓擔心市場恐慌會拖垮「全球經濟」。[75]於是，美國財政部向墨西哥提供了五百二十億美元的信用貸款。[76]

一九九五年，聯準會為了支持財政部的行動調降了利率。低廉美元融資緩解了資本所有者的緊張情緒，市場恐慌也隨之消退。這樣的做法發揮了作用。墨西哥只動用了一百三十億美元的美國財政部信貸，因為國內經濟受益於出口市場的貨幣貶值（美元）而迅速復甦。魯賓與財政部的核心團隊（包含年輕的提摩西・蓋特納〔Timothy Geithner〕）意識到，可以利用公權力的壓倒性力量將交易流動性注入信貸市場，並壓制任何恐慌跡象。這些都做了之後，剩下的就是恢復市場對全球資本市場的信心了。

一九九五年，在另一起影響全球總體經濟的事件中，魯賓與日本及德國展開《反向廣場協議》（Reverse Plaza Accord）協商。[77]這些政府同意藉由干預，提高美元在全球貨幣市場上的相對價值。如此一來，美國消費者可以購買更多美國盟友出口的產品（這些盟友本身幾乎沒有享受到新經濟的繁榮）。[78]美國生產商擁有新經濟生產力的優勢及全球化供應鏈，禁得起競爭的考驗——至少美國決策者是這麼認為的。在回憶錄中，魯賓自稱對貨幣的轉移沒有什麼功勞：「基於在高盛接觸過外匯市場的經驗，我認為，交易量過大，以致〔政府〕的干預只能產生短暫的影響。」[79] 無論如何，事後看來，一九八五到一九九五年是全球經濟的過渡期。一九八五年簽訂《廣場協議》後，美元持續貶值，直到一九九〇年為止，美國製造業出口也隨之增加。到了一九九五年，平衡美國外部餘額的需求沒那麼急迫了，資本進口也減少了。一九九五年美元開始升值。美國的貿易赤字重現。海外的資本再度流入美國，讓消費者有更多資金去購買進口商品。美國重拾了在沃克衝擊過後的全球經濟霸權。

一九九六年柯林頓連任後，國會深陷總統與陸文斯基傳出性醜聞的政治風暴。但在經濟決策上，柯林頓政府的計畫頻傳捷報。新的政治經濟解決方案是政府必須促進資本流動，因為根據假設，只要存在市場競爭，資本就會自動往本身能作為最佳用途的地方移動，進而造福消費者。如果信貸週期的投機性上行使資本湧入矽谷網路企業，這些公司肯定會設法讓這些資金進入自己的口袋。聯準會最重要的任務是管理信貸市場短期利率，調降利率以助長新經濟發展，同時在必要時調高利率以抵抗通膨壓力。面臨緊要關頭時，聯準會可以降低利率或干預公開市場，以確保資本市場的交易流動性。而聯邦政府則可以持續放鬆管制。

正如柯林頓所言，民主黨至少有試圖「體會」底層人民的痛苦，而不像共和黨那樣冷眼旁觀（在民主黨看來是如此）。就柯林頓而言，他的同理心豐沛，能夠認同共和黨啟發的政策與立法。在一九九六年的國情咨文中，他兩度宣稱「大政府時代已經結束」。同年，他簽署了《個人責任與工作機會協調法案》（Personal Responsibility and Work Opportunity Reconciliation Act），而這是雷根想做卻做不到的。[80]這項法案終結了「新政」中由聯邦政府擔保的貧困階層援助措施，「撫養未成年子女家庭援助計畫」變成了「為有需要的家庭提供臨時援助計畫」(Temporary Assistance for Needy Families)。法案成立了整體補助金，將大部分責任下放給各州，由它們制定受領的資格與福利。這項法案還允許各州將福利措施交由營利公司或非營利宗教組織（名為「慈善選擇」）來承辦，並規定每個人一生中得受領福利的期限為五年。但是，法案中並未制定就業計畫，因為新經濟將能提供充足的就業機會。貧困率在一九九〇年代究竟惡化到何種程度，成了社會科學家爭論的問題。無論如何，窮人肯定變得更窮了。[81]

作為撤銷管制與市場競爭的代表，

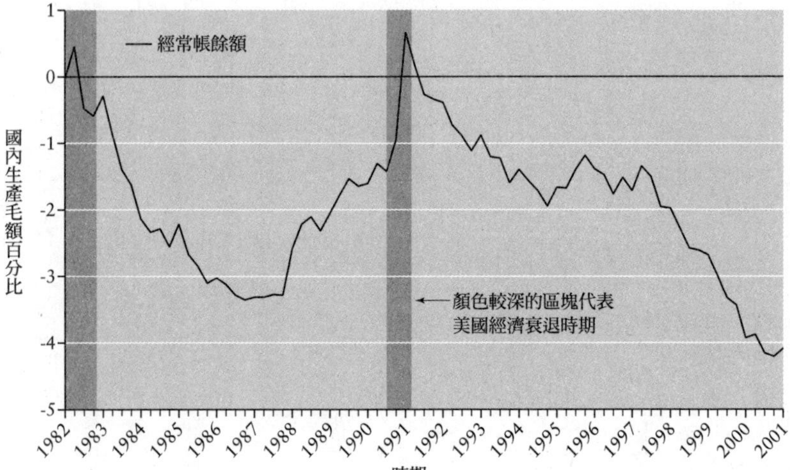

圖 113 美國經常帳餘額

一九九五年是美國主導全球經濟關鍵的一年。美國的資本與消費市場再次成為吸引世界的磁石。這裡以美國經常帳赤字的回歸，或美國的海外貿易餘額（不包含金融項目）為代表。

一九九六年通過的《電信法》(Telecommunications Act)推翻了新政時代為了有效維持產業壁壘以防止壟斷式交叉持股與集團化的規定。這麼一來，電話、有線電視、衛星、行動電話與網際網路服務商全都可以相互競爭了。[82]由兩位經濟學家在一九九六年發表的一項重大研究總結指出，「撤銷管制後」，生產力成長的比率提高了，這主要是「資本重新配置到生產力更高的企業所造成的結果」。[83]管制的高牆必須倒下。柯林頓呼籲慈善家捐款幫助學校設置連網電腦以消除「數位鴻溝」。《電信法》宣稱：「在政府盡可能放鬆法規的情況下，網際網路與其他互動式電腦服務蓬勃發展，造福了美國全體國民。」進步時代秉持的「公用事業」管制概念，基本上已不存在。在反壟斷法中，深受法律與經濟學運動影響的法學家開始認為，反壟斷法發揮作用的唯一目的是消費者的福利，意即短期的消費者物價，而不是調整市場結構或進入企業的門檻。[84]往好處看，假使放任不管，市場會自行競爭，而不需要過度的政府監督或執法，自然也不會出現壟斷。有鑑於此，《電信法》承諾，撤銷管制將可促進「激烈的經濟競爭」，如此一來，消費者必然會是受惠者。光就這一點而言，就可達到「公共利益」。[85]柯林頓政府強調一九九六年後高度的電信投資，並引以為傲。

下一道倒下的監管高牆極具象徵意義。數十年來，資本一直試圖衝破一九三三年《格拉斯－斯蒂格爾法案》在商業銀行與投資銀行之間築起的藩籬。經由一連串的行政決策，聯準會與財政部撼動了這道牆。國會於一九九九年通過的《金融服務業現代化法》(Gramm-Leach-Bliley Act)。徹底推翻了《格拉斯－斯蒂格爾法案》。政府之所以決定廢止後者，是因為花旗集團在一九九〇年代不斷合併各大商業與投資銀行分支。在金融迅速成為一個龐大的全球資本市場的時代裡，花旗集團開始周旋於各種金融資產類別之中。[86]

一九九七年，國際貨幣基金的經濟學家、同時也擔任副主席的史坦利・費希爾（Stanley Fischer）秉持這種精神，在香港為一項國際貨幣基金章程修正議案辯解，倘若該案通過，將會是該組織第一次將「國際資本流動的自由化」奉為「綱領」。[87]然而，費希爾發表演說時正值亞洲金融風暴，而這場危機深刻地影響全球。這場全球危機的肇因之一，正是國際資本流動的自由化。

全球化

不論定義為何，全球化並不是什麼新穎的概念。但在一九九〇年代，一種嶄新、全球性的世界主義意識誕生了。在這個世紀初期，無論是出於選擇或需求，工業資本家認為自己與民族國家命繫一線。[88]如今，許多富人沒那麼肯定了。紐約、倫敦與東京等金融中心成為公認的「全球城市」，在這些城市，飲食、時尚與設計的潮流開始齊頭並進。[89]無論是跨國企業之間的仲裁協議，或是像國際交換交易暨衍生性商品協會（ISDA）這樣的實體機構（在紐約、倫敦與東京等地設有辦事處），這些新的私人「全球治理」形式，取代了政府監管，銀行為幾乎不受國家監管的全球金融衍生品市場創造了一致的契約語言。[90]全球城市彷彿集體脫離了本身所在的國家。

千禧年末的全球化包括了更大規模的世界商品貿易，以及更緊密的金融連結。相較於前幾章描述的全球化（如十九世紀末到二十世紀初），這時期的勞動移民就沒那麼顯著。貿易與金融密切相關，因為國際貿易需要國際融資，或至少也需要國際商品支付系統，而這在當時仍以美元為主。一九九〇年代，全球商業與全球供應鏈擴張，促成了生產更加專業化並擴展了市場範圍，無疑導致了商業、財富與經濟成長倍增——這便是亞當．斯密在十八世紀所述的商業乘數。由於經濟活動報酬遞增，即使收入的成長分布不均，全球各地的貧窮情況仍有所減緩。[91]生產活動中，長期跨境「外國直接投資」激增，也推動了產能成長。最後，隨著世界上許多由製造業主導的出口經濟體（尤其是亞洲地區）有更多機會打進外國市場，包括美國蓬勃發展的龐大消費市場，投資乘數開始發揮作用，將包含勞動力在內的未開發資源吸進生產過程中——就如不久凱因斯在近代所描述的那樣。

然而，一九九〇年代，「金融開放」的成長遠遠超越「貿易開放」的成長。換言之，熱錢的流動急速擴張，通常為投機性質，包括外匯、股票、債務及衍生品等金融投資，且擴張速度與固定投資或貿易的需求不成比例。金融全球化使其他領域相形見絀。一九九七年，時任國際貨幣基金主席的費希爾指出：「在抽象層面上，資本的自由流動促成了更有效的存款配置，並且有助於將資源引導至更具生產力的用途，進而推動經濟成長與福利。」這是一九九〇年代末的信條。然而，並沒有關於金融開放與經濟發展互有關聯的具體證據。[92]基於嶄新的資訊科技，全球資本在一九九〇年代以前所未見、迅雷不及掩耳般的數位速度移動。近年來，德國藝術家安德莉亞斯．格爾斯基（Andreas Gursky）到世界各地拍下了證券交易所的畫面，這些地方宛如發狂般運作的神經中樞，但又顯得抽象與內斂，彷彿顯現了金融與其他經濟領域之間的脫鉤。

活躍的全球金融脈動很難從歷史角度來描述，這也說明了它們有多麼難以透過政治力量來控制。不同於費希爾的預測，全球金融資本可能會破壞流動較緩慢的全球實體生產與貿易經濟。一九九〇年代末，隨著資本市場全球化，最重要的全球連結出現在美元與日圓之間。這個連結衍生出了一連串突發事件，嚴重威脅了全球總體經濟。

一九九五年，日本央行將短期利率目標下調至百分之零點五。一九八五年後，日本房地產與股市資產價格一路攀升，在一九八九年達到了巔峰。一九九一到一九九二年，日本資產價格暴跌。國民經濟掉入了流動性陷阱，之後更經歷了通貨緊縮與低度成長的「失落的十年」。[93]之所以將短期利率下調至百分之零點五，目的便是刺激貸款、支出與投資，進而幫助經濟重新踏上成長的道路。

由於利率低，全球的日圓融資大幅增加。日本企業以低利率借款，並在亞洲各地投資低工資

圖114 安德莉亞斯·格爾斯基，「東京證券交易所」（一九九〇年）

格爾斯基在一九九〇年代到世界各地拍攝證券交易所的一系列照片，捕捉了千禧年末金融全球化的狂熱活力——時間點就在大部分交易從實體交易所轉移到網路之前。照片中的證交所位於東京，政府允許了以日圓融資進行的投機性美元交易，是一九九七到一九九八年亞洲金融風暴的一個誘因，而這場危機也讓美國資本市場嘗到了苦果。

的出口導向製造業。例如，在汽車產業，泰國成為了「亞洲的底特律」。許多美國跨國企業也將生產線轉移至亞洲，包括蘋果、沃爾瑪及思科。至於信貸市場，則發展出了日圓「利差交易」。銀行與各種投資基金以低利率借貸日圓，接著再將短期熱錢投入美國市場（短期利率徘徊在百分之五左右），或者承擔巨幅風險進入東南亞資本市場以追求更大的利差，並將資金投入東南亞製造業。到了一九九七年，日圓利差交易的規模估計達到了兩千億到三千五百億美元。[94]

一九九七年五月，情勢突然有了轉變。全球貨幣投機者開始攻擊泰銖與美元的掛鉤。一直以來，泰銖都與美元維持固定匯率，以加強外國投資者的信心，但美元在一九九五年後因《反向廣場協議》的簽訂而升值，削弱了泰國出口產品的競爭力。高盛於一九九七年五月發布的一份研究報告推測，泰國可能很快就會讓泰銖貶值以提高出口競爭力。此話一出，謠言四起。外國投資者紛紛拋售泰銖。由於缺乏足夠的美元以在公開市場中捍衛貨幣掛鉤，因此泰國在一九九七年七月取消了本國貨幣與美元掛鉤，讓泰銖實行浮動匯率制。結果，泰國的股市暴跌，產出與就業也跟著衰退。[95]

香港一名監管官員表示：「沒有人預料到危機蔓延的速度有多快。」到了十月，菲律賓、馬來西亞、印尼及香港的貨幣都受到了衝擊。十二月，韓國與國際貨幣基金及聯準會的國際金融部門展開協商。國際貨幣基金援助東亞其他經濟體，光是對韓國就授予了五百七十億美元的信貸額度，而條件是，這些經濟體必須接受全球資本流動，並實施國家預算撙節（也就是「結構調整」），以重新吸引外國投資。那些有美軍派駐的國家得到的待遇往往比其他國家來得好，譬如韓國。[96]

儘管如此，恐慌情緒迅速蔓延至彼此相連的全球資本市場。巴西的經濟因此搖搖欲墜。

一九九八年八月，儘管在魯賓的協調下，國際貨幣基金向俄羅斯提供了二百二十六億美元的金援，但一個月後俄羅斯仍然無法如期償還國債。在後共產主義的「市場轉型」中，俄羅斯經歷了遠比「失落的十年」更惡劣的生活條件。[97]國際貨幣基金提供的紓困，只是讓俄羅斯逐漸崛起的寡頭階層得以詐取國有資產來填滿口袋罷了。同時，俄羅斯拖欠債款的消息更是震憾了全球的資本市場。日本財務大臣宣布：「我們能做到的最基本的一點就是不要恐慌。」[98]

隨著世界各地資產的貶值，美國大型投資基金長期資本管理公司（Long-Term Capital Management）瀕臨破產。成立於一九九四年的長期資本管理公司是一家對沖基金，也可說是一家受到寬鬆監管的銀行合股企業，營利的方式是向富有客戶收取投資的代管費。該公司的客戶從未超過一百人，但來頭都不小，其中包括香港與新加坡主權財富基金、一家日本銀行、匹茲堡大學及義大利央行等機構。[99]約翰・梅里威瑟（John Meriwether）是這家公司的創辦人之一，他曾經擔任債券交易員，專門從事套利交易，也就是利用不同資產之間的價差賺取利潤。另外兩位創辦人是經濟學家羅伯特・默頓（Robert Merton）與麥倫・舒爾茲（Myron Scholes），這兩人共同發明了稱為「選擇權」（一種金融衍生品）定價的數學公式，因而在一九九七年獲得了諾貝爾經濟學獎。[100]這套公式假設了交易流動性這種市場的魔力會持續存在，意即任何資產都會有人買，或者至少可以說，任何借款都有債權人願意出借。另一個假設則是，價格依循「常態」統計分布，就像人壽保險精算表一樣。

長期資本管理公司的交易員，坐在昇陽電腦公司（Sun Microsystems，一家矽谷公司）設計的工作站前，連線至新的全球數位交易平台，而這個平台與一個龐大的全球資本市場同步運作。[101]他們將歷史價格資料帶入模型中作為預估資料，藉此獲得了高達四成的回報，累積了超過一千億美元的資產，比雷曼兄弟及摩根士丹利的投資銀行還多。通常，長期資本管理公司敢斷定資產之間的價格會與他們參考的歷史標準趨於一致。之後，交易員與投資銀行簽訂衍生品合約，利用同樣的模型反向操作，來對沖交易風險。長期資本管理公司對內部使用的模型充滿信心，開槓桿用融資交易，取得了更多的利潤。也就是說，他們利用借款來交易，等於增加了自有資金所產生的利潤。葛林斯潘盛讚對沖基金交易的好處，純粹是因為它為資本市場帶來了更多的交易量，這意味著交易效率提高，讓現實更加貼近對交易流動性做出假設的經濟理論。[102]

長期資本管理公司有兩個問題。第一，全球資本市場的相互連結日益緊密，原因正是交易變多了。但是，他們參考的歷史資料，來自於市場相對分散的時期。在俄羅斯拖欠債款之後，根據歷史資料，照理說永遠不會有所關聯的價格開始同步變動了。如此一來，長期資本管理公司採用的複雜模型變得一文不值。他們並未考慮到過去不盡然會在未來重演。正如一位批判長期資本管理公司的華爾街交易員所述：「就拿莫妮卡．陸文斯基來說，當初她拿著一份披薩走進柯林頓的辦公室，根本沒人知道後來會發生什麼事。不過，如果你用數學公式來計算，就會發現她有百分之三十八的機率會幫柯林頓口交。數據看起來很合理，但就只是猜測而已。」[103]第二，由於模型假設了交易流動性，因此他們假設了數學上所謂的「連續時間」——即所有資產永遠都不怕找不到買家。但一九九八年的價格下跌是不連續而波動的，很多資產都乏人問津。長期資本管理公司負債累累，需要出售資產來還清債務。如果公司因為沒有買家而賣不掉資產，那麼市場的流動性不足，就意味著這家對沖基金將面臨破產的命運。有鑑於此，銀行停止向長期資本管理公司放貸。對這家公司而言，市場的魔力已化為烏有。

一九九八年九月二十三日，華爾街最大的幾家銀行的總裁齊聚紐約聯邦準備銀行，包括貝爾斯登（Bear Stearns）、大通曼哈頓（Chase Manhattan）、高盛、摩根大通、雷曼兄弟、美林（Merrill Lynch）及摩根士丹利的總裁皆紛紛出席，目的是開會討論長期資本管理公司該何去何從。紐約聯邦準備銀行行長威廉・麥克多諾（William J. McDonough）警告說，如果長期資本管理公司無法如期還債，市場可能會「停止運作」，因為長期資本管理公司的衍生品對沖操作，幾乎連結了所有金融機構。銀行組織了一項三十六億美元的私人援助計畫。對此，貝爾斯登猶豫不決。雷曼兄弟執行長迪克・傅德（Dick Fuld），駁斥了長期資本管理公司若倒閉將危害雷曼兄弟償付能力的傳言，因此捐出的資金比其他銀行來得少。十年後，同一群銀行將長期資本管理公司的許多交易策略要素套用於美國住宅抵押貸款市場之後，再度引爆了金融海嘯，這群總裁又回到了紐約聯邦準備銀行開會，並得出與此時類似的結果。他們會永遠記得傅德的吝嗇。[104]

紐約聯邦準備銀行宣布了長期資本管理公司的私人援助計畫。不到一週前，葛林斯潘與負責制定利率政策的公開市場委員會召開電話會議。美國股市價格多變難測。緊張不安的全球資本轉向瞄準美國國債來避險，因為這是資本市場上最容易套現的產品。流動性偏好的性質有可能從投機轉為預防，進而削弱投資。一九九八年九月二十九日，聯準會將短期利率目標從百分之五點五降到百分之五點二五。十月十五日又再次降息，調到了百分之五。十一月十七日，利率下調一碼至百分之四點七五。一位雷曼兄弟的經濟學家表示：「雖然葛林斯潘沒有說出口，但其實他的想法是：『我們將為金融體系帶來流動性，我們將讓美國經濟在一九九九年免於衰退。』」[105]利率的調整似乎奏效了。亞洲金融風暴放緩。銀行的援助、國際貨幣基金要求的結構調整及聯準會的低廉融資，似乎足以幫助全球經濟不致脫軌。危機期間，美國財政部曾與聯準會及國際貨幣基金合作。一九九九年二月的《時代》雜誌封面宣告，葛林斯潘、魯賓與不久後成為新任財政部長的薩默斯，三人組成了「救世委員會」。

這三人無疑阻止了一場更嚴重的災難。儘管如此，國際貨幣基金提出的章程修正案未能通過，一九九七年是這類全球化倡議的巔峰時期，[106]而我們可以從中汲取教訓。值得重新探討的是這條鎖鏈上最初的一環——日圓。在引發了一場範圍從泰國、巴西以至俄羅斯的金融恐慌之後，牽涉了數十億美元的日圓利差交易突然中斷，幾乎使全球經濟破一個洞。除此之外，這一切之所以可能成真，便是因為日本央行為了刺激國內經濟消費而大幅調低利率，導致以日圓計價的低廉全球信貸大量出籠。然而，日本之所以調降利率，是因為其國民經濟正處於毀滅性的債務通縮之中，而日本的通縮現象是因為股市與房地產市場經歷嚴重金融崩盤。葛林斯潘、魯賓與薩默斯或許在一九九八年拯救了全球經濟，但儘管全世界有大量流動資本可用，日本仍然掉入了流動性陷阱。[107]即使相同的低利率助長了全球的投機性流動性偏好，卻無法改變日本國內的預防性流動性偏好，因為兩種偏好都沒有導致實質支出，尤其是長期投資，但日本要擺脫低利率流動性陷阱就必須要有長期投資。日本經濟單純是需求受限，但這是一個徵兆。十年後，全球經濟下的多數國家，最終將在二〇〇七到二〇〇八年金融危機後繞回原地，然後二〇二〇年再次舊事重演。美國經濟自然也沒有逃過一劫。

無論如何，到目前為止，一九九〇年代末的全球資本供給不斷湧入美國資本市場，在美元計價的資產中尋求保障與利潤。換句話說，全球經濟愈是不穩定，就愈是依賴一個固定的錨點，而這個錨點就是美元。美國霸權促進了經濟全球化，而經濟全球化需要美國的霸權。流入美國的資本激增。由於魯賓經濟學使聯邦預算趨於收支平衡，因此美國減少了公債發行。外國投資者不再購買新發行的美國國債，而是買進美國的股票、公司債券與機構債券（譬如房利美與房地美的債券）。外國對美國資產的淨投資從一九九八年的一千四百五十五億美元攀升到二〇〇〇年的四千四百四十億美元。其中，外國投資者購買美國公司股票的金額從一九九八年的四百二十億美元增至二〇〇〇年的一千九百三十八億美元。全球資本全都注入了新經濟。[108]

一九九九年是美國股市直沖雲霄的一年。歷史上從未出現過如此高的估值。然而，一本名為《道指三萬六千點》（*Dow 36,000*，一九九九年）的書宣稱：「歷史也可以變成暴政。」[109]那一年，《華爾街日報》批評了過時的商業利潤概念。[110]當時，美國有超過一百萬人開設了線上當日沖銷帳戶。在一次金融大會上，一名交易員說：「這完全是一場信任騙局。」當沖交易經紀業務的創始人表示：「關鍵是流動性。正因如此，股票市場是世界上最佳的投資場所。你可以用五十塊買進，用四十九塊又八分之七毛賣出。還有哪個地方可以讓你這麼做呢？你的車子會流動嗎？不會。如果你不得不賣掉它，可能得耗上三小時或三個月，才能賣到合理的價格。」[111]

一九九九年八月，葛林斯潘注意到「信心崩解」的可能性時，便宣稱，監管機構最好什麼都不做。畢竟，股價無非是數百萬名投資者的「判斷」，許多人對構成各種股價指數的特定公司的前景瞭若指掌。[112]在此同時，一九九九年美國國內生產毛額的成長率為百分之四點七，通膨程度低，失業率降到了百分之四以下，平均實際薪資更是數十年來第一次上升。

但是，這樣的股價合理嗎？一九九八到一九九九年，葛林斯潘數度現身國會，提出了「合理」的觀點。他認為，股市飆升是資產主導的「良性循環」。因為預期了未來由資訊科技主導的生產力與利潤源源不絕，才擔保了目前股市的高價。葛林斯潘解釋，「股價的增長」是為了引入新的資金投入「提高生產力的資本投資」。說到這裡，必須引述葛林斯潘於一九九九年在國會聽證會中說的一段話：

> 美國經濟發生了一些特別的事……已發展出的協同作用，尤其在微處理器、雷射、光纖與衛星科技之間的協同作用，大幅提升了具體化或運用這些新穎技術的各類設備的潛在報酬率。但除此之外，資訊科技——即所謂的IT——的創新，也開始改變我們從事商業及創造價值的方法，而這些轉變往往是我們即便在五年前也難以預料的。[113]

出色的點子數不勝數！在美元走高、全球資本流入與聯邦預算平衡的情況下，資本可以抬升股市。所謂的「良性循環」是，美國企業從股票收益中獲取財富後，可以進一步投資資訊科技的發展，這也是起初股價如此高的原因。此外，股市還可見更廣泛的「財富效應」，即不斷上漲的股價為股票持有者帶來了新的財富，進而幫助他們維持收入，創造新的消費者需求。美國消費者甚至比過去更有能力向那些飽受一九九七到一九九八年全球金融危機所苦的出口依賴型國家購買進口商品。這是一個人人皆贏的局面。新經濟背起了全球經濟，大步向前。

隨著千禧年逼近，美國總體經濟經歷了有史以來持續最久的商業擴張，時間甚至超過了一九八〇年代。總體經濟的所有主要總體指標都朝著正確的方向發展。葛林斯潘這位大師是否喝下了矽谷的「酷愛飲料」（Kool-Aid）*而中毒了？在新經濟中，短期投機將變成長期、有利可圖且具生產力的投資。也許，葛林斯潘也同樣認為，在只漲不跌的美國股市中出現了一些「真實的誇大」，但這只不過是全球經濟

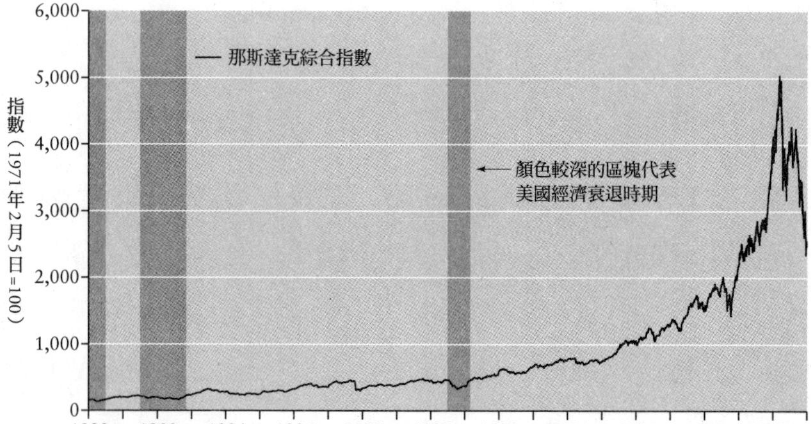

圖 115 那斯達克綜合指數

新經濟股票市場的繁榮集中於資訊科技與網路公司，這些公司是那斯達克的主要成分股。

危機管理必須付出的代價。於是，全球經濟就這樣沿著信任騙局的刀口滑向了二十一世紀。

* 譯註：創立邪教人民聖殿教的吉姆．瓊斯（Jim Jones）在一九七八年命令信徒喝下攙有毒物的酷愛飲料，造成數百人死亡。此後在美國文化中，「喝酷愛飲料」意指人因貪圖潛在的高額報酬而相信危險想法。

第二十一章 大穩健時期

二〇〇四年二月，曾是普林斯頓大學總體經濟學家與大蕭條經濟史學家、時任聯準會主席的班・柏南克，在一次與學界經濟學家的聚會上發表演說，談到了「大穩健時期」。有鑑於自一九八二年沃克殺死通膨這條巨龍以來，總體經濟的波動顯著減少，柏南克發明了這個詞彙。他推測，貨幣政策很可能是這個穩定時代的主因，因為所謂的實體經濟，即關於生產、交換與消費的市場經濟，會自然趨於穩定。因此，只要貨幣政策維持穩定的總體物價水準，也就是透過利率政策防止通貨膨脹，保持開放透明，使個人的預期能繫於聯準會可預測的行動，那實體經濟就沒有理由經歷劇烈波動。在這個模型中，根據定義，貨幣、信貸與金融的動態多半被排除在「實體的」經濟活動之外。[1]

但在現實中，金融與信貸沒有這麼容易被排除在外。柏南克自信地談到了大穩健時期，而距離上一次美國經濟在二〇〇一年陷入衰退也才沒過幾年。一九九〇年代末，金融主導的新經濟股市繁榮在一九九七到一九九八年亞洲金融風暴過後穩定了世界經濟，但在二〇〇〇年，美國股市暴跌。因應經濟的衰退，聯準會在二〇〇三年將短期貨幣市場利率大幅下調至百分之二以下，遠低於二〇〇一年底的利率。因此，聯準會不僅明顯穩定了總體物價水準，在不景氣時期金融市場信心減

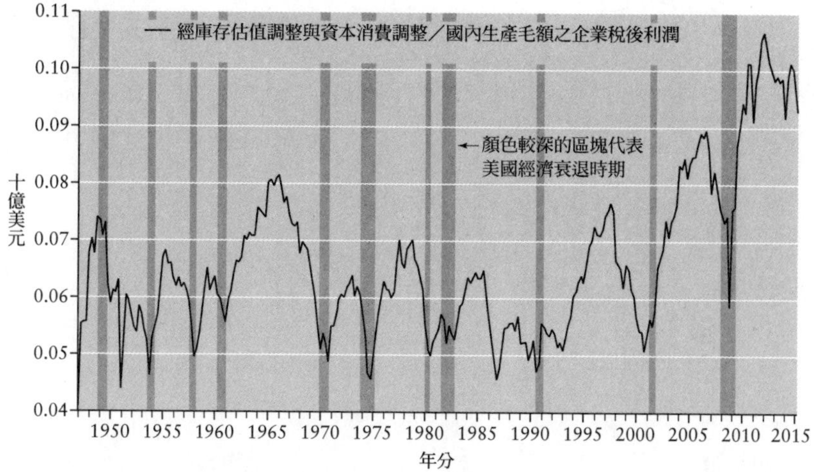

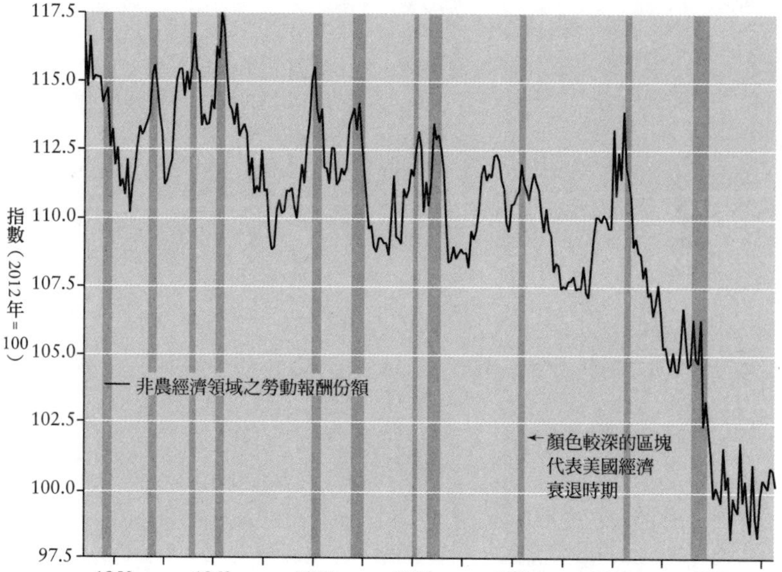

圖 116　企業稅後利潤／圖 117　非農經濟領域之勞動報酬份額

二十一世紀的頭幾十年見證了美國企業盈利的成長。在此同時，勞動收入份額有所下降。

弱、有可能拉低資產價格時，還提供了維持金融價值高點所必需的低廉資金。聯準會並不反對資產價格的通膨。

對聯準會支持性行動的信心，幫助維持了當代持續時間更長、由信貸推動及資產價格主導的經濟擴張，而相當符合邏輯的是，這種擴張將更多金錢分配給了資產所有者，而不是勞動人口。[2]從一九八二年十一月到柏南克在二〇〇四年發表演說的這段期間，總體經濟只經歷了十六個月的衰退。其中，二〇〇一年的經濟衰退只持續了八個月。因此，就國內生產毛額而言，這確實是一段大穩健時期。但柏南克提到的二〇〇一年後的商業擴張，事後證明比一九八〇、一九九〇年代更受信貸與資產價格所左右。除了在一九九〇年代末短暫改善外，數十年來生產力成長的趨勢線都令人失望，到了二〇〇〇年後甚至進一步下降。[3]這種衰退與二〇〇〇年後非住宅固定投資的驟跌有關。[4]然而，勞動報酬減少的同時，利潤仍持續攀升，原因是資產價值增長，以及大型企業在市場中的影響力擴大。

在二〇〇〇到二〇〇九年這段期間，資本與信貸順利地進入了美國資產的一個新類別：住宅。若想瞭解其中的運作，就不能不先認識二十一世紀第一波投機性投資熱潮的全球性顯著特徵。值得一提的是，全球規模變得更加重要。[5]這一次是真正的全球經濟繁榮。隨著全球商業的擴散，貿易逐漸引致更多的貿易，生產日益促成更多的生產，經濟活動也帶來報酬遞增。世界各地有數百萬人擺脫了經濟貧困，[6]尤其是二〇〇一年加入世界貿易組織的中國，更是引領了世界低工資製造業出口經濟體的快速成長。中國各地開始連結上許多美國跨國企業的供應鏈。隨著財富倍增，全球商品價格飆升，因為全新的經濟生產為世界各地的商品創造了新的需求，無論是巴西的鐵礦、印尼的橡膠，還是俄羅斯的石油。同時，在一九九九年引進的歐元區貨幣聯盟的概念下，歐洲各銀行大肆利用低廉的美元融資。歐洲金融的成長速度比生產來得快，而經濟「金融化」程度更勝過任何地方，甚至超越了美國。[7]問題是，生產以及與生產無關的金融活動，是如何同時急遽增長的？

在以美元為基礎的全球經濟中，繁榮發展的一個重要槓桿是聯準會制定的低利率以及因此放寬的信貸條件。全球信貸週期上行，意味著貨幣資本提供了資金給創造財富的貿易、企業與就業的長期投資。景氣出現了反彈。自一九八〇年代以來，固定資本形成總額占全球國內生產毛額的比例，比戰後少得多；但在二〇〇二年之後，比例開始上升。[8]不過，信貸週期的上行，也代表貨幣資本可為流動性資產中的短期投機行為提供資金。除此之外，流動性資產可能會引發預防性窖藏傾向，一口氣犧牲短期投機和長期投資。

在二〇〇〇年代，投機性投資與預防性囤積的金融動態，尤其表現在經由美國與中國之間一個決定性的全球連結。[9]中國的經濟依循一個熟悉的歷史模式發展。勞動、企業與更多財富的生產，讓數百萬人擺脫了貧窮。但是，不平等的現象日益惡化，經濟發展促成的貨幣收入成長，但起初並未帶動中國消費支出激增。美國的消費市場依然是一塊巨大的磁石。中國共產黨並未將製造業出口的收入直接用於國內投資，該國國內投資由國家主導的程度，遠遠超過對全球金融體系的依賴。中國選擇將出口所得的儲蓄大量投資美國資本市場，尤其是公債。這些投資成為美國的貿易逆差基礎，有助於維持美國對中國產品的消費需求。這是沃克衝擊過後經歷大幅重組後的美國全球霸權地位。

然而，中國政府也想囤積美元，以免一九九七到一九九八年亞洲金融風暴那樣的事件再次發生：在那場導致多國政府垮台的恐慌中，人人都希望自己手上有美元，畢竟這是世界儲備貨幣，也是流動性最高的資產。中國政府不希望自身正統性受全球資本的變化無常所牽制。總而言之，在發明「大穩健時期」一詞的一年後，柏南克於二〇〇五年提到了背後有中國支持的全球「儲蓄過剩」。[10]

然而，「儲蓄過剩」同樣也是由聯準會的低利率支撐的全球「流動性過剩」。[11]世界經濟蓬勃發展，而多半得力於美中之間的貿易連結。投資有所成長，儘管中國正在實踐一種新的政治流

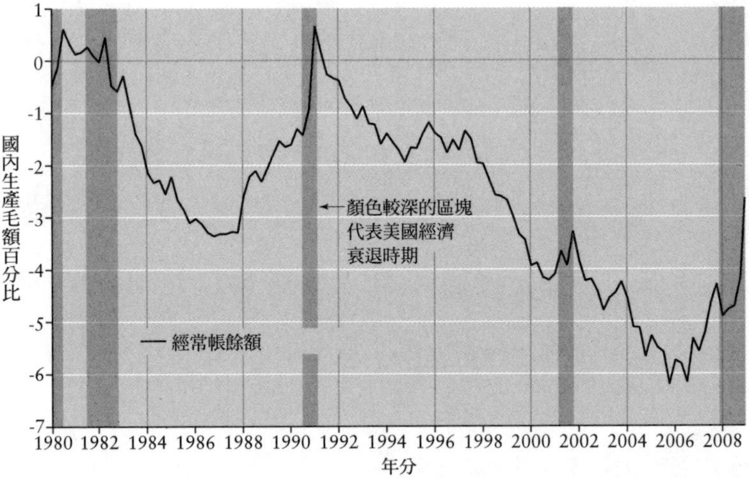

圖 118 美國經常帳餘額

在美國與世界的交易平衡中，二十一世紀的頭十年格外放大了既有的混沌時代趨勢。到目前為止，全球金融動態在推動全球總體經濟的程度上遠遠超越了貿易，尤其是為追求安全的資產與利潤而向美國資本市場輸出財富，大大推動了總體經濟發展。

動性偏好——為了以防萬一而囤積大量美債。但是，流動性過剩也促成了信貸推動的股票投機，且主要集中於美國住宅市場。

全球流動性過剩讓華爾街有資金得以從事美國住宅抵押貸款及抵押貸款支持證券等許多相關金融衍生品投機，而這些投機能否獲利，都取決於美國的住宅價格在未來是否會上漲。住宅價格的上漲變得愈來愈重要，因為二〇〇一年後的商業擴張，帶來了歷史上最糟糕的勞動力市場，也就是「失業型」的經濟復甦。勞動參與率實際上有所下降（男性參與率下降，女性參與率維持穩定）。與此同時，家戶平均收入直到二〇〇五年底才恢復二〇〇一年經濟衰退前的水準。這麼一來，不存錢的美國消費者，怎麼買得起美國跨國企業雇用中國勞工來組裝的平板電腦呢？尤其在美國某些地區，「中國貿易衝擊」已徹底摧毀了美國製造業就業。

其中一個原因是，富裕階層一直維持優渥的生活水準。新經濟不是一場騙局。受過良好教育且收入豐厚的美國人在城市生活，高科技工作與相關的商業服務分布集中，創造了商品與服務的消費者需求，以及照護產業的勞力需求（儘管工資持續低迷）。此外，在網路泡沫化的壓力下，許多矽谷的資訊科技公司終於找到了利用網際網路獲取實際商業利潤的方法。他們在消費主義領域另闢新徑。網路零售商亞馬遜營收攀升；蘋果公司等企業推出全新的奢侈消費品，譬如iPod與iPhone；Google及臉書等其他企業則找來工程師與數學家挖掘使用者個人資料，然後進行彙總與數學運算，作為預測消費者偏好的複合資料結構賣給行銷商，構成了一個全新的人工合成資產類別。

但最終，最能彌補糟糕的勞動力市場與微薄勞動報酬的，是一種廣為流行的延期債務，具體來說就是抵押貸款債務。美國投資銀行與商業銀行雇用數學及物理學博士，請他們挖掘與房價及抵押貸款違約相關的歷史資料，以建構預測模型，進而創造了更多新穎的合成資產類別，包括不動產抵押貸款證券。由於聯準會的利率政策，這些資金的融資來源是短期貨幣市場中的低廉信貸。即使聯準會在二〇〇四年提高了短期利率目標，美國的長期利率（包括抵押貸款）仍保持低點，部分原因是來自中國儲蓄的投資不斷湧入。信貸四處流動，美國房價飆升。透過「財富效應」，將房產所有權拿去融資進而帶來的資本收益，可以帶給美國房屋擁有者新的收入。住宅存量因此成為新的個人收入來源。隨著許多擁有房屋的一般民眾有機會參與信貸推動的資產價格增值遊戲，這個時代重視資產價格增值的資本主義，開發了一個新的資產類別。如同之前的信貸週期，唯有市場保有信心、價格持續上漲，這個遊戲才能繼續進行。大穩健時期依賴的正是這種現象。

見證這一切的布希政府慶祝「所有權社會」的興起。美國的政治經濟或許可以捨棄旨在重新分配收入的政策，改採讓更廣泛的選民得以享受資產價格增值的政策。如此一來，每一位擁有房屋的美國公民都可以靠著精通金融來謀生。

事後看來，大穩健時期確定了二〇〇〇年代一套廣泛的政治經濟解決方案，而這套方案賦予一九九〇年代由金融主導、得到柯林頓政府大力支持的全球化一個特殊的面貌。這是一套針對全球預期的解決方案。聯準會期望總體經濟能保持穩定，只要通貨膨脹發生在資產價值上，而不是基礎物價水準；中國共產黨期望透過向世界出口製造業商品，來維持經濟高度成長，並同時囤積美元計價的債券作為後盾；矽谷的各家公司期望能免費獲取使用者的個人資料；銀行則期待聯準會繼續提供低廉資金與交易流動性，這樣就可以擴大槓桿及取得高額利潤。美國的房屋所有者預期房價將不斷上漲，這樣就可以在平均薪資持平、勞動收入占總收入的比例也不斷下降的時代，藉此維持一定的消費生活形態。問題來了：這一切能持續多久？

葛林斯潘對策

二〇〇〇年代的商業擴張始於二〇〇一年短暫經濟衰退後緩慢的失業型景氣回升。[12]為了刺激欲振乏力的復甦，聯準會將聯邦基金貨幣市場的目標短期利率調降到歷史最低水準。二〇〇三年，全球經濟擴張終於有了動力，但在此之前的經濟衰退，暴露了資產價格增值資本主義的缺點。

參與金融市場交易的人們在一九八七年股市崩盤後創造了葛林斯潘對策（Greenspan Put）一詞，當時，葛林斯潘調降利率，釋出低廉信貸以幫助市場價值回升。金融領域中，賣權（put option）賦予買方在未來某日以指定價格出售資產的權利，即使當時的價格低於賣權價格，也能保護選擇權所有者免受市場衰退導致的損失。聯準會總在資產價格下跌時調降利率，而這用意相同，意即下檔保護（downside protection），進而鼓勵了更多的冒險投機行為。當聯準會因應一九九七到一九九八年的亞洲金融危機而調降目標利率以安撫緊張不安的全球資本市場時，葛林斯潘對策一詞更常被人提及。

權勢者將希望寄託在美國股市，聯準會主席葛林斯潘也不例外。他稱這是「良性循環」。他認為，股市資產價格增值能創造資本收益，而這些收益將成為對嶄新資訊科技的固定投資，讓投資者有理由給予股市高估值。但如果良性循環其實是惡性循環呢？倘若美國總體經濟成長的唯一途徑是資產價格的上漲，導致收入不公平地分配給了資本所有者與相關金融及商業服務領域的高薪雇員，會發生什麼事？假如資產價格的增值是一場信任騙局，資本所有者利用槓桿來抬高價值，並從價值上升的過程中獲取利潤，同時希望自己不要成為資產價值下跌時最後一個出逃的人，又會是怎樣呢？

如果沒有實際的商業盈利，股價會飆升嗎？在二〇〇〇年七月一系列負面的企業盈利財報之後，股票分析師、記者與機構投資者開始質疑許多網路公司

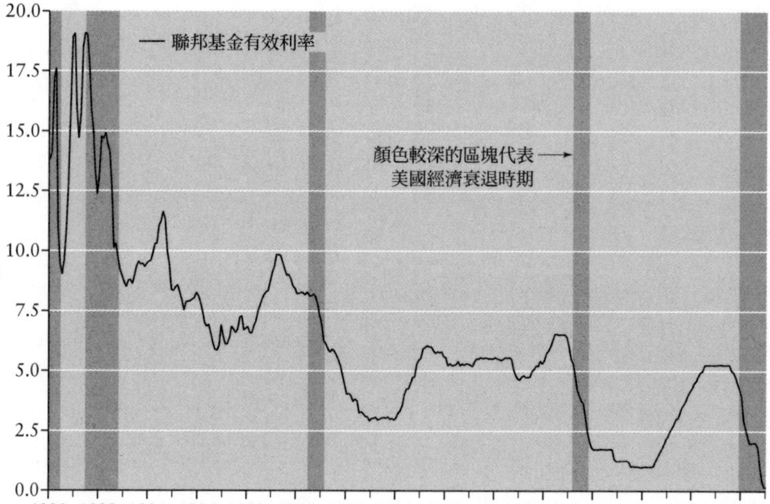

圖 119 聯邦基金有效利率

「葛林斯潘對策」：因應金融市場的任何動盪，聯準會在主席艾倫．葛林斯潘的領導下，為了維持資產價格而不斷降低利率。

的盈利潛力。市場吹起了一股拋售潮。到了二〇〇〇年底，那斯達克指數有一半的市值蒸發了。二〇〇一年三月，美國總體經濟進入衰退。到二〇〇二年秋天股價觸底時，聯準會的目標利率已調降至百分之一點七五。新工廠與設備的固定投資在一九九五至二〇〇〇年間以每年百分之十點一的速度增加，而在二〇〇〇至二〇〇三年年中則下降了百分之四點四。[13]總體經濟復甦的力道頹弱。

一九九〇年代末信貸週期中的投機性上行未必會促成謹慎的投資，反而讓一些金融詐欺有機可乘。二〇〇〇年之後，一些無信用的網路公司退出了市場，譬如以廣告口號「因為寵物不會開車」而爆紅的Pets.com。網路公司的破產集中於電信產業。[14]一九九〇年代末，電信公司進行了鉅額的固定投資。一九九六年的《電信法案》推翻了新政的規定，開放這個涵蓋了電話、有線電視、衛星、行動電話及網際網路產業的交叉持有與競爭。合併與收購隨之而來。一九九五至二〇〇〇年間，美國投資銀行在電信業組織了至少一千六百七十件併購案，總值達一點三兆美元，賺了一百三十億美元的酬金。這些銀行為電信固定投資籌資，然後公開發行股票。花旗集團分析師傑克・格魯曼（Jack Grubman）對《商業週刊》表示：「過去的利益衝突，如今變成了一種協同作用。」[15]但在二〇〇一年，美國電信業的寬頻實際使用率只有微不足道的百分之二點五至百分之三。[16]雖然未來寬頻利用率會愈來愈高，但就目前為止，過剩的產能抵銷了出售稀缺資源所能獲得的任何利潤。為了製造盈利的假象，電信公司世界通訊公司（WorldCom）、阿德爾菲亞通訊公司（Adelphia）及環球電訊公司（Global Crossing）聯手做假帳，這場詐欺堪比一八七三年的動產信用公司（Crédit Mobilier）醜聞。[17]這次，安隆公司（Enron）也參了一腳。

一九八〇年代，總部位於休士頓的安隆公司在原本受到管制的天然氣市場順利獲得鬆綁之際起家，在董事長肯・萊（Ken Lay）的領導下收購了天然氣管線。[18]安隆的事業與解除管制息息相關，讓萊因此有了更多政治管道。他們的目標是廢除一九三五年的《公用事業控股公司法》，而這項法案就跟《格拉斯-斯蒂格爾法案》一樣，經過無數次的行政裁決，最後在《二〇〇五年能源政策法案》（Energy Policy Act of 2005）中遭到國會廢除。一九九〇年，萊延請另一位從美國中西部移居休士頓的麥肯錫公司（McKinsey & Company）顧問傑佛瑞・史基林（Jeffrey Skilling）來管理公司新設的一個金融部門。到了一九九七年，史基林成為公司的二當家，金融服務也成了公司最主要的業務。

史基林引領的安隆公司創造了新的能源交易流動市場，包括「合成」能源衍生品——一種可交易的資料結構，供交易員押注市場價格的各種變動，甚至是各種變動的組合。依循新經濟平台模型，安隆公司在一九九九年十一月推出了交易「能源商品」的平台「安隆線上」（Enron Online）。二〇〇〇年一月，安隆公司宣布推出一個光纖通信電纜容量的線上交易平台「安隆寬頻」（Enron Broadband）。儘管大部分的電纜容量都閒置未用，但安隆依然創造一個市場並進行交易——哪怕只是為了與其他電信公司交換過剩的容量，並將從中賺取的金錢視為利潤。這家公司還自行重新定位為科技公司，並開始論述自身的「彈性」、「網絡」、「創新」、「創造力」及「選擇權性」。[19]這種做法在一開始奏效了，安隆公司的股價一路飆升。

網路公司的股價暴跌時，安隆把自己染得一身腥。二〇〇〇至二〇〇一年，這家公司的交易員操縱了加州解除管制的即時電力市場，在公關上犯下了一個重大錯誤。隨後，《財星》雜誌的記者貝瑟尼·麥克林（Bethany McLean）問：「安隆的估值是否過高？」[20]這要看接下來發生什麼事了。

投資者開始提問：安隆究竟如何盈利？答案是會計上的花招，以及在當時支持交易流動性的前提下，進行左手換右手的自我交易。如果賣方發現沒有人能以有利可圖的價格來購買資產，也可以設法成為買家，而這無疑是市場的魔力。這種欺詐行為在一九八〇年代曾見於儲蓄與貸款產業，當時一些人利用信貸來反覆就同一塊房地產進行自我交易，價格一次比一次高，每次都能獲利。基本上，安隆公司的財務長安德魯·法斯托（Andrew Fastow）及律師團創造了一系列「負債」的空殼公司，名為「特殊目的實體」，好讓公司可以在內部進行這類交易，製造盈利假象。關鍵在於，美國證券交易委員會允許該公司採用按市值計價的會計概念——意味著資產的價值由當前的市場價格決定，而非取決於買進的價格或營運成本。由於安隆有許多資產都是金融衍生品，價值端視未來漲跌而定，因此公司可以從當前的市場價格去推斷未來的利潤，並將這些利潤計入帳面。這樣的帳面營收讓投資者留下深刻印象，確保了公司可以持續融資。在債券市場，安隆拿自家的股票作為抵押品。當投資人與記者開始質疑這一切的運作，質疑安隆的盈利來源究竟是向顧客銷售產品，還是做帳交易利潤（不只是期望獲取這樣的利潤而已），輿論開始抨擊安隆公司。股票分析師與信用評級機構「下調」了評等。安隆股價暴跌之際，公司的財務狀況浮上了檯面。這家公司負債累累，它的抵押品（也就是自家股票）一落千丈，因此無法償還債務。二〇〇一年十二月二日，安隆公司聲請破產保護。

萊與史基林將公司的倒閉歸咎於媒體、賣空者、「流動性問題」及法斯托。法斯托配合聯邦檢察官的調查，而公開捍衛公司時卻出售了持有的安隆股票的萊遭判欺詐罪。法院還沒宣布判決結果，他就死於心臟病發了。之後，史基林入獄服刑，感嘆「市場不喜歡〔我〕」。[21]安隆公司久負盛名的會計公司安達信（Arthur Andersen）的聲譽大受打擊，最終宣告倒閉。花旗集團、摩根大通、美林證券及其他一些銀行將因協助安隆做假帳而遭罰數十億美元。安隆醜聞是美國史上規模最大的破產案，但這個頭銜只維持了一年，直到「電信牛仔」伯尼・埃伯斯（Bernie Ebbers）帶領的世界電訊公司步上安隆的後塵，陷入會計欺詐與破產的惡名。

布希總統擔憂美國金融市場的「信心」。但全球投資者一點也不擔心，資本仍然源源不絕地湧入美國。葛林斯潘提到安隆時精明地指出，任何一家公司若市場價值仰賴「資本化的聲望」或大眾對其商業模式的信心，而不是可生產高於生產成本的待售產品以獲得金錢利潤的「實體資產」，那麼這家公司「本質上就是脆弱的」。但是，難道市場沒有發現這樣的欺詐行為嗎？安隆公司操縱了與各種金融價格波動有關的複雜衍生品合約，以掩蓋財務損失並製造盈利假象，但是，難道「信用違約交換」（credit default swap）沒有分散損失，防止更大範圍的破壞嗎？依據理論，信用違約交換作為衍生品，可以讓其他公司得以做空安隆，不管是作為一場獨立的賭博，或是有效地確保自己不受安隆破產所害。[22]這類衍生品由操縱它們的投資銀行互相進行場外交易，在獲得葛林斯潘支持、於柯林頓執政時代通過的《二〇〇〇年商品期貨現代化法案》（2000 Commodity Futures Modernization Act）實施後就不受監管了。金融業的「自我監管」是常有的事。布希政府幾乎不打算重新探究這個議題。布希總統簽署了二〇〇二年的《沙賓－歐克斯利法案》（Sarbanes-Oxley

Act），迫使管理階層冒個人責任的風險為公司會計報表背書。如此一來，安隆的破產變成了個人瀆職與責任問題，而不是美國資本市場的系統性失靈。公司主管對此感到惱怒，展開了大規模動員，遊說議員不要通過這項法案。[23]

企業的會計醜聞讓復甦力道疲軟的美國總體經濟蒙上陰霾。即便是二〇〇一年布希實行的減稅政策（將邊際所得稅率全面削減百分之三到百分之五），也沒有對經濟活動造成如此嚴重的影響。二〇〇三年，美國政府再度加大減稅幅度，使得柯林頓時期留下的財政盈餘又回到了赤字狀態。布希的副總統迪克・錢尼宣稱：「雷根證明了赤字並不重要。」[24]的確，外國資本願意為美國的預算赤字提供資金，不論是一九八〇年代的日本，還是二〇〇〇年代的中國，源源不絕的外國資本湧進美國、購買美國國庫券，進而壓低長期利率，這些外國希望持有以全球霸主的貨幣計價的資產，而且也樂意為美國的貿易逆差融資，讓美國人有錢可以購買他們出口的商品。

錢尼是布希政府在二〇〇三年春天入侵伊拉克的策畫者之一，這是一場徹頭徹尾的災難。這場行動體現了帝國侵略的私有化。[25]一個由營利企業組成的網絡跟隨著侵略軍隊，維護補給線，甚至提供安全保障。如果說美國入侵伊拉克的目標是實踐「軍事凱因斯主義」，那麼這場戰爭並未取得多大的成功。二〇〇三年，美國的國防開支躍升為國內生產毛額的百分之零點三六，之後逐漸下降。根據估算，這場戰爭的直接與間接成本總計達三兆美元。[26]如果目標是成本低廉的石油，那麼侵略行動更可以說是大大的失敗。在二〇〇〇年代，由於全球經濟高度成長，各國對關鍵能源的需求也隨之飆升。但這段時期普遍的商品價格上漲並未導致通膨，這是因為新的商品領域被納入全球經濟，避免了農業與初級生產產業面臨報酬遞減的潛在威脅。除此之外，聯準會在提供低廉資金的同時也致力穩定非通膨預期。雖然伊拉克戰爭引發了外國勢力對美國全球霸權地位的質疑，但世界各國仍持續投資美元計價的資產（包括公債），而不顧帝國主義的慘敗。全球經濟需要一個霸主，無論它受到了多大的挫敗、有多常出錯。

當美國軍隊大舉攻入伊拉克之際，聯準會已將聯邦基金的目標利率調降至百分之一，並一路維持到二〇〇四年夏天。沃克衝擊導致的高利率揭開了混沌時代的序幕，重新確立了貨幣資本的稀缺性價值。此刻，葛林斯潘主導的短期利率處於歷史低點，在全球信貸週期中引發了極不尋常的投機性上行。

先行者與注定的輸家

以資產價格增值為主的經濟，輕易地從一九九〇年代的網路企業股票走向了二〇〇〇年代的住宅抵押貸款市場。但是，這個時期的經濟生活還有其他特質。當時專家認為，隨著全球化不可逆地進行，網絡中的每個人都得到了好處。像《紐約時報》記者湯瑪斯・佛里德曼（Thomas Friedman）寫的《世界是平的》（*The World Is Flat: A Brief History of the Twenty-First Century*，二〇〇五年），就是當時相關著作的典型標題。[27]然而，儘管全球化開展，地理與地區的動態一如既往地重要。在美國國內，世界上經濟最活躍的地區與那些從全球化中獲益較少、但飽受衝擊的地區之間，出現了一種隔閡，這種隔閡不僅在經濟上，還有社會、文化與政治。

儘管網路泡沫化，新經濟仍在擴張。「二〇〇四到二〇〇八年間，光是網際網路產業，就占了美國經濟成長的五分之一。」矽谷及其他地區飛速發展，為受過高等教育與人脈廣泛的人們創造了高薪工作，而這些人的高收入進一步創造了對典型低薪服務業工作的新需求——如零售業與餐廳的職缺、瑜伽老師及人生教練。到目前為止，美國有三分之二的工作屬於「非貿易」部門，因此更容易受到當地情況的影響。推特（Twitter，成立於二〇〇六年）等網路平台企業正式雇用的員工不多，也沒有商業盈利。但是，推特創造了外部的工作機會，像是律師、投資銀行家與清潔承包商。[28]儘管如此，這些爭相登上企業估值頂點的公司所雇用的員工數更少，對相關行業的刺激也不如過去那些高估值的企業。相較於一九五〇年代的通用汽車等企業，現在這些公司留下的足跡並不深刻。二〇一〇年，百分之七十九點五的高科技工作都位於前百大都會區，[29]難怪舊金山、波士頓及西雅圖等城市蓬勃發展。其他蓬勃發展的城市，則有德州的奧斯汀（Austin）、紐約以光學技術研究見長的羅徹斯特，或是俄亥俄州研究資源集中於無線射頻識別技術的代頓（Dayton）。

儘管如此，矽谷依然是新經濟的溫床。最終在二〇〇〇年代，當地一些公司找到了透過經營工商企業來獲利的方法。有兩個策略特別值得一提，其中一個方法前所未有，即擷取資料並出售給市場行銷商；另一個方法相當古老，即基於反競爭立場而追求壟斷。然而，這兩種策略都運用了相同的手段，他們透過龐大的長期資本投資來達到相同的目的，那就是在新興的資訊科技產業中成為先行者，避免遭受市場競爭。

在這十年裡，不顧一切代價、不計損失或利潤多寡的成長，仍是一項企業策略。這導致了一些激進的投資策略與壟斷傾向，挑戰了握有主導權的法律經濟運動。當時盛行的法律經濟運動已削弱了許多強制反壟斷的法規，背後的假設邏輯是，企業之間在短期內透過理性的方式來達到利潤最大化的行為，向來會使競爭變得激烈，進而造福所有的消費者。

亞馬遜正是一家運用這項策略並取得巨大成功的企業。它在二〇〇二年終於開始獲利時，媒體爭相大幅報導，但隨後又面臨虧損。亞馬遜執行長傑夫・貝佐斯（Jeff Bezos）將擴張與維持「市場領導地位」視為優先要務。隨著公司緩慢發展出獨立的物流、倉儲與配送基礎設施，網站變成了一個市場行銷平台。亞馬遜為使用者提供免運服務（對公司而言是虧本的），渴望能主宰市場。隨著外部投資者注入大量資金，公司營收開始攀升，得以進行再投資。不同於一九九〇年代的沃爾瑪，二〇〇〇年代的亞馬遜並未調降零售價格，因為新經濟導致商品愈賣愈便宜的這種效應如今已逐漸消失。受益於亞馬遜的最大族群是「忙碌的高所得家庭」。[30]這些高所得家庭有愈來愈多是雙薪收入，比較沒有時間購物。亞馬遜提供的與其說是更低的價格，不如說是更高的效率。多虧了亞馬遜在二十一世紀初問世，家境小康的美國消費者可以慵懶地躺在床上，只要點一下平板電腦或刷一下手機，就可以買到來自世界各地的各種產品，並期待商品在兩天內迅速送到家門口。然而，亞馬遜透過低於成本的定價主宰市場，也意味著勢力開始壯大，能夠防止市場競爭，同時對供應商提出要求。除此之外，亞馬遜的利潤並非來自消費零售業務，而是來自亞馬遜雲端運算服務（Amazon Web Services），也就是為企業提供資料儲存及「雲端」運算服務。[31]

然而，在這十年裡，第一個偶然發現一種可以靠著向消費者而不是企業提供網際網路服務來盈利的企業，不是亞馬遜，而是Google。[32]

Google的方法是挖掘與運用個人資料。經由Google進行的大量網路搜尋所留下的「資料廢氣」都是個人資訊，如果能擷取與匯集到一定規模，然後利用複雜的演算法巧妙操作，就可以出售給公司行號及行銷公司，用來預測消費者偏好——這是另一種合成的資料結構，是一種「行為」，而不是金融資產。二〇〇四年，也就是Google首次公開募股的那一年，Gmail正式推出，這項服務讓Google得以掃描通信紀錄（不確定是否也包含私人通信），加以擷取並用於行銷目的，進而在網站上銷售「橫幅」廣告，向希望獲得「點擊率」的公司行號收取費用。Google靠銷售廣告所賺取的利潤，從二〇〇二年的三點四七億美元躍升到二〇〇四年的三十五億美元。[33]它收購了一家又一家的公司，因而有管道可獲取更多的個人資料，或者更有能力去解讀數據——例如二〇〇六年併購了YouTube。像Google這樣的大企業收購小公司對創新而言究竟是好是壞，目前尚無定論，[34]但與一九九〇年代不同的是，在二〇〇〇年代，對新經濟創新的「無形資產」投資並未增加。[35]亞馬遜在物流與配送網絡上部署了許多固定投資，有效地促進了商業發展，就如同一個多世紀前對運河及鐵路的投資。但是，生產力整體成長非常緩步，因為業界關注的是如何蒐集與使用資料來預測、甚至改變消費者行為，幾乎沒有出現可望提高生產力的創新。業界積極擴大規模以獲得更大的報酬，也就是達到「網絡效應」乘數。在此之下，資料變成了「大數據」。二〇〇八年，社交網路公司臉書的執行長兼創始人馬克・祖克柏延攬前Google員工雪柔・桑德伯格（Sheryl Sandberg）後，也採取了同樣的策略。[36]很快地，預測消費者偏好與改變消費者行為之間的界線變得模糊。

一九九〇年代末，資本看重的是那些處於新經濟環境下的企業獨有的「創意」。為了保護公司取得個人資訊的管道及專有的演算法，Google與臉書聘請了大批律師，並對政府展開遊說。然而，新經濟創造商業利潤的方式，到頭來沒什麼「新招」可言。這正是消費主義——即使當美國消費市場在二〇〇〇年代吸納了世界各地的眾多進口品時，矽谷用不同以往的行為修正了消費主義的方向。

二〇〇〇年代的其他先發商業策略幾乎不像數據探勘那樣新穎。在電信產業中，始於一九九〇年代末的併購浪潮依舊持續。在一個宣稱市場競爭可造福大眾的管制時代，產業合併引人注目。一九八四年分拆為數個「小貝爾」公司（Baby Bell）的美國電話電報公司，在電信業崩潰後趁虛而入，重組成一個媒體帝國且蓄勢待發。在矽谷，蘋果公司突破了資訊科技研發，在二〇〇一年推出iPod，之後在二〇〇七年又推出iPhone。這家企業藉由銷售大規模生產的精緻奢侈品來盈利。它不蒐集個人資料，但採取了一種舊有的壟斷策略，即十九世紀所謂的商業搭配（tie-in）。對比Google這個不斷搜尋個人資料的開放平台，蘋果公司採用封閉式系統，希望能鞏固消費者的忠誠度。同時，美國的反壟斷傳統基本上處於休眠狀態。聯邦地區法院在二〇〇一年美國訴微軟公司一案中裁定，該企業對Windows與Internet Explorer進行商業搭配，違反了一八九〇年的《薛曼反壟斷法案》；但在二〇〇二年的和解中，布希政府只輕微處罰了微軟。[37]蘋果公司在二〇〇七年推出iPhone時，宣布美國電話電報公司為其獨有的承運商夥伴——這是一種經典的商業搭配策略。[38]除此之外，如果反壟斷法體系沒有注重消費者福利勝於長期市場結構，亞馬遜很可能無法在零售業大獲成功。[39]

總之，在二十一世紀，由於兼併與整合，「美國大部分經濟領域中的競爭都衰退了」。[40]對那些並未精進服務、但幾乎沒有競爭對手的大企業而言，利潤不斷增加，其中以電信、航空與醫療保健產業最為明顯。因此，勞動收入份額在二〇〇〇年代後急遽下降的一個原因是，合併後的大公司壟斷了勞動力市場，勞工無法輕易爭取更高的薪資，因為他們可以談判的公司少之又少。[41]又是這一套：經濟活動的報酬遞增，伴隨而來的是先行者壟斷市場的風險。除此之外，公司行號還透過政治手段來取得並強化這樣的優勢。[42]任何一位研究十九世紀美國經濟（譬如鐵路發展）的學生，都能預見這種可能性。

商業與市場競爭的動態轉變了，勞動力與生產也是。第一支蘋果iPhone在中國深圳完成組裝。從一九九〇到二〇一一年間，中國在世界製造業出口中所占的比例從百分之二攀升至百分之十六。從二〇〇一到二〇一一年，中國在美國製造業進口中的占比從百分之十點九增加到了百分之二十三點一。[43]二〇〇〇年之後，「中國貿易衝擊」是美國各個經濟區域命運明顯分歧的主因。

那些經濟一度仰賴白人男性為主的製造業區域，遭受的影響最深刻。沃克衝擊過後，美國製造業的總就業人口穩定維持在一千七百萬。然而，從二〇〇一到二〇〇三年，美國失去了三百萬個製造業工作。面對國際競爭，美國製造業的集中度與市場力量鮮有斬獲。[44]除了面臨持續自動化的衝擊之外，任何工作倘若在海外有低薪的替代選項，都有可能消失。亞洲與東歐有數億名新出現的受薪族，儘管許多人才剛擺脫了經濟困境，但在這些地方即使依照其他標準來看，惡劣的工作條件、違反雇傭契約及拖欠工資等剝削情況也普遍存在。[45]根據一項估計，「一九九九至二〇一一年間，來

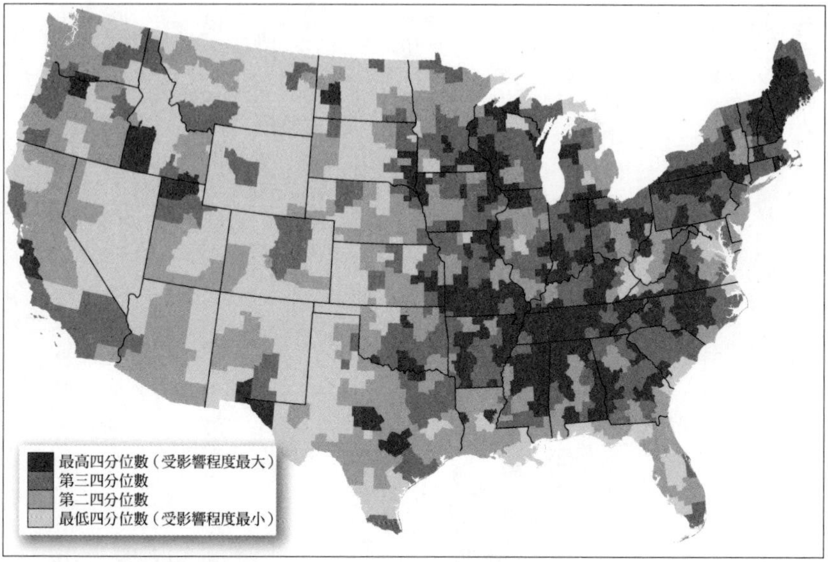

圖 120 中國貿易衝擊曝險，一九九〇到二〇〇七年

中國在二〇〇一年加入世界貿易組織。圖中可見在此之後受中國製造業進口的激增衝擊最深的美國區域分布。

自中國的進口成長，導致美國就業人口減少了兩百四十萬名」。根據二〇〇〇年代美國「貿易曝險」相對的地圖顯示，底特律、水牛城與普洛維登斯等城市備受衝擊，其他像是田納西州、密蘇里州、阿肯色州、密西西比州、阿拉巴馬州、喬治亞州、北卡羅來納州與印第安那州的鄉村地區也是如此。[46]數十年前，美國與德國及日本等工業化經濟體之間的貿易可能具有一些優勢，但沒有那麼多，因此不可能產生這樣的影響。然而，中國的「衝擊」做到了。

數十年來，美國的製造業工作持續轉移至低薪、工會組織不成熟的南方地區。到了二〇〇〇年，南移效應結束，工作機會開始流向海外。[47]這段過程沒有任何政治管理可言。根據經濟學理論，失業的勞工應該要遷移，其中有些人也確實這樣做了。休士頓人口暴增，底特律這座大城市的人口則減少了四分之一（幾乎相當於二〇〇五年卡崔娜颶風〔Hurricane Katrina〕侵襲紐奧良所導致的人口減少數）。然而，不是每個人都像經濟學家的模型所顯示的那樣願意遷移到其他地方，或是有辦法這麼做。

勞動力市場的失業型復甦並不景氣。二〇〇〇到二〇〇五年間，平均薪資毫無起色，跟一九八二年以來每次經濟衰退後失業型復甦的初期情況一樣。二〇〇〇年，美國青壯年勞動參與率下降，女性在有酬勞動力市場中所占的比例最終停滯在百分之六十左右。男性勞動力參與率持續下降。對於那些年輕時缺乏學歷的人來說，終生收入的未來遙

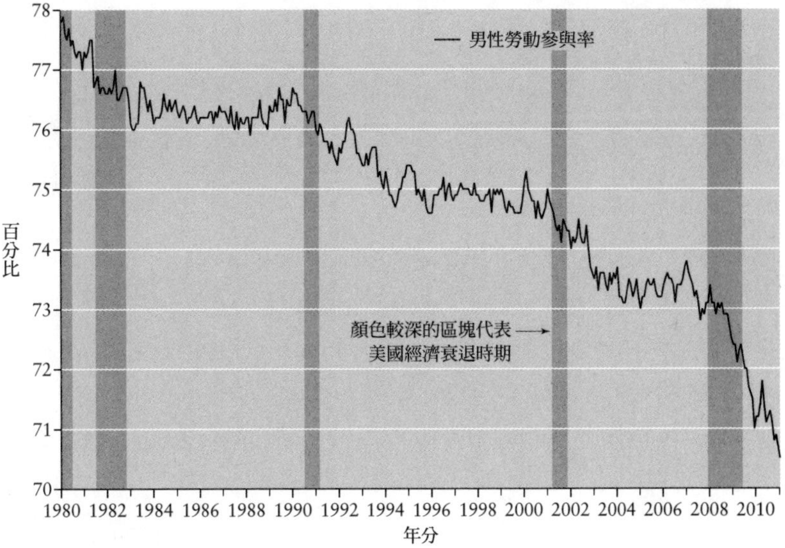

圖 121 男性勞動力參與率

男性人口在有報酬勞動力中的占比下降，是另一個在二十一世紀加速發展的長期趨勢。

不可及。[48]

一個人如果沒有大學學歷，最好闖出知名度來。這十年當中最偉大的流行藝術家肯伊．威斯特（Kanye West），正是以教育為創作主題。大學輟學的他發行了《遠離校園》（*The College Dropout*，二〇〇四年）、《遲來的註冊》（*Late Registration*，二〇〇五年）與《畢業特典》（*Graduation*，二〇〇七年）等專輯。

那些完全被排除在勞動力市場之外的人過得更糟，甚至可說是悲慘得多。資料顯示，從一九九九年開始，四十五至五十四歲沒有大學學歷的白人男性，因吸毒過量、自殺及酗酒導致肝病的死亡率明顯增加。這種「絕望的死亡」在二〇〇〇到二〇〇一年

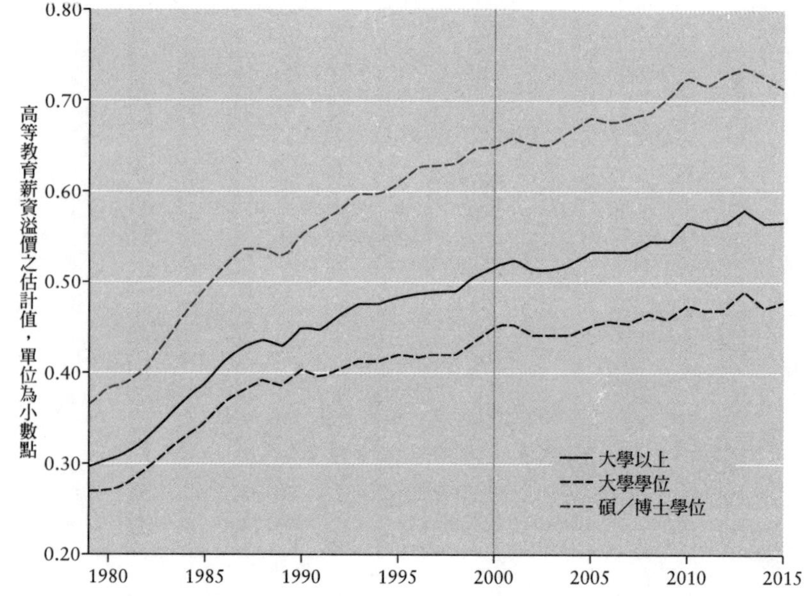

圖 122 高等教育薪資溢價的估算

高等教育或「人力資本」的報酬率，是混沌時代勞動收入日益不平等的主因。

裡奪走了「六十萬名美國中年人的生命」，且不成比例地發生在失業型復甦惡化的地區。這種現象在其他國家前所未見。由於歷史劣勢根深柢固，黑人的死亡率仍然高於白人。[49]但根植於教育的階級動態逐漸變得顯著。儘管有大量證據指出美國刑罰制度存在種族歧視，但是到了二〇一七年，「高中輟學的白人坐牢的可能性，約為擁有大學學歷的黑人的十五倍」。[50]

如果說早死是二〇〇〇年代勞動力市場的一大議題，那麼另一個問題就是男性青春期的延遲。男性的身分認同危機直到一九七〇年代之後才成為突出的文化主題：男性發育受阻是許多電影關注的焦點，尤其是喜劇——其中最出色的是《四十歲的老處男》（*The Forty-Year Old Virgin*，二〇〇五年）這部影片。[51]至於電視影集，《黑道家族》（*The Sopranos*，一九九九到二〇〇七年）描述性情敏感的紐澤西黑幫老大托尼．索普拉諾（Tony Soprano）患了恐慌症，為五十二歲的兒子未來的經濟條件感到憂心。[52]除此之外，真人秀節目《誰是接班人》（*The Apprentice*，二〇〇四到二〇一七年）中，以幼稚個性自成一格的唐納．川普仗著權勢而自吹自擂為賣點。《誰是接班人》不如《黑道家族》那樣備受好評，但受歡迎的程度大勝後者。

社會與經濟生活日益經由網絡組成，這導致了這個網絡不僅像一九九〇年代那樣「擴展」與變異，而且還有僵化的排斥現象。收入與財富的不平等在抽象數據上加劇；在現實生活裡，許多個人與團體被徹底驅逐出新經濟生產面。諷刺的是，消除排斥與孤立最好的辦法是透過社交媒體加強連結性——「按讚」、「自拍」與「迷因」都在這十年裡出現。然而，社交媒體公司抓取了這些活動所留下的數據，好將更多的商品賣給美國消費者。雖然經由社交媒體所建立的真實且富含意義的社會連結不容忽視，但新場域帶來了大量紀錄的病狀，包括排斥與孤立的負面感受。不久後，Google與臉書的演算法便會將這類資訊出售給行銷，指出根據使用者在網路上的行為，可推斷他們有可能感到孤獨，因此容易被廣告洗腦而購買一些商品以緩解這種感覺。依舊未解決的問題是：假如許多美國消費者不是新經濟的先行者，更別提不是每個人都受過良好教育或才能出眾，甚至不是生活在繁榮城市且收入豐厚，那這些人怎麼有錢買東西呢？

這些社會與經濟趨勢都體現在地理上。在城市裡，精英分子只與相同階層或在美食等文化品味方面有共通點的人結婚，達到自我隔離。政治的兩極化同步加劇，[53]就連人類價值的評斷也變得尖銳。馬克・祖克柏觀念扭曲地認為，「善盡本分的人不只比那些表現良好的人強一點而已，而是強上百倍」。[54]因此，公司應該只雇用才能出眾的人，並根據他們的「人力資本」給予豐厚報酬，而不是雇用天生的失敗者。

在一九八〇與一九九〇年代，許多美國人遭到商業企業解雇，專家建議應該另外建立經濟生活。企業不忠於個人，那個人為什麼要忠於公司呢？個人最好保持自由之身，進行短期投機創業。二〇〇〇年代出現了一種相反的趨勢：有才能、受過教育且運氣好的人進入了受到保護的新空間，得到了接納。天生的失敗者則不然。

舉例來說，臉書打造了一座巨大的企業園區，成為一座孤島，堪稱高薪與低薪服務經濟並列的完美縮影，有駐點牙醫、保母、壽司師傅，以及自動乾洗店。園區提供了工作、用餐、休閒與睡覺的場所，使家庭與工作之間的界線不斷變得模糊。[55]在所有偉大的網路企業之中，臉書的外溢效應最小。它並未刺激更大規模的經濟活動，與其他公司幾乎沒有前向或後向連結——例如，它幾乎不購買其他公司的產品。在喬治・桑德斯（George Saunders）於二〇〇三年出版的短篇小說〈喬恩〉（Jon）中，主角在屬於未來的一家反烏托邦公司法希勒提（Facility）裡工作，從事消費產品評估，生活完全封閉但很安全。[56]企業展現主權特性的現象歷史悠久，但像臉書這樣存在於二十一世紀的企業，以及與其結盟的慈善機構，徹底揭開了企業主權的新篇章。

家

二〇〇三年，美國總統喬治・布希開始援引所有權社會一詞，起初是為削減所得稅的措施辯護，但是，收入政治很快就過時了。以房地產所有權為核心的經濟自然有利於富人，因為根據定義，他們往往擁有大部分的財產。然而，他們也可選擇擴大所有權級別——如果不是透過實際的資產再分配，那就是利用信貸來購買。二〇〇〇年代，政治人物與金融從業者都試圖藉由房產所有權這項工具來實踐這項策略。

聯邦政府給予了極為有力的支持。許多明文規定的法律都旨在防止所有權人在有問題的條件下延長抵押貸款。在二〇〇三年的一次媒體拍照活動中（那一年布希總統提到房產所有權時總是滔滔不絕），聯邦存款保險公司（FDIC）副主席約翰・賴克（John Reich）與儲蓄監管局（Office of Thrift Supervision）局長詹姆斯・吉勒蘭（James Gilleran）兩位監管官員，與三位銀行代表一起象徵性地拿鏈鋸與修枝剪，作勢割斷綁繞在一大疊政府貸款規範的紅色緞帶。[57]

金融領域中，最大的投資銀行與商業銀行爭相向既有屋主與有意買屋的民眾放貸。他們認為自己發現了資本主義彩虹的盡頭，一種既能保證獲利、又無須承擔風險或犧牲流動性的方法。做法是，買賣他們綜合各種考量而設計，可互相進行盈利交易，且向短期銀行之間貨幣市場融資而取得的流動性抵押貸款相關資產，然後透過互相交易另一套衍生品來避免任何損失。在一九九〇年代到二〇〇〇年代進行的公司合併席捲了電信、媒體與高科技產業，還促成了華爾街的融資、評級與交易壟斷集團。[58]其中的主要參與者有高盛、摩根士丹利、美林、雷曼兄弟與貝爾斯登等五大投資銀行；花旗集團、摩根大通與美國銀行這三家自設投資部門的大型商業銀行；穆迪（Moody's）、惠譽（Fitch's）與標準普爾（S&P）等將抵押貸款相關資產標為「投資等級」的三家評級機構；以及以華盛頓互惠銀行（Washington Mutual）與全國金融公司（Country wide）銀行為首的大型抵押貸款互助儲蓄銀行。保險業巨頭美國國際集團（AIG）則是這一切的後盾。在過去的數十年裡，這些企業擴大規模、合併及收購其他機構，同時整合各自的產業。在二〇〇〇年代，它們益發壯大，甚至獲利更多。

從國際角度來看，二〇〇〇年代並非只有美國的房地產市場蓬勃發展。[59]拜聯準會政策所賜，全球的低利率與廉價的美元貨幣市場推動了許多國家房地產市場繁榮。[60]儘管如此，美國房地產市場熱潮的機制與後果不同於其他國家，原因在於銀行為抵押貸款融資並藉此獲利的精確方式，以及房價持續上漲所產生的貨幣收入維持了美國的消費需求。儘管美國平均薪資的成長疲軟無力，美國消費需求仍促成了全球經濟蓬勃發展。

美國家戶債務償付支出占個人可支配所得的比例，從二〇〇四年的百分之十二攀升至二〇〇七年的百分之十三點二的歷史高點，而這主要是申請房屋抵押貸款之故。歷史新低的利率也是原因之一。對銀行來說，以低利率借入短期資金，再以高利率借出長期資金的這種利差交易輕鬆不費力。標準的三十年期固定抵押貸款利率已從百分之七以上降到低於百分之六。葛林斯潘指出，「在過去兩年的經濟困境中，這股強大的穩定力量」來自於「建商積累的一些抵押資產的淨值遭到提取」。[61] 這意味著美國人沒有一窩蜂地跑去買房子，而是利用抵押貸款再融資或房屋淨值貸款，從房產中提取現金。其中，所謂的房屋淨值貸款是所有權人以低於現有抵押貸款利率借貸的基礎與抵押品，而銀行評估貸款金額的基礎，則是房屋的現值，不是屋主購屋時的房屋價值。

經由這種方式，不斷上漲的房價轉化成資

圖 123　「用鏈鋸剪斷規範」（二〇〇三年）提高住房抵押貸款額度，是實現布希總統承諾的「所有權社會」的途徑之一。照片中，多位聯邦監管官員與銀行代表手拿鏈鋸與修枝剪作勢割斷政府貸款規範的「繁文縟節」。政府監管的鬆綁助長了二〇〇〇年代的欺詐性貸款行為。影中人由左至右分別為：美國儲蓄監管局局長詹姆斯・吉勒蘭、美國銀行同業公會（American Bankers Association）的吉姆・麥克勞克林（Jim McLaughlin）、美國社區銀行協會（America's Community Bankers）的哈利・多赫提（Harry Doherty）、聯邦存款保險公司副主席約翰・賴克與美國獨立社區銀行協會（Independent Community Bankers of America）的肯・剛瑟（Ken Guenther）。

金以維持個人消費，使美國與全球經濟得以擺脫二十一世紀初的低迷景氣。二〇〇三年，美國有四分之一的屋主以更低的利率進行抵押貸款再融資，實際大約有一千五百萬戶家庭套現了四千二百七十億美元。此外，屋主透過房屋淨值貸款取得的資金，總計達四千三百億美元。聯準會估計，被提取的房屋淨值中有百分之四十五花在「醫療帳單、稅金、電子產品、度假或債務整合」，另外有百分之三十一則用於「住家裝修」，其餘的錢則被拿去購買更多的房地產、汽車、投資、服飾或珠寶。[62]二〇〇三年之後，這股熱潮轉到購買新屋。

從地理上可看出房地產熱潮的差異。在紐約與舊金山等高收入城市，房價由於市場供應吃緊而飆升；在市場穩定的都市，例如芝加哥與休士頓，房價雖然上漲，但速度沒那麼快；而在天生失敗者的地區，所謂的基本面完全不管用，只存在槓桿資產價格增值的資本主義，而且人人都使用到幾乎有害的程度。這些地區大都深受全球化與中國貿易衝擊所影響。值得注意的是，在製造業就業下降的同時，住宅房地產建設領域的工作機會卻大幅增加。在底特律西區與克里夫蘭內城這兩個歷史悠久的黑人社區，「次級」抵押貸款（向信用不良或有風險的借款人放貸）的擴張，與家庭收入的負成長密切相關。

那些薪資與勞動收入疲弱的人仰賴房產來維持個人消費水準——注意，不是增加，就只是「維持」。[63]許多屋主並沒有購買新房，只是利用手上的房子來開槓桿借款而已。在房地產熱潮的最後幾年，也就是二〇〇四到二〇〇六年，在內華達、亞利桑那、加州與佛羅里達這四個所謂的「沙地州」區域，借款與投機性建設都迅速增加，其中以拉斯維加斯、鳳凰城、河濱－聖貝納迪諾（Riverside-

San Bernardino）、邁阿密及坦帕（Tampa）等大都會為主。在這些地區，新屋一棟接一棟地賣出，房產價值一飛沖天。在這些以白人為主的社區中，白人屋主的房產價值上升的速度遠遠高於非白人屋主。在沙地州區域，房產市場失控了。[64]二〇〇〇年代美國房市在貸款助力下的槓桿式繁榮，無疑掩蓋了美國勞動力市場慘不忍睹的十年。[65]

貸款的運作方式如下：[66]貸款經紀人是與

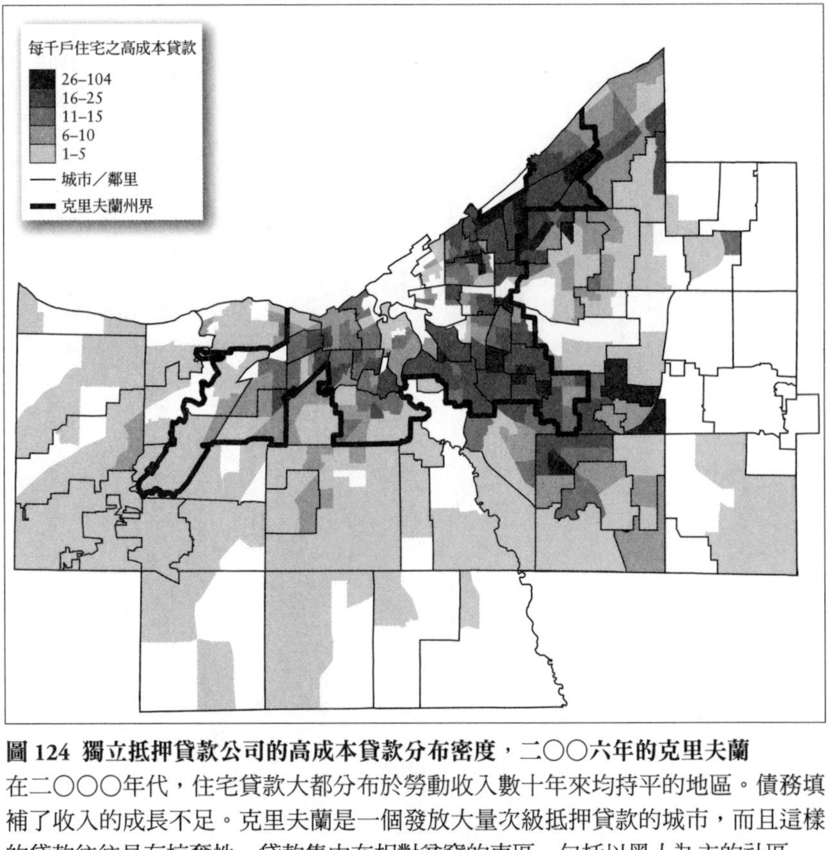

圖 124 獨立抵押貸款公司的高成本貸款分布密度，二〇〇六年的克里夫蘭

在二〇〇〇年代，住宅貸款大都分布於勞動收入數十年來均持平的地區。債務填補了收入的成長不足。克里夫蘭是一個發放大量次級抵押貸款的城市，而且這樣的貸款往往具有掠奪性。貸款集中在相對貧窮的東區，包括以黑人為主的社區。

借款人接觸最密切的人。商業模式長期以住房抵押貸款為主的儲蓄銀行也投入了抵押貸款業務。自一九七〇年代末至一九八〇年代初政府放寬對儲蓄與貸款的監管以來，儲蓄銀行不再向地方民眾放款，而是持有投資物並計入帳上，或將其出售給受政府資助的房利美與房地美企業，封包成不動產抵押貸款證券（MBS）。他們的目標是「創始及分配」，意即發放貸款，以及盡快在競爭激烈的國內以至國際市場上出售，而不是將它們作為投資物計入帳上。二〇〇三年，次貸發放金額最龐大的銀行是總部位於加州長灘的美尋房貸公司（Ameriquest Mortgage），美尋房貸公司在互助儲蓄銀行監管放寬之際於一九七九年成立，當時政府也取消了對次貸的限制。[67]然而不久後，位於加州的全國金融公司放貸的力道更加強勁。

華爾街的銀行急於購買抵押貸款，尤其是投資銀行。他們提供「倉庫」信用額度給互助儲蓄銀行以發放新貸款。例如，美尋房貸公司便得到了花旗集團三十五億美元的公開授信額度。隨著時間推移，商業銀行與投資銀行開始直接收購放貸者，譬如雷曼兄弟在一九九八到二〇〇四年間即收購了六家抵押貸款機構。[68]如果說持有房屋的民眾急需貸款來填補委靡不振的薪水，那麼投資銀行也同樣渴望為這些貸款提供資金及買斷這些貸款。

銀行將這些貸款包裝成不動產抵押貸款證券。他們拼湊不同的個別貸款，然後將其重新分割成不同的「分券」，這些債券的風險評級不一，支付的利息也不同。銀行付錢給評級機構（尤其是穆迪），請這些機構根據不動產抵押貸款證券的違約風險進行評級。二〇〇〇年後成為上市公司的穆迪就跟銀行一樣，會輸入歷史價格資料並利用數學模型來預測違約風險，但是，這些資料所屬的市場當時在地理位置上要分散得多。(一九九〇年代末的對沖基金長期資本管理公司就曾犯過這個錯誤。)他們並未查核實際的抵押貸款。美國證券交易委員會批准了「風險價值」模型。穆迪替最安全、支付金額最低的分券打了AAA評級,之後評級陸續降至AA、A、BBB。接著,銀行在場外市場將這些債券出售給投資者,包括賣給養老基金、保險公司與大學基金,或者持有作為投資。二〇〇四年,銀行的「私營發行」證券大幅超越了房利美與房地美這兩家公司(政府長期補貼抵押貸款市場的企業)。不動產抵押貸款證券致使風險管理的信心高漲,因此銀行認為可以向風險更高的次貸借款人放款並獲利。在二〇〇三到二〇〇七年間,新發放的不動產抵押貸款證券價值達四兆美元。[69]

事情還沒結束。接著,銀行將A級或BBB級債券重新封包成另一種付息債券,即「債務擔保債券」(collateralized debt obligation,CDO)。這種債券最早於一九八〇年代出現在麥可·米爾肯的德崇證券的垃圾債券部門,之後在一九九〇年代可見於摩根大通。[70]在二〇〇〇年代,銀行與評級機構利用當初用來評比不動產抵押貸款證券的模型與歷史價格資料,來操縱以不動產作為抵押品的債務擔保債券。美林、高盛與花旗集團尤其專精這方面的業務。透過這樣的流程,有八成的A級或BBB級的不動產抵押貸款證券搖身一變成了AAA級的債務擔保債券。銀行甚至將債務擔保債券再組合成債務擔保債券「平方」。在二〇〇三到二〇〇七年間,從不動產抵押貸款證券變身而來的債務擔保債券價值達七千億美元。[71]

最後一個環節是「信用違約交換」(CDS)。信用違約交換實際上是一種保險契約,根據與操縱債務擔保債券時所使用的相同模型與資料來預測，當債務擔保債券違約時，信用違約交換便會還款。在這方面，總部位於倫敦的美國國際集團金融產品部門走在最前頭。該集團在二〇〇三到二〇〇七年分別開出了兩百億美元與三千七百九十億美元的信用違約交換合約，每年收取名義值的百分之零點一二作為保險費。它最大的客戶是高盛。由於信用違約交換是一種場外衍生品合約，不像紐約證券交易所那樣在公開市場上交易，因此並未受到嚴格監管。二〇〇四到二〇〇七年間，全球信用違約交換標的資產的價值從六十四億美元增加到五十八點二兆美元。[72]銀行從創造這種合成資產中收費，因此證券化讓他們賺取了大量服務費。但為了增加利

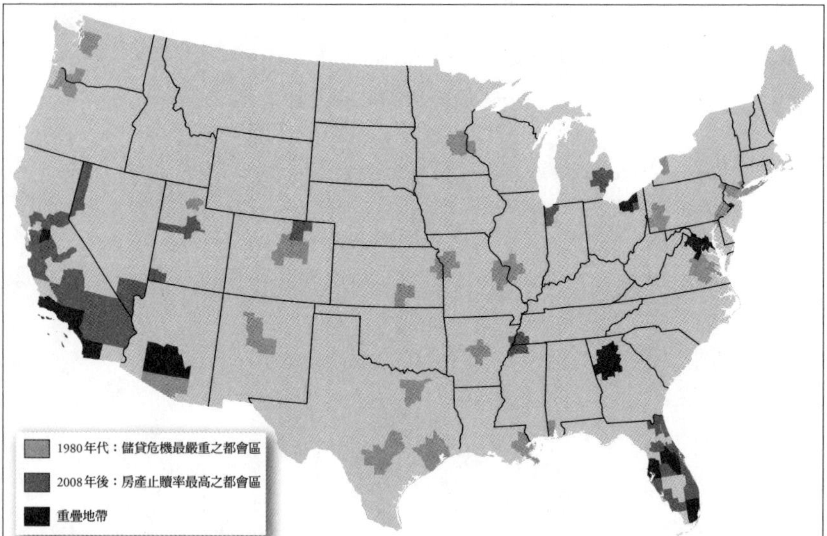

圖 125 一九八〇年代儲貸危機與二〇〇八年經濟大衰退的地理分布
儲蓄與貸款危機中的高槓桿且往往具欺詐性的借貸行為，預示了之後美國住房抵押貸款的放貸熱潮。

潤，銀行抬高了槓桿，將AAA級抵押貸款的相關資產作為抵押品，在流動性較強的短期貨幣市場籌資，以設計與購買更多債券。他們轉向了不受監管的短期貨幣市場，即所謂的影子貨幣市場，包括倫敦的歐洲美元市場，以及銀行間的短期市場，或是企業「商業本票」短期市場（他們有時會藉此籌集現金）。在企業融資領域，這種「影子」貨幣市場緩慢取代了傳統上接受企業存款並在此基礎上發放貸款的商業銀行。最後，為了掩蓋槓桿的痕跡，銀行使用資產負債表外「結構性投資工具」(structured investment vehicle，SIV）或會計花招——這兩種做法都讓人想起了安隆公司。二〇〇三到二〇〇六年間，五大投資銀行的稅前已實現利潤翻了一倍，從兩百億美元增至四百三十億美元。[73]

銀行彷彿擁有點石成金的力量，他們相信自己找到了一種神奇的新方法，無須捨棄流動性、無須承擔風險，就能確保獲利。數學、物理學與工程學博士接受銀行的聘任，擔任金融工程師來憑空創造出合成資產。這是一種新的資本資產類型，依賴運算能力而創造出的資訊與數據預測性結構。就此而言，銀行的作為與Google及臉書在同時期利用網際網路挖掘而來的個人資料不謀而合，皆是透過設計合成預測性資產，並在數學上準確預測未來的消費者偏好。然而，銀行認為自己可從類似貨幣且具有流動性的資產中獲取一定利潤，因為這類資產一向可在這些銀行之間的場外交易（OTC）市場中進行交易。有了聯準會的基準利率與銀行間短期貨幣市場所提供的低廉美元資金，這些資產可以透過債務融資，進而提高利潤。這個由MBS、OTC、CDS、SIV及CDO等縮略詞構成的奇幻金融宇宙開始活躍了起來。

這條生產線只有一項限制。它需要新鮮的材料，需要實際購屋的買家，有時甚至是住屋的人。因此，抵押貸款的創始機構降低了標準，即便房價在二〇〇四到二〇〇六年四月貸款熱潮達到巔峰的期間又飆升了百分之三十六。二〇〇五年七月，AMC電視台節目《房地產投資秀》（*Flip This House*，二〇〇五到二〇〇九年）首次播出。這個節目的主題圍繞房地產投機，但也牽涉了隨著資本主義與家庭生活之間的界線徹底分解，房屋、房屋淨值、家庭生活中高潮迭起的戲劇性事件與衝突之間出現的緊張關係。二〇〇〇年代的房地產熱潮是「家庭價值觀」時代的經濟高峰。[74]作為住家的房屋必須創造家庭收入，因為男性戶主的薪資毫無起色，但住家依然是……家。《黑道家族》於二〇〇四年播出了發人深省的一集，劇情正凸顯了家庭與房產之間的矛盾：東尼在同意借給妻子卡梅拉六十萬美元以支付一棟「投機屋」*的頭期款後，與她重修舊好。在沙地州，房地產投機完全主導了經濟，譬如加州北部的中央谷地。在坦帕市郊區，「麥豪宅」†（McMansion）與沃爾瑪賣場如雨後春筍般湧現，發展模式就如同陽光地帶。有些家庭靠著父親擔任汽車工人的微薄薪水及沉重貸款過活，這些家庭養大的孩子，長大後從底特律搬到了佛羅里達，進入抵押貸款機構工作。[75]這種現象無庸置疑地顯露了道德的敗壞。

二〇〇〇至二〇〇七年間，佛羅里達州多了四千零六十五位過去曾因「欺詐、銀行搶劫、敲詐勒索」而被定罪的新進抵押貸款經紀人。[76]但在二〇〇四年，布希總統向全國住宅營造商協會發表演說時指出，「好的政策」正在創造一個「所有權社會」，而在這個社會裡，「有更多的美國人比以往任何時候都能敞開家門對客人說，『歡迎來到我家，歡迎來到屬於我的房子。』」總統接著說，「我們絕不放過恐怖分子」，並在伊拉克宣示，「自由正在進軍中」。[77]

這項所有權社會的主張至少有些道理。在二〇〇〇年代，許多人終於能夠參與資產價格增值的遊戲，這樣的遊樂場不再專屬於富裕階層。即使在財富不平等的現象迅速惡化之際，家庭財富增加的比率也成長了一倍之多——但這只是暫時的。[78]

到了二〇〇五年，美國處於資產主導的另一波總體擴張之中，力道來勢洶洶，如同一九八〇年代末與一九九〇年代，使得勞動力市場供應緊縮，平均薪資開始緩慢上升。那一年，聯準會在懷俄明州傑克森霍

圖 126 「拉斯維加斯住宅區變成了鬼城」（二〇一〇年）
二〇〇〇年代住宅熱潮消退後的景象，地點位於「沙地州」之一、當時熱潮集中的拉斯維加斯都會區。當代低廉的資本與信貸基礎大部分是尋求安全資產而流入的外國資本，但這造就了什麼？照片中荒涼的廢墟不言自明。

---

* 譯註：spec house，指看好未來行情的建商預先建造與裝潢的房屋。

† 譯註：這個詞彙結合了連鎖速食店麥當勞餐點的開頭「Mc（麥）」與「mansion（宅邸）」，諷刺市郊住宅區那些占地廣大、質感低俗的住宅。

爾（Jackson Hole）召開年會，而這同時也是一場慶祝即將卸任的葛林斯潘主席建樹有成的退休派對。芝加哥大學經濟學家拉古拉姆・拉詹（Raghuram Rajan）發表了一篇論文，批評「金融創新」的經濟價值，並質疑其系統性地提高了風險。對此，哈佛大學校長勞倫斯・薩默斯（Lawrence Summers）回應表示，拉詹的假設「帶了點盧德主義*的色彩」。[79] 葛林斯潘比薩默斯更像一位支持自由市場的理論家。但是，向來觀察敏銳且見多識廣的葛林斯潘，比他的支持者們要謹慎許多。二〇〇五年，他曾提醒國會留意一道「難題」。[80] 聯準會儘管制定了短期利率目標，卻仍失去了對

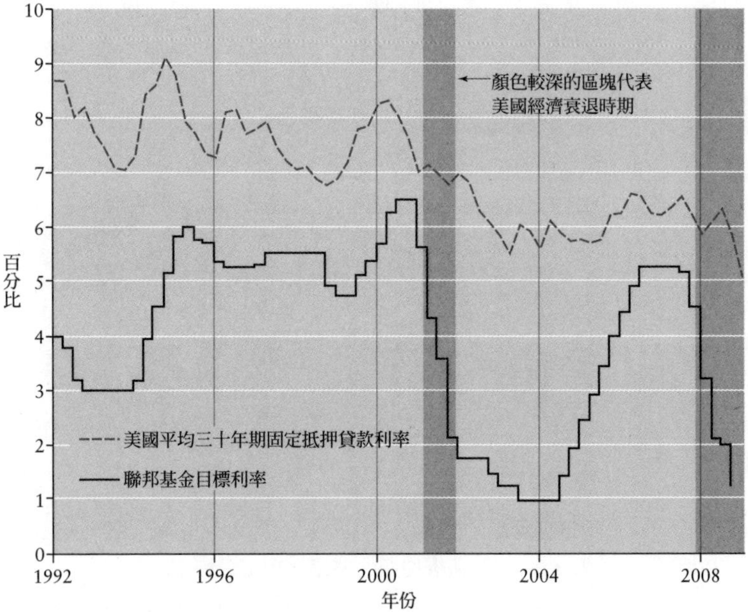

圖 127 美國的長期與短期利率

雖然貨幣政策在「混沌時代」爬升獲得主要監管地位，但事實證明，中央銀行的能力有限。例如，在二〇〇〇年代中期，聯準會即失去了對長期利率的控制。

美國長期基準利率的控制，包含抵押貸款利率。事實證明，在社會對聯準會寄予厚望的時代（畢竟，柏南克將「大穩健」時期的到來歸功於聯準會），貨幣政策所能控制的範圍有限。

自二〇〇四年起在聯準會操縱下飆升的短期利率，並未讓長期利率下降。全球對美國長期債務的需求超乎尋常，不論是作為避險停泊的美國國庫券、政府資助的企業債券，甚或是銀行「私營發行」的不動產抵押貸款證券與債務擔保債券。[81]二〇〇〇到二〇〇六年的這段期間，外國持有的美國國債價值從零點六兆美元攀升至一點四三兆美元，在美國國債總額中的占比從百分之十八點二升至百分之二十八點八，其中以中國占比最多。外資持有的房利美與房地美債券總額，從二〇〇〇年的三千四百八十億美元，增加到二〇〇四年的八千七百五十億美元。[82]其中，歐洲銀行購買了海量的美國不動產抵押貸款證券與抵押貸款相關資產。[83]

當時發生了什麼事？那十年裡全球經濟高度成長，讓數百萬人擺脫了經濟貧困。[84]貨幣收入有所增加，儘管在國家範圍內的分配變得更不公平了。但收入增加的同時，消費傾向卻沒跟上。收入的成長並未立即轉化成消費，全球資本所有者反而都在囤積安全且零風險的資產——其中一些資產現在有了創造可觀利潤的額外優勢，譬如不動產抵押貸款證券。在中國，政府強制對製造與都市化進行鉅額固定投資。儘管如此，全球都在囤積可避險的美國債券的現象，壓低了美國長期利率，使美國有錢購買來自全球各地的商品，華爾街各家銀行也有資金能夠設計新的合成資產來投機。囤積

＊ 編註：十九世紀英國民間對抗工業革命、反對紡織工業化的社會運動，後來常被用來指稱守舊、不懂新科技技術的人。

與投機搭配無間，將投資轉移到了美國的房地產市場。中國將其出口收入拿來購買安全的美元資產，間接助長了美國住宅房地產的投機性投資熱潮。

薩默斯見識到美國資本市場運作的效率，宣稱「已經發生的絕大多數情況都能帶來助益」。[85]但是，從那之後的研究未能證明，這個時代的金融創新提升了經濟效率。[86]回顧一九八〇年代，當時資本主要來自日本，而非中國，這些資金推動了美國企業股權與商業房地產（而不是住宅）的投機。同樣的問題在二〇〇〇年代再次出現，不過更加強烈了：這麼多的資本與信貸造就了什麼？這次的答案是許多麥豪宅與宛如吃油怪獸的悍馬車。負債累累的美國消費者購買了全世界的商品：iPhone、PlayStation、平板電視及運動鞋。在那十年裡喬治・桑德斯創作的另一部短篇小說中，一位滿腹牢騷的老翁反對這種生活方式，他表示：「對我來說，美國就像一個不想買東西的人，你應該放任他不買東西，尊重他不買東西的這種行為。」[87]但美國在全球經濟中不是這個樣子，因為Google與臉書的工程師開始想辦法說服美國人買東西。饒舌歌手肯伊・威斯特在二〇〇七年推出的歌曲中唱道：「我買的名牌多到我都會說義大利語了。」貼切地刻畫了當時的景況。華爾街透過自我交易賺進大把大把的鈔票，這便是市場魔力新未來。正如美國證券交易委員會一位律師對這種類似同業聯盟的商業模式提出的解釋：「你買我的BBB級債券，我也買你的。」[88]

問題不在於債務本身。如果使用得當，信貸是可以擴大經濟可能性，釋放未充分利用或未知的產能與潛力。美國有大量管道可取得信貸，單純是因為美國是全球經濟霸主，以及美元是世界儲備貨幣，無論這些地位是否理所當然。這麼一個在經濟生活中進行廣泛投資的大好機會，就這樣被白白浪費了。舉個例子，在二〇〇〇年代，人為氣候變化的警報不斷響起，提醒我們必須對新能源系統進行長期固定投資以捕捉與減少碳排放量。

到了二〇〇六年，抵押貸款遊戲明顯走到了死路。住宅持有率在二〇〇四年達到了百分之六十九點二的高峰。迅速上漲的房價在二〇〇六年四月開始停滯，絕對峰值則在二〇〇七年一月之前。但是，銀行無法退出。在此之前，房利美與房地美這兩家受政府資助的企業擔心在二〇〇三到二〇〇六年間失去百分之二十的市場占有率，因此試圖贏回市場。他們將槓桿率提高到七十五比一，還購買了風險更高的貸款。放款的標準變低了。二〇〇六年，有百分之二十七的新抵押貸款未附收入證明文件或只附上少量證明，到了該年夏天，發放後幾個月內便拖欠的抵押貸款數量翻了一倍。二〇〇六年春天，住宅投資衰退，抵押貸款紛紛出現違約的狀況。美國國際集團停止開出信用違約交換合約。該集團的顧問聽完貝爾斯登一名分析師論述美國國際集團為何應該開給自家公司更多的債務擔保債券合約後，認為那位分析師「精神錯亂，肯定嗑了藥」。[89]像那樣誇張的說詞已遠遠超越了真實，近乎瘋狂。

二〇〇七年初，次貸拖欠率達到百分之二十。儘管如此，銀行仍持續推動抵押貸款證券化。從二〇〇六年夏天之後，以花旗集團、美林與雷曼兄弟為首的銀行設計了一點三兆美元的不動產抵押貸款證券及三千五百億美元的債務擔保債券。許多銀行將本身持有的大部分抵押貸款資產作為投資持有，花旗集團也是其中之一。最終在二〇〇七年七月十日，穆迪調降了三百九十九檔於二〇〇六年發放的抵押貸款證券的評級。[90]就在前一天，花旗集團執行長查爾斯・普林斯（Charles Prince）

還說：「就流動性而言，音樂停止時，事情將變得複雜。但只要音樂還在放，你就得隨之起舞。」[91]

第二十二章 經濟大衰退

「我們正在為流動性而戰」，這是圈內人對二〇〇七到二〇〇八年間緩慢蔓延的金融恐慌所做的完美描述。在資本市場承受了一年多的「壓力」之後，二〇〇八年九月十五日，投資銀行雷曼兄弟申請破產，全球資本市場的短期債務融資就這樣化為泡影。出於嚴重擔憂，銀行停止了交換交易與借貸。相信任何資產都有人願意購買的市場魔力，瞬間化為烏有。

事後雷曼兄弟執行長迪克．傅德表示，他的銀行「沒有足夠的流動性可度過這場風暴」。它擁有的「非流動資產」太多了，其中包括雷曼兄弟設計的不動產抵押證券，而這些證券已經沒人要買，銀行也無法出售這些證券來換取現金以償還債務。如果資產所有者負債，流動性差的資產就成了嚴重問題。雷曼兄弟的槓桿率高達四十比一。[1]這意味著它每借入四十美元，便只有一美元作為緩衝，以防債權人突然來討債。雷曼兄弟的商業模式是，每天晚上都從銀行間的隔夜貨幣市場借入兩千億美元。如果沒人願意再借錢給雷曼兄弟，它就破產了。當不再有人想跟傅德的銀行交易時，他會自嘲說，「至少我還有媽媽疼。」[2]

「我們正在為流動性而戰」這句話，作為二〇〇七到二〇〇八年金融恐慌的墓誌銘再合適不過，只不過在那段期間，沒有任何一位銀行界人士說過這句話。實際上說出這句話的人，是琳達．萊

（Linda Lay）。他在總部位於休士頓、由丈夫肯·萊帶領的安隆公司倒閉後，於二〇〇二年接受美國國家廣播公司（NBC）採訪時說了這句話。[3]他的丈夫肯·萊是已破產的安隆公司執行長，安隆公司的資產負債被複雜的金融衍生品壓垮，只好利用債務與冒險的會計花招在大眾面前塑造盈利的假象，並取得更多信貸額度，以維持這場信任騙局。這種商業模式期望現實會追隨表象，而且確實也曾短暫奏效。但是，不論是觀察敏銳的記者、麻木不仁的對沖基金經理人或單純的內部傳言，都對這些表象有所質疑。信仰轉變了，這場信任騙局意外地造成了毀滅性後果。

傅德跟肯·萊一樣，在全國廣播公司商業頻道（CNBC）的股市娛樂新聞節目中眼睜睜看著自家公司的股價暴跌。他也跟肯·萊一樣，把責任全都推給了賣空者，也就是那些借入再賣出股票，並試圖以更低價格買回好賺取利潤的交易者，指責他們毫不留情地攻擊雷曼兄弟的股票。萊的得力助手傑佛瑞·史基林在二〇〇二年向國會調查人員表示，安隆不過是遇到了「流動性問題」而已，就像七年後傅德所說的那樣。[4]史基林言之有理。如果能夠保有融資管道，並且不斷地以債滾債，幾乎任何一家公司都可以持續經營下去。

持平而論，相較於雷曼兄弟，安隆的運作模式更像是一種犯罪行為。但是到了二〇〇七年，安隆的業務在資本市場中變得極為常態化，若是質疑它，就等於質疑整個全球金融體系，質疑一個由各種短期押注、投機、對沖與反對沖操作的數兆美元鉅額所構成的互通全球資本市場。在混沌時代，沒有什麼比市場參與者的信心更能維持全球市場的運作了。

然而，這表示像雷曼兄弟破產的這種情況有可能發生，而它確實發生了。二〇〇七到二〇〇八年的金融恐慌並非許多措手不及的經濟學家所歸類的那樣是一種「外生衝擊」（一種不可預測的因素，無法透過經濟力量來解釋）。它既不是天災（傅德稱之為「完美風暴」），也不是前聯準會主席葛林斯潘於二〇〇八年在國會上說的「百年難得一見的信貸海嘯」，他們舉的例子肇因都不是人類所能控制的。[5]雷曼兄弟破產的可能性，早已被混入了一九八二年後資產價格增值資本主義裡，並隨著貨幣、信貸與金融的動態而變化。

許多見解獨到的專家在理解「實體」經濟時忽略了貨幣、信貸與金融的因素，因此未能預見這一點。二〇〇三年，諾貝爾經濟學獎得主、芝加哥大學經濟學家羅伯特・盧卡斯在美國經濟學會發表主席演說時指出，「預防經濟蕭條的問題實際上已經解決了，而且早在數十年前就是如此」。[6]在這場題為「總體經濟優先要務」（Macroeconomic Priorities）的演講中，他提及信貸這個詞彙一次，金融一詞則一次都沒有。

引領二〇〇〇年代總體經濟擴張的力量，是住宅價格飆漲，而之所以會如此，是因為華爾街借款給許多工作收入不足以償還抵押貸款的屋主。如果房價永遠都只會上漲，或者市場至少可以維持對前景的信心，那麼就不會有任何問題。然而，從二〇〇六年年中開始，房價並未上漲。住宅投資減少，抵押貸款違約的情況變多了。二〇〇七年底，消費下滑。二〇〇七年十二月，總體經濟陷入衰退。

隨之而來的房價與抵押貸款資產下跌，導致了資本主義史上最嚴重的金融危機之一，美國國內外以美元為基礎的全球金融體系瀕臨毀滅。資本主義一向由信貸主導，向來都靠債務的不斷轉手而運作。二〇〇八年九月，在雷曼兄弟破產之後，資本主義可說比以往都還要接近一個獨特的時刻，那就是解決了資本主義對未來的根本性依賴，差一點便走向毀滅。[7]全球資本所有者基於焦慮的預防性囤積行為大規模爆發。資本主義倒退回一九三〇年代大蕭條時期的狀態，掉入了流動性陷阱動彈不得。整體而言，無論是投資還是消費，各種支出都面臨衰退。就業情況更是全盤崩潰。

接下來發生的事情同樣引人注目。在歐巴馬贏得了歷史意義非凡的總統大選後，財政部（尤其是聯準會）的官員匆忙制定新政策以阻止經濟崩潰。國家行政權力成功將交易流動性帶回全球資本市場，結束了恐慌。這是一項真正的政策成就。到頭來，盧卡斯指稱「預防經濟蕭條」的問題已獲得解決的評論，存有一絲道理。多虧了政府的創新干預，經濟大衰退才沒有演變成大蕭條。

新一波總體經濟擴張始於二〇〇九年六月。問題在於，財政部與聯準會只是重新拼湊了資產價格增值的資本主義而已。從經濟角度來說，二〇〇九年後的經濟擴張與一九八二年以來的每一次擴張，都展現了許多相同特徵：以更高的失業率為起點，這是當代又一次的失業型復甦，工作機會毫無增長。隨著資產價值攀升（尤其是股票），收入流向了富裕階層。

經濟大衰退是一個關於金融恐慌、經濟損失與仇恨政治的戲劇性故事，但最終也可說是一個關乎連續性的故事。幾乎所有的銀行都倖存了下來，其中大多數的規模比以往更大。耐人尋味的是，二〇一〇年代最受歡迎的電視劇《陰屍路》（*The Walking Dead*，二〇一〇年至今）與《冰與火之歌：權力遊戲》（*Game of Thrones*，二〇一一至二〇一九年）都與殭屍有關。不同於一九三〇年代的經濟大蕭條，這次危機並沒有催生出新的資本主義時代，即便人們對經濟的不滿依然存在。然而，與一九三〇年代相同的是，資本主義的危機將為自由民主帶來麻煩。

恐慌

「誰承擔了住宅信貸的風險？」雷曼兄弟的兩位分析師在二〇〇七年九月提出了這個問題。[8]當二〇〇六年四月過後全國房價下跌，二〇〇七年初次級抵押貸款違約比例超過了兩成時，下重本投資抵押貸款相關資產的美國各大商業銀行與投資銀行注定面臨虧損。結果，在全球資本市場與美國美元貨幣市場已無可避免地交織在一起，並且依賴所有資產都會有人要買的交易流動性，情況更加惡劣。當流動性不足的跡象出現時，人們的信念轉變了——信心消散，恐慌隨之而來。在二〇〇七至二〇〇八年恐慌逐漸蔓延的期間，資本主義之所以得以倖存，是因為聯準會走上央行歷史上「非常規」的新可能，勉強維持了以美元為基礎的全球金融體系。

混沌時代始於沃克衝擊，當時聯準會藉由利率的調高來重新確立了貨幣資本的稀缺性價值。在隨後物價穩定的數十年裡，信貸大規模擴張催生了槓桿資產價格增值的新資本主義。二〇〇八年底，一切都崩解了，為了拯救這個體系，聯準會採取了與之前在沃克領導下使其登上全球經濟決策地位相反的政策——不是緊縮信貸，而是放寬信貸，這些資金對最大的銀行而言幾乎無需成本。在此同時，華爾街積極回應這場危機，試圖進一步鞏固金融業。

二〇〇七年七月，麻煩開始浮現。當時評級機構不斷調降抵押貸款資產的評級。那年夏天，許多抵押貸款資產的投資基金破產，價值一點二兆美元、以資產為擔保的商業本票面臨交易流動性的枯竭。銀行霸占了短期商業本票市場，數十年來非金融企業一直利用這些短期商業本票來為日常營運籌集資金。以資產為擔保的商業本票市場成交量減少了八千億美元，顯示抵押貸款資產市場最重要的融資引擎之一開始放緩。同時，高盛與一些對沖基金開始做空與抵押貸款相關的資產。基於這個原因，高盛要求銀行「降低」這些資產價值的「標價」以反映其即時價值。貝爾斯登旗下專事抵押貸款投

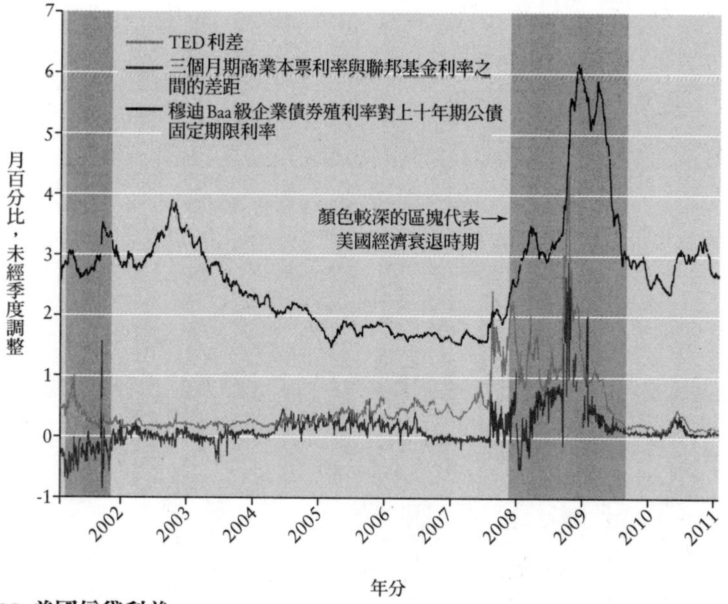

圖 128　美國信貸利差

由不斷擴大的信貸利差可知二〇〇八年金融恐慌的規模之大。圖中每一條線都代表了隨著恐慌期間私人信貸的成本增加，私人企業信貸與政府信貸之間出現的利差。「TED 利差」* 指的是銀行間貨幣市場利率與三個月期美國國庫券利率之間的差距。

資的子公司負責人拉爾夫．喬菲（Ralph Cioffi）表示，這就相當於「世界末日」，因為基金無法等待市場價值回升，只能將這些鉅額損失計入帳面。[9]

除了商業本票市場之外，還有兩個短期貨幣市場存在，也就是銀行提供抵押品的市場：一是總部設於倫敦的歐洲美元市場，以及銀行間短期「回購」（repo）市場。在回購市場中，銀行出售資產以換取現金，然後立刻「買回」資產。由於銀行開始質疑抵押貸款資產的價值，所有信貸市場的融資成本隨之飆升。一位銀行主管憶起當時的情況表示：「這就好比你一輩子每次開水龍頭都會有水流出來，但現在沒有水了。」[10]

二〇〇八年八月十日，聯準會宣布將「供給流動性以促進金融市場的有序運作」。[11] 為緩解融資條件，聯準會將目標短期利率從百分之六點二五下調至百分之五點七五。聯準會一如既往地干預「聯邦基金」貨幣市場以實現這個目標，在這個市場中，銀行互相借貸各自依法必須持有的準備金。一般情況下，這個沒有抵押品作為擔保的貨幣市場為其他有抵押品作為擔保的貨幣市場設下了一個粗略的基準。然而，隨著銀行對抵押品失去信心，利率也出現了分歧。以抵押品為基礎的貨幣市場融資成本上升，意味著這些作為抵押品的資產所獲得的資金減少，但這些抵押品正是銀行帳面上持有、價值不斷下降的資產，惡性循環誕生。

此時，銀行在降低抵押貸款資產的標價後，開始宣布巨額虧損。令人驚訝的是，銀行的帳面上

* 譯註：TED 為 Treasury（國庫券）與 EuroDollar（歐洲美元）的簡寫。

竟然持有大量的這類資產。在花旗集團中，執行長查爾斯．普林斯與高階主管舉行了「DEFCON電話會議」，與會者包含柯林頓時期的前財政部長羅伯特．魯賓。二〇〇〇至二〇〇九年期間，花旗集團以一點一五億美元高薪聘請魯賓擔任「無須為營運負責」的顧問。花旗集團宣布虧損金額介於八十億與一百一十億美元之間時，普林斯在十一月辭去了職務，拿到了一千一百九十萬美元現金與價值二千四百萬美元的股票作為離職補償金。[12]

二〇〇七年十二月十二日，聯準會宣布成立短期資金標售工具（Term Auction Facility，TAF）。[13]為了挽回商業銀行透過短期資金標售工具尋求聯準會正常貼現窗口（銀行直接向聯準會借款）的汙名，聯準會定期舉行貸款拍賣，接受比貼現窗口認可範圍更廣的抵押品。不到三個星期，聯準會借出了四百億美元，而借款方包含了許多外國銀行。[14]同一天，聯準會還宣布與外國銀行達成了二百四十億美元的信貸「換匯交易」。[15]在這場醞釀成形的危機中，人人都想取得美元，因為美元是全球霸權貨幣，也是龐大全球資本市場的運作基礎。[16]之後，聯準會在一月將聯邦基金目標利率從百分四點二五調降到百分之三。儘管如此，信貸依然緊縮，投資與消費同步下降。二〇〇七年十二月，美國總體經濟走入衰退。

儘管有聯邦基金短期貨幣市場中的低廉貸款，但光有聯準會的寬鬆融資是不夠的，必須有人為資產市場帶來交易流動性（包括債務資產）。簡單來說，必須要有某地的某個代理人接受不再作為抵押品且在貨幣市場中交易的抵押貸款資產，這樣借款人才可籌集現金來還債，以平撫債權人的緊張情緒。[17]私人機構拒絕這麼做，因為曾被評為AAA級的抵押貸款相關資產不僅失去了價值，還無法被估值。銀行的預測模型也不管用，因為美國各地的房價一致下跌，背離了歷史價格走勢。隨著大型銀行揚言要互相擠兌，上一個十年的金融整合所面臨的風險逐漸浮現。[18]

二〇〇八年三月十一日，聯準會宣布了新的定期證券借貸工具（Term Securities Lending Facility，TSLF）。[19]為了交換政府資助企業或甚至AAA評級的「私人機構發行」之不動產抵押證券，聯準會將出借美國國庫券，可望為銀行間貨幣市場注入流動性。根據《聯邦準備法》第十三（三）條規定，聯準會有權在「不尋常且危急的情況下」，經財政部批准後，據其認為足夠價值的抵押品，核予個人、合資公司及企業無限量貸款。關於聯準會在二〇〇八年金融危機期間的做法是否逾越了其法定職責範圍，這個問題至今仍是法界爭論的議題。[20]不論法律如何規定，聯準會實際上在購買資產與放貸方面，主張了過去未有且迄今仍令人難以想像的權力。

雖然定期證券借貸工具在三月十一日宣布，但直到三月二十七日才生效。這段期間，貝爾斯登破產了。其帳面上卡著抵押貸款相關資產，槓桿率為三十八比一，之所以能繼續營運，全靠每天透過隔夜回購市場融資高達五百至七百億美元。但是，隨著股價暴跌，評級機構不斷下調資產評級。沒有人想與這家公司做生意。債權人要求其以現金償還債務。貝爾斯登執行長吉米．凱恩（Jimmy Cayne）哀嘆：「這就好比你有一個漂亮的孩子，但他得了某種你永遠想不到的怪病。」三月十二日，市場中一個空穴來風的謠言在媒體上傳了開來，指稱高盛拒絕與貝爾斯登交易。結果，貝爾斯登耗盡了作為緩衝的一百八十億美元現金，再也撐不下去。[21]

摩根大通在政府補貼下以每股十美元的價格收購了貝爾斯登。美國財政部長、曾任高盛執行長的漢克・鮑爾森，與終生擔任公職、曾在一九九〇年代受魯賓提攜的紐約聯邦準備銀行行長提摩西・蓋特納調集了一百二十九億美元的貸款，以協助這起收購案。基於第十三（三）條規定，聯準會向貝爾斯登買下了近三百億美元的有毒抵押貸款資產——這些資產摩根大通連碰都不願意碰。[22]這是政府協助交易的開始，促成了進一步的產業整合。[23]銀行界都戲稱為銀行牽線的蓋特納是「eHarmony」（美國知名交友網站）。[24]

三月十六日星期日，在貝爾斯登停止營運的兩天後，聯準會再次引述第十三（三）條規定，宣布了主要交易商融通機制（Primary Dealer Credit Facility，ＰＤＣＦ）。[25]為了換取ＡＡＡ級抵押貸款證券，聯準會不僅將提供國庫券，還會提供現金。這麼一來，聯準會成了「最後貸款人」，更是有史以來首度成為最後「交易商」，更進一步宣告隨時準備擔任與資產賣方交易的最後買家。[26]在貝爾斯登破產一週後，主要交易商融通機制提供了三千四百億美元現金，但隨後銀行擔心消息若是傳了出去民間債權人會開始恐慌，因此放棄了聯準會的援助。「下一個會是誰？」全國廣播公司商業頻道在畫面底部的跑馬燈打上了這個問題。雷曼兄弟執行長迪克・傅德私下與該頻道的吉姆・克萊默（Jim Cramer）碰面，請他在《與吉姆・克萊默一起瘋狂賺錢》（*Mad Money with Jim Cramer*，二〇〇五年至今）的節目上幫忙駁斥市場傳言。就在此時，美國國際集團發現自己可能也面臨了「流動性問題」，該集團策略長在一次深夜談話中如此提醒執行長。想必隔天執行長去找蓋特納幫忙之前，是這麼對策略長說的：「昨晚你把我嚇死了。不需要恐慌。」但是，「假如我們面臨危機，向聯準會尋求流動性援助的可能性有多大？」[27]

下一個是受政府資助的房利美與房地美。[28]這兩家公司都不是導致抵押貸款證券化徹底失敗的直接原因，但都受惠於政府補貼的它們，趁流動性還在及時趕上了這班車。如今，由於滿載著抵押貸款相關資產，它們很難在短期貨幣市場上借到錢。國會通過了《二〇〇八年房市與經濟復甦法案》（Housing and Economic Recovery Act of 2008），授權財政部接管這兩家政府資助企業。財政部預估即將出現重大損失時，房地美與房利美的董事會投票決定將公司交由政府接管。財政部長鮑爾森希望政府接管能夠停止市場持續恐慌，並「為市場帶來信心」。[29]

然而，「雷曼兄弟開始走向滅亡」。這家企業遭遇了與貝爾斯登相同的問題，並且依賴同樣的解決方案——短期回購融資，但金額高達一千九百七十億美元。抵押貸款相關投資仍卡在雷曼兄弟的帳面上，使股價持續下跌。二〇〇八年九月四日，雷曼兄弟向主要合作的回購經紀商摩根大通提出警示，自己將宣布三十九億美元的虧損。摩根大通、花旗集團與美國銀行開始要求雷曼兄弟提供更多抵押品以遞延回購融資。[30]摩根士丹利的一位金融人士在結束與雷曼兄弟召開的會議時表示：「他們看起來萬念俱灰。」[31]

雷曼兄弟無法自行融資。因此，九月十二日星期五，鮑爾森召集了各家大型銀行的執行長（他們被稱為「一家之主」），這是自一九九八年長期資本管理公司陷入危機以來的第一次。他希望能商討出「像當初長期資本管理公司接受其他機構那樣的解決方案」。[32]

許多與會者想起之前傅德不願全力挽救長期資本管理公司，認為雷曼兄弟咎由自取。無論如何，與長期資本管理公司的情況相比，雷曼持有的抵押貸款資產價值過於起伏不定。數學模型已不管用，這類資產的交易幾乎陷入停滯。現在，不再有人相信永遠都有人願意購買資產或對資產開價，或至少有債權人願意接受資產作為抵押品，市場的魔力已消失殆盡。

美林公司執行長約翰・泰恩（John Thain）擔心自家銀行有可能步入雷曼兄弟的後塵，於是以每股二十九美元的價格將公司賣給了美國銀行。總部設於英國的巴克萊銀行（Barclays Bank）東拼西湊了資金，提出收購雷曼兄弟的報價，但在九月十四日星期天，英國金融監管機構駁回併購。蓋特納、鮑爾森與柏南克通知雷曼兄弟董事會，應該在星期一早上開市前聲請破產。雷曼兄弟照做了。[33]

為什麼政府允許雷曼兄弟倒閉？雷曼兄弟的破產律師曾預測公司會「抽乾市場中的流動性，導致市場崩潰。這將會是世界末日！」[34]當時，柏南克指出，市場已準備好迎接雷曼兄弟破產，但後來他態度保留，不確定聯準會是否有適當的法律權限來援助雷曼兄弟。然而，聯準會早就曾根據《聯邦準備法》第十三（三）條規定核准非常規融資過，這次為什麼不繼續用這種做法呢？柏南克還表示，雷曼兄弟不僅陷入流動性危機，在他看來也無力償還債務。即使恢復交易，雷曼兄弟持有的資產在市場上的新價格，也讓它注定破產。有些關於「道德風險」的傳言認為，對雷曼兄弟的援助，將讓「大到不能倒」的銀行永遠都有惡劣的驚人之舉，並期望政府會在緊要關頭紓困。但是，聯準會現在支撐了整個貨幣市場，並未受到市場對道德風險的擔憂所影響。事實上，柏南克、鮑爾森與蓋特納做了最壞的打算。正如柏南克所說：「我們從來不曾懷疑這將是一場天大的災難，而你知道的，我們應該盡己所能來挽救。」[35]官員們確實有設法拯救雷曼兄弟，只不過最後失敗了。[36]

二○○八年九月十五日星期一，美國股市市值蒸發了七千億美元。市場一片恐慌，出現了瘋狂擠兌或購買類似性質資產（短期美國國庫券）的現象。儘管如此，摩根大通執行長傑米・戴蒙（Jamie Dimon）表示：「我不認為情況有那麼糟。我不想這麼說……但我〔認為〕即使週一早上政府出手拯救了雷曼兄弟……可怕的事情還是會發生。」[37]戴蒙說對了，因為引發「世界末日」的人不是雷曼兄弟，而是美國國際集團。

美國國際集團擁有一兆美元資產，但其中許多資產都被鎖在國家監管的保險子公司。這些資金缺乏流動性，但美國國際集團需要現金作為抵押品來取得類保險的信用違約交換合約。它在短期貨幣市場中逐漸別無選擇。「我們遇到了一個大麻煩，該死的大。」九月十四日星期天，受美國國際集團聘雇前來查帳的一位摩根大通會計師表示：「我們需要六百億美元！」[38]

美國國際集團向聯準會表示自己籌不出現金。於是，聯準會再次援引第十三（三）條規定，在九月十六日星期二向美國國際集團發放了八百五十億美元貸款，協助償付眼前債務，條件是抵押該集團百分之七十九點九的股份認購權。[39]美國國際集團並非大到不能倒，但是該企業與一個龐大的全球資本市場連結過於緊密。集團執行長在寫給蓋特納的一份備忘錄中坦承，自家有「一兆美元的曝險集中在十二家主要金融機構」。[40]

當時人們未能充分意識到，貨幣市場在多大程度上依賴投資人對美國國際集團信用違約交換合約的信心。由於該集團擁有價值二點七兆美元的場外衍生品投資組合，因此貨幣市場的交易商認為，美國國際集團的帳目得到了充分對沖，風險抵銷，有信心繼續交易。當美國國際集團的信用違約交換合約受到質疑時，新的焦慮又出現了。所有貨幣市場都運作失靈，就連聯邦基金市場的交易也放緩（儘管聯準會不斷調降利率）。如果沒有貨幣市場提供的新信貸，舊的債務就無法展期。如此一來，金融危機就會成真。

「美國國際集團的失敗，」柏南克說，「基本上就是終點。」現在銀行彼此間幾乎停止了任何形式的資產交易。在一個以交易流動性為前提的金融體系中，欠缺流動性讓每個人都有可能破產——無論資產的實際價值或應該有的價值是多少。此外，仰賴這些市場的非金融企業也受到了影響。例如，商業本票市場起初存在的目的是供公司行號籌集現金以維持日常營運。如今，隨著該市場陷入停滯，奇異等工業企業擔憂付

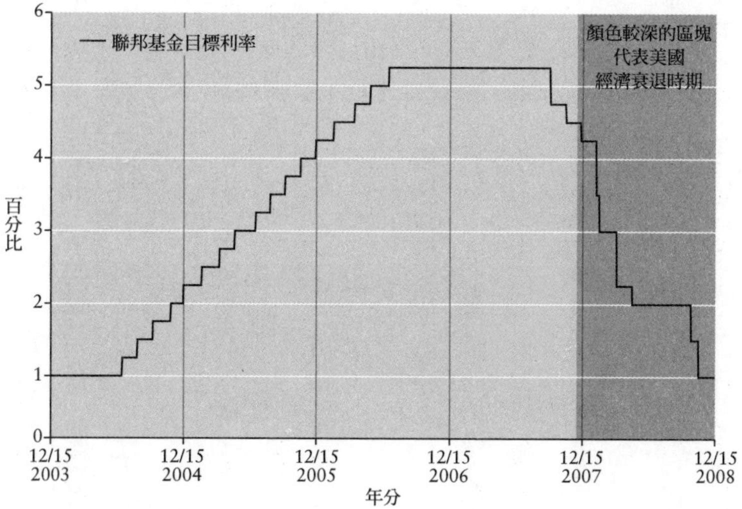

圖 129 聯邦基金目標利率

因應金融恐慌，聯準會試圖將其目標短期利率從承平時期的歷史低點往上調，但不久後，聯準會再次大砍利率，卻發現又回到了起點，而且很快就掉入流動性陷阱。

不出員工薪資。在此同時，「主要」貨幣市場基金的每股淨值「跌破一美元」，意即不再能保證每一美元的基金在贖回時能得到一美元——之所以是「主要」基金，是因為它們不投資美國國債。美國人持有的這類基金價值總計約達三兆美元，超過所有銀行存款的三分之一。短短一週內，有三千四百九十億美元的資金從這些銀行撤出。聯準會一位經濟學家回憶當時的情況表示：「人們的萬念俱灰顯而易見。」[41]

預防性囤積的浪潮席捲而來。大量資金湧向現金與類現金貨幣的資產（國庫券）。在雷曼兄弟與美國國際集團破產事件發生後不到三週，貨幣市場基金的機構投資者撤出四千三百四十億美元，[42]大部分的資金流向了美國國債市場。九月十二日星期五，期限四週的美國公債在次級市場中的殖利率為百分之一點三五；九月十七日，殖利率降為百分之零點零七，直到二〇一七年才又攀升至百分之一以上。隨著恐慌與恐懼再次占了上風，這條從一九三二年十一月開始，一直畫到二〇〇八年九月的流動性陷阱長時間弧線，來到了終點。[43]資本所有者再次展現了強烈的窖藏傾向，即使美國公債的持有除了安全感之外沒有任何收益，依然將大量資產停泊於此。這種心理上的慰藉帶來的只是一種不真實的希望，因為如果每個人都持有現金或類現金資產，而不進行交易或借貸（更別說是投資），那麼各種經濟開支都會大幅下降，整體經濟也會跟著陷入困境。現在，這齣戲正在上演。

此時此刻，只有聯邦政府有能力改變人們的信念並恢復流動性，但當時聯邦政府的政治目標是修復以美元為基礎的全球金融體系，而不是從根本上改變結構。聯準會持續擔任代理角色，買入資產並發放貸款，試圖誘使金融市場恢復生機。在雷曼兄弟與美國國際集團破產後的那一週，美國僅存的兩家投資銀行之一摩根士丹利與高盛向聯準會借款七百五十三億美元。九月十九日星期五，聯準會將外匯交換金額擴大至一千八百億美元，好讓外國央行可向本國銀行供給美元。全球金融體系中，各方在危急之際仍舊希望取得美元。最終，在九月二十日星期六，財政部宣布保證貨幣市場基金的一美元淨值。九月二十二日星期一，摩根士丹利與高盛申請將其監管類別從獨立投資銀行改為「銀行控股公司」。此舉為聯準會賦予新的監管權，得以提供它們更多的融資管道。然而，直到華倫．巴菲特（Warren Buffett）向高盛投資五十億美元，日本三菱日聯金融集團（Mitsubishi UFJ）向摩根士丹利投資九十億美元，才扎扎實實地保障了兩家公司的生存。政府的權力只會促成更多產業整合。例如，聯邦存款保險公司接管了美國最大的儲蓄銀行華盛頓互惠銀行，當時該銀行面臨的儲戶提款金額高達一百六十七億美元，但隨後聯邦存款保險公司又以十九億美元的價格，將華盛頓互助銀行賣給了摩根大通。[44]

九月十九日星期五，鮑爾森宣布了政府的一項新計畫，以購買「這些拖累國內金融機構且有害經濟的非流動資產」。[45]財政部向國會送交了問題資產救助計畫的草案，篇幅長達三頁，要求國會授予全面職權，以購買高達七千億美元的有毒資產。鮑爾森與柏南克前往國會山莊展開遊說。柏南克對二十位國會議員說：「作為一名學者，我在職業生涯中一直都在研究大蕭條。我可以根據歷史經驗告訴你們，如果不採取大規模行動，大蕭條會再來一次，而且會比之前要糟糕得多。」[46]不久後，鮑爾森的幕僚在門外聽到鮑爾森在嘔吐。

接下來的一週發生了更多戲劇性事件，只是地點換成了華盛頓。共和黨總統候選人約翰・麥侃（John McCain）宣布暫停競選活動，返回首都參與國會審議。九月二十四日白宮舉行的電視會議失敗了。之後，保爾森走進隔壁房間，單膝跪地，懇求民主黨眾議院領袖南西・裴洛西（Nancy Pelosi）繼續與共和黨談判。[47] 隨後，他前去拜訪民主黨參議院領袖哈利・里德（Harry Reid），里德問鮑爾森要不要幫他叫醫生，因為當時鮑爾森正對著里德辦公室的垃圾桶乾嘔。

九月二十九日星期一，眾議院以兩百二十八票對兩百零五票否決了問題資產救助計畫：許多共和黨議員投了反對票，因為他們認為市場紀律才是解決危機的辦法，而無可厚非的是，鮑爾森缺乏大刀闊斧的勇氣來承受「市場紀律」。股市不斷下探，但不久後一項篇幅長達一百六十九頁的修訂案經參議院通過。最終，十月三日星期五，將聯邦存款保險公司的存款保險金額從十萬美元提高到二十五萬美元，並且批准共和黨提出的減稅政策後，眾議院以二百六十三對一百七十一票的結果，通過了這時多達四百五十頁的法案。同一天，布希總統簽署了該項法案。

聯準會仍一如既往地富有創意。十月七日，其宣布推出商業本票融資機制（Commercial Paper Funding Facility）。[48] 這麼一來，聯準會便可接受商業本票，包括來自威訊通訊（Verizon Communications）與麥當勞等需要現金以立即支付帳款的非金融企業的票據。十月八日，聯準會與多家外國中央銀行共同發表聲明，首度在國際協調下調降短期利率。

此時，美國財政部對問題資產救助計畫有了新的想法，決定向銀行注入資本，而不是購買有毒資產。十月十三日，鮑爾森與九家主要金融機構的執行長召開會議（這些機構持有美國所有銀行資產的百分之七十五）。在資本購買計畫（Capital Purchase Program）下，財政部向花旗集團、摩根大通與富國銀行（Wells Fargo）投資二百五十億美元；美國銀行一百五十億美元；美林、摩根士丹利與高盛一百億美元；紐約美隆銀行（BNY Mellon）三十億美元；道富銀行（State Street）二十億美元。財政部的目的是換取這些公司的無表決權股票，意即購買這些公司中不具有決策發言權的股份。財政部還宣布將擔保金融機構的優先債。截至二〇〇八年底，財政部在問題資產救助計畫中向金融機構投入了總計一千八百八十億美元的資金，其中包括向美國國際集團注入

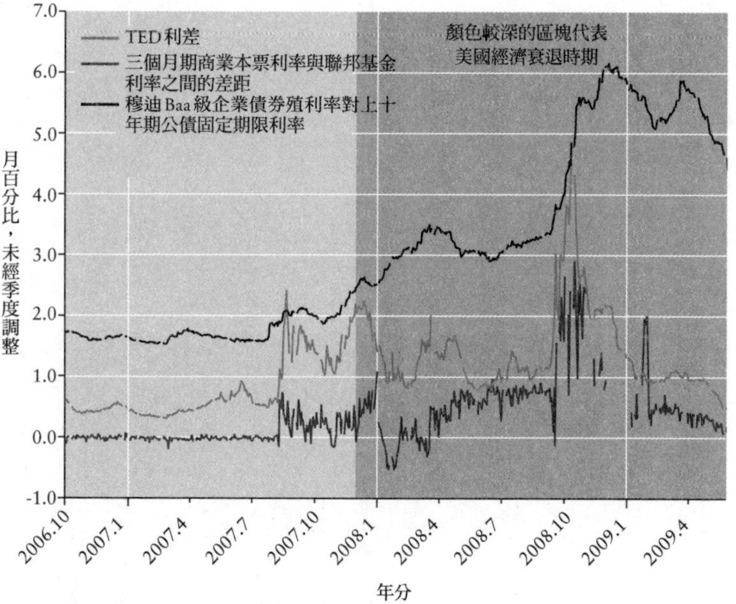

圖 130 美國信貸利差

信貸利差的縮小顯示嚴重的金融恐慌已在二〇〇九年春天結束。「TED 利差」呈現了銀行間貨幣市場利率與三個月期美國國庫券利率之間的利差。

四百億美元（等同於該集團之信用違約交換合約總價值），以及分別向花旗集團與美國銀行投入兩百億美元。十二月十九日，問題資產救助計畫撥出了八百一十億美元投入到通用汽車、通用汽車金融服務公司（GMAC）、克萊斯勒與克萊斯勒金融公司（Chrysler Financial）。到了二〇一〇年九月，問題資產救助計畫的支出達到三千九百五十億美元。[49]

聯準會的資產負債表規模擴大了一倍，扮演最後交易商的應急角色，在二〇〇九年一月發揮得淋漓盡致。政府經由定期證券借貸工具所拍賣的公債金額達到了四千八百三十億美元；主要交易商融通機制的融資金額達到一千五百六十億美元；貨幣市場融資達到三千五百億美元；商業本票最高達到三千六百五十億美元。二〇〇八年十一月，聯準會宣布向政府資助企業買進高達五千億美元的抵押貸款證券，另外也分別提供了花旗集團三千零六十億美元及美國銀行一千三百八十億美元的信用風險保險。[50]到目前為止，這兩筆交易的總額已接近二點三兆美元。多家外國銀行都受惠於聯準會貸款，包括瑞士的瑞士銀行（七百七十億美元）、蘇格蘭皇家銀行（八百五十億美元）、日本農林中央金庫（二百二十億美元）與以法國和比利時為據點的德克夏銀行（五百九十億美元）。外國央行總計向聯準會借了五千八百億美元。[51]聯準會就這樣成了全球經濟的最後貸款人與交易商。[52]全球經濟治理迎來了嶄新一頁，再也回不去了。

到了二〇〇九年一月，某些信貸的利差逐漸縮小，市場停止劇烈恐慌。然而，金融危機並未結束，世界經濟陷入了不景氣深谷。無論如何，政治形勢即將發生變化。一月二十日，新任美國總統宣誓就職。

歐巴馬的嚴峻考驗

緊接這波金融恐慌而來的低迷景氣，很快被命名為「經濟大衰退」。起初的衰退程度是自從一九三〇年代大蕭條初期那幾個月以來從未有過的。如果說政府的行動避免了一九三〇年代重演，經濟在二〇〇九年六月也恢復了正成長，而經濟大衰退這個標籤還是揮之不去，那是因為人們普遍認為經濟仍有問題。二〇〇〇年代積累的經濟問題，尤其是不景氣且被不平等現象所撕裂的勞動力市場，原本被信推貸動的住宅房價上漲所掩蓋，現在全都暴露了出來，而且不斷惡化。讓美國民眾透過抵押房屋的做法大玩資產增值遊戲的企圖，慘敗收場。由於房價崩跌，二〇〇七到二〇一〇年間的財富中位數下降了百分之四十四——若計算通貨膨脹的因素，相當於回到了一九六九年的水準。[53]如果說聯準會的行動避免了一場更嚴重的經濟災難，那麼資本市場可說依然困在流動性陷阱中，因為預防性囤積的傾向逐漸損害了長期投資。民主政治與國家需要做的是改變投資邏輯，確定新的方向，找到一條嶄新可行的長期經濟道路。

但這並未發生。從二〇〇九年一月二十日歐巴馬就任總統到二〇一〇年國會期中選舉的這段期間，無疑是美國政治史上最戲劇性的時期之一。[54]歐巴馬贏得了百分之五十二點九的總統選票，二〇〇八年後，民主黨控制了眾議院，並在參議院獲得了可順利推動議程的六十票多數席次。歐巴馬執政期間，柯林頓時代的民主黨人士重新掌權，但他們似乎還被困在「資產價值增值型資本主義」的想像之中，想不出其他方法。[55]與此同時，到了二〇一〇年，民粹主義、保守主義的茶黨運動興起，在政治上逐漸往右派靠攏。最終，儘管美國施行了歷史上最大規模的財政刺激政策、重大的立法改革，以及名為「量化寬鬆」的非常規貨幣政策，但美國經濟並未發生重大轉變。美國經濟走出一個更深的衰退深淵，另一次的總體經濟擴張展開，重演了一九八〇年代以來每次擴張都會出現的經濟模式。

在雷曼兄弟破產之前，歐巴馬與亞利桑那州參議員麥侃在選情上始終平分秋色。雷曼兄弟破產後，歐巴馬展現了冷靜態度與更強烈的掌控感，因此贏得了民意。這不是意外。歐巴馬私下與一些消息靈通的華爾街重要銀行人士溝通，他們身處危機的核心，支持他參選總統。[56]很久之前，羅斯福拒絕對胡佛的政策發表意見，以免在政治上綁手綁腳。相較之下，總統候選人歐巴馬公開宣布支持問題資產救助計畫。[57]然而，歐巴馬反對他所謂的「布希經濟」。他表示，政府必須積極努力終結金融危機，但之後需要負起更多的「責任」。[58]在歐巴馬主張的藍紅兩黨政治道德主義中，責任是一個關鍵字，讓自由派想起經濟管制的必要，也提醒了溫和派與保守派需要達到財政紀律。雖然歐巴馬明確擁護重分配政策，與柯林頓的新民主黨有所不同，但他也從道德角度公開反對舉債。他承諾會削減富裕階層的福利來降低聯邦開支與公債，同時投資教育與基礎設施等公共財。[59]二〇〇九年他任內編列的第一筆預算，被稱為責任的新時代，強而有力地展現了這些原則。[60]總而言之，歐巴馬對聯邦經濟政策懷抱遠大的願景，但同時也在競選中公開主張撙節。[61]

入主白宮後，歐巴馬為他的經濟決策團隊挑選了經驗豐富的民主黨建制派人士，這些人曾在羅伯特·魯賓領導下為柯林頓工作過。[62]蓋特納擔任財政部長；薩默斯擔任國民經濟委員會主席，並成為總統的首席經濟顧問之一。其他政策顧問則是圈外人，例如，加州大學柏克萊分校總體經濟學家、研究經濟大蕭條的學者克莉絲蒂娜・羅默（Christina Romer）即成為經濟顧問委員會的主席；曾直言不諱地批評金融創新的保羅・沃克，則擔任顧問。有人質疑歐巴馬為什麼要任命這麼多在一九九〇年代曾是柯林頓與魯賓圈子的成員，其中一些人自令人興奮的一九九〇年代以來，觀點已轉為溫和，譬如薩默斯；但還有另一些人沒什麼變，譬如蓋特納。

然而，這個時刻最引人注目的，是一些不能歸咎給歐巴馬的事情，那就是二〇〇八年左派對經濟領域完全缺乏想像力。羅斯福本人並非左派理論家，他受益於數個世代的民粹主義與改革派提案，並在上任後採用現成的可行方案。相對的，歐巴馬收到的建言大都是陳舊觀點，其中有些頗具建設性，例如沃克建議成立一家新的復興金融公司，這是新政與二戰時期極為有效的公共融資工具。儘管這樣的做法並非毫無益處，但若套用到二十一世紀，會發生什麼事？羅默倡議對雇傭與投資實施稅收減免，彷彿他在指導的政府，是林登・詹森總統的經濟顧問委員會。難道當代都沒有出現任何新穎的點子嗎？事實是，柯林頓領導的民主黨早就接受了金融驅動的全球化資本主義，因此當資本主義自我毀滅時，他們並沒有做好充分的準備來創新思考或行動。正因如此，歐巴馬政府也不例外。平心而論，歐巴馬投入政界的初衷是希望超越種族紛爭以及藍色州與紅色州之間的政治分歧，而不是混沌時代的資本主義。畢竟在二〇〇八年，金融界給歐巴馬的競選捐款，比給麥侃的還要多。[63]

然而，在二〇〇九年上半年，資產增值的資本主義岌岌可危。或許正因為這樣的資本主義太脆

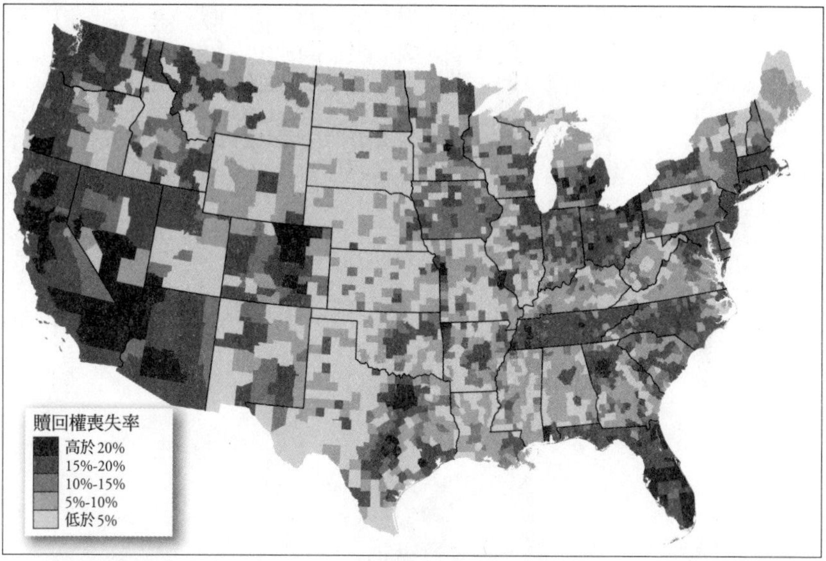

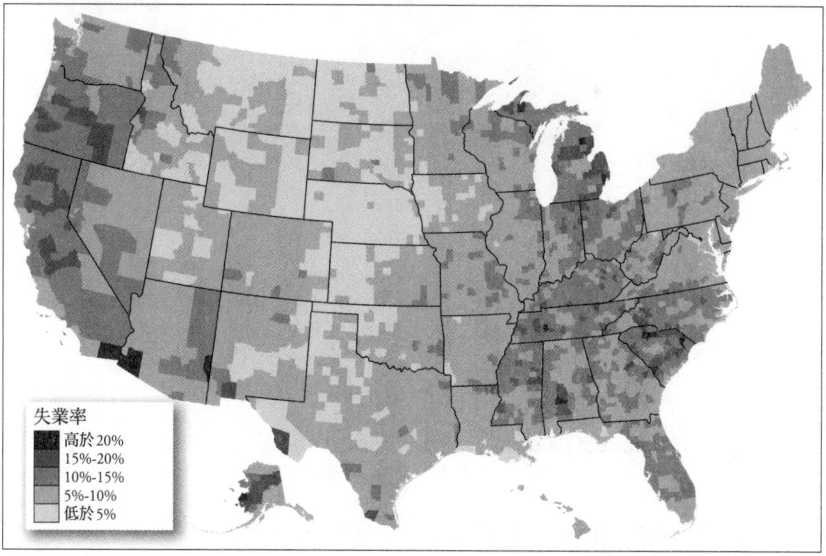

圖 131　二〇〇九年美國失業率及二〇〇九年美國房屋贖回權喪失的分布情況
圖中顯示了經濟大衰退後失業現象與房屋贖回權喪失的地理分布之重疊。

弱了，到了近乎崩潰的地步，以致政府官員除了設法阻止崩潰發生之外，什麼都管不了。儘管如此，如果決策者選擇採取行動，眼前仍有一個絕佳機會。歐巴馬上任時，幾乎所有的民眾都反對經濟現狀。經濟產出日益衰退，二〇〇九年的失業率達到百分之十，消費直線下降。[64]沙地州區域是美國受創最嚴重的地區。但即使房價不像其他地方那樣暴跌，全國耐久性消費品需求的減少仍導致汽車工廠閒置，密西根州與田納西州便是如此。此外，在二〇〇〇年代累積而成的龐大債務，意味著隨著收入下

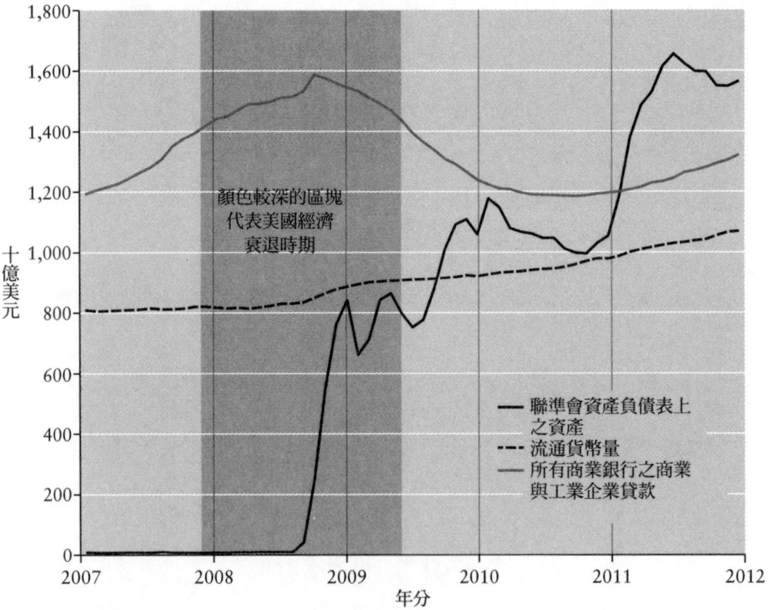

圖 132 聯準會的財務狀況、流通貨幣量與信貸金額

二〇〇八年之後，預防性流動性偏好的激增，意味著，聯準會向銀行提供的鉅額信貸未能使這些銀行擴大對企業與就業的信貸額度（也並未導致通膨）。這是經濟大衰退後景氣復甦力道如此疲軟的原因之一。

降，消費者償付貸款之後，可以支出的錢變得更少了。[65]這是典型的債務通縮衰退。等到歐巴馬上任時，由於聯準會的慷慨，銀行放在聯準會的準備金餘額約為八千四百三十億美元，比一年前的一百一十六億美元增加許多。然而，流通的貨幣量大致上維持不變，貸款金額則有所下降。

政治保守派與許多支持市場的經濟學家預測，聯準會提供的大量資金將導致通貨膨脹。[66]結果並非如此。由於短期國庫券報酬率幾乎等於零，因此各家銀行緊張地囤貯現金，而不是放貸或投資。然而，如此低的利率也代表聯邦政府幾乎可以免費借入美元。雖然最嚴重的恐慌已經消退，但銀行體系仍依賴聯準會的各種貸款與資產購買計畫的支持措施。

事後回顧，二〇〇八年最後一季的國內生產毛額的年化成長率為負百分之八點二。然而，當時政府統計學家估計衰退率只有負百分之四，因此歐巴馬的執政團隊並不瞭解實際情況有多糟。[67]二〇〇九年初，羅默帶領的經濟顧問委員會預測了總體經濟發展後，要求政府拿出一點八兆美元的資金實行刺激措施，消弭「產出缺口」，並防止大規模失業爆發。薩默斯認為，任何超過一兆美元的計畫在政治上都不可行，因為共和黨對大政府與民主黨的批評，在財政問題上的立場比歐巴馬要強硬得多。不過，考量可用的低廉融資，靠財政赤字從事財政刺激措施，還有很多潛在的生產性管道。有鑑於各種支出崩跌，經濟需求受限，因此幾乎任何一種公共開支都會產生乘數效應（即財政乘數）。但是，如果希望強調供給面，希望以同樣的資金取得更大效果，有許多生產性投資機會可以把握：例如修復老舊的道路與橋梁上的公共基礎設施，奠定「綠色」能源網的基礎，投資可提高生產力的技術，或者支持學前教育以扭轉未來勞動力市場中教育程度差距的強烈影響，這些都是顯而易見的選擇。歐巴馬上台時，要求經濟政策團隊實施某種象徵性的「登月計畫」(moonshot)。

公共投資至少需要兩樣東西：令人信服的公眾利益概念與國家達到發展目標的能力。在二〇〇九年，這兩者都不存在——但它們是否曾經存在過呢？在美國歷史上，大規模公共投資只在戰爭期間才具有政治正當性，就連大蕭條時期也不受認可。上一次政府將公共投資選項納入考慮範圍，是第二次世界大戰剛結束之際，但戰後政治經濟的關鍵轉折很快便將它拒於門外。經濟大衰退又重啟了這個議題討論，但顯

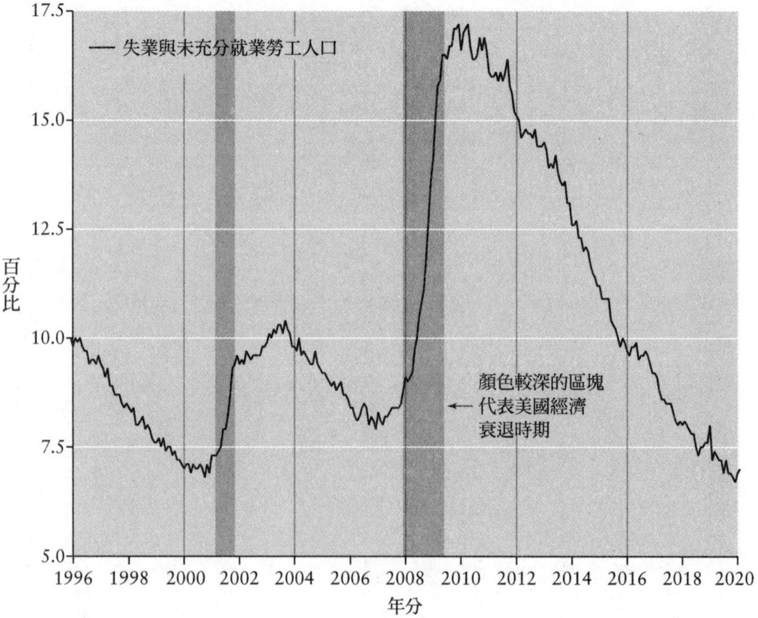

圖 133 總失業人口比例

在「混沌時代」的一系列「失業型復甦」中，經濟大衰退是最糟糕的時期（截至當時為止）。二〇〇八年之後，另一波由資產主導的總體經濟復甦在二〇一〇年代造成就業市場的緊縮。

然答案仍舊不變。在承平時期，美國的資本所有者保有決定投資地點、時間與標的的特權。到目前為止，承平時期的美國民主政治一向在這般嚴格限制下運作。

不過，這並不表示二〇〇九年二月通過的八千億美元的《美國復甦與再投資法案》（American Recovery and Reinvestment Act）無足輕重。這是美國史上規模最龐大的財政刺激計畫。該項法案包含了三千五百億美元的減稅措施，意味著刺激計畫有將近一半的資金，目的是增加現有管道的消費——然而富裕階層通常不會把減稅所省下的錢全部花光，刺激程度有待商榷。[68]另外一千四百五十億美元，用於財政拮据的州，是為了填補缺口而不是重打基礎，在這些地區，消費與就業的平均水準仍不斷下降。[69]刺激計畫的其餘資金則投入一些「萬事俱備、只欠東風」的基礎設施專案與針對性的政府研究計畫。[70]歐巴馬政府希望這項刺激計畫能在二〇〇九年末結前導正總體經濟，並且冒著極高的政治風險做出了這個承諾。

刺激計畫通過時，碰巧是茶黨崛起之際。二〇〇九年二月十九日，美國全國廣播公司財經頻道的里克．桑特利（Rick Santelli）在芝加哥期貨交易所的大廳裡大聲怒罵，反對政府考慮提出「失敗者」免除抵押貸款債務的計畫。[71]桑特利呼籲建立一個全新的「茶黨」，一場真正的民主社會運動就此誕生——實際上，這場運動由共和黨的捐助者與黨內官員主導，並得到娛樂電視新聞頻道福斯新聞（Fox News）的推波助瀾。[72]茶黨的成員一般都是保守、年長、相對富裕且懼怕聯邦政府的白人。經濟大衰退使這個族群擁有的財富大幅縮水，許多成員憤憤不平地選擇繼續工作而不是退休，若是找不到工作，就提早請領社會保險金。[73]茶黨成員表示，經濟刺激計畫把錢給了「不速之客」，犧牲了他們一生辛苦工作所「掙」來的「權利」。這裡說的不速之客，尤指年輕人、福利領受者及非法移民。[74]的確，在經濟大蕭條期間，「營養補充援助計畫」（Supplemental Nutrition Assistance Program，即食品券）的支出提高了百分之十八，特別是針對兒童的補助。[75]但其他指控未必符合事實。桑特利所擔憂的政府大規模抵押貸款減免計畫，連個影子都沒有，不過倘若真的施行想必會帶來改變，因為現況就是積累的債務抑制了消費支出。[76]事實上，在大蕭條時期的勞動力市場中，年輕人的處境甚至比老年人還慘。[77]在柯林頓時代的經濟大衰退時期，「為有需要的家庭提供臨時援助計畫」的福利支出下降，始終不超過聯邦預算的百分之一。[78]最後，來自墨西哥的非法移民淨人數，在經歷了二〇〇〇年代初期到中期的增長之後，到二〇〇九年轉變成了負值——意味著非法移民的死亡與移出大於移入。[79]

不論事實為何，茶黨與美國過去的許多民粹主義運動一樣，成員基於一種情感邏輯才得以維繫。他們的感受就像是「我希望我的國家可以像從前那樣」。顯而易見地，福斯新聞私下散布謠言，聲稱建立「智慧」電網的經濟刺激計畫，是政府官員操縱人民心中「恆溫器」*的一項策略，一些旁觀者對這套說法深信不疑，因為他們打從心底不信任聯邦政府會為人民的福祉著想。[80]數十年私有化意味著，許多民眾行使公民權利時不再與政府互動，而是與非營利與營利的「服務提供者」往來。[81]因此，「不要讓政府插手我的醫療保險！」這句話，其實有一定的道理。[82]事實上，二〇〇八年秋季的銀行援助措施與聯準會的「非常規」政策確實以華爾街的利益為考量，但華爾街有考量到政府的利益嗎？如果有，那也只是間接的，政府向銀行業者提供無息貸款，可銀行很少回過頭來貸款給政府。人民合理質疑，那項刺激計畫何以與此不同？

在此同時，歐巴馬的個人形象愈來愈突出。他是黑人，這讓許多美國白人心中產生了黑人總靠救助金過活的種族主義謬誤。他畢業於常春藤聯盟的大學，讓許多人聯想到那些受過良好教育、自視甚高的沿海精英，認為他們是在大穩健時期獲益最多、在經濟大衰退期間最不受影響的一群人。他藉由提高稅率來提倡政府實施更大的重分配，因此他可能也代表了某種扭曲的「社會主義」倡議家。歐巴馬的父親在別的國家出生，而移民正是茶黨抨擊的主要對象。有些人甚至懷疑歐巴馬是穆斯林、不在美國出生，是個非法總統。實境節目的名人川普踏進了政治圈，煽動了「出生地陰謀論運動」的錯誤仇恨，並迅速掌握了陰險政治言論的精髓。「我們的現任總統橫空出世，不知道從哪兒冒出來的。」川普堅稱：「事實上，我要進一步說：那些跟他同窗的人，從來沒有看過他去上課，他們甚至不知道他是誰。這實在是太扯了。」[83]後來川普當上總統時，也有一些反對者說，川普是個不可能出現在政界的局外人，是外國代理人（俄羅斯）派來的非法總統。歐巴馬的出生地當然不是肯亞。二〇一六年，俄羅斯政府確實表態支持川普，而川普也對此表示歡迎。然而，在民主國家，如果有眾多公民認為他們的政敵跟自己並非同屬於一個政治共同體，政府是難以採取合法行動的。

* 譯註：意指民眾對某項政策的偏好持續上升之後，政府在一開始會隨之提高該項政策的支出，但等到達到了民眾所要求的水準之後，反而會開始調降該項政策的預算，以免民眾覺得這方面的支出過多。

同時，儘管歐巴馬受到惡意言論攻擊，援助與刺激計畫也不受歡迎，華府以外卻沒有針對銀行的政治動員，尤其在這些銀行家搞垮經濟，以及在政府為他們做了那麼多事之後，竟然沒有人出來反對他們，這點尤其讓人注意。二〇〇七年九月，雷曼兄弟的兩名分析師問道：「是誰要承擔房貸的授信風險？」[84]最後，當聯準會與財政部補助銀行業的復甦時，風險被轉嫁給了一千萬名喪失抵押品贖回權的屋主——這些人占所有持屋屋主的百分之四點六。最終，承擔下行風險的人，是這些屋主，而不是他們的債權人。無庸置疑的是，許多經濟條件不佳的屋主都希望從聯準會取得零利率貸款。[85]很少有銀行業者遭到起訴，被判有罪的更少。[86]此時左派人士大都還沉醉於歐巴馬非凡的選舉成就。（占領華爾街運動直到二〇一一年九月才出現。）整體而言，關於公民在經濟政策議題上的意識形態信念，民調結果幾乎沒有變化。[87]那些經濟困苦的人從來沒有參加過政治運動，不清楚該從哪裡或如何對資產價格增值的資本主義施加公眾壓力。數百萬名喪失房屋抵押贖回權的普通美國人成了租屋客，住處往往換了一間又一間。他們沒有認識彼此的管道，更別說是共組政治活動了，也許他們基於羞愧而不願與人交流。[88]至少，他們沒有透過社交媒體連結來組織。一開始，茶黨的聚會是相當傳統的面對面活動。歐巴馬的政治團隊企圖將選舉的狂熱轉化為一場網路社會運動，但是失敗了。直到川普出現，社交媒體才被當成有效的政治武器來操作。

經濟衰退幾乎沒有在美國文化中留下痕跡。[89]這與一九三〇年代的「文化前線」完全不能比。沒有任何一本出色的小說以經濟大衰退為主題，[90]但至少有一部很棒的電影提到了，那就是《黑心交易員的告白》（*Margin Call*，二〇一一年）。這部電影準確地表達了經濟衰退的核心：幾乎所有場景都在一間虛構的華爾街投資銀行的摩天大樓裡拍攝，所有情節都發生在這棟建築裡，與外面的世界幾乎沒有明顯可見的關聯。

諷刺的是，包括花旗集團與美國銀行在內的許多大型銀行，仍依靠公募基金才能繼續生存。二〇〇九年三月，聯準會宣布推出定期資產擔保證券貸款機制（Term Asset-Backed Securities Loan Facility，TALF）。聯準會的資產負債表上已經有一點七五兆美元的銀行債與抵押貸款證券，還得補貼讓債務證券化恢復，包括抵押貸款的相關資產。[91] 柏南克上電視談論經濟復甦時，提到了復甦已露出「嫩芽」。[92]

人民的憤怒瞬間爆發。二〇〇九年三月，茶黨在全國各地發起地方性集會時，美國國際集團宣布，雖然第四季度虧損了六百一十七億美元，創下任何公司有史以來金額最龐大的損失，仍會支付其在政府提供援助前所簽約訂定的二千八百萬美元分紅。蓋特納領導的紐約聯邦準備銀行簽字同意，稱契約神聖不可侵犯，這讓人想起很久以前亞歷山大．漢彌爾頓與詹姆斯．麥迪遜之間的政治辯論，假使漢彌爾頓活在這個年代，也會同意蓋特納所言的契約精神。歐巴馬把十三家主要銀行的總裁召來白宮，痛斥：「把你們與揮舞乾草叉的抗議者隔開的，是我帶領的政府。」但是，歐巴馬只要求銀行暫時自願減薪，僅此而已。國會出手介入，立法通過對銀行利用問題資產救助計畫的資金所發放的分紅，課徵百分之九十的稅率。[93]

此時，歐巴馬政府正在進行最重要的審議，討論該如何處理這些銀行的問題。爭論重點在於，銀行是否遭遇了流動性不足（意味著即便市場交易與價格恢復過往的水準，資產可能會有不錯的價值，但仍沒有人願意購買），或者資不抵債（意味著若交易恢復，它們很有可能破產）。薩默斯主張銀行是無力償還債務，呼籲政府至少將花旗集團收歸國有。根據某些報導，歐巴馬批准了花旗集團國有化，顯示他希望更廣泛地重建金融體系。但是，他的政治助手擔心高昂的財政成本。主張銀行流動性不足的蓋特納不斷緊迫追問：重建工作究竟會如何進行？計畫是什麼？如果花旗集團的國有化引發了另一輪恐慌，又該怎麼辦？

蓋特納贏了，他的計畫得以推進。財政部拿問題資產救助計畫剩餘的資金來補助公私合營投資計畫（Public-Private Investment Program）中私人對抵押貸款相關資產的投資。財政部宣布進行一項「壓力測試」，來判斷若金融壓力進一步升高，銀行是否仍需籌集更多資本以確保持續有能力償還債務。在二〇〇七與二〇〇八年，聯準會成為貨幣市場主要交易者，頂替銀行的位置，以維持金融體系的運作；二〇〇九年，財政部經由壓力測試暫時取代了穆迪與惠譽等私人評級機構。這是一種資產增值資本主義的運作模擬，而政府在這場模擬中反而扮演了私人行為者。政府將為銀行的償付能力背書，進而使資本市場的信心恢復到二〇〇七至二〇〇八年恐慌爆發前的水準。一九九〇年代，蓋特納在財政部的國際事務部工作，對他而言，二〇〇七到二〇〇八年的恐慌雖然規模較大，但與一九九四年的墨西哥貨幣危機，或一九九七至一九九八年的亞洲金融危機沒什麼不同。恢復信心、重振資本市場、履行所有私人契約，然後轉眼間，一切又都回到了正軌。[94]二〇〇九年五月，蓋特納宣布壓力測試的結果（這至少可說是一門不精確的科學）。財政部要求銀行額外籌集七百五十億美元的私人資本。但是，這些銀行獲得了政府友善的貸款，且幾乎沒有附加條件。政府依然沒有獲得企業內具表決權的所有權股份，因此無法強制改變金融體系與經濟之間的關係。

無論是壓力測試或其他原因（也許是政府強制銀行資本重組，又或許是市場的恐懼情緒終於消退），不安的迷霧開始消散。銀行間交易流動性開始恢復。到了二〇〇九年六月，幾乎所有的信貸利差都回到了危機前的水準。大多數的銀行開始向政府贖回問題資產救助計畫的資金，聯邦政府實際上也從這項計畫獲利。持續近兩年的金融危機畫下了句點。同月，從國內生產毛額來看，經濟衰退結束了。值得注意的是，歐巴馬政府巧妙地將金融體系重新拼湊了起來。

以國內生產毛額的技術性數據來看，下一波總體經濟擴張開始了。但是，很少有停下腳步環顧四周的人會宣布大衰退已經結束。讓金融體系恢復交易流動性的做法，或許結束了這場危機，但這對重塑經濟生活特性完全沒有幫助。混沌時代中許多令人頭痛的趨勢依然存在。隨著生產性投資率持續下降，聯準會恢復貨幣與信貸市場中的交易流動性計畫，並導致了二〇一〇年資產價格的再膨脹，多年後，平均勞動收入才開始再度攀升。在勞動收入攀升之前，利潤便恢復並迅速提高。因此，最先恢復的是富裕階層的收入與財富地位，[95]這種復甦模式加深了經濟不平等的現象。[96]家庭債務在二〇〇八年之後急遽下降，顯示了經濟擴張相當依賴消費者債務，更解釋了這次的復甦為何力道如此疲弱。許多在二十一世紀初首次出現、令人擔憂的趨勢仍持續可見。經濟生活成果的地理差距進一步惡化。[97]市場競爭減弱，企業壟斷與買家壟斷力量加劇。[98]最終，在勞動力市場受創最深的地區，因酗酒、吸毒過量與自殺而導致的「絕望之死」頻率愈來愈高。[99]

值得一提的是，二〇〇八年之後的勞動力市場狀況極糟。這是另一次的失業型復甦，在那些未出現新經濟的地區與地方尤其嚴重。長期失業人口上升。[100]引人注意的是，有償勞動婦女比例的歷史性增長停止了。經濟大衰退對男性的影響更糟糕，被稱為「男性衰退」（mancession）。關於這段時期的經濟生活，描述得最貼切的虛構電影，或許就屬二〇一二年上映的《舞棍俱樂部》（*Magic Mike*）了，劇中場景設定為住房危機的重災區佛羅里達州。查寧・塔圖（Channing Tatum）飾演的一名房屋建築工人被解雇（隨著男性製造業的崩潰，大量男性迅速集中受聘於建築工程領域），為了生計只好從事多以女性為主的脫衣舞工作，而他從事護理師的女友負擔了兩個人的生活開銷——相較於建築業的勞動力緊縮，護理師屬於逐漸擴大的服務業。儘管這只是電影劇情，但實際上在二〇〇八年之後，申請障礙保險的男性人數大幅增加。[101]

是什麼阻礙了經濟（尤其是就業）的復甦？一些公司趁經濟衰退時解雇了生產力最低的員工，並在推動自動化之際不再聘雇新員工，就像經濟大蕭條時期那樣。毫無疑問地，勞動力供給受到了結構性缺陷影響，像是許多勞工未受過充分教育與訓練。不過，如同大蕭條時期，更大的問題是當前的需求不足。無論是投資還是消費，支出都不足以催生可創造就業機會的企業。許多公司獲利時，不是把錢拿來投資新產能，而是將利潤作為股息分配、買回股份以增加企業價值，或者乾脆積貯大量現金而非投資或融資。由於有管道可取得近乎零成本的短期融資，銀行透過各種新式利差交易恢復了盈利能力，美國國庫券也成為利差交易的標的之一。通常情況下，他們也選擇不投資或放貸，而是囤積現金。A&E電視頻道的立場，無縫接軌地從鼓吹投機轉向預防性囤積，將原本的《房地產投資秀》取代為《囤積者》（*Hoarders*，二〇〇九年至今），這個節目探討囤積症如何影響中下階層房屋持有者的生活（甚至到了幾乎失去房子的程度），毫不掩飾地象徵著人們喪失了抵押品贖回權。在房地產泡沫化將風險從銀行推給了房屋持有者之際，《囤積者》這個節目也將總體經濟的集體病態轉移到了個別家庭戲劇性劇情上。

平心而論，歐巴馬政府的政績算是得來不易。這位總統的首要政策是醫療改革，而他帶領的政府對此投入了所有政治資本，擱置了勞動法改革或「綠色能源」法案制定。最終，的確出現了一項重要的醫療保險改革法案，其中包含擴大聯邦醫療補助，並「強制」對未購買醫療保險的公民課稅，以擴大風險池及補助的涵蓋範圍。為了確保資金充足，這項法案還包括提高重分配稅額，一如歐巴馬當初競選時所承諾。[102]但是，茶黨支持的共和黨候選人史考特・布朗（Scott Brown）在二〇一〇年一月的補選中獲勝，接替了已故的麻州民主黨參議員愛德華・甘迺迪的席位——這場選舉彷彿成了一股預兆。法案推行岌岌可危，民主黨只能努力在毫無兩黨共識的情況下通過該項法案。[103]

除了後來催生「歐巴馬醫保」（Obamacare）的二〇一〇年《患者保護與平價醫療法案》（Patient Protection and Affordable Care Act，PPACA）之外，國會也在同年通過了《二〇一〇年陶德－法蘭克華爾街改革與消費者保護法案》（Dodd-Frank Wall Street Reform and Consumer Protection Act of 2010）——這部法案起初由白宮的政治部門在美國國際集團爆發分紅醜聞之後推動。這項法案意義重大，像是賦予聯準會新的監管權力，以監督「系統性風險」及更條理分明地解決金融機構倒閉的問題，不過法案也削減了聯準會未來根據《聯邦準備法》第十三（三）條行事的自由授權。評級機構被更嚴格的監管。民眾對銀行的反彈，協助推動了所謂的「沃克法則」（Volcker rule）通過，禁止銀行利用政府擔保的銀行存款從事「自營交易」(proprietary trading)。這項法則再加上迫使銀行降低槓桿率的新法規，削減了交易利潤，尤其是投資銀行的獲利。然而，這項立法開放行政部門自由解讀與裁量。新成立的消費者金融保護局（Consumer Financial Protection Bureau）受到聯準會的監管。《陶德-法蘭克法案》所導致的結果取決於監管機構如何執行，法案實質延續了數十年來國會將經濟監管的權力移交給行政機構的趨勢——尤其是財政部與聯準會。[104]

隨著《陶德-法蘭克法案》於二〇一〇年七月通過，歐巴馬政府在政治上多半後繼無力。倘若沒有二〇〇九年的財政刺激計畫，大衰退時期對經濟造成的影響肯定更嚴重。[105]儘管如此，從政治角度來看，刺激計畫仍是一場大失敗，根本不足以彌補需求缺口。同時，這項刺激計畫完全沒有改善經濟生活的能耐。刺激計畫過於依賴減稅，缺乏公共投資計畫，即便有投資計畫，政府也沒有屏除萬難執行的政治意志或能力。讓共和黨從這些缺失中坐收了龐大政治利益。

在此背景下，聯準會展開了一場新的冒險。二〇一〇年再度獲得歐巴馬任命的柏南克，說服決策機構聯準會的成員再次將聯準會的資產負債表擴增一倍。財富所有者對安全資產貪得無厭。聯準會在二〇〇四年調高短期利率的決定，完全無助於提高長期利率，顯然在危機爆發前，長期利率早已超出聯準會的掌控範圍。如今，在短期利率為零的情況下，長期利率仍居高不下。因此，在另一項非常規的貨幣政策中，聯準會買入了數十億美元長期債券（其中大都為美國國庫券與抵押貸款債券），希望能拉低長期利率。這麼做的目的，是希望降低停泊資金所能帶來的金錢收益，藉此吸引更多資金流向立即性私人投資與支出。這種政策有個奇怪的名稱叫「量化寬鬆」。[106]二〇一〇年十一月，為了降低長期利率，聯準會宣布將在二〇一一年年中購買六千億美元的美國國債。批評人士拍胸脯保證，這會導致通貨膨脹失控，但結果完全不是這麼回事。到了二〇一四年，聯準會的資產負債已達四點五兆美元，遠遠超越了二〇〇九年刺激計畫的規模。聯準會掌握了總體經濟刺激的轠繩。貨幣政策一再勝出，成為經濟大衰退期間的首選方案，貫徹了美國經濟的連續性。

在財政政策領域，二〇一〇年一場全球緊縮運動，讓歐巴馬政府躍躍欲試。二月六日，在加拿大舉行的七大工業國組

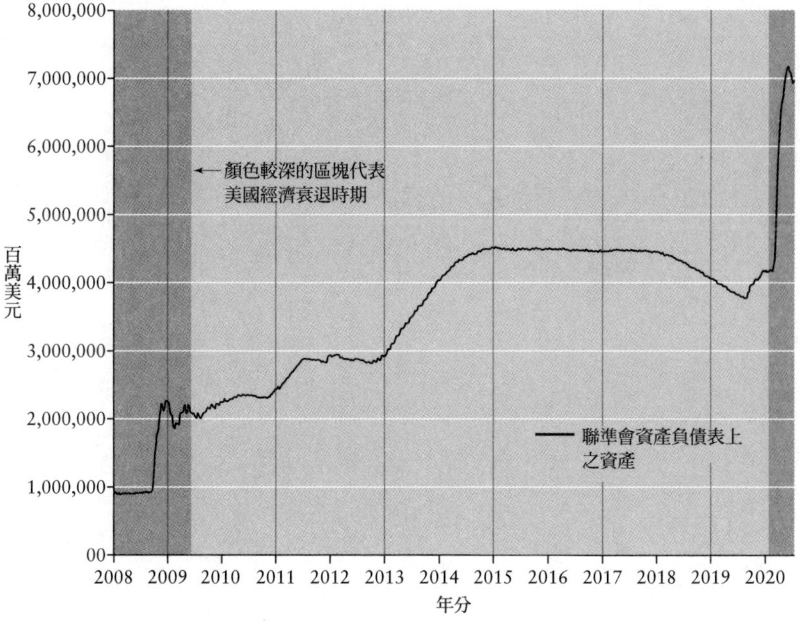

圖 134 聯準會資產負債表

在量化寬鬆這項「非常規」的新貨幣政策中，聯準會藉由買入長期債券的方式擴大了資產負債規模，以期能降低利率，進而誘引私人支出，尤其在投資方面。這項政策奏效了，但手段是資產價格的進一步增值。

織峰會宣布，會員國將共同致力「轉向更能永續維持的財政軌道」。[107]那一年，許多人都支持緊縮政策。衛道人士譴責各種債務，勸告人們多加儲蓄與吃苦耐勞。保守派注意到政府的預算赤字與債務負擔不斷膨脹，趁機主張削減社會支出。銀行業者擔心通貨膨脹發生，生怕這會使他們從公債等低利借款的套利交易中獲取的利潤減少。有些人說，問題不在於資本家過於謹慎小心，而在於政府沒能創造友善的環境以鼓勵資本家多多投資——這種說法不免讓人想起了大蕭條時期，在一九三七到一九三八年經濟衰退期間爆發的「資本罷工」。然而，富裕階層實際上正從尚在起步的總體經濟復甦中坐享所有收入成長果實。如此一來，資本所有者還能不滿什麼？

在道德上對二〇〇〇年代投機性投資熱潮的特性產生反感，理所應當。但是，一個時期的揮霍，並不代表下一個時期就必須實行補償性撙節。想彌補不良投資，就得做出更好的投資。任何值得做且做得到的事情，都有可能獲得資助。聯準會之所以嘗試採行量化寬鬆政策，是因為即使有圖利機會與大量的迫切需求，但私人資本所有者遲遲不願投資。作為行政機構，聯準會以其「獨立性」自豪，成立的原則是不介入民主政治，只能試圖間接吸引私人投資。量化寬鬆政策可能會抑制長期利率、助長資產價值的再膨脹，甚至會加深不平等現象，但幾乎沒有重塑經濟投資性質。在缺乏共同長期願景的激勵下，資本投資的民主政治並不足以克服眼前的挑戰。

到了二〇一〇年底，低迷的景氣拖垮了歐巴馬政府。宣傳「復甦之夏」的企圖以失敗收場。蓋特納在《紐約時報》上發表了一篇題為〈見證經濟的復甦〉（Welcome to the Recovery）的社論，成為美國政治史上最荒腔走板的聲明之一，他宣稱總體經濟已全面好轉（實際上並非如此），是時候改採緊縮政策了。[108] 二〇一〇年秋天，因歐巴馬健保通過而憤恨難平的茶黨激進人士，幫助共和黨在國會期中選舉中打了漂亮的一仗。值得留意的是，在佛羅里達州、俄亥俄州、密西根州與內華達州等備受經濟大衰退打擊的地區，共和黨橫掃了多數席位。這毫無疑問地是種表態——懲罰民主黨無力處理經濟大衰退，並抗議數十年來大都有利於精英分子的經濟體系。同年十二月，恢復盈利能力的花旗集團成為最後一家償還問題資產救助計畫融資的大型銀行，因而有餘裕可支付更高額的分紅。[109]

期中選舉失利後，歐巴馬決定與共和黨眾議院領袖商討緊縮政策。緊縮政策在一九三〇年代讓自由民主制度承受了巨大的壓力，且未能奏效，而在二〇一〇年代也將如此。經濟大衰退讓人們面臨磨難。

後記

我在二〇二〇年三月的第一週交出了本書的最終稿，當時全球新冠肺炎大流行的可能性初現端倪。數個月後的今天，景氣大幅下滑，失業率達到經濟大蕭條以來最低水準，我在喬治·佛洛德（George Floyd）謀殺案後全國各地爆發抗議活動之際寫下了這篇後記。在這樣一個充滿焦慮與憤怒、同時也充滿決心與希望的時刻，若想理解未來的事態發展，是很危險的。但我不禁想問，這是否是一次分水嶺，美國資本主義新時代即將展開？

這不可能有答案。歷史學家在未來的預測上沒有特殊優勢。但對過去有所認識，確實有可能讓我們得以評估，哪些時刻或多或少具有變革的潛力。像這個時代，就很有可能是如此。

矛盾的是，如果新時代真的很快便到來，原因之一就是大衰退以來經濟生活呈現的許多經濟連續性，即便很多經濟事件看起來像是一個重要的歷史斷裂點，但事後回顧便會發現一切都串得起來。混沌時代尚未結束。即將到來的變化所造成的影響將更為重大，而原因之一便是多年來什麼都沒變。

儘管如此，隨著特定趨勢益趨明顯，我們仍然可以窺見過去十年來出現的潛在可能性，釐清未來某天必然會發生的轉變將帶來的風險。任何時代都不會永遠持續下去。

在這篇後記中，我想短暫回顧一下大衰退過後、新冠肺炎疫情爆發之前的那段期間，經濟擴張的特徵。這些特徵與一九八〇年混沌時代開始以來的每一次擴張都十分相似。有鑑於此，在人們對可能發生的事件進程所抱持的傳統觀念受到諸多質疑的時代，我想聊聊關於歷史與資本主義、歷史與一種根基於對未來預期所定義的經濟體系有何相關。

大重複時代

如同一九八〇年代以來的所有經濟擴張，二〇〇八年後展開、在二〇二〇年結束的那波經濟擴張也由資產所主導。歐巴馬政府重新拼整的資產價格增值型政治經濟持續運作。在二〇一〇年代，許多相同的模式再次出現，儘管在某些細節上大相徑庭。

在二〇〇八年後的另一次失業型經濟復甦中，資本所有者先是見證了自己的流動資產增值，接著才經歷了一般勞動收入復甦。這次牽涉的資產類別不是房產，大都是企業股票，與一九九〇年代的情況非常類似。一如一九八〇年後的趨勢，這次的復甦基礎是債務展延。二〇〇八年後，家庭槓桿融資負債比減少，這也是家庭支出與商品需求疲軟，並導致經濟復甦受限的原因之一。公債占國內生產毛額的比例到二〇一四年為止持續增加，直到二〇二〇年才趨於穩定。但是在二〇一四年之後，企業債務大規模擴張。在公司股票回購機制下，債務直接導致了股價飆升。新出現的企業貸款包含了證券化的「槓桿貸款」，合成結構與抵押貸款證券極為類似。

債務激增的一個主因是，對那些有管道取得融資的人來說，利率依然維持低點。為了刺激經濟復甦，聯準會在二〇一二年之前數次實施量化寬鬆政策，並維持低利率。這或許是混沌時代最重要的經濟連續性：聯準會本質上是一個不屬於民主政治的行政機關，卻是最強大的經濟決策機構。

二〇二〇年三月，新冠肺炎爆發後金融市場崩潰，聯準會一如二〇〇八年那樣出手解圍，在後金融海嘯時期「非常規」與「寬鬆」貨幣政策領域中，開闢了新道路。事實上，經濟大衰退似乎只是二〇二〇年的一場彩排。二〇二〇年三月，聯準會在疫情爆發時立刻採取行動維持資產價格，包括支撐陷入困境的公司債市場，這是二〇〇八年所沒有的局面，因為當時的公司債市場沒有這麼蕭條，再加上政府官員認為這是公權力不當介入私人市場。如今，這條河已經跨過。

聯準會為經濟注入的資金，只是將美元轉移至現有的其他經濟管道而已。因此，貨幣政策並不能改變經濟體系。資本所有者在投機與囤積之間搖擺不定的流動性偏好依然強烈。資本仍然變化無常，支撐著資本飄移不定特性的，便是聯準會。假使市場信心動搖，中央銀行便會援助資產所有者，並將遊戲重新開始。

因此，許多見於二〇〇八年之前的趨勢延續到了二〇一〇年代。投資與生產力成長依然疲軟，基礎設施破舊不堪。以化石燃料為基礎的能源體系持續運作，並在二〇一〇年代國內採油熱潮中鞏固，讓化石燃料產業得以融資的基礎，便是這十年的低利信貸。大型企業累積了更龐大的市場力量與利潤，尤其是大型科技公司。這段時期與二〇〇八年最大的不同點可說在於金融業，那就是這十年間大型資產管理公司的興起。在貝萊德集團（BlackRock）等企業的帶領下，大型資產管理公司幾乎快要超越大型銀行，因為在後金融海嘯時期的金融監管下，這些銀行的交易範圍與利潤都縮減了。資產價格再次率先復甦，讓資產所有者獲利，經濟的不平等持續惡化，直到二〇一四年為止。儘管如此，在這十年期間，不平等終於成為公眾討論與關注的議題。就業機會的增加集中於高薪與低薪服務業，且依然呈現明顯的地域及教育程度差異。白人男性的「絕望之死」現象不見好轉，而歷來最為弱勢的族群一如既往地處境悲慘。

二〇〇八年，資本主義近乎崩潰，但一息尚存。經濟體起死回生。從經濟復甦中獲益最多的精英分子率先宣告成功。的確，相較於其他國家的經濟，美國有許多值得誇耀之處，包含充滿活力的創業文化、吸引全球各地人才的多元勞動力市場、擁有在教育報酬舉足輕重的這個時代下位居世界一流的高等學府、領先全球的技術、至今仍是世界交易貨幣與儲備貨幣的美元的壓倒性優勢、有能力創造許多新就業機會（尤其是服務業）的勞動力市場、蓄勢待發的製造業復甦，以及一大群年輕弱勢族群——他們尚待開發的才能可望轉化為未來的經濟發展動力。然而在混沌時代，經濟利益大都流向了富裕階層，而且有愈來愈多的比例流入了大型企業。

二〇〇八年之後，正如這個時代的每一次經濟復甦，經濟擴張最終開始收緊勞動力市場，收入的增長出現在收入分配的中下階層，起始時間是二〇一四年。此時此刻，在另一種連續性之下，國內生產毛額中個人消費占比的上升引領了經濟的擴張，凸顯了美國消費者在全球經濟中歷久不衰的重要性。此外，由於這些擴張取決於信貸週期的維持與資本所有者的信心（聯準會擔保了這一點），因此從歷史角度來看，它們為期頗長，其中，二〇一〇年代的擴張是美國史上為時最久的一次。問題是，無論持續多久，即便是最短暫的衰退，也會抹除擴張所帶來的大部分收益。而這正是對大多數人來說，儘管商業週期拉長，收益卻十分微薄的原因。二〇二〇年三月的經濟崩潰，讓許多家庭再次經歷了二〇〇八年的夢魘。

總之，如果說二〇一〇年代的美國經濟方興未艾，將資本主義的潛力發揮到極致，且達到財富公平分配，那麼就跟「真實的誇大」沒有兩樣——就如同川普在一九八七年出版的《交易的藝術》中令人印象深刻地誇耀自己的商業策略。這是一種「迎合人們幻想」的做法，因為「人們想要相信某件事情是最重要、最偉大且最驚人的」。[1]

現在討論川普擔任總統有何歷史意義，還為時過早。他能勝出，不是單一因素所能解釋清楚的（包含經濟焦慮在內）。但是，若要探討川普及其政治風格竟然可以讓他如此接近美國總統大位，現在不失為一個好時機。

美國的輿論從來沒有誠實地深究二〇〇八年重新拼湊資本主義所帶來的好處與代價，以及許多老百姓為了實現資本主義而吃盡苦頭、到頭來獲益少得可憐的處境。歷任的國家領袖迴避了這些事實。在檢視川普談論經濟議題（以及他代表性的貿易問題）時經常捏造事實的種種行為時，必須考慮到當時的背景。關於二〇一〇年代的經濟復甦，金融與政治精英講述的故事並不可信。政治與經濟建制對後金融海嘯時期經濟復甦所做的描述，體現了川普出現之前就已存在的後真相政治。

對於川普如此吸引廣大美國選民的現象，歐巴馬在卸任時曾調侃道：「我已經幫他把美國經濟打點好了。沒有事實，沒有後果，他們愛怎麼胡扯就怎麼胡扯。」[2]但在歐巴馬擔任總統期間，聯準會一直掌控大局，努力回歸「常規」貨幣政策，也就是低價出售自二〇〇八年以來取得的資產，以終止量化寬鬆，然後專心達到「中性」利率，使經濟能夠自然而然地平穩運作。然而，聯準會未能成功。在二〇二〇年三月新冠肺炎疫情引發經濟崩潰之前，聯準會從未擺脫大衰退時期的復甦模式，到疫情期間，二〇〇八年開展的非常規政策反而更加雷厲風行。不同於當年的是，這次的經濟衰退是因流行病而起，而非金融恐慌所致，但這一點並不能改變如此脆弱的經濟需要聯準會大力支持的事實。

數字說明了一切。聯準會在二〇一四年之前透過量化寬鬆政策買進了四點五兆美元的資產，在二〇一九年才將這個金額削減為三十七點五億美元。到了二〇二〇年五月底，這個數字突破了七兆美元（在我撰文的當下仍持續攀升）。與此同時，聯準會將短期利率目標從二〇一五年底的百分之零點一二提高到二〇二〇年三月的百分之二點四，到了二〇二〇年四月則降至百分之零點零五。最後這個數字表明了掉入「流動性陷阱」的經濟所具備的技術條件，當時恐懼與對安全的渴望是如此強烈，以致許多人不願放棄貨幣與類貨幣的資產，寧願忍受近乎於零的報酬率也要囤積這些資產。

事實上，美國經濟受困於更廣泛的流動性陷阱中，而且已經持續了數十年。柏南克在二〇〇四年將這個時代稱為「大穩健」，但事實證明，這不過是一個大重複時代（Great Repetition）。因為我們被困在一個反覆出現的經濟模式中，而這個模式要能運作，必須將槓桿資產的價格上漲轉化為新的收入，而這個過程起初仰賴的並非勞動收入增加，而是信貸週期與市場魔力——即資本所有者對資本市場永遠存在流動性的信念與信心。如今再清楚不過的是，這種流動性是國家權力的產物，是美國中央銀行一手掌握的力量。這種情況就像是一場信任騙局，而身處其中的美國政府竭盡全力想讓虛構的經濟成為現實。

這不是一種符合大多數美國公民利益的資本主義，他們的收入並不依靠資產增值。如果要說川普勝選背後有任何經濟力量，那與其說是大衰退，不如說是經濟復甦的本質讓他得以掌握寶座。自二〇〇八年以來，同一套由資產主導的舊有資本主義緩慢而穩定地耗損政治正當性。當川普憤世嫉俗地表示，遊戲受到不當的操縱，而掌權的精英本身無法改革既有制度時，許多人信了，因為他們的經驗也這樣告訴他們。

儘管川普宣稱制度受到操縱，但在二〇一六到二〇二〇年，他的政府也從未撼動經濟走向。川普的立法核心便是二〇一七年的雷根式減稅政策，卻未能像他所承諾的那樣提升投資與成長，反倒擴大了預算赤字。貿易戰在更大程度上是華而不實的虛張聲勢。「築起高牆！」「把她關起來！」針對的是移民與婦女，川普在二〇一六年的競選集會上喊出的口號非常具體，將當下的中心思想表達得淋漓盡致。混沌時代的價值觀，包括移動、流動性、風險、個人選擇、界線的模糊、高牆的崩塌、全球化，紛紛黯淡無光。自二〇〇八年以來，經濟生活開始變得麻木。精英分子囤積財富與特權，生活在不同的社會網絡中，居住在不同的文化世界裡，享有更長的預期壽命。由於不平等，在新冠肺炎之前就已存在社交疏離現象。歷史告訴我們，國家歸屬感比世界主義全球化的先知們所宣稱的更持久。與許多評論家所稱的不同，制度性權力並未消失在網絡化的全球漩渦中。制度性權力依然存在，掌握在民族國家與大企業（尤其是科技公司）的手中——特別是聯準會。

有件事看來肯定會發生，那就是有更大的政治權力去操控經濟。但是，這股權力由誰來行使，以什麼為基礎，目的又是什麼？是承諾為人們創造更舒適生活的大型科技企業？由充斥著焦慮、指責與恐懼的政治所支撐的專制國家？還是重新組成的民主大眾？抑或是全球合作治理機構？一切都有待觀察，但這些問題的答案，很有可能決定新時代的特質。遺憾的是，下一個資本主義時代恐怕會更糟糕。

在美國歷史上，無論是大英帝國對北美地區的商業殖民、共和黨的崛起與南北戰爭、羅斯福的當選與新政的到來，還是沃克衝擊與雷根的執政，揭開資本主義新時代的，向來都是國家行動。在混沌時代，大量的資本與信貸每分每秒都以數位形式在全球各地流竄。資本流動快速，但政治卻總是慢了至少一步，追趕著已發生的事件。國家行動落後，只會回應而不會創造。關於國家行動及其如何影響資本這段頗具爭議的美國史，在本書多有著墨。但我們展望未來，便會發現，我們可能很快就得撰寫新篇章。二〇二〇年的聯邦支出預計將占國內生產毛額的四分之一，這是自二戰以來從未見過的數字，當時公共投資讓美國經濟走出了大蕭條陰霾。

經濟大蕭條與二戰後採行新政的美國，將收入的創造從資本所有者轉移到了勞動者身上。這主要是透過收入政治來實現，而這便是一個多世紀以來美國政治經濟的核心目標。但是，混沌時代的資本主義並未經由這種方式得到控制，且有鑑於這個時代資本的善變，這種方法可能早就失效了。關鍵在於改變投資結構。也因如此，在經濟進程結束時重新分配資本戰利品的收入政治沒能發揮作用，低利資金與信貸更無法解決問題。我們需要的是資本的民主政治。為了重新牽起資本主義與民主之間斷裂的連結，政治必須在經濟進程的開端就走在資本前頭。

凱因斯在一九三三年發表的〈國家的自給自足〉（National Self-Sufficiency）一文中指出：「國際性卻又講求個人主義的墮落資本主義……並不成功……但當我們思考該拿什麼來取代它時，又會非常困惑。」[3]凱因斯本人也曾退而提出「任何投資都比不投資來得好」的觀點——今日，這正是聯準會量化寬鬆政策所隱含的社會哲學，誘使投資流向既有管道。凱因斯心中的困惑，怎麼會在他寫下這篇文章這麼久之後，依然如此切合現實？難道就沒有另一種值得投資的經濟前景嗎？

反思

在本書中，我一直強調美國資本主義是一個特別具有前瞻性的經濟體系，對未來的預期在在顯著地決定了現在：無論是十七世紀英國統治者對大西洋帝國的幻想、美國白人對種族統治與征服殖民地的夢想、工業革命的創新、二戰後大眾對富裕與就業的期望、矽谷的科技烏托邦等等。但不知為何，經歷了數世紀的演變與變革後，美國經濟來到了重複的階段。音樂有賴聯準會才得以繼續演奏，我們把經濟變成了一張不斷跳針的唱片。

資本主義的未來導向是個複雜的問題。資本主義賦予資本所有者支配他人的權力，而資本所有者則負責決定何時何地進行投資。然而，投資是個廣泛的現象，不僅關係到帳目盈虧，還關乎整個社會決定將精力、能力與熱情用於何種目的與條件。以道德而言，資本主義對未來預期的依賴，是最大的**潛在**美德，因為它促使我們想像未來的可能性，而這種未來在質性上不同於過去，也優於過去，更超越資本主義的未來。但是，這並不表示過去應該被忽視，以及能夠被忽視。

不巧的是，美國這個堪稱資本主義色彩最濃厚的國家，長期以來以明顯善於遺忘歷史的特性而有別於其他國家。在美國資本主義中，屏棄過去的欲望引發了許多經濟幻想。最近一次的案例是一九九〇年代的新經濟時期，當時許多權勢人物都認為美國經濟已經以某種方式「超越了歷史」。令人難以置信的是，經歷二〇〇八年的金融恐慌與歐巴馬時代之後，人們對金融主導的全球化願景仍抱有千禧年末的信心，而這樣的信心或許已隨川普於二〇一六年當選總統及隨後爆發的新冠肺炎疫情被丟進了歷史的垃圾堆。但是，我們仍然生活在那樣的展望之下。回顧美國史上最重要的事件，南北戰爭結束後，緊接而來的不是黑人奴隸制罪行的清算，而是買進鐵路股票的好時機。我們依然身處這種願景的餘波之中。資本主義的幻想無法掩蓋過去。對已逝去的時代緊抓不放也是行不通的。無論我們多麼抗拒，都必須面對歷史。

必須這麼做的一個原因是，倘若不好好梳理過去，歷史只會不斷重複。對美國的經濟生活而言，擺脫混沌時代的模式，並藉由資本的力量去描繪一個不同於過去且更美好的經濟未來，意味著什麼？這個問題需要經濟方面的想像力，需要道德與政治勇氣。若想找出答案，就必須深思本書試圖講述的歷史。

——喬納森·利維，二〇二〇年六月十四日

鳴謝

二〇一二年春天，西恩・威倫茨（Sean Wilentz）在一次午餐閒聊中提出了撰寫本書的想法，我由衷感謝他的建議。湯姆・霍特（Tom Holt）與艾咪・史丹利（Amy Stanley）是我攻讀博士學位時的指導教授，多虧了他們的鼓勵，我才有勇氣放膽一試，在此也感謝過去這些年來，他們持續給予的忠告與支持。

為了撰寫本書，我向普林斯頓大學歷史系申請了二〇一二到二〇一三的教職研究休假。那一年，我有幸在史丹佛大學行為科學高級研究中心（Center for Advanced Study in the Behavioral Sciences）度過。二〇一七年，應尼古拉斯・巴雷爾（Nicolas Barreyre）之邀，我前去拜訪巴黎高等社會科學研究學院（École des hautes études en sciences sociales），終於在那段期間完成了本書寫作。二〇一七到二〇一八年，芝加哥大學歷史系又提供了為期一年的研究休假，這次我有幸在哈佛大學歷史與經濟學中心（Center for History and Economics）度過，這要感謝該機構的聯席主任蘇尼爾・阿姆瑞斯（Sunil Amrith）與艾瑪・羅斯柴爾德（Emma Rothschild）。二〇一八年夏天，我以訪問學者的身分在比薩高等師範學院（Scuola Normale Superiore）寫好了完整初稿，為此要向多納泰拉・德拉・波爾塔（Donatella della Porta）與馬里奧・皮安塔（Mario Pianta）致上謝意。如果沒有來自波隆那的杜喬・科爾代利（Duccio Cordelli）及其家人的盛情款待，就不可能完成最後的校對工作。

本書起源自我在普林斯頓大學與芝加哥大學教授的一門大學課程。學生對這門課的反應促成了本書的發想。我也要向那些協助我教授這門課的人表達感謝，尤其是麥特・巴克斯（Matt Backes）與卡利・霍蘭（Caley Horan）——麥特是最早想出書名中的「時代」一詞的人。另外也要感謝班・施密特（Ben Schmidt）、西恩・瓦納塔（Sean Vanatta）、安德魯・愛德華茲（Andrew Edwards）、喬納森・闕（Jonathan Quann）、克里斯・佛洛里歐（Chris Florio）、羅西娜・洛薩諾（Rosina Lozano）、麥特・卡普（Matt Karp），以及普林斯頓大學的瑪格特・卡納戴（Margot Canaday），還有羅伯特・卡明斯基（Robert Kaminski）、特利許・凱爾（Trish Kahle）、茱莉亞・杜佛賽（Julia Dufosse）與芝加哥大學的艾芙琳・阿特金森（Evelyn Atkinson）。在最後的寫作階段，我在自己於芝加哥大學開設的一門大學與研究所聯合課程中（關於經濟大蕭條到大衰退期間的全球經濟史），將一些章節草稿作為指定書目。在此也要感謝那些學生給予的批評與回饋。

許多人讀過手稿後慷慨提出了中肯的意見。感謝約翰・克雷格（John Clegg）、奇亞拉・科爾代利（Chiara Cordelli）、卡翠娜・佛瑞斯特（Katrina Forrester）、艾瑞克・希爾特（Eric Hilt）、麥特・卡普、湯瑪斯・克雷文（Thomas Kleven）、艾莉森・萊夫科維茨（Alison Lefkovitz）、珍妮佛・拉特納-羅森哈根（Jennifer Ratner-Rosenhagen）、西恩・瓦納塔、溫蒂・瓦倫（Wendy Warren）與蓋文・萊特（Gavin Wright）的寶貴回饋。

本書得益於我與無數人士的交流，以及無數場大學工作坊與研討會的簡報，抱歉無法一一列舉。然而，與一些人的談話尤其給了我靈感與信心，同時在最大程度上制止了我最糟糕的寫作傾向。感謝亞倫・貝納納夫（Aaron Benanav）、詹姆斯・坎貝爾（James Campbell）、麥可・費海爾（Michel Feher）、金柏莉・璜（Kimberly Hoang）、娜歐蜜・拉莫羅（Naomi Lamoreaux）、馬提・李維（Marty Levy）、詹姆斯・利文斯頓（James Livingston）、葛雷格・卡普蘭（Greg Kaplan）、莎拉・米洛夫（Sarah Milov）、高譚・勞（Gautham Rao）、詹姆斯・羅賓森（James Robinson）、艾瑪・羅斯柴爾德、比爾・塞維爾（Bill Sewell）、理查・懷特（Richard White）、塔拉・札赫拉（Tara Zahra）與麥可・札金姆（Michael Zakim）。

二〇一九年，我加入了芝加哥約翰涅伕社會思想委員會，並有機會與喬爾・伊薩克（Joel Isaac）與喬納森・李爾（Jonathan Lear）討論了本書的一些主題，而這些交流帶來了額外動力，讓我能一鼓作氣地完成了最後部分。拜洛伊絲與傑瑞・貝茲諾斯（Lois and Jerry Beznos）夫婦餽贈給約翰涅伕社會思想委員會的資料，我才得以在書中收錄這些圖片、地圖與圖表。謝謝安妮・甘博亞（Anne Gamboa）與羅伯特・皮平（Robert Pippin）在此過程中給予的幫助與支持。

許多出色的研究助理也傾力相助。我要謝謝西恩・瓦納塔在開始階段及尼克・福斯特（Nick Foster）與克里斯・洪（Chris Hong）在最後階段對我的幫助，他們的貢獻遠遠超出了職責範圍。我也想感謝索羅門・多爾金（Solomon Dworkin）、雷蒙・海瑟爾（Raymond Hyser）、克里斯蒂安・佩恩（Christian Payne）、莉莉安・威佛（Lillian Weaver）與蒂娜・魏（Tina Wei）。凱特・艾德米斯頓（Kat Edmiston）與伊森・席（Ethan Hsi）在手稿的最終準備階段給予了不可或缺的協助。

在我寫作的過程中，許多朋友也是關鍵的支持力量。我要特別感謝蓋瑞特・朗（Garrett Long）。我對懷利版權經紀公司（Wylie Agency）的安德魯・懷利（Andrew Wylie）與賈桂琳・高（Jacqueline Ko）滿懷感激，謝謝他們對本書的信心以及付出的努力。藍燈書屋（Random House）的莫莉・特爾平（Molly Turpin）接下了這個書案，並以卓越的技能與洞察力編校了兩份長稿。感謝她為本書付出的大量心力及始終如一的熱情。同樣地，該出版社的克雷格・亞當斯（Craig Adams）也非常專業地完成了本書的製作。謝謝珍妮特・比埃爾（Janet Biehl），她的文字編輯為最終手稿增添了不可估量的文采。

最後，我要將這本書獻給奇亞拉・科爾代利（Chiara Cordelli），回想我們的愛女茱莉亞・利維－科爾代利（Giulia Levy-Cordelli）於本書寫就之際來到這個世界上，著實令人欣喜。

資料出處聲明

除了在尾註必要地記錄了資料來源之外，我還參考了我最依賴的學術著作。但是，尾註未能完全反映與本書所涵蓋各種主題相關的大量文獻。就這樣一部綜述性作品而言，要寫出一份全面的參考書目是不切實際的。因此，雖然我在自身論點直接擷取自早期學術著作的闡述時會引述出處，但一般情況下，我會盡量參考近期的著作，因為對讀者而言，它們是認識學術文獻的最佳途徑。

為了不讓尾註過於繁瑣，我並未引用許多統計資料，以避免重複。對此，我仰賴兩個不可或缺的資料來源。首先是 Susan B. Carter、Scott Sigmund Gartner、Michael R. Haines、Alan L. Olmstead、Richard Sutch 和 Gavin Wright 共同編著的《美國歷史統計數據》（*Historical Statistics of the United States: Millennial Edition Online*），https://hsus.cambridge.org/HSUSWeb/toc/hsusHome.do。關於二十世紀與二十一世紀，我還參考了聖路易聯邦準備銀行經濟研究部公布的聯準會經濟數據，請見 https://fred.stlouisfed.org/。

of the Federal Reserve System (US), Currency in Circulation [CURRCIR], and Board of Governors of the Federal Reserve System (US), Commercial and Industrial Loans, All Commercial Banks [TOTCI], retrieved from FRED.

133 U.S. Bureau of Labor Statistics, Total Unemployed, Plus All Persons Marginally Attached to the Labor Force, Plus Total Employed Part Time for Economic Reasons, as a Percent of the Civilian Labor Force Plus All Persons Marginally Attached to the Labor Force (U-6) [U6RATE], retrieved from FRED.

134 Board of Governors of the Federal Reserve System (US), Assets: Total Assets: Total Assets (Less Eliminations from Consolidation): Wednesday Level [WALCL], retrieved from FRED.

for the United States (DISCONTINUED) [BPBLTT01USQ188S], retrieved from FRED.

119 Board of Governors of the Federal Reserve System (US), Effective Federal Funds Rate [FEDFUNDS], retrieved from FRED.

120 David H. Autor, David Dorn, and Gordon H. Hanson, "The China Shock: Learning from Labor-Market Adjustment to Large Changes in Trade," *Annual Review of Economics* 8 (2016): 225, figure 6a.

121 U.S. Bureau of Labor Statistics, Labor Force Participation Rate—Men [LNS11300001], retrieved from FRED.

122 Robert G. Valletta, "Recent Flattening in the Higher Education Wage Premium: Polarization, Skill Downgrading, or Both?," NBER Working Paper, no. 22935 (2016): 35, figure 1.

123 "Cutting Regulations with a Chain Saw" (2003), Federal Deposit Insurance Incorporation 2003 Annual Report.

124 Claudia Coulton, Kathryn W. Hexter, April Hirsh, Anne O'Shaughnessy, Francisca G. C. Richter, and Michael Schramm, "Facing the Foreclosure Crisis in Greater Cleveland: What Happened and How Communities are Responding," Urban Publications, paper 374 (2010).

125 Federal Deposit Insurance Corporation, RealityTrac Inc. S&P/Case-Shiller Home Price Index, retrieved from FRED.

126 "Las Vegas Area Subdivision Becomes Ghost Town" (2010) © David Becker/ZUMA Press.

127 Freddie Mac, 30-Year Fixed Rate Mortgage Average in the United States [MORTGAGE30US] and Federal Funds Target Rate (DISCONTINUED) [DFEDTAR], retrieved from FRED.

128 Federal Reserve Bank of St. Louis, TED Spread [TEDRATE], Board of Governors of the Federal Reserve System (US), 3-Month AA Financial Commercial Paper Rate [DCPF3M], and Federal Reserve Bank of St. Louis, Moody's Seasoned AAA Corporate Bond Yield Relative to Yield on 10-Year Treasury Constant Maturity [AAA10Y], retrieved from FRED.

129 Federal Funds Target Rate (DISCONTINUED) [DFEDTAR], retrieved from FRED.

130 Federal Reserve Bank of St. Louis, TED Spread [TEDRATE], Board of Governors of the Federal Reserve System (US), 3-Month AA Financial Commercial Paper Rate [DCPF3M], and Federal Reserve Bank of St. Louis, Moody's Seasoned AAA Corporate Bond Yield Relative to Yield on 10-Year Treasury Constant Maturity [AAA10Y], retrieved from FRED.

131 Paul Kiel and Dan Nguyen, "Bailout Tracker: Tracking Every Dollar and Every Recipient," ProPublica (2013), https://projects.propublica.org/bailout/list/simple.

132 Board of Governors of the Federal Reserve System (US), Assets: Total Assets: Total Assets (Less Eliminations from Consolidation): Wednesday Level [WALCL], Board of Governors

105 Economic Policy Institute Analysis of Unpublished Total Economy Productivity Data from Bureau of Labor Statistics (BLS) Labor Productivity and Costs Program, Wage Data from the BLS Current Employment Statistics, BLS Employment Cost Trends, BLS Consumer Price Index, and Bureau of Economic Analysis National Income and Product Accounts, https://www.epi.org/productivity-pay-gap/.

106 Federal Reserve Bank of St. Louis and U.S. Office of Management and Budget, Federal Surplus or Deficit [-] as Percent of Gross Domestic Product [FYFSGDA188S], retrieved from FRED.

107 Bernard Frize, *Drexel, Burnham, Lambert* (1987) © 2020 Artists Rights Society (ARS), New York / ADAGP, Paris.

108 World Bank, Stock Market Capitalization to GDP for United States [DDDM01USA156NWDB], retrieved from FRED.

109 U.S. Bureau of Economic Analysis, Shares of Gross Domestic Product: Gross Private Domestic Investment: Fixed Investment: Nonresidential [A008RE1Q156NBEA], retrieved from FRED.

110 World Bank, Stock Market Capitalization to GDP for United States [DDDM01USA156NWDB], retrieved from FRED.

111 Federal Reserve Bank of St. Louis and U.S. Office of Management and Budget, Federal Surplus or Deficit [-] as Percent of Gross Domestic Product [FYFSGDA188S], retrieved from FRED.

112 Board of Governors of the Federal Reserve System (US), 10-Year Treasury Constant Maturity Rate [DGS10], retrieved from FRED.

113 Organization for Economic Co-operation and Development, Total Current Account Balance for the United States (DISCONTINUED) [BPBLTT01USQ188S], retrieved from FRED.

114 Andreas Gursky, *Tokyo, Stock Exchange* (1990) © Andreas Gursky/courtesy Sprüth Magers/Artists Rights Society (ARS), New York.

115 NASDAQ OMX Group, NASDAQ Composite Index [NASDAQCOM], retrieved from FRED.

116 U.S. Bureau of Economic Analysis, Corporate Profits After Tax with Inventory Valuation Adjustment (IVA) and Capital Consumption Adjustment (CCAdj) [CPATAX], retrieved from FRED.

117 U.S. Bureau of Labor Statistics, Nonfarm Business Sector: Labor Share [PRS85006173], retrieved from FRED.

118 Organization for Economic Co-operation and Development, Total Current Account Balance

91 Economic Policy Institute Analysis of Unpublished Total Economy Productivity Data from Bureau of Labor Statistics (BLS) Labor Productivity and Costs Program, Wage Data from the BLS Current Employment Statistics, BLS Employment Cost Trends, BLS Consumer Price Index, and Bureau of Economic Analysis National Income and Product Accounts, https://www.epi.org/productivity-pay-gap/.

92 Gordon Matta-Clark, *Splitting 2 (Documentation of the action "Splitting" made in 1974 in New Jersey, United States). 1974, printed 1977* © 2020 Estate of Gordon Matta-Clark / Artists Rights Society (ARS), New York.

93 U.S. Bureau of Labor Statistics, Labor Force Participation Rate—Men [LNS11300001], retrieved from FRED.

94 U.S. Bureau of Economic Analysis, Real Gross Private Domestic Investment [GPDIC1], retrieved from FRED.

95 James Oakes, Michael McGerr, Jan Ellen Lewis, Nick Cullather, and Jeanne Boydston, *Of the People: A History of the United States, Volume II: Since 1945* (New York: Oxford University Press, 2011).

96 Philip Johnson, "Pennzoil Place" (1976), © Richard Payne, FAIA.

97 Board of Governors of the Federal Reserve System (US), Effective Federal Funds Rate [FEDFUNDS], retrieved from FRED.

98 University of Michigan, University of Michigan: Inflation Expectation [MICH], retrieved from FRED.

99 Board of Governors of the Federal Reserve System (US), Trade Weighted U.S. Dollar Index: Major Currencies, Goods (DISCONTINUED) [TWEXMMTH], retrieved from FRED.

100 U.S. Bureau of Economic Analysis, Balance on Current Account, NIPA's [NETFI], retrieved from FRED.

101 Richard Serra, *Carnegie* (1985) © 2020 Richard Serra / Artists Rights Society (ARS), New York.

102 "Laffer Curve Napkin" (1974), Division of Work and Industry, National Museum of American History, Smithsonian Institution.

103 U.S. Bureau of Economic Analysis, Shares of Gross Domestic Product: Gross Private Domestic Investment: Fixed Investment: Nonresidential [A008RE1Q156NBEA], retrieved from FRED.

104 U.S. Bureau of Economic Analysis, Shares of Gross Domestic Product: Personal Consumption Expenditures [DPCERE1Q156NBEA], retrieved from FRED.

75 "Interior view of Gruen's Northland Center" (1957), © Gruen Associates.

76 Victor Gruen, "The Suburban Labyrinth" (1973), © Gruen Associates.

77 Frank Gohlke, *Landscape, Los Angeles* (1974), Minneapolis Institute of Arts, MN, USA, Minneapolis Institute of Art/Gift of the Artist/Bridgeman Images.

78 Andy Warhol, *100 Cans* (1962) © 2020 The Andy Warhol Foundation for the Visual Arts, Inc./licensed by Artists Rights Society (ARS), New York.

79 Andy Warhol, *Eight Elvises* [Ferus Type] (1963) © 2020 The Andy Warhol Foundation for the Visual Arts, Inc./licensed by Artists Rights Society (ARS), New York.

80 Ed Ruscha, *Hope* (1972) © Ed Ruscha, courtesy of the artist and Gagosian.

81 "Think Small" (1959), © Volkswagen Aktiengesellschaft/Estate of Wingate Paine.

82 U.S. Bureau of Economic Analysis, Personal Consumption Expenditures [PCE], retrieved from FRED.

83 Organization for Economic Co-operation and Development, Consumer Opinion Surveys: Confidence Indicators: Composite Indicators: OECD Indicator for the United States [CSCICP03USM665S], retrieved from FRED.

84 Ed Ruscha, *Hope* (1998), Edward Ruscha, photo © Tate.

85 Federal Reserve Bank of St. Louis and U.S. Office of Management and Budget, Federal Surplus or Deficit [-] as Percent of Gross Domestic Product [FYFSGDA188S], retrieved from FRED.

86 Eero Saarinen, General Motors Technical Center, Warren, Michigan (c. 1946–56), Library of Congress, Prints & Photographs Division, Balthazar Korab Archive at the Library of Congress, [LC-DIG-krb-00107].

87 Eero Saarinen, Deere & Company Headquarters, Moline, Illinois (c. 1956–64), Library of Congress, Prints & Photographs Division, Balthazar Korab Archive at the Library of Congress, [LC-DIG-krb-00664].

88 Eero Saarinen, Deere & Company Headquarters, Moline, Illinois (c.1956–64), Library of Congress, Prints & Photographs Division, Balthazar Korab Archive at the Library of Congress, [LC-DIG-krb-00627].

89 *The Apartment* (1960), *The Apartment* © 1960 Metro-Goldwyn-Mayer Studios Inc. All Rights Reserved; courtesy of MGM Media Licensing.

90 Gordon Matta-Clark, *Days End Pier 52.3 (Documentation of the action "Day's End" made in 1975 in New York, United States)* © 2020 Estate of Gordon Matta-Clark/Artists Rights Society (ARS), New York.

Review, 98, no, 4 (2008): 1478, figure 1.

60 The Mapping History Project, James Mohr and John Nicols, eds., Department of History, University of Oregon (1997), https://mappinghistory.uoregon.edu/.

61 Seymour Fogel, *Industrial Life (mural study, old Social Security Building, Washington, DC)* (1941) © 2020 Estate of Seymour Fogel/licensed by VAGA at Artists Rights Society (ARS), NY; Smithsonian American Art Museum; transfer from the General Services Administration.

62 Walker Evans, *Alabama Tenant Farmer Wife (Allie Mae Burroughs)* (1936), The Metropolitan Museum of Art, Purchase, 2000 Benefit Fund, 2001 (2001.415); © Walker Evans Archive, The Metropolitan Museum of Art.

63 James Kilpatrick, *Battle of the Overpass, Ford Motor Co., U.A.W.* (1937), Detroit Institute of Arts, USA; gift of *The Detroit News*/Photo: © Detroit Institute of Arts, USA/Bridgeman Images.

64 Federal Reserve Bank of St. Louis and U.S. Office of Management and Budget, Federal Surplus or Deficit [-] as Percent of Gross Domestic Product [FYFSGDA188S], retrieved from FRED.

65 U.S. Bureau of Economic Analysis, Private Nonresidential Fixed Investment [PNFI], retrieved from FRED.

66 "B-24 Liberator Assembly Line at Ford Willow Run Bomber Plant" (c. 1944), from the Collections of The Henry Ford.

67 *Report on War Aid Furnished by the United States to the USSR* (Washington, D.C.: 1945).

68 "WWII, Hiroshima, Aftermath of Atomic Bomb" (1945), USAF/Science Source.

69 Daniel Immerwahr, *How to Hide an Empire: A History of the Greater United States* (New York: Farrar, Straus and Giroux, 2019), 344; Foreign bases, David Vine, www.basenation.us/maps; Domestic/territorial bases, www.data.gov.

70 Irwin, "Exports and imports," in Carter et al., eds., *Historical Statistics of the United States*.

71 "1960s Family of Four Seen from Behind Standing in Front of New Suburban House Holding Hands" (1960), photo by Camerique/ClassicStock/Getty Images.

72 Robert Adams, *Colorado Springs, CO* (1968) © Robert Adams, courtesy Fraenkel Gallery, San Francisco.

73 American Automobile Association, *The National System of Interstate and Defense Highways: As of June, 1958* (Washington, D.C.: 1958).

74 Victor Gruen Associates, "An architectural model of Gruen's Northland Center" (1954), © Gruen Associates.

Michigan; Bath, Maine; Bowling Green, Kentucky; Perkin, Illinois; Junction City, Kansas; and Boise, Idaho. Colin B. Burk, "Voluntary and Nonprofit Associations per Capita, by Region and Type of Association, and in Selected Cities: 1840–1990," in Carter et al., eds., *Historical Statistics of the United States*, table Bg1-14.

45 Michael R. Haines, "Wholesale Prices of Selected Commodities: 1784–1998," in Carter et al., eds. *Historical Statistics of the United States,* table Cc205-266

46 Meinig, *The Shaping of America,* vol. 3, 254, figure 48; 257, figure 51.

47 "Magneto Assembly at the Ford Highland Park Plant" (1913), from the Collections of The Henry Ford.

48 *Modern Times* (1936), Modern Times Copyright © Roy Export S.A.S.

49 "Ford Motor Company River Rouge Plant, Dearborn, Michigan" (1927), Library of Congress, Prints & Photographs Division, [LC-DIG-det-4a25915].

50 Katherine Dreier, "Machine-Age Exposition" (1927), Beinecke Rare Book and Manuscript Library, Yale University.

51 Paul Outerbridge, Jr., *Marmon Crankshaft* (1923), Paul Outerbridge, Jr. © 2020 G. Ray Hawkins Gallery, Beverly Hills, CA; The Art Institute of Chicago/Art Resource, NY.

52 Gerald Murphy, *Watch* (1925) © Estate of Honoria Murphy Donnelly/Licensed by VAGA at Artists Rights Society (ARS), NY; Gerald Murphy, *Watch,* 1925; oil on canvas; canvas dimensions: 78½ x 78⅞ in.; Dallas Museum of Art, Foundation for the Arts Collection, gift of the artist, 1963.75.FA.

53 Charles Sheeler, *Criss-Crossed Conveyors, River Rouge Plant, Ford Motor Company* (1927), from the Collections of The Henry Ford.

54 Charles Sheeler, *American Landscape* (1930), digital image © The Museum of Modern Art/ Licensed by SCALA/Art Resource, NY.

55 S&P Dow Jones Indices LLC, Dow Jones Industrial Average [DJIA], retrieved from FRED.

56 "29th October 1929.: Workers flood the streets in a panic following the Black Tuesday stock market crash on Wall Street, New York City" (1929), photo by Hulton Archive/Getty Images.

57 Edward Hopper, *Early Sunday Morning* (1930) © 2020 Heirs of Josephine N. Hopper/licensed by Artists Rights Society (ARS), NY; digital image © Whitney Museum of American Art/ licensed by Scala/Art Resource, NY.

58 John Steuart Curry, *Tornado Over Kansas* (1929), Hackley Picture Fund purchase, Muskegon Museum of Art, Muskegon, Michigan.

59 Gauti B. Eggertsson, "Great Expectations and the End of the Depression," *American Economic*

USZ62-63520].

32 D. W. Meinig, *The Shaping of America: A Geographical Perspective on 500 Years of History*, vol. 3, *Transcontinental America, 1850–1915* (New Haven, Conn.: Yale University Press, 1998), 241, figure 46.

33 "Man Standing on Crusted Sewage in Bubbly Creek" (1911), DN-0056839, *Chicago Sun-Times/Chicago Daily News* collection, Chicago History Museum.

34 Thomas Pollock Anshutz, *The Ironworkers' Noontime* (1880), Thomas Pollock Anshutz, American, 1851–1912, *The Ironworkers' Noontime,* 1880; oil on canvas; 17 x 23⅞ in. (43.2 x 60.6 cm); the Fine Arts Museums of San Francisco, gift of Mr. and Mrs. John D. Rockefeller 3rd, 1979.7.4.

35 "The Great Strike—The Sixth Maryland Regiment Fighting Its Way Through Baltimore" (1877), Library of Congress, Prints & Photographs Division, [LC-USZ62-99137].

36 "Damaged Track, Railroad Riots—Pennsylvania Railroad" (1877), Library of Congress, Prints & Photographs Division, [LC-USZ62-51617].

37 "The Great Strike—Blockade of Engines at Martinsburg, West Virginia" (1877), Library of Congress, Prints & Photographs Division, [LC-USZ62-125624].

38 Joshua L. Rosenbloom, "Work Stoppages, Workers Involved, Average Duration, and Person-Days Idle: 1881–1998," in Carter et al., eds., *Historical Statistics of the United States,* table Ba4954-4964.

39 Jacob Riis, *Knee-Pants at Forty-Five Cents a Dozen—A Ludlow Street Sweater's Shop* (1890), Jacob A. (Jacob August) Riis (1849–1914); Museum of the City of New York, 90.13.1.151.

40 Théobald Chartran, *Portrait of Helen Clay Frick* (1905), Frick Art & Historical Center, Pittsburgh.

41 John Singer Sargent, *Isabella Stewart Gardner* (1888), Isabella Stewart Gardner Museum, Boston.

42 John Singer Sargent, *The Daughters of Edward Darley Boit* (1882), photograph © [2021] Museum of Fine Arts, Boston.

43 Edward Steichen, *J. Pierpont Morgan, Esq.* (1903), image copyright © The Metropolitan Museum of Art; © 2020 The Estate of Edward Steichen/Artists Rights Society (ARS), New York: Art Resource, NY.

44 The twenty-one cities are: St. Louis; Boston; San Francisco; Milwaukee; Denver; Lowell, Massachusetts; Charleston; Des Moines; Portland, Oregon; Peoria, Illinois; Galveston; Little Rock; Burlington, Vermont; Brookline, Massachusetts; Leadville, Colorado; Adrian,

15 D. W. Meinig, *The Shaping of America: A Geographical Perspective on 500 Years of History*, vol. 2, *Continental America, 1800–1867* (New Haven, Conn.: Yale University Press, 1993), 290, figure 39.

16 Meinig, *The Shaping of America,* vol. 2, 294, figure 40.

17 John Neagle, *Pat Lyon at the Forge* (1827) © DeA Picture Library/Art Resource, NY; photograph © [2021] Museum of Fine Arts, Boston.

18 "Lacoste Plantation House, St. Bernard Parish, Louisiana" (1938), Library of Congress, Prints & Photographs Division, [LC-DIG-csas-01550].

19 Erastus Salisbury Field, *Joseph Moore and His Family* (1839), photograph © [2021] Museum of Fine Arts, Boston.

20 Catharine E. Beecher and Harriet Beecher Stowe, "Floor plan of first floor of home" (1873), Library of Congress, Prints & Photographs Division, [LC-USZ62-52891].

21 Meinig, *The Shaping of America,* vol. 2, 452, figure 77.

22 Meinig, *The Shaping of America,* vol. 2, 329, figure 46.

23 Charles W. Calomiris and Jonathan Pritchett, "Betting on Secession: Quantifying Political Events Surrounding Slavery and the Civil War," *American Economic Review* 106, no. 1 (2016): 13, figure 2.

24 Irwin, "Exports and imports," in Carter et al., eds., *Historical Statistics of the United States*.

25 Thomas Nast, *Jay Gould's Private Bowling Alley* (1882), Library of Congress, Prints & Photographs Division, [LC-DIG-ppmsca-28461].

26 Thomas Nast, *Justice in the Web* (1885), Library of Congress, Prints & Photographs Division, [LC-DIG-ppmsca-28216].

27 Christopher Cotter, "Railroad Defaults, Land Grants, and the Panic of 1873," mimeo (2015), 7, figure 2; 8, figure 3.

28 National Bureau of Economic Research, Index of the General Price Level for United States [M04051USM324NNBR], retrieved from FRED Economic Data, Economic Research Federal Reserve Bank of St. Louis.

29 Gavin Wright, "Mining, Energy, Fisheries, and Forestry," in Carter et al., eds,, *Historical Statistics of the United States*.

30 Christopher Jones, *Routes of Power: Energy and Modern America* (Cambridge, Mass.: Harvard University Press, 2014), 80, map 2.1.

31 "The Shoe & Leather Petroleum Company and the Foster Farm Oil Company, on lower Pioneer Run, Pa." (1895), Library of Congress, Prints & Photographs Division, [LC-

圖片來源

1 D. W. Meinig, *The Shaping of America: A Geographical Perspective on 500 Years of History*, vol. 1: *Atlantic America, 1492–1800* (New Haven, Conn.: Yale University Press, 1986), 209, figure 40.

2 Stephen John Hornsby and Michael Hermann, *British Atlantic, American Frontier: Spaces of Power in Early Modern British America* (Lebanon, N.H.: University Press of New England, 2005), 69, figure 2.20; 136, figure 4.6; 156, figure 4.18.

3 Kenneth J. Weiller and Philip Mirowski, "Rates of Interest in 18th Century England," *Explorations in Economic History* 27, no. 1 (1990): 6, figure 1.

4 Thomas Doughty, *In Nature's Wonderland* (1835), Detroit Institute of Arts, USA/Bridgeman Images.

6 作者繪圖。

5 Asher Brown Durand, *Progress—The Advance of Civilization* (1853), Virginia Museum of Fine Arts, Richmond; gift of an anonymous donor.

7 Douglas A. Irwin, "Exports of Selected Commodities: 1790–1989," in Susan B. Carter, Scott Sigmund Gartner, Michael R. Haines, Alan L. Olmstead, Richard Sutch, and Gavin Wright, eds., *Historical Statistics of the United States, Earliest Times to the Present: Millennial Edition* (New York: Cambridge University Press, 2006), table Ee569-589.

8 Meinig, *Shaping of America,* vol. 1, 226, figure 27; 233, figure 28.

9 George Caleb Bingham, *The Squatters* (1850), photograph © [2021] Museum of Fine Arts, Boston

10 Douglas A. Irwin, "Exports and Imports of Merchandise, Gold, and Silver: 1790–2002," in Carter et al., eds., *Historical Statistics of the United States,* table Ee362-375.

11 Meinig, *Shaping of America*, vol. 1, 365, figure 63.

12 作者繪圖。

13 Joseph Van Fenstermaker, *The Development of American Commercial Banking: 1782–1837* (Kent, Ohio: Kent State University, 1965), 66–7, table 10.

14 Richard Caton Woodville, *War News from Mexico* (1848), Crystal Bridges Museum of American Art, Bentonville, Arkansas, 2010.74; photography by Edward C. Robison III.

編輯說明

為方便讀者檢索與搜尋，《美式資本主義時代》書末所附的參考書目、註釋皆全數數位化，請掃描以下QR Code閱讀或下載：

SCAN ME

或洽「衛城出版」的Facebook、Instagram、Threads等社群平臺，會由專人服務協助，亦可直接來信至電子郵件信箱acropolisbeyond@gmail.com索取，謝謝。

若造成您的不便，敬請見諒。

衛城出版編輯部

Beyond 79

世界的啟迪

美式資本主義時代

商業帝國的誕生與經濟循環的死結（下）

Ages of American Capitalism: A History of the United States

作者	喬納森・利維（Jonathan Levy）
譯者	張馨方
審訂	鄭仲棠
副總編輯	洪仕翰
責任編輯	陳怡潔
校對	呂佳真
行銷總監	陳雅雯
行銷	張偉豪
封面設計	莊謹銘
排版	宸遠彩藝
出版	衛城出版／遠足文化事業股份有限公司
發行	遠足文化事業股份有限公司（讀書共和國出版集團）
地址	23141　新北市新店區民權路 108-3 號 8 樓
電話	02-22181417
傳真	02-22180727
客服專線	0800221029
法律顧問	華洋法律事務所蘇文生律師
印刷	呈靖彩藝有限公司
初版	2024 年 12 月
定價	1500 元（兩冊不分售）
ISBN	978-626-7376-86-7（全套） 9786267376836（EPUB） 9786267376959（PDF）

ACRO POLIS

衛城出版

Email　acropolismde@gmail.com

Facebook　www.facebook.com/acrolispublish

國家圖書館出版品預行編目(CIP)資料

美式資本主義時代：商業帝國的誕生與經濟循環的死結／喬納森．利維（Jonathan Levy）著；張馨方譯。初版。新北市：衛城出版，遠足文化事業股份有限公司，2024.12
共2冊；14.8x21公分（Beyond 79）
譯自：Ages of American capitalism : a history of the United States
ISBN 978-626-7376-84-3（上冊：平裝）
ISBN 978-626-7376-85-0（下冊：平裝）
ISBN 978-626-7376-86-7（全套：平裝）

1. 經濟史　2. 資本主義　3. 美國

550.952　113017107